CW00395139

Schon mit zehn Jahren wird die Markgräfin Barbara verheiratet. Rasch verwitwet und mit reichem Erbe, wird sie zum Unterpfand weiterer Heiratspläne ihrer ehrgeizigen Brüder. Aber als sie endlich ihr eigenes Leben führen will, sperren die Brüder sie ein. Ihre Spur verliert sich 1542.

2001, die Plassenburg in Franken: Der Kastellan Haubold macht einen rätselhaften Fund. Ein kostbares Kästchen aus dem 16. Jahrhundert, darin die Knöchelchen eines Kindes. Haubolds Forscherdrang lässt ihm keine Ruhe, er muss herausfinden, was sich hinter diesem Fund verbirgt. Und er entdeckt eine ungeheure Geschichte von Macht und Verrat, von einer mutigen Frau und ihrer großen Liebe, die nicht sein durfte. Er entdeckt Barbara, die Markgräfin.

Das Schicksal Barbaras entfaltet sich in der bewegten Zeit der Reformation in Deutschland. Die Markgräfin hat es wirklich gegeben. Dies ist ihre Geschichte.

»Anhand dieses Frauenschicksals erzählt die Historikerin Sabine Weigand einen ungemein spannenden Kriminal- und Frauenroman, der gleichzeitig auf unterhaltsame Weise in die Sitten, Gebräuche und Denkstrukturen des Mittelalters einführt.«
3 sat

Sabine Weigand stammt aus Franken. Sie ist Historikerin und arbeitet als Ausstellungsplanerin für Museen. Dokumente aus Nürnberg waren der Ausgangspunkt ihres Romans ›Das Perlenmedaillon‹, das wahre Schicksal einer Osmanin am Hof August des Starken liegt dem Roman ›Die Königsdame‹ zugrunde. In ›Die Seelen im Feuer‹ bilden die Hexenakten von Bamberg die historische Romanvorlage, bei ihrem ersten Roman ›Die Markgräfin‹ war es die reale Geschichte der Plassenburg bei Kulmbach, bei ›Die silberne Burg‹ die Bestallungsurkunde einer jüdischen Ärztin.

Weitere Informationen finden Sie auf www.fischerverlage.de

Sabine Weigand

Die Markgräfin

Roman

FISCHER Taschenbuch

Aus Verantwortung für die Umwelt hat sich der S. Fischer Verlag
zu einer nachhaltigen Buchproduktion verpflichtet. Der bewusste
Umgang mit unseren Ressourcen, der Schutz unseres Klimas und
der Natur gehören zu unseren obersten Unternehmenszielen.

Gemeinsam mit unseren Partnern und Lieferanten setzen wir uns
für eine klimaneutrale Buchproduktion ein, die den Erwerb von
Klimazertifikaten zur Kompensation des CO_2-Ausstoßes einschließt.

Weitere Informationen finden Sie unter:
www.klimaneutralerverlag.de

12. Auflage: August 2020

Erschienen bei FISCHER Taschenbuch
Frankfurt am Main, September 2005

Lizenzausgabe mit Genehmigung des Krüger Verlags,
eines Verlags der S. Fischer Verlag GmbH
© 2004 S. Fischer Verlag GmbH, Frankfurt am Main
Die Abbildung im Buch stammt vom
Stadtarchiv Nürnberg (Die Plassenburg und Kulmbach 1553)
Druck und Bindung: CPI books GmbH, Leck
Printed in Germany
ISBN 978-3-596-15935-2

ERSTES BUCH

Plassenburg, Dezember 2001

Missmutig stapfte der Kastellan durch den frisch gefallenen Schnee über den Schönen Hof. Die Aussicht auf morgendliche Schneeräumaktionen ließ seine Stimmung auf den Nullpunkt sinken, vor allem weil der Beamte von der Bayerischen Schlösserverwaltung ihm gerade eröffnet hatte, dass der beantragte Zuschuss für ein Spezialräumgerät heuer wieder nicht zu erwarten war. Jeden Winter das gleiche Spiel – Anträge, Formulare, Telefonate, und dann die Ablehnung.

Seit drei Jahren hatte Gregor Haubold nun das Amt des Kastellans auf der Plassenburg inne, und als leidenschaftlicher Heimathistoriker fühlte er sich auf der riesigen Festung wohl. Inzwischen kannte er jeden Gang und jedes verborgene Eckchen, wusste, wo der Putz bröckelte und wo bei starken Regenfällen das Wasser eindrang. Manchmal kam es ihm so vor, als ob er seit Jahrhunderten hier lebte und ein Teil des alten Gemäuers wäre. Dann stellte er sich vor, er sei herrschaftlicher Schlossvogt, und der Hof der Burg bevölkerte sich in seiner Phantasie mit geschäftig umherlaufender Dienerschaft, mit Bauern, die in Fronfuhren den Kraut- und Rübenzehnt ablieferten, mit Schweinen, Hühnern, Tauben und schwänzelnden Hunden.

Doch heute hatte Haubold keine Zeit für solche Gedanken. Vor der Tür an der Nordostecke des Schönen Hofes warteten bereits die zwei Handwerker. Der Kastellan kramte in seiner ausgebeulten Hosentasche nach dem Schlüsselbund und förderte ihn schließlich zusammen mit Bonbonpapierchen und einem Schokoriegel zutage. Haubold nickte den beiden zu und sperrte eine Zeit lang am rostigen Schloss herum, bis die alte Tür schließlich knarrend aufging.

»Da geht's rein. Vorsicht bei dem Türstock, der ist ziemlich niedrig. Und dann bitte hinter mir bleiben – die Treppe ist schon recht beschädigt.«

Haubold, mit seiner Größe von knapp zwei Metern und über 125 Kilogramm Lebendgewicht eine imposante Erscheinung, bückte sich mit einer Behändigkeit, die ihm niemand zugetraut hätte, und ging sicheren Schrittes voraus in die Kellergewölbe. Die Beleuchtung stammte noch aus der Zeit, als die Plassenburg als Zuchthaus diente, und spendete mit ihren nackten Glühlampen nur spärliches Licht. Die beiden Handwerker folgten dem Kastellan zögernd hinunter in die klammen und kalten Kellerräume unter den Markgrafengemächern.

»Da oben!«

Der Kastellan ließ den Strahl seiner Taschenlampe über einen großen feuchten Fleck an Decke und Außenwand gleiten.

»Hier verläuft die Wasserleitung von den Besuchertoiletten neben den Markgrafenzimmern herunter und dann weiter an der Mauer entlang in den tieferen Vorhofbereich. Wahrscheinlich ist das Rohr schon länger aufgefroren – ich kontrolliere den Keller hier nicht so häufig. Na ja, jedenfalls muss das hier dringend repariert werden, bevor uns der halbe Keller zusammenstürzt und die Schlösserverwaltung Ärger macht. Der Stein ist hier überall brüchig.«

Der ältere der beiden Handwerker seufzte und begutachtete den Wasserfleck.

»Da hilft nichts, wir müssen die Wand aufschlagen.«

Mit einem schicksalsergebenen »Also dann!« machte sich sein Gehilfe ans Werk und begann zu klopfen und zu hämmern, bis die Rohrleitung nach einigen Minuten sichtbar wurde. Die ganze Bescherung lag nun offen zutage.

»Kein Rohrbruch, Meister«, stellte der Handwerker fest, »Schauen Sie selber: Die Leitung ist von oben bis unten aufgerostet! Dazu brauchen wir länger!«

Haubold fluchte. Wenn die Leitung hier verrostet war, konnte man davon ausgehen, dass die zweite Wasserleitung, die von der Personaltoilette aus durch das Gewölbe führte, auch nicht viel besser aussah. Der Kastellan schnappte sich aus dem Werkzeugkasten Hammer und Meißel und machte sich ein Stück weiter an der Wand zu schaffen, um die zweite Leitung zu finden und zu kontrollieren. In Brusthöhe fing er zielstrebig an zu klopfen. Hier ungefähr musste die zweite Leitung verlaufen. Haubold schwante, dass er es nun nicht mehr bis zwölf Uhr in die Kastellanswohnung zum Mittagessen schaffen würde, was besonders ärgerlich war. Essenszeiten waren ihm heilig, und er versäumte nie ohne ernsthaften Grund eine Mahlzeit. Er schlug kräftiger zu und legte schnaufend einen Teil der zweiten Leitung frei. Dann kratzte er mit dem Meißel am Rohr entlang und leuchtete mit der Taschenlampe hin. Kein Rost. Gott sei Dank.

Sein Blick fiel auf die Schuttbrocken auf dem Boden. Mittendrin lag ein größeres Stück eines zerborstenen Mauersteins. Ohne recht zu wissen warum, bückte er sich mit einem angestrengten Quietscher, um den Stein aufzuheben. Er suchte nach der fehlenden Stelle in der Mauer und wollte den Stein in die Lücke hineindrücken, als ein weiteres kleines Stück aus der Mauer herausfiel. Haubold bemerkte, dass sich dahinter ein Hohlraum befand. Vergeblich versuchte er, mit der Taschenlampe hineinzuleuchten – das Loch war zu klein. Er schob mühsam eine Hand in den Hohlraum und fingerte vorsichtig darin herum. Was er fühlte, waren kleine Steinchen, etwas Glattes, Rundliches und diverse kleinere und größere Teilchen.

Das Erste, was Haubold dann herauszog, war ein flaches, eckiges Stückchen. Er blies es vom Staub frei und versuchte es notdürftig zu säubern. Beim Ankratzen mit dem Daumennagel erwies sich das Material als hart und irgendwie glatt, jedenfalls war es kein Holz, auch kein Stein, eher Metall. Vergessen waren das Mittagessen und der Wasserschaden – Haubolds Forschergeist war geweckt. Nachdem kein Pinsel für eine sachgemäße Reinigung des Teilchens zur Hand war, zog der Kastellan ein altväterliches Herrentaschentuch mit deutlichen Gebrauchsspuren aus der Gesäßtasche, spuckte auf das Metallteil (im Gegensatz zu führenden Wissenschaftlern sah er Speichel durchaus nicht als konservatorische Todsünde an) und putzte das Ding mit aller Sorgfalt.

Was er sah, ließ ihn innerlich frohlocken: ein winziges Metallscharnier! Und nicht etwa ein einfaches Scharnier, nein, er hielt da ein aufwendig gearbeitetes Teil in der Hand, das florale Muster in feinster Ziselierung aufwies. Haubold schob seine schon reichlich verkratzte Hand noch einmal in das Loch und ergriff ein paar undefinierbare Kleinteile. Er blies, reinigte und ordnete die Teilchen, überlegte und folgerte schließlich enttäuscht, dass es sich lediglich um die Knöchelchen einer Tierpfote handelte. Aber wie, so fragte sich Haubold, war das Tier in das Mauerloch gelangt? Ging ein größerer Riss durch die Außenwand, sodass ein Marder oder ein anderes Kleintier von draußen hereinkommen und hier wie in einer Höhle Unterschlupf finden konnte? Der Kastellan sah schon in düsteren Vorahnungen Restaurierungsmaßnahmen an der Außenmauer auf sich zukommen. Andererseits, was hatte ein antikes Metallscharnier in einer Tierhöhle zu suchen?

Er griff noch einmal zu Hammer und Meißel und erweiterte das Mauerloch. Vorsichtig setzte er die Werkzeuge ein, um nichts zu zerstören, und löste noch drei, vier Brocken aus der Wand. Nun konnte er in das Loch hineinleuchten. Im Licht der Taschenlampe sah er, dass es sich um einen engen Hohlraum handelte, mit irgendwelchem Abraum darin, alles staubig und grau. Außerdem lag da noch etwas Größeres, Kugeliges, das er vorhin schon gefühlt hatte. Er zog die Lampe zurück und griff wieder mit der Hand in das Loch. Seine Finger schlossen sich um das rundliche Ding. Es passte zusammen mit seiner Hand gerade noch durch die erweiterte Öffnung. Nachdenklich betrachtete der Kastellan das geborgene Teil, drehte und wendete es. Das musste eine kleine knöcherne Hirnschale sein. Haubold langte noch einmal in die Höhlung und tastete nach der Kinnlade des Tieres. Er versuchte, nach spitzen Zähnchen zu fühlen, fand aber nichts. Schließlich zog er ein Knochenstückchen mit heraus, bei dem er die Krümmung eines Kieferknochens zu spüren glaubte. Er öffnete die Hand, und tatsächlich, da war der kleine Unterkiefer. Der Kastellan schüttelte den Kopf. Der Kiefer lief nicht so spitz zu, wie er es bei einem Tier erwartet hätte. Und er war völlig zahnlos. Was war das bloß für ein komisches Vieh? Haubold fingerte unschlüssig an den Knochenteilen herum und besah sie sich noch einmal von allen Seiten. Er hielt die beiden Stücke aneinander. Und plötzlich fiel es ihm wie Schuppen von den Augen. Dies war kein Tierschädel! Der Schreck fuhr ihm so in die Glieder, dass er beinahe alles fallen gelassen hätte. Es lief ihm kalt über den Rücken. Das hier war, nach allem, was er wusste, die verkleinerte Ausgabe eines menschlichen Schädels – Allmächtiger, er hatte gerade den Schädel und die winzige Hand eines Kindes entdeckt.

Der Kastellan wurde blass. Er stürmte los, lief keuchend an den verdutzten Klempnern vorbei die Treppe hoch und rannte, so schnell es seine zweieinhalb Zentner erlaubten, quer über den

Schlosshof. Schwer atmend erreichte er den Kassenbereich des Zinnfigurenmuseums. Als er nach dem Telefonhörer greifen wollte, merkte er, dass er immer noch die beiden Teile des Kinderschädels in der Hand hatte. Er legte alles vorsichtig auf den Kassentisch und wählte die Nummer der Bayerischen Schlösserverwaltung.

Ansbach, September 1525

Hoch erhobenen Hauptes schritt die kleine Markgräfin über den mit Stroh bedeckten Boden des Saales. Es raschelte, als ihre Röcke über die Halme streiften. Man hatte sie für diesen besonderen Tag in Staatsgarderobe gekleidet – sie trug ein schweres perlenbesticktes Brokatkleid, das bis zum Boden reichte, und das zierliche Häubchen der unvermählten Jungfrauen, aus der das dunkle Haar vom Hinterkopf in dicken Flechten herabfiel. Das Gehen fiel ihr schwer, steckten ihre Füße doch heute zum ersten Mal in den modischen breiten Hornschuhen. Aber der Bedeutung des Tages bewusst, gab sich die Achtjährige größte Mühe, nicht zu stolpern.

Sie war keine Schönheit: Ihr Teint war zu dunkel, ihre Brauen zu dicht, ihr Mund zu groß, ihr Haar zu schwarz. Aber die Pocken hatten ihr Gesicht noch nicht entstellt wie das ihrer älteren Schwester, ihre Haut war glatt und weich wie Samt. Ihr schlanker Hals bog sich in sanftem Schwung und schien fast zu zart, um das schwere Haar zu tragen. Sie bewegte sich anmutig und leicht, in ihrer Gestik kündigte sich schon jetzt eine jungmädchenhafte Grazie an. Die eigenartig hellgrauen Augen blickten ernst, wie man es von der Tochter eines bedeutenden Reichsfürsten erwarten konnte. Für Kinderspiele war kein Platz in der Erziehung einer Markgrafentochter.

Am Ende des Raumes saßen der Markgraf Friedrich von Brandenburg-Ansbach und seine Frau Sophia auf zwei schweren, geschnitzten Stühlen, daneben ein älterer Mann in fremdartiger Tracht.

»Da wäre das Kind nun also«, sprach der Markgraf und bedeutete dem Mädchen, näher zu kommen. »Euer Liebden werden bemerken, dass sie ordentlich gewachsen und nicht hässlich ist, wie ich Eurem herzoglichen Vetter nach Schlesien geschrieben habe. Ein wohlerzogenes Kind, höflich und säuberlich. Sie kann lesen und schreiben, mit Nadel und Faden umgehen und ist im christlichen Glauben gut unterwiesen.«

Der Gesandte, ein weitläufiger Verwandter des letzten Herzogs von Groß-Glogau und Crossen, nickte zufrieden und antwortete: »Ein ansehnliches Mädchen fürwahr, Euer Gnaden – und ihre Gesundheit steht ja wohl außer Frage?«

»Wenn sie ihrer Frau Mutter nachschlägt«, und damit wandte sich der Markgraf verschmitzt an seine Ehefrau, die ihm bereits sechs Kinder geboren hatte, von denen allerdings zwei kurz nach der Geburt gestorben waren, »so dürfte der Nachwuchs des Herzogshauses zahlreich werden, so Gott will. Und natürlich sofern der Herzog will.« Der Markgraf lachte, dass sein Bauch bebte.

Die kleine Markgräfin stand stolz vor ihrem Begutachter. Sie war die erste der markgräflichen Töchter, für die man einen Antrag erhalten hatte, und sie wollte sich ihrer Familie wohl würdig erweisen. Also tat sie, wie man ihr eingeschärft hatte: Sie machte einen tiefen Knicks, hielt die Augen auf den Boden gerichtet und sagte gar nichts. Die Markgräfinmutter, eine ehemals ungarische Prinzessin, erhob sich von ihrem Polster, nahm das Kind bei der Hand und führte es zum herzoglich-glogauischen Gesandten.

»Gott zum Gruß zuvor, Euer kleine Liebden, von meinem Herrn und Anverwandten, dem Herzog von Groß-Glogau und Crossen. Solch ein Fräulein von Anmut und Schönheit wie Euch habe ich nicht erwartet«, schmeichelte der Gesandte.

Das Kind sprach mit erstaunlich dunkler Stimme und ernsten Augen.

»Dank für den Gruß, hoher Herr, und willkommen zu Ansbach auch von mir.«

»Ihr hört, sie spricht vernünftig, und ist auch kein Fehl an ihrer jungfräulichen Bildung – dafür bürgt mein Wort«, wandte sich der Markgraf an seinen Besucher. Gleichzeitig wedelte er mit der linken Hand und entließ damit seine Tochter, ohne sie noch eines Blickes zu würdigen. Das Mädchen drehte sich vorsichtig um, warf die Fülle des Kleides mit einer etwas ungeschickten Bewegung und einem

Schlenker ihrer Hüfte hinter sich und schritt langsam, um nur ja nicht zu stolpern, wieder durch die Tür hinaus.

Damit war die Hochzeit zwischen Barbara, Markgräfin von Brandenburg-Ansbach, und Heinrich, dem letzten Herzog von Groß-Glogau, beschlossene Sache.

Kaum hatte sich die Saaltür hinter Barbara geschlossen, raffte sie die Röcke, entledigte sich mit zwei schwungvollen Tritten der unbequemen Schuhe und rannte wieselgeschwind ins Frauenzimmer.

»Dicke Martsch, dicke Martsch, ich glaub, er nimmt mich!«, schrie sie ihrer Amme zu und warf sich in deren ausgestreckte Arme. »Ich gehe bald fort und werde Herzogin!«

»Ach du mein Gott, Bärbelchen«, lachte die Martschin, die ins Wanken geraten war, »wo hast du deine Schuhe gelassen? Na, freu dich nur und vergiss deine alte Martsch nicht, wenn du erst einmal bei deinem schlesischen Herzog bist!«

Barbaras Augen weiteten sich.

»Du kommst nicht mit? Aber ich will nicht allein dahin! Dann geh ich nicht!«

»Das können Euer Liebden gar nicht entscheiden.« Die Markgräfin war in die Stube getreten. »Dein Vater und ich sorgen schon für alles. Du wirst herzogliche Gemahlin in Schlesien, das ist besser, als wir es je für dich erwartet haben, Barbara. Eine mehr als standesgemäße Verbindung, die auch noch politisch für das Haus Zollern bedeutsam ist.«

Die Markgräfin sah ihre Tochter zufrieden an.

»Dein Vater, der Markgraf, ist hocherfreut. Du hast dich recht gut gehalten vorhin.«

Zum ersten Mal wurde Barbara klar, dass die Hochzeit ihren Abschied aus Ansbach bedeutete, den Abschied von allem, was ihr lieb und vertraut war. Die Ungewissheit darüber, was ihr in der neuen Hofhaltung in Schlesien begegnen könnte, ließ sie nachdenklich werden. Würde man dort freundlich zu ihr sein? Welche Dienerinnen würde man ihr zuordnen? Und der Herzog, ihr zukünftiger Ehemann, würde er sie gut behandeln? Überhaupt, sie hatte gehört, man sprach in diesem Schlesien ganz anders!

Ihr Leben hatte sich bisher im ansbachischen Frauenzimmer abgespielt, zusammen mit ihren beiden Schwestern, den Hofdamen, dem kleinen Bruder Albrecht und natürlich der dicken Martsch, die das Kind wie eine Mutter liebte. Außer dem Beichtvater, dem Stubenheizer, den Schneidern und einem Kammerknecht hatten Männer hier keinen Zutritt. Es war eine abgeschirmte, heile kleine Welt, in der Barbara aufgewachsen war, und die Tage vergingen mit Handarbeiten, Geschichtenerzählen, Spaziergängen, Gebeten und Unterricht. Aus diesem ausschließlich den Frauen vorbehaltenen, streng geordneten Dasein sollte sie jetzt plötzlich ins Unbekannte hinaus. Dabei war sie bisher ohne die Aufsicht ihrer Kinderfrau nicht einmal bis in den Hofgarten gekommen. Barbara spürte, wie sich ein Kloß in ihrem Hals bildete. Sie schaute ihrer Mutter nach, wie diese wortlos das Zimmer wieder verließ. Die Freude war ihr vergangen.

Herzogtum Groß-Glogau-Crossen, Schlesien, Mai 1527

Es war Frühling, das erste Grün schimmerte an den Bäumen, und es regnete. Die sechs Einrosser, allesamt aus fränkischem Adel, die für den Schutz der Markgräfin abgestellt waren, ritten mit eingezogenen Köpfen triefend und frierend voraus durch den Hohlweg. Hinter ihnen rollte langsam der Wagen mit dem markgräflich-ansbachischen Wappen. Der Kutscher auf dem Bock hatte eine schwere Decke umgeschlagen und lenkte die beiden Kaltblüter mit straffen Zügeln. Danach folgte die berittene Dienerschaft. Den Schluss des Zuges bildete ein einfacher Karren, der mit Truhen, Fässern und allerlei Tand beladen war.

Neun Tage waren sie nun unterwegs. Die Grenzen des Herzogtums Ansbach hatten sie am dritten Tag erreicht und überschritten; jetzt ging es auf Glogau zu.

Im Wagen saß die nunmehr zehnjährige Barbara von Brandenburg-Ansbach, die jetzt, nach fast zweijährigen Verhandlungen um Mitgift und Heiratskonditionen, ihrem Bräutigam zugeführt wurde. Während sie nun 5000 Gulden mit in die Ehe brachte, wurden ihr im Gegenzug dafür Schloss und Stadt Glogau als Leibgeding und ihren Nachkommen die Nachfolge des Herzogs in der Regentschaft des Landes garantiert.

Das Kind schlug den Lederlappen zurück, der vor dem Fensterloch hing, und steckte die Nase in den Regen hinaus. »Ich glaube, der Wald hört gar nicht mehr auf«, seufzte es und ließ das Leder wieder fallen.

»Ob es in Glogau wohl auch Wiesen gibt und Felder wie daheim?«

»Bestimmt, Euer Liebden«, erwiderte eine der beiden Frauen, die der kleinen Markgräfin in der Kutsche gegenübersaßen. »Am besten, Ihr schlaft ein bisschen, dann vergeht die Zeit schneller.«

Gehorsam lehnte sich Barbara in eine Ecke und schloss die Augen, aber trotz der Dunkelheit im Wagen war es gar nicht so einfach einzuschlafen, denn die Kutsche holperte und rüttelte, dass es ihren Rücken heftig gegen die hölzerne Hinterwand schlug. Und ihr gingen so viele Gedanken durch den Kopf. Die anfängliche Schwermut und der Trennungsschmerz von allem, was ihr in Ansbach lieb gewesen war, hatten inzwischen nachgelassen, aber geblieben waren Angst und Unsicherheit. Was war der Herzog wohl für ein Mann? Wie sah er aus? Würde er gut zu ihr sein? Ein ganz fremder Hofstaat wartete auf sie, neue Aufgaben, die sie nicht kannte. Ob man sie wohl froh als neue Herrin begrüßen würde? Sie jedenfalls wollte sich Mühe geben, alles richtig zu machen. Wenn nur die Martsch mit dabei wäre – die könnte helfen und raten. Aber sie war ganz allein, und sie fühlte sich immer einsamer, je näher Glogau rückte. Über all diesen Überlegungen schlief sie endlich ein, ein verlorenes Vögelchen, das man aus dem Nest geworfen hatte.

Die beiden Frauen, die Barbara gegenüber auf der Bank saßen, unterhielten sich leise. Sie waren beide Hofdamen der markgräflichen Mutter und sollten das Kind bis Glogau begleiten.

»Also, mir tut die Kleine Leid«, flüsterte die Jüngere, ein Fräulein von Flachslanden, und zog ihren Umhang fester.

»Sie hätten ihr wenigstens die Martsch mitgeben sollen. Das arme Ding hat ja die ersten zwei Tage nur gegreint.«

Die ältere Hofdame, Anna von Beulwitz, nickte nachdenklich.

»Sie wird wohl auch nicht glücklicher sein, wenn sie den Herzog sieht – es heißt, er sei schon alt und ohne Haare und Zähne.«

Die Beulwitzin kratzte sich am Kopf, suchte mit den Fingern und zerdrückte einen Floh.

»Auf der Reise gibt's immer weniger Geziefer als daheim. Ich weiß schon, warum ich so gern auf Fahrt gehe.«

Die Ärmste zog das Ungeziefer an wie der Honig die Fliegen. Unter allen Hofdamen hatte sie die meisten Bisse zu verzeichnen. Wer bei ihr im Zimmer oder im gleichen Bett schlief, blieb meistens verschont von Flöhen, Läusen und Wanzen, weshalb sie eine beliebte Schlafgenossin war und oft das Privileg genoss, im Markgräfinnenbett zu nächtigen.

»Gestern im Kloster, wo wir übernachtet haben, gab's fast gar keines von diesen Höllenviechern. Ich möchte wissen, wie die das machen.«

Doch bevor die Beulwitzin noch tiefere Betrachtungen über das allgegenwärtige Ungeziefer anstellen konnte, blieb die Kutsche stehen. Draußen ertönten Stimmen.

Es war ein Trupp herzoglich-glogauischer Reiter, die der zukünftigen Landesherrin entgegengeschickt worden waren. Die Ritter vom Adel grüßten sich. Ihr Anführer, bei dem es sich um den gleichen Gesandten handelte, der schon Barbaras Verheiratung eingefädelt hatte, öffnete den Schlag der Damenkutsche.

»Gottes Gruß und den meines Herrn, Euer Liebden.«

Während er sprach, tropfte ihm das Regenwasser von Kinn und Nase.

»Wir sind glücklich, dass Ihr gesund im Land angekommen seid. Bis Glogau sind es nur noch vier Stunden, und wenn wir gut vorwärts kommen, sind wir vor der Nacht da.«

»Lieber Vetter, ich danke Euch für die Begleitung. Ich bin froh, bald in Glogau zu sein. Nach so vielen Tagen Fahrt tut mir der Hintern schon recht weh«, antwortete Barbara artig.

Der Gesandte grinste und gab den Befehl zum Weiterreiten. Langsam setzte sich der Zug wieder in Bewegung und folgte den tiefen Rinnen des Fahrwegs auf Glogau zu.

Sie erreichten die fürstliche Residenz erst in tiefer Nacht. Immer noch goss es in Strömen. Ein Achsbruch des Karrens, der die Mitgift der Markgräfin transportierte, hatte den Zug aufgehalten, und dann war auch noch die Kutsche in einem Schlammloch stecken geblieben. Jetzt war vom Glogauer Schloss fast nichts mehr zu erkennen. Die Flügel des großen Tores öffneten sich, und die Wagen mit ihrer Begleitmannschaft rollten über das Pflaster in den dunklen Hof. Diener rannten mit Fackeln heran, alles schrie durcheinander.

Die kleine Markgräfin öffnete die Kutschentür, und noch bevor sie einen Fuß auf den Boden setzen konnte, wurde sie von einem der schlesischen Ritter auf die Arme genommen und durch den Regen über den Hof getragen. Die beiden Hofdamen folgten eilig mit gerafften Röcken über das glitschige Pflaster. Barbara war die Nähe des Mannes unangenehm. Noch nie hatte sie einer so angefasst. Er roch schlecht und hielt sie so fest, dass sie sich gar nicht wehren konnte, selbst wenn sie sich getraut hätte. »Vielleicht werden zu Glogau die Damen immer getragen«, überlegte sie, während ihr die Regentropfen das Haar durchnässten und in den Kragen liefen.

Auch drinnen war es feucht und klamm und roch muffig nach Urin. Im Saal, wohin man Barbara und ihre Damen geführt hatte, brannten nur zwei Kohlebecken und wenige Wandfackeln. Das Holzfeuer im riesigen Kamin an der Stirnseite des Raumes war schon längst gelöscht, Tische und Bänke in Reih und Glied aufgeräumt. Die Motive der Wandteppiche waren im Fackelschein nicht zu erkennen, nur die dazwischen angebrachten Waffen – Schwerter und Spieße – blitzten manchmal auf, wenn sich ein züngelndes Flämmchen spiegelte. Die Fenster waren mit schweren Vorhängen verhängt. Die Frauen warteten, und unter ihren Röcken bildeten sich kleine Pfützen vom Regenwasser.

Aus einer Seitentür trat endlich ein aufgeregtes kleines Männlein, wie sich herausstellen sollte, der Schlossvogt. Er machte mit fast komischer Ernsthaftigkeit eine tiefe Reverenz vor den tropfnassen Damen und entschuldigte sich für den missglückten Empfang. Man habe gerechnet, dass der markgräfliche Zug wegen des schlechten

Wetters noch die Nacht im drei Stunden entfernten Nonnenkloster zubringen würde. Deshalb habe sich der Herzog schon zur Nacht begeben und mit ihm die ganze Haushaltung.

»Ich werde Euer Liebden sogleich ins Frauenzimmer geleiten lassen«, sprach der Vogt beflissen, »dort könnt Ihr Euch trocknen. Ich schicke auch nach dem Herrenkoch, damit er Euch noch eine Nachtmahlzeit richtet.«

Zum Frauenzimmer gehörten ein größerer und drei kleinere Räume mit großzügigen Fensternischen zum Hof. Die Öffnungen waren mit teuren grünlichen Butzenscheiben verschlossen und nicht nur mit gegerbten Häuten wie in den gewöhnlichen Gemächern. An den Wänden hingen kostbare niederländische Wandteppiche in bunten Farben, die nach der neuesten Mode gewebt waren. Und auf dem Fußboden des größten Raumes lagen ebenfalls Webteppiche statt der üblichen Strohschüttung – das Äußerste an Luxus und Gemütlichkeit. Der einzige Kamin des Frauenzimmers war gerade geschürt worden und das Feuer begann aufzublaken. Barbara war trotz ihrer Erschöpfung freudig beeindruckt. Der finstere Saal war ihr unheimlich vorgekommen, aber hier empfand sie sofort eine wohlige Geborgenheit. Neugierig begann sie, sich in ihrem zukünftigen Domizil umzusehen.

»So schön! Und schaut nur, Frau Anna, ein eigenes heimliches Gemach! In Ansbach haben wir immer den Nachtscherben benutzen müssen.«

Das Frauenzimmer hatte tatsächlich einen eigenen Abort – einen kleinen Holzverschlag, der auf zwei vorkrängenden Außenbalken ruhte und mit einem hölzernen Lochsitz versehen war. Solch ein heimliches Gemach gab es sonst nur noch im herzoglichen Wohnbereich und in der Vogtswohnung. Für alle anderen Schlossbewohner waren irgendwelche Ecken und Nischen gut genug, um ihre Notdurft zu verrichten. Der Abort im Frauenzimmer bedeutete einen enormen Gewinn an Bequemlichkeit, sorgte er doch für frischere Luft und weniger Fliegen und Ungeziefer.

Barbara begutachtete fröhlich die Betten, die in den drei kleineren Zimmern standen. Sie puffte gegen die Matratzen, die frisch mit Stroh und Häcksel gefüllt waren und nach Scheune dufteten. In jeder Bettstatt lagen zwei Laken aus gestreiftem Londoner Tuch, mehrere weiche Federkissen und zwei Deckbetten, außerdem ein Pfulm, der den Rücken stützte, um das Schlafen in halb sitzender Stellung bequemer zu machen. Zwei der markgräflichen Aussteuertruhen standen bereits in einem der Zimmer, daneben ein Scherenstuhl und ein Tischchen mit einem Kerzenleuchter.

Es klopfte. Ein Küchendiener trug ein Tablett mit Brot, Käse und kaltem Fleisch, dazu ein Töpfchen mit Zwetschgenlatwerge und einige kandierte Früchte ins Zimmer. Kurz darauf brachte man aus dem Keller einen Krug heißen Weins, der mit Honig, Alant, Muskat und Zimt aromatisiert war. Schnell zogen das Kind und die beiden Frauen ihre klammen Reisekleider aus und wickelten sich in bereitgelegte Tücher und Decken. Dann ließen sie sich vor dem Kamin nieder und langten hungrig zu.

»Seht nur, hier gibt's auch Latwerge!«

Die kleine Markgräfin liebte zu Mus zerdrücktes und mit Honig dick eingekochtes Obst. Sie langte mit dem Finger ins Töpfchen und schleckte ihn genüsslich ab.

»Das Brot ist dunkler als bei uns«, bemerkte die von Flachslanden, »und es schmeckt süßer, mein ich. Na, Euer Liebden werden sich schon gewöhnen. Schmeckt Euch der Käse? Wenn Ihr zu viel vom Zwetschgenmus esst, bekommt Ihr wieder Bauchweh, Liebden, das wisst Ihr doch. Wir wollen doch nicht gleich in der ersten Nacht den Durchfall bekommen. Und nehmt nicht zu viel vom Würzwein, das macht schlechte Träume.«

Barbara holte sich ungerührt von dem Geplapper mit den Fingern einen Brocken Fleisch vom Tablett, brach dann ein Stück Brot ab und tunkte es in die Latwerge.

Bis die drei gesättigt waren, ging es auf Mitternacht zu. Da klopfte es erneut an die Frauenzimmerpforte. Die Beulwitzin öffnete. Draußen stand ein Junge mit einem Bündel.

»Das hier ist für die neue gnädige Frau«, sagte er, bückte sich und setzte das kleine Knäuel auf dem Teppich ab. Sofort schoss ein wolliges, felliges Etwas hervor und wuselte japsend und fiepend um die verdutzte Beulwitzin herum.

»Ein Hündchen! Es ist ein Hündchen für mich!«, rief Barbara glücklich. »Schaut bloß, es hat auf den Teppich gepieselt!«

Das Kind grapschte den aufgeregten Welpen und drückte das Tier an die Brust.

»Noch mehr Flöhe!«, meinte die Beulwitzin griesgrämig und kratzte sich schon im Geiste.

Das Kind lachte begeistert. »Ich werd ihn Bless nennen, wegen des weißen Flecks über der Nase. Und er muss in meinem Bett schlafen. Morgen können wir ihm ein Halsband knüpfen und ein Glöckchen dran machen.«

Es dauerte eine Weile, bis die Hofdamen Barbara so weit brachten, sich schlafen zu legen. Nachdem sich die Beulwitzin geweigert hatte, zusammen mit dem Hund in einem Bett zu schlafen, legte sich das Fräulein von Flachslanden zu Barbara ins Fürstenbett. Das Kind hielt selig das pummelige braune Hündchen im Arm, und noch bevor die von Beulwitz im Nebenzimmer zu schnarchen anfing, war die zukünftige Herzogin von Groß-Glogau und Crossen fest eingeschlafen.

Universität Erlangen, Dezember 2001

Professor Walter Habermann vom Erlanger Lehrstuhl für Gerichtsmedizin saß im Konservierungsraum 2 des Instituts in der Glückstraße. Eigentlich wollte er an diesem Tag die Klausur für sein Hauptseminar über Wirkung und Nachweisbarkeit von Nervengiften vorbereiten, aber als sich der Kastellan der Plassenburg bei ihm angemeldet hatte, war er nur allzu gern zu einem Gespräch bereit gewesen – schließlich hatte er mit Haubolds Vater gemeinsam die Schulbank gedrückt und Gregor noch als Kind gekannt.

»Also, mein Lieber, dann zeig mal, was du für mich hast.«

Er holte umständlich seine Brille aus dem Etui. Haubold griff zu der Schachtel, die er vorsichtig auf den Präparationstisch gestellt hatte, und hob den Deckel ab. Darunter kamen in lauter kleine Tütchen verpackte Knöchelchen zum Vorschein, desgleichen ein Schädel mit aufgepinselter Nummer. Außerdem förderte der Kastellan noch einen Packen Fotos und eine Jurismappe mit Unterlagen zutage. Die meisten Fotos zeigten ein vollständiges Kinderskelett, von verschiedenen Seiten her aufgenommen und unterschiedlich vergrößert, außerdem zwei kleine Metallscharniere, vier schmale Beschläge und die Teile eines Schlosses.

»Das hier stammt alles aus einem Mauerloch im Untergeschoss der Kulmbacher Plassenburg«, begann Haubold und legte dabei die Fotos säuberlich auf der Tischplatte aus. »Es handelt sich ganz offensichtlich um ein menschliches Skelett, das in einer kleinen, stoffgefütterten Holztruhe lag und dort eingemauert wurde.«

»So, so«, meinte Habermann interessiert und sah sich die Aufnahmen an.

»Ich war schon im Labor der Ur- und Frühgeschichte bei Ihrem Kollegen Schreiber«, fuhr der Kastellan fort. »Ihm zufolge lässt sich das Alter des Skeletts auf zirka vier- bis fünfhundert Jahre schätzen. Was uns, das heißt die Bayerische Schlösserverwaltung und mich, jetzt von Ihnen interessiert, ist die etwaige Todesursache und vielleicht noch das Alter des Kindes und was Ihnen vielleicht sonst noch auffällt.«

»Muss ja richtig spannend für dich sein, wie? Ein Kinder- oder, sagen wir mal, der Größe nach ein Kleinkinderskelett, eingeschlossen in einer Truhe und auch noch im Keller einer Burg eingemauert, das klingt ja fast wie ein echtes Gruselmärchen. Gott sei Dank dürfte der Fall inzwischen verjährt sein!«

Habermann schmunzelte und holte die Tütchen mit den nummerierten Skelettteilen aus der Schachtel. Sorgfältig legte er die Knöchelchen auf dem Tisch aus und ordnete sie. »Fällt dir an dem Schädel was auf?«

Haubold zuckte mit den Schultern. »Wieso?«

»Weil keine Zähne da sind. Noch nicht einmal ein Milchzahnansatz. Das hier ist der Schädel eines Säuglings. Das Kind war vermutlich keine drei Monate alt, winzig wie das Knochengerüst ist. Und die Fontanelle, siehst du? Sie schließt sich normalerweise innerhalb des ersten Lebensjahres. Und hier ist sie noch ziemlich weit offen. Ich glaube, das war ein neugeborenes Kind, höchstens ein paar Wochen alt.«

»Sehen Sie irgendetwas, das auf einen gewaltsamen Tod schließen lässt?«, fragte Haubold.

»Tja, auf den ersten Blick nicht«, erwiderte der Professor und breitete sämtliche Knöchelchen vor sich auf dem Schreibtisch aus. »Der Schädel ist intakt, und soweit ich sehe, ist das Skelett vollständig. Keine Brüche oder sonstige erkennbare Spuren am Knochenmaterial. Aber das Baby könnte ja auch lebendig eingemauert worden sein, das arme Wurm. Dann erkennt man am Skelett natürlich gar nichts. Wir müssen alle Möglichkeiten in Betracht ziehen. Gift? Erstickt? Wenn du mehr wissen willst, müsste ich die Gebeine unter einem Spezialmikroskop betrachten und ein oder zwei Knöchelchen in Scheibchen sägen und auf Giftstoffe analysieren lassen, das dauert aber ein bisschen. Und ob da nach so langer Zeit noch was herauskommt ...«

»Ach, könnten Sie mir nicht den Gefallen tun, Herr Habermann? Eine Untersuchung wäre ganz wunderbar. Schließlich ist es ja sozusagen ›meine‹ Burg, und ich habe die Knochen selber gefunden. Und würden Sie mir Bescheid geben, sobald Sie etwas wissen? Im Übrigen soll ich Ihnen natürlich schöne Grüße von meinem Vater bestellen.« Haubold zog sämtliche Register der Überredungskunst.

»Ja, der Papa – wie geht's ihm denn, dem alten Knaben? Immer noch gesund und munter? Er soll mal an die alten Zeiten denken und sich bei mir blicken lassen, wenn er im Lande ist!« Habermann nickte freundlich. »Na gut, mein Lieber, ich werde mich mal mit dem Skelett beschäftigen. Ich rufe dich auf deiner Burg an, sobald Ergebnisse da sind.«

»Prima. Herzlichen Dank.«

Haubold verabschiedete sich ein bisschen enttäuscht. Da würde wohl nicht viel herauskommen. Na, wenigstens hatte er einen netten kleinen Ausflug in seine alte Studentenstadt machen können. Ob es noch das alte »Café Leiche« gab, in das die Medizinstudenten immer nach der praktischen Anatomie gingen und sich über ihre neuesten Leichensektionen unterhielten? Langsam schlenderte er an der Philosophischen Fakultät vorbei Richtung Kollegienhaus.

Eine Woche später saß der Kastellan in seinem Büro, als das Telefon läutete. Es war Habermann aus Erlangen.

»Hallo, Gregor, hier Habermann, das dauert ja, bis man zu dir durchkommt. Ich war schon mit dem Kulmbacher Fremdenverkehrsamt, dem Landschaftsmuseum Obermain und der Kasse des Zinnfigurenmuseums verbunden. Ich habe die Ergebnisse der Knochenuntersuchungen für dich, aber ich glaube nicht, dass es dir viel weiterhelfen wird!«

»Tut mir Leid, äh, ich meine, schön, dass Sie anrufen, Herr Professor. Ich bin ganz gespannt, schießen Sie los.«

Haubold schnappte sich einen Stift und wühlte in dem Durcheinander auf seinem Schreibtisch nach einem leeren Notizblatt. Habermann fing an.

»Um es kurz zu machen: Sämtliche Analyseergebnisse waren negativ. Das heißt, wir haben keine Rückstände von irgendwelchen Giften in der Knochenmasse gefunden, soweit sie überhaupt noch nachweisbar gewesen wären, wobei wir besonders auf damals bekannte natürlich vorkommende Gifte wie zum Beispiel Tollkirsche, Schierling, Bilsenkraut, Pilzgifte und so weiter geachtet haben. Meine Assistentin, eine sehr gewissenhafte und verlässliche junge Dame, hat jedes einzelne Knöchelchen unterm Mikroskop angesehen – nichts. Keine Spur irgendeiner Gewaltanwendung – Einkerbungen durch einen Messerstich, Knochenbrüche oder Ähnliches. Absolut nichts, tut mir Leid. Aber schließlich braucht man, um einen Säugling umzubringen, auch keine drastischen Mittel einzusetzen – ein Baby ist beispielsweise leicht schon mit einem Kissen zu ersticken. So etwas hinterlässt natürlich keine Spuren, die heute noch feststellbar wären.«

Haubold ließ den Stift aus den Fingern gleiten und legte die Stirn in Falten.

»Ja, dann kann ich Ihnen nur für Ihre Mühe danken. Tut mir Leid, dass ich Ihre Zeit in Anspruch genommen habe.« Enttäuschung klang in seiner Stimme mit. »Ich lasse dann die Knochen von einem Mitarbeiter abholen und wieder auf die Plassenburg bringen. Wenn es Ihnen nächste Woche recht ist?«

»Kein Problem, soll nur vorher anrufen. Nur eines wäre da noch. Meiner Assistentin ist noch etwas aufgefallen, womit sie nichts anfangen konnte. Vielleicht sagt dir das ja was. Fräulein Jungkunz hat ungefähr in der Mitte der Schädelbasis ein winziges, wie soll ich sagen – Löchlein entdeckt. Es ist ihr aufgefallen, als sie durch die Öffnung der Fontanelle ins Schädelinnere geschaut hat. Wie gesagt, nur ein klitzekleiner Punkt mit nicht einmal einem Millimeter Durchmesser. Was das bedeuten soll, weiß ich allerdings auch nicht.«

Der Kastellan überlegte. »Seltsam. Und so ein, äh, Löchlein, wie Sie sagen, ist an dieser Stelle des menschlichen Schädels nicht normal?«

»Absolut nicht. Aber ob das im Zusammenhang mit dem Tod des Babys steht – ich kann es dir wirklich nicht sagen.«

»Na dann, trotzdem vielen Dank, und einen schönen Tag noch.«

»Wiederhören. Und nochmals Grüße an deinen Vater«, sagte Habermann und legte auf.

Haubold blies die Backen auf und seufzte. Das war's dann wohl, dachte er.

Glogau, Mai 1527

Heinrich, Herzog von Groß-Glogau und Crossen, stand am offenen Spitzbogenfenster des Rittersaals und schaute sich das Treiben im Schlosshof an. Ein bäuerlicher Ochsenkarren hatte gerade den Frondienst an Käse und Eiern gebracht, und der Küchenschreiber stand mit seinem Kerbholz beim Abladen dabei, um die genauen Mengen zu verzeichnen. Zwei wütende Kater fauchten einander mit gesträubten Nackenhaaren an und teilten Hiebe aus, bis eine Magd sie auseinander trieb. In der Ecke des Schlosshofes wurde unter verzweifeltem Quieken ein fettes Schwein dem Schlachter zugeführt, der schon mit gewetztem Messer bei seinen dampfenden Bottichen wartete. Die Hühner stoben wild gackernd umher. Und zwischendrin reparierten zwei Zimmerleute die Holzrinne, die vom Dach der Kemenate zur Zisterne führte.

Heinrich von Groß-Glogau war nicht mehr jung, und seine ersten beiden Ehen waren kinderlos geblieben. Die dritte Verbindung mit dem Markgraftum Ansbach war eher auf politische Überlegungen zurückzuführen als auf den Wunsch nach einer weiteren Ehefrau, die überdies noch ein Kind war. Das, was ihn wirklich interessierte, waren weder Politik noch Frauen. Seine große Leidenschaft

24

galt der Alchemie. So oft es seine Zeit erlaubte, verschwand der Herzog in seinem Laboratorium im Ostflügel des Schlosses, um sich dort mit den Geheimnissen der Scheidekunst zu beschäftigen, allerdings bis jetzt noch ohne das ersehnte Ergebnis, nämlich die Komponenten zu entdecken, aus denen Gold zusammengesetzt werden konnte.

Das Kind marschierte zielstrebig auf den Mann zu, der immer noch aus dem Fenster blickte. Es blieb stehen und wartete eine Weile, aber der Mann bemerkte es nicht. Barbara wusste nicht recht, womit sie anfangen sollte, und trat verlegen von einem Fuß auf den anderen. Schließlich war sie das Warten leid, machte noch zwei Schritte, zupfte den Herzog am Ärmel und sagte: »Gibt's was zu sehen, Euer Liebden?«

Sie erschrak sofort über ihre eigene Kühnheit und entschuldigte sich.

»Vergebt mir, wenn ich störe, aber ich wollte mich nur für das Hündchen bedanken. Ihr seid zu freundlich zu mir.«

Der Mann drehte sich um, und er und das Kind sahen sich an. Barbara hatte sich keinen Traumprinzen zum Mann erwartet – sie war dazu erzogen worden zu nehmen, wen man ihr zugesprochen hatte, aber die Enttäuschung war ihr an den Augen abzulesen. Der Herzog kam ihr älter vor als erwartet, und er war selbst nach damaligen Begriffen ein abstoßender Mann. Sein Gesicht war seit seiner Jugendzeit von einer Flechte entstellt, die ihm auch bis auf einige zerfledderte Reste den Haarwuchs genommen hatte, weshalb er sogar im Haus die Kalotte trug, eine runde Kappe, die er tief in die Stirn zog. Bei einem Sturz vom Pferd vor vielen Jahren hatte er sich drei Vorderzähne ausgeschlagen, vom vierten war nur eine Ecke geblieben, die schwärzlich über die Unterlippe ragte. Seitdem hatte er auch eine verkrüppelte Hand und einen lahmen Arm, der kraftlos an der Seite herabhing.

Barbara versuchte sich wieder zu fassen und dem Blick des Herzogs standzuhalten. Dieser schaute das Kind mit hochgezogenen Brauen an und begann schließlich zu kichern.

»Ich sehe, man hat Euch nicht recht auf mich vorbereitet, Euer Liebden. Aber keine Angst – ich bin zwar nicht so jung und hübsch wie Ihr, aber ich tue Euch nichts und bin im Allgemeinen recht friedlich. Ihr werdet das Leben als Herzogin von Glogau schon erträglich finden.«

Barbara brachte noch immer kein Wort heraus. Der Herzog führte sie schließlich zu zwei Scherenhockern vor dem großen Kamin, in dem ein munteres Feuer flackerte und angenehme Wärme ausstrahlte.

»Setzt Euch, meine zukünftige Herrin, und plaudert mir ein bisschen von der Reise und von meinen lieben Vettern in Ansbach.«

Das Kind begann zu erzählen, erst ein wenig ängstlich und zurückhaltend, aber schließlich lebhaft und ohne Scheu. Von den fröhlichen Spielen im Ansbacher Frauenzimmer, von ihren beiden älteren Schwestern, die eine üppig und dick, die andere dünn und pickelgesichtig, und von ihrem kleinen Brüderchen Albrecht, das den lieben langen Tag herumgetragen wurde, weil es ständig Blähungen hatte und brüllte. Und als später der Kaplan und Sekretär des Herzogs eintrat, um ihn zu landesherrlichen Geschäften zu rufen, traf er die beiden in angeregtem Gespräch an.

Brief der Herzogin Barbara von Groß-Glogau und Crossen an die Markgräfin von Brandenburg-Ansbach, 23. Juni 1527

Gottes Gruß und Gesundheit zuvor, herzliebe Frau Mutter. Nun sind die Festlichkeiten vorüber und der Umritt im ganzen Land ist gemacht, und ich finde Muße, Euch zu schreiben und mitzuteilen, wie es mir seit meiner Reise von Ansbach herauf ergangen. Ihr wisst, dass es mit dem Schreiben bei mir noch recht langsam geht und meine Buchstaben oft ungelenk sind, aber ich werde den Brief am Schluss von meins gnedigen Herrn Kaplan prüfen lassen, damit nicht zu viele Unpassheiten darin sind.

Meine Ankunft war bei gotterbärmlichem Wetter und Dunkelheit, weshalb schon das ganze Schloss in tiefem Schlaf. Man zeigte uns sofort die Frauengemächer, welche mir gar recht gefielen. Alles ist kostbarer und teurer als daheim, und zu meinem Entzücken schenkte mir der Herzog gleich am ersten Abend ein niedliches Hündlein, das ich Bless nenne und mir nicht von der Seite weicht.

Als ich den Herzog erstmals sah, bin ich gar sehr erschrocken, denn er ist hässlichen Angesichts, alt wie mein Vater und schlenkert den Arm. Auch sieht er mit dem einen spitzigen Zahn aus wie ein Rätterich, aber er ist von sanfter und freundlicher Art. Er spricht mir von den sonderbarsten Dingen, die ich vorher nie gehört, aber ich lerne jeden Tag neu, so von Gold- und Edelsteinmacherei, von Tieren mit langen Nasen bis auf die Erde herab, die in fernen Ländern leben, wo es so heiß ist, dass alle Menschen schwarz angebrannt sind, und von leuchtenden Sternen, die weit weg über der Erde am Firmament hängen.

Dafür erzähle ich ihm aus meinem Wissen über das Leben unseres Herrn Jesus, über die Aventüren der Ritter und Damen an König Artus' Hof und die neuen Streiche meines Hündleins. Dann lacht er oft herzhaft und nennt mich im Scherz sein Liebfräulein. Er kann teutsch und lateinisch lesen wie ein Pfaff, stellt Euch vor, aber schreiben tut er nichts als seinen Namen. Derohalben bot ich ihm an, ihn die Buchstabenschrift zu lehren, was ihn recht zum Lachen brachte, und er meinte, dann könnt er wohl den Kaplan hinauswerfen, der tauge nemlich zu nichts als bloß zum Schreiben. Ihr merkt wohl, liebste Frau Mutter, dass ich mich mit meinem Ehegemahl gar schön vertrage.

Zum Frauenzimmer gehören zwanzig adelige Damen, davon drei mir direkt beigegeben sind. Das eine ist ein Fräulein von Schwarzburg, nicht viel älter als ich, groß und dünn wie eine Bohnenstange und recht schweigsam. Die zweite ist eine Frau von Stein-Schlupka, sie näht und stickt mit mir und erzählt dabei viel Geschichten. Die dritte heißt Maria von Schweinicka, ist die Älteste und soll mich in gutem Benehmen und Anstand unterweisen. Zu den Frauenzimmer-Knechten gehören zwei Türhüter, ein Stubenheizer, ein Weinträger, ein Essenträger, zwei Jungfernknechte, eine Köchin, zwei Wäscherinnen und zwei Schneider mit ihren Knaben. An Aufwartern fehlt es mir also nicht.

Einmal am Tag besucht mich der Kaplan, Herr Degenhart, und spricht mit mir über Glaubensdinge und was ich sonst noch als Landesherrin wissen soll. Wir disputieren über allerlei Fragen, so ob die lutherische Religion besser sei als der alte Glaube oder ob die Frauen dem Manne stets untertan sein sollen, wie die Bibel befiehlt. Ich finde, man braucht seinem Gemahl nicht zu folgen, wenn er unrechte Dinge sagt oder tut, aber der Kaplan meint, so etwas dürfe ich gar nie auch nur denken. Ich habe ihm auch gesagt, dass ich glaube, dass die Frauen doch eine Seele haben, denn sie sind genauso Kinder Gottes und wenn sie sündigen können, so können sie doch wohl auch heiligmäßig sein. Das hat er für gar sehr erschröcklich befunden, aber er war mir nicht lang bös.

Die Hochzeit, auf die ich mich guterdings gefreut hatte, war anstrengend genug. Ich trug ein Kleid, das war schön wie ich es vorher nie gesehen: So viele Püffchen am Ärmel, Gold- und Perlenstickerei, Bänder, Spitzen und schweres Amsterdammer Tuch. Man konnte glauben, es sei ganz aus Gold gemacht. Es war aber so schwer, dass ich kaum gehen konnte und das lange Stehen in der Kirche machte mich sehr müde. Mein Schmuck, der aus der Truhe mit den Kleinodien der Glogauer Herzöge stammte, glitzerte am Hals und an der Brust: eine Kette mit goldenem gehämmertem Kreuz mit Saphirlein und Perlen, und ein dreieckiges Kleinod am Kleid mit einer Rubinrose um einen Smaragd und einem Hängeperlein, dazu ein Ring mit einem großen Türkisen und ein Goldarmband mit zweien Papageien. Auf dem Kopf trug ich eine wintzige karmesinrote Kappe aus Atlas mit Perlenborte, daran drei Herzen und gestickte Falken, und mein schwartzes Haar hing offen bis zu den Hüften. So schön habt Ihr Euer Tochter nie gesehen. Nach dem langen Gottesdienst mit der Verheiratung war ich so müde, dass man mich ins Frauenzimmer brachte, um mich auszuruhen.

Zum Festbankett durfte ich mich, Gott sei gedankt, umziehen und etwas meinem Körper Bequemlicheres tragen. Der Schmuck wurde gewechselt und ich bekam jetzt ein Kehlband aus zwölf Gliedern mit einer Diamanttafel und einem anhangenden Kruzifix, einen goldenen Gürtel und ein Ringlein mit einem »M« für Maria. Und erstmals durfte ich, weil ja verheiratet, mein Haar hochstecken und unter einer Frauenkalotte verstecken, die war goldgewirkt und am Rand mit weißen Perlein behängt. Ich fand mich sehr schön.

An der Festtafel saßen alle vom glogauischen Adel fein aufgereiht, der Herzog und ich in der Mitte. Man hatte das beste Tafelgeschirr aus der Silberkammer geholt, Schüsseln aus getriebenem Silber, Tabletts mit gravierten Bildern, fein ziselierte Salzfässlein und

Senftöpfchen. Einige vom Adel aßen sogar mit Gabeln, wobei sich der von Trupka versehentlich in die Lippe stieß und dabei gar sehr beschmutzte. Ich teilte meinen Teller mit dem Herzog, der mir die besten Stücke vorlegte und mir den Blamenser gar zierlich mit dem Löffel fütterte. Dabei lachten wir alle über die Späße des Narren und sahen den Akrobaten zu, die rechte Verrenkungen machen konnten. So konnte ein Mädchen auf dem Bauch liegend mit den Füßen über ihren Kopf langen und diese neben die Ohren setzen, andere sprangen von den Händen auf die Füße und machten Bögen wie eine Brücke. Mein Hündchen Bless durfte neben mir an der Tafel sitzen und der Herzog und ich fütterten es mit Wiltpret, dass es schmatzte. Schließlich kam der vierte Gang, der allerlei Naschwerk aus Zuckerguss umfasste, geformt in der Gestalt des heiligen Sankt Georg. Dazu spielten die Musikanten manch liebliche Melodien. Die vom Adel fingen mit Zutrinken an, auch mein Herr Gemahl. Als mir der Herzog schließlich selber zuprostete, musste ich mittrinken. Ich nahm von ihm den schweren Pokal, der so groß war wie mein Kopf und mit Wein gefüllt. Aber weil das Gefäß so schwer war und ich es mit den Händen nicht umgreifen konnte, geriet es ins Wanken und rutschte mir aus der Hand. Ich schrie auf, und der ganze Wein ergoss sich über mich und den Herzog. Wir saßen da wie die nassen Pudel, und die ganze Gesellschaft wurde still und wartete auf das Donnerwetter des Herzogs, der, wie alle wussten, nur ungern badete. Doch mein Gemahl schaute mich an, wie mir der Schreck und die Scham in den Gliedern saß und der Wein aus dem Kleid tropfte, und fing an zu prusten, bis auch der letzte Tischgast ebenfalls lachte.

Damit endete für mich das Festmahl, ich verließ die Tafel und ging ins Frauenzimmer, wo ich das nasse Zeug auszog und von meinen drei Hofdamen in ein leichtes, fließendes Gewand gekleidet wurde. Sie nahmen mir die Haube und den Schmuck ab, kämmten mein Haar und legten mir einen zartgewebten Nachtmantel um. Obwohl ich plötzlich schrecklich müde wurde, führten mich nun meine zwanzig Frauen vom Adel unter viel fröhlichem Geschnatter zu den herzoglichen Gemächern im anderen Flügel des Schlosses. Dort warteten schon die wichtigsten Adeligen des Herzogtums, um Zeugen des Beilagers zu sein. Allerdings weil ich noch zu jung bin *und noch nicht blute wie eine erwachsene Frau, so sagte mir die Schweinicka, brauchte ich nichts zu befürchten und müsste nur ruhig die Zeremonie über mich hergehen lassen. Ich wusste nicht recht, was sie damit sagen wollte, hielt aber zu allem fein still.*

Die edelsten glogauischen Damen führten mich in das Schlafgemach meines Gemahls, kleideten mich aus und brachten mich zu Bett. Kurz darauf trat der Herzog ein, splitterfasernackt, nur, und da musste ich fast lachen, ein Nachtmützchen auf dem Kopf. Er legte sich ein wenig ächzend und vom Wein schwankend neben mich in die Bettstatt. Ich war gar sehr überrascht, konnte ich doch sehen, dass der Herzog ein Anhängsel hatte, das genauso aussah wie das Schniedelin von meinem herzlieben Brüderchen Albrecht, nur größer und umgeben von dunklen Löckchen. Das sagte ich ihm auch, und er lachte gar herzlich. Dann hob er die Bettdecke von mir und schaute mich genau an, wobei ich ganz steif lag und mich recht schämte. Noch nie hat mich ein Mann ohne Kleider gesehen, aber bei einem Ehemann darf das wohl sein, denke ich mir.

»Viel habt Ihr noch nicht von einem Weibsbild«, sprach mein Gemahl, »aber das wird ja wohl noch kommen, so Gott will. Bis dahin muss ich wohl mit weniger zufrieden sein.«

Er fragte, ob ich nicht vielleicht ein bisschen mit seinem Schniedelin spielen wollte. Zunächst getraute ich mich nicht es anzufassen und piekte nur verlegen mit dem Zeigefinger hin. Aber als ich merkte, dass es ganz weich und gar nicht unangenehm war, griff ich ganz hin. Da geschah etwas recht Seltsames. Liebste Frau Mutter, wie staunte ich, als das kleine Würmchen in meiner Hand fest und dick und groß wurde. Schnell ließ ich wieder los, doch der Herzog erklärte mir, dass dies schon recht seine Ordnung habe und bei Mann und Weib so gehöre. Da langte ich auf sein Geheiß wieder hin und rieb und drückte gehorsam, bis der Herzog anfing gar arg zu schnaufen. Schließlich machte er einen kleinen Seufzer, der Schniedel fing an zu ruckeln und zu hüpfen, und ein weißer Saft quoll über meine Hände, dass ich gleich wieder erschrak. Ich glaubte, ich habe ihm vielleicht wehgetan und all seine Körpersäfte begännen auszulaufen, aber mein Gemahl lachte mich gutmütig aus und meinte, ich habe meine Sache schon recht gemacht wie ein Eheweib. Da war ich stolz und zufrieden, und wir scherzten und unterhielten uns noch eine ganze Weile.

Plötzlich wurde aber die Tür aufgerissen, und unter Hochrufen und großem Gelächter kamen die vom Adel herein, die vor der Tür gewartet hatten, und feierten uns ausgelassen. Danach führte man mich wieder ins Frauenzimmer, wo mich die Schweinicka dann ins Bett brachte. Das war der Tag meiner Hochzeit.

Am nächsten Früh nach der Morgensuppe erschien der Herzog vor der Tür zum Frauenzimmer und bat um Einlass. Er war recht froh gelaunt und nannte mich im Scherz »Frau Herzogin«. Dann zog er einen kleinen güldenen Gegenstand unter seinem Umhang hervor und gab ihn mir mit den Worten, das sei seine Morgengabe an mich. Es war ein Pokällein, ganz wie die großen Trinkgefäße, nur klein genug, dass ich es gut heben konnte. Darauf war ein Bild von dem heiligen Christophorus, wie er das Jesulein übers Wasser trägt, umrahmt von schönen Saphirlein und Smaragden. Und es stand darauf geschrieben »Gloria Dei in eternitate. Barbara von Gots Gnaden Herzogin zu Groß-Glogau.« Und der Herzog sagte: »Damit Ihr Euch nie mehr an einem Schluck Wein überhebt.«

Das freute mich gar sehr, und ist das Pokällein jetzt mein liebstes Trinkgefäß. In dem Pokällein fand ich zudem noch einen kleinen güldenen Ring mit einem Kreuz aus lauter Rubinsteinen, die leuchten und glitzern, schöner als das Morgenrot. Den trag ich jetzo am Daumen, weil er für die andern Finger noch zu groß.

Herzliebe Frau Mutter, ich bitt Euch, grüßt meine Schwestern und Brüder, besonders aber den kleinen Albrecht, an den ich oft denken muss. Und grüßt auch meine alte Amme, die Martsch, die ich immer noch recht lieb habe. Behüt Euch Gott, Eure gehorsame Tochter Barbara, Herzogin von Groß-Glogau und Crossen.

Gegeben am Sonntag nach Trinitatis anno 1527 in der Veste zu Glogau.

Der winterliche Vollmond schien aus einem eisklaren Nachthimmel auf die Plassenburg und das darunter liegende Kulmbach. Es war bitterkalt. Aus den Kaminen der Stadt und der alten Festung stiegen Rauchwölkchen wie schneeweiße Zuckerwatte.

Um den alten hölzernen Tisch in der kühlen Temperierkammer der Plassenburger Gemäldesammlung saßen Gregor Haubold, Pfarrer Heinrich Kellermann und der Kulmbacher Archivar Wolfgang Kleinert mit nachdenklichen Mienen. Mit diesen dreien war die Speerspitze der Kulmbacher Plassenburg-Forschung versammelt; es fehlte nur noch der Hauptschullehrer Ulrich Götz, der an diesem Abend Elternsprechstunde hatte.

Vor den Männern stand, nur von einer Schreibtischlampe spärlich beleuchtet, der Karton mit den Säuglingsgebeinen, der kurz nach Weihnachten wieder aus Erlangen zurückgekommen war. Die kleinen Knöchelchen waren inzwischen sauber nummeriert und geordnet, und die Gestalt des winzigen Menschleins ließ sich deutlich erkennen.

»Makaber«, meinte der Archivar, ein stämmiger Mittdreißiger mit Mecki-Haarschnitt und Vollbart. Kleinert stammte aus dem unterfränkischen Königshofen und war ein redseliger, trinkfreudiger und gemütlicher Mensch, außerdem gläubiger Katholik. Der Gedanke an einen möglichen Kindermord beunruhigte ihn zutiefst.

»Wer bringt denn so was fertig?« Der Archivar verzog angewidert das Gesicht und schüttelte den Kopf.

Pfarrer Kellermann putzte seine randlose Brille und setzte sie wieder auf sein markantestes Körperteil, die Nase. »Vier- bis fünfhundert Jahre soll das also alt sein – da wären wir beim Jahr 1500 aufwärts.«

Kellermann, der aussah wie der alt gewordene Luther, war eigentlich Experte für Reformationsgeschichte, beschäftigte sich aber auch schon seit Jahren mit der Historie der Plassenburg. Schüttere kleine Löckchen umrahmten seinen runden Schädel von Ohr zu Ohr. Wie immer in seiner Freizeit trug er einen uralten beige gemaserten Shetlandpullover mit Zopfmuster und eine abgewetzte Cordhose. Wenn man ihn so sah, konnte man kaum glauben, dass er in der Kirche eine imposante Erscheinung abgab – doch im Talar schien er wie eine Inkarnation des großen Reformators selbst.

Haubold begann mit seinen Überlegungen.

»Ich denke, wir können davon ausgehen, dass die Truhe mit dem Kind zwischen 1554 und 1577 auf keinen Fall eingemauert werden konnte, denn nach der Zerstörung der Burg im Bundesständischen Krieg war die Anlage eine riesige Baustelle. Da waren nur Arbeiter und eine kleinere Soldatenbesatzung – ziemlich unwahrscheinlich, dass es um diese Zeit einen Säugling auf der Burg gegeben hat.«

»Glaube ich auch«, meinte der Archivar. »Erst ab 1577 unter Georg Friedrich lässt sich die markgräfliche Hofhaltung wieder auf der Plassenburg nachweisen, und das nur zeitweise. Da könnte so was schon passiert sein. Und – vorausgesetzt natürlich, dass die Datierung der Gebeine stimmt – dann können wir im Jahr 1603 aufhören zu suchen. Danach hielt sich nämlich der markgräfliche Hof im neuen Schloss in Bayreuth auf, und die Plassenburg war nie mehr Residenz.«

Kleinert rieb sich den Bart.

»Wie sieht es denn vor 1553 aus?« Kellermann meldete sich zu Wort. »Wenn wir um 1500 anfangen zu suchen, sind wir in der Regierungszeit Friedrichs des Älteren. Der residierte zwar die meiste Zeit in Ansbach, war aber mit seiner Hofhaltung jedes Jahr mindestens einmal auf der Plassenburg. Nach Friedrichs Tod kam es zur Landesteilung unter seinen Söhnen Georg und Albrecht Alkibiades. Georg erhielt das Unterland und blieb im Ansbacher Schloss. Wir müssen uns mit Albrecht beschäftigen, denn der übernahm das so genannte ›Land auf dem Gebirg‹ – das Oberland mit der Plassenburg.«

»Soviel ich weiß, ist Albrecht als Söldnerführer in kaiserlichen Diensten ständig herumgereist«, warf Kleinert ein.

»Genau«, meinte Haubold. »darum glaube ich, dass Albrechts Regierungszeit für uns eher uninteressant ist. Wir sollten uns auf die Jahre bis zu Friedrichs Tod 1538 und dann wieder auf die Zeit zwischen 1577 und 1603 konzentrieren.« Der Kastellan schaute Einverständnis heischend in die Runde.

Kleinert stieß mit dem Zeigefinger Luftlöcher in Richtung des

Kastellans. »Wer sagt uns denn überhaupt, dass das Kind wirklich aus der markgräflichen Hofhaltung stammt? Es könnte ja genauso von einer Frau aus der Dienerschaft sein oder von einer Soldatenbraut aus der Besatzungszeit in den fünfziger Jahren. Dazu muss die Hofhaltung nicht auf der Burg gewesen sein.«

Haubold stand auf und ging zu einem der Schränke neben der Tür. »Prinzipiell hast du schon Recht, Wolfgang«, sagte er und holte ein Tütchen aus dem linken Schrank heraus, »aber da ist noch das hier.« Und er legte zwei kleine Metallscharniere, vier kleine, verzierte Beschläge und ein ebenso winziges Schloss auf den Tisch. »Das alles fand sich bei dem Kinderskelett, zusammen mit zerfallenen Holzteilen und Textilresten, wahrscheinlich von einer Truhe, in der die Leiche lag. Schaut Euch bloß die Metallarbeit an – wunderschöne Ornamente, Blumenmuster und ein ganz außergewöhnlich fein herausgefeiltes Schloss. Das war keine Allerweltstruhe, in die man vielleicht ein ganz normales Kind gesteckt hätte. Ein einfacher Hofbediensteter wäre an eine solche Truhe gar nicht herangekommen. Nein, ich bin überzeugt, dass hier höher gestellte Mitglieder der Hofhaltung am Werk waren und dass es sich um ein ganz besonderes Kind handelte.«

»Also gut«, warf Pfarrer Kellermann ein, den es nun langsam in den nahe gelegenen Gasthof zum Bier zog, »es war kein gewöhnliches Kind. Wir müssen also nach potenziellen Eltern unter den höheren Hofchargen suchen. Was ich tun kann, ist, die Kulmbacher Taufregister der Zeit zu durchsuchen. Vielleicht war das Kind ja getauft – vorausgesetzt natürlich, das Kind ist in Kulmbach oder auf der Burg geboren. Und vielleicht ist etwas in den Sterberegistern zu finden – man weiß ja nie.«

»Der nächste Schritt wäre, noch einmal die Plassenburg-Geschichte des Ritters von Lang auf Hinweise zu durchforsten. Das könnte ich tun«, erbot sich der Kastellan.

Kleinert stöhnte. »Ich habe momentan einfach keine Zeit, um mich darum zu kümmern. Die Registratur wird auf EDV umgestellt. Ihr könnt euch vorstellen, was da im Archiv los ist. Aber ich telefoniere gern mit meinem Kollegen Horn in Bamberg, ob ihm irgendetwas in den Plassenburg-Archivalien im relevanten Zeitraum aufgefallen ist.«

34

Die drei Geschichtsforscher hatten in dem kühlen Depotraum längst angefangen zu frieren. Sie verließen die Temperierkammer und machten sich auf den Weg nach Kulmbach ins »Schiff«, wo der Kastellan wie immer ein Bier und eine doppelte Currywurst mit Pommes, dafür aber ohne Salat bestellte.

Eine Viertelstunde später traf der Vierte im Bunde ein: Lehrer Götz hatte seine Sprechstunde hinter sich gebracht und freute sich auf ein bisschen Fachsimpeln mit Gleichgesinnten. Nach einigen Bieren trennten sie sich, und Gregor Haubold begann mit rhythmischen Schritten den langen Anstieg zu seiner Wohnung im Torbereich des Hochschlosses hinauf. Sein Atem verließ ihn in kleinen Wölkchen, die sich zögerlich in der winterlichen Nachtluft auflösten. Es begann zu schneien, als er die Stufen neben der Petrikirche erreichte, die in steiler Folge bis zur Burg führten. Die Gegenwart schien ihm mit jedem Schritt unwirklicher zu werden – woran die vier Biere im »Schiff« nicht ganz unschuldig waren. Im Geiste sah der Kastellan ein schreiendes Baby, das aus der Wiege gerissen wurde, eine verzweifelte Mutter und einen gesichtslosen Bösewicht, der eine Truhe bereithielt …

Glogau, Dezember 1527

»Das Geheimnis der Alchimie besteht gewissermaßen darin, sich eine Welt vorzustellen, in der es gelingt, irgendein beliebiges Metall in Gold zu verwandeln.«

Der Herzog sperrte mit einem großen Bartschlüssel das Schloss der massiven Holztür auf, die ins Labor führte. Hinter ihm stand die kleine Herzogin und trat aufgeregt von einem Fuß auf den anderen. Seit Wochen hatte sie keine Ruhe mehr gegeben, bis der Herzog schließlich eingewilligt hatte, ihr sein »Allerheiligstes« zu zeigen. Heute endlich war er mit ihr die vielen, vielen Stufen in das oberste Stockwerk des Turms hinaufgestiegen, um sie in die rätselhaften Erkenntnisse der Alchimie einzuweihen.

Als die schwere Tür aufschwang und der Herzog ins Labor trat, blieb Barbara wie angewurzelt auf der Schwelle stehen. Ihre Augen wurden groß. Noch nie hatte sie etwas Derartiges gesehen: Auf einem Tisch in der Mitte des Raumes standen gläserne Kolben mit bauchigen Ausbuchtungen, lange schmale Röhrchen, Schmelzpfannen und -tiegel, Mörser mit Stößeln, Filter und Siebe, Phiolen mit bunten Pulvern, eine Waage, sogar eine Destilliervorrichtung. Auf hölzernen Wandborden entdeckte sie Flaschen und Töpfe mit unbekannten Substanzen, Schöpfkellen und merkwürdige Werkzeuge, auf dem Boden drei Wassereimer und eine Truhe mit Lumpen. Vor einem der Fenster stand ein merkwürdiges Gestell, auf dem ein langes Rohr festgemacht war. Hinten im Raum befand sich eine Feuerstelle – das musste der Brennofen sein –, daneben ein großer Haufen Holzkohle.

»Na, traut Euch nur herein, Liebden, ich werd Euch schon nicht wegzaubern!«

Heinrich von Groß-Glogau und Crossen war gut gelaunt. Er schlüpfte in ein altes, fleckiges Gewand, das an der Wand hing, und machte sich daran, ein Feuer zu entfachen. Dabei erzählte er munter drauflos.

»Das Wort Alchemie kommt aus dem Arabischen, müsst Ihr wissen. Der Begriff *al kimia* lehnt sich an das ägyptische *chem* an, das heißt schwarz, und auch an das griechische *chym*, womit das Schmelzen und Gießen von Metallen gemeint ist.«

Er nahm den kleinen Blasebalg vom Haken und pustete Luft auf die glimmende Holzkohle. Mit einem Seitenblick registrierte er, dass Barbara aufmerksam an seinen Lippen hing. Er fuhr fort zu erklären.

»Die Wurzeln der Alchemie selber sind tief und vielfältig. Sie reichen tief in die Erde hinein und weit in die Vergangenheit zurück, umspannen Meere und Kontinente. Die Geschichte der Alchimie liegt in der Erde, aus der sie hervorging und in der noch heute ihr Zuhause ist. Denn alle Pflanzen, alle Mineralien und Metalle empfangen Wachstum und Nahrung vom Geist der Erde, der der Geist des Lebens ist. Dieser Geist wiederum wird von den Sternen gespeist.«

Der Herzog spürte mit Erstaunen, dass es ihm Spaß machte, dem kleinen wissbegierigen Mädchen seine Leidenschaft zu erläutern.

Was für kluge Augen sie doch hat, bemerkte er zu sich selber, von dieser eigenartigen hellen Farbe. Er griff nach verschiedenen Steinen und hielt sie Barbara hin.

»Jedes Metall ist einem Gestirn zugeordnet. Seht Ihr, das ist Silber, es korrespondiert mit dem Mond. Da Kupfer, ihm entspricht die Venus. Eisen gehört zum Mars, Zinn zu Jupiter. Hier habt Ihr Blei, es wird dem Saturn zugerechnet. Seht in diesem Glas Quecksilber, nach dem berühmten Philosophen und Meister Ramon Lull die ›prima materia‹ oder Urmaterie genannt; es orientiert sich zu Merkur. Und hier das kostbarste Metall, ein Körnchen Gold – ihm entspricht die Sonne.«

Barbara besah sich die verschiedenen Metalle ausgiebig und mit kindlichem Ernst.

»Und all das könnt Ihr in Gold verwandeln?«

Der Herzog lachte.

»Wenn ich das könnte, Liebfräulein, wäre ich wie der liebe Gott. Nein, dieses Geheimnis habe ich noch nicht entdeckt, das ist nicht so einfach.«

Er griff sich eines der dicken Bücher, die auf einem Seitentischchen lagen, und klopfte mit der Faust darauf.

»Hier drin stehen verschiedene Möglichkeiten, wie man auf dem Wege der Alchemie Gold herstellen kann. Gewiss ist jedenfalls eines – die Ausgangsform muss entweder Silber oder Quecksilber sein.«

Die kleine Herzogin bot ein Bild des völligen Unverständnisses.

»Ich fürcht, Liebden, ich bin zu dumm für solch hohe Wissenschaft.«

»Nun, das ist doch ganz einfach.« Der Herzog von Glogau begann zu dozieren. »Silber oder Quecksilber müssen erst schwarz, dann weiß, dann gelb und schließlich rot werden, bevor Gold daraus entstehen kann.«

»Und wie kann man die Farben verändern?«

»Das ist recht unterschiedlich. Die Weißung von Kupfer zum Beispiel erreicht man durch Zugabe von Arsenik. Und zusammen mit Kalk und Schwefel aufgekocht kommt es zur Gelbung. Das habe ich selber schon versucht.«

Inzwischen züngelte ein kleines Feuerchen im Kamin, an dem sich beide die Hände wärmten.

»Und wozu benutzt Ihr das?« Barbara zeigte auf das Gestell mit dem Rohr, das sie schon die ganze Zeit über fasziniert hatte.

»Oh, das ist mein Sternengucker. Es ist nämlich von Bedeutung, das Goldmachen zu einer bestimmten Zeit durchzuführen, sonst kann es nicht gelingen. Die großen Alchemisten – auch der Doctor Paracelsus, den ich sehr schätze – sind der Meinung, der beste Zeitpunkt sei das Frühjahr mit seinen Sternbildern Widder, Stier und Zwilling. Das sind Zeichen, die Feuer, Geist und Erde beinhalten. Und diese Sternbilder finde ich, wenn ich durch mein Rohr schaue.«

Barbara war enttäuscht. »Also könnt Ihr mir heute nicht vormachen, wie man Gold herstellt. Wir haben ja noch nicht Frühling.«

Heinrich von Glogau fasste Barbara um die Schulter. »Nicht traurig sein, Liebfräulein – ich kann Euch wenigstens zeigen, wie es ungefähr geht, wenn Ihr wollt.«

Das Mädchen sah gebannt zu, wie der Herzog in einem Achatmörser ein Bröckchen Silber zu Pulver zerstieß und in eine flache Schüssel gab. Danach tat er das Gleiche mit einem Stückchen Blei. Schließlich wurden die beiden Pulver vermischt und mit ein paar Tropfen Wasser zu einem Brei vermengt. Diesen »Kompost« durfte Barbara vorsichtig in einen Glaskolben füllen. Der Herzog griff die Phiole mit einer Zange und hielt sie in die Feuerstelle.

»Am Anfang darf die Hitze im Kolben auf keinen Fall zu hoch sein, sonst platzt das Glas und alles ist verloren. Das ist mir schon so manches Mal geschehen, worauf der Prozess wieder neu begonnen werden musste. Und jetzt schaut!«

Die beiden Metalle verloren ihre ursprüngliche Form. Schwärze begann den Kolben zu füllen wie eine undurchdringliche Wolke, wurde dicker und schwerer. Es fing an zu stinken.

Der Herzog holte den Kolben aus dem Feuer und hielt ihn Barbara begeistert unter die Nase: »Das ist die Flüssigkeit Nigredo, das schwärzeste Schwarz, dunkler als die Dunkelheit. Seht, wenn ich die Nigredo wieder ins Feuer halte und koche, dann bleibt am Ende nur schwarze Asche.«

Barbara klatschte in die Hände. »Ihr seid wahrlich ein großer Artifex, Liebden. Zeigt Ihr mir auch noch die anderen Farben? Bitte!«

Der Herzog ging sichtlich in der Aufgabe auf, seine kindliche Gemahlin in das Geheimnis der Chemie einzuführen. Aber nun wehrte er ab.

»Die Nigredo war das Einfachste, alles andere ist viel komplizierter und würde Stunden dauern. Die Weißung ist mir schon gelungen, ebenso die Gelbung, deren Agens der Schwefel ist. Aber die Rötung! Ich habe schon viel versucht, auch, wie in manchen Büchern steht, das Blut des Pelikans hinzugetan ...«

»Das Blut des was?«

»Des Pelikans – das ist ein seltener Vogel mit riesigem Schnabel. Von ihm geht die Sage, dass er seine Jungen mit dem eigenen Blut nährt. Für ein Fläschchen dieses roten Stoffs habe ich damals meine Lieblingsreliquie eingetauscht: den Unterkiefer des heiligen Laurentius. Aber es hat nichts geholfen, die Rubedo ist nicht eingetreten. Vielleicht geht es ja nur, wenn man den Stein der Weisen dazugibt, wer weiß?«

»Vom Stein der Weisen habe ich schon gehört, Liebden. Keiner hat ihn je gefunden.« Barbara war stolz, auch etwas zu wissen.

»Ja, wenn ich den hätte! Besagtes Ding ist in jedem Regiment und überall zu entdecken, ein Stein und doch kein Stein, gewöhnlich und kostbar, versteckt und doch sichtbar für den Wissenden. Er hat einen Namen, doch haben ihm die Alchemisten viele Namen gegeben, um seinem exzellenten Wesen gerecht zu werden. Deshalb ist dieser Stein kein Stein, sondern etwas viel Wertvolleres. Ohne ihn kann die Natur nichts bewirken. Hält ein Mann den Stein oder Nicht-Stein in der Hand, wird er unsichtbar. Bindet er ihn mit einem Tuch an seinen Körper, steigt er auf in die Lüfte und kann fliegen, wohin er möchte ...«

Barbara dachte verblüfft einige Sekunden nach, dann gab sie freimütig zu: »Liebden, das verstehe ich nicht.«

Der Herzog legte die Stirn in Falten, neigte sich zu Barbara und sah ihr tief und ernst in die Augen. Er schnaufte ein paar Mal und nickte traurig: »Ich auch nicht.«

Daraufhin brachen beide in prustendes Gelächter aus.

»Kommt, meine kleine Ehefrau, jetzt lass ich Euch etwas probieren, das ich aus den Schriften des Theophrastus Paracelsus gelernt habe. Er ist Arzt und Professor an der Universität in Basel – das liegt in der Schweiz – und ich korrespondiere regelmäßig mit ihm. Hat schon geniale Erfindungen gemacht, der Teufelskerl.«

Der Herzog holte eine kleine Flasche aus Steingut von einem Regal und entkorkte sie vorsichtig. »Diese Flüssigkeit ist bei alchemistischen Versuchen entdeckt worden. Sie entsteht, wenn man Wein kocht und die Dampftropfen auffängt. Man nennt sie ›Aqua ardens‹ – das heißt ›Wasser, das brennt‹. Es ist eine große Medizin, hilft bei schlechtem Magen, saurem Aufstoßen und nach übermäßiger Völlerei. Na, trinkt ein Schlückchen, aber Vorsicht, es ist scharf!«

Barbara setzte die Flasche an den Mund und tat einen herzhaften Schluck. Daraufhin bekam sie einen Hustenanfall, der ihr die Tränen in die Augen trieb. Der Herzog brach erneut in grölendes Gelächter aus.

Unter Erzählen und Trinken verging die Zeit – der Herzog sprach dem Weingeist tapfer zu, und auch Barbara trank noch einige Male mit Todesverachtung aus der Flasche, nicht ohne jedes Mal halb zu ersticken vor Husten. Die zwei lachten und redeten und verstanden sich prächtig. Im Brennofen knisterte das Feuer, im Labor wurde es langsam warm, und das herzogliche Paar wärmte sich zusätzlich von innen mit Alkohol.

Schließlich wurde Barbara furchtbar heiß. Sie begann zu schwitzen und bemerkte verwundert, dass ihr das Sprechen immer schwerer fiel. Ihre Bewegungen wurden fahrig und unsicher, und plötzlich begann sich alles vor ihren Augen zu drehen. Ihr Magen revoltierte. Der Herzog konnte ihr noch einen ledernen Eimer unterschieben, damit sie sich nicht auf den Boden erbrach. Während Barbara würgte und schluckte, hielt er fürsorglich ihre Stirn.

»Es tut mir Leid, Liebden. Mir ist so schlecht. Ich habe alles verdorben.« Barbara war kreidebleich im Gesicht, ihr Kleid von Erbrochenem besudelt.

»Nein, nein«, antwortete der Herzog geknickt, »das war alles meine Schuld, Kind. Ich hätte wissen müssen, dass Ihr noch nicht stark genug seid, um das ›aqua ardens‹ zu vertragen. Kommt, ich helfe Euch hinunter in Eure Zimmer.«

Er griff Barbaras Arm und führte sie zum Labor hinaus. Als sie die Treppe hinuntergingen, blieb Barbara noch einmal stehen. Ängstlich sah sie den Herzog an.

»Aber, Liebden, Ihr nehmt mich doch wieder mit ins Laboratorium? Ich möcht so gern mehr lernen, und Ihr könnt so schön erzählen. Ich bitt Euch!«

Der Herzog fasste das Kind fester um die Taille und blinzelte verschwörerisch.

»Das interessiert Euch also, was? Gut, Liebfräulein, ich nehm Euch wieder mit, wenn Ihr gern zuschauen und lernen wollt. Aber nur unter einer Bedingung: Ihr erzählt davon nichts Eurem Beichtvater. Herr Anselmus wird fuchsteufelswild, wenn er das Wort Alchemie hört; er sagt, es sei Teufelswerk und verderblich für jeden guten Christenmenschen – dabei wissen wir beide doch viel besser, dass es nur die Wunder der Natur sind, die dort entdeckt werden!«

Barbaras Augen leuchteten in dem immer noch bleichen Gesicht. »Bei meiner Seel, ich sag kein Wort, und Ihr nehmt mich wieder mit, versprochen?«

»Mein herzogliches Ehrenwort!«

Brief der Herzogin Barbara von Groß-Glogau und Crossen an die markgräfliche Amme Anna Martschin zu Ansbach, vorzulesen durch den Kaplan, 5. Mai 1528

Gottes Gruß zuvor, herzallerliebste Martsch, und Gesundheit allezeit. Du hast mir durch den Hauspfaffen einen Brief schreiben lassen, wofür ich dir recht Dank sagen will. Ich habe auch Sehnsucht nach dir, aber Gott hat mir meinen Platz eben hier zu Glogau eingerichtet, des müssen wir uns beide versehen. Das schlesische Hofleben gefällt mir weidlich, auch wenn ich als Herzogin viele Pflichten hab und nicht mehr alles tun kann, was mir gefällt. Meinem Ehemann bin ich herzlich zugetan, und er mir. Jeden Tag hat er eine Stunde für mich Zeit, in der wir uns über alle möglichen Dinge unter der Sonne unterhalten. Der Herzog ist bestimmt der klügste Mensch auf der Welt, und ich muss noch viel von ihm lernen. Seit Weihnachten, das heuer ohne Schnee war, darf ich mit in die Turmstube, wo der Herzog die Alkimie betreibt. Er will nämlich Gold zaubern. Neulich hat er mich recht zum Narren gehalten. Er hat Quicksilber in

einen Tiegel getan, ein Pulver darzu gestreut und ins Feuer gestellt.
Darin rührte er eine Weile mit einem Stab, bis alles verdampft war,
und o Wunder – ein kleines Tröpfchen flüssiges Gold blieb im Tiegel
übrig. Meine Freude war groß, denn ich glaubte, er habe endlich das
Goldmachen entdeckt. Da lachte er mich am Ende aus und sagte, er
habe an der Spitze des Rührstabs ein Bröcklein Gold versteckt und
heimlich mit hineingerührt. Item so ist der Herzog immer zu Scher-
zen aufgelegt und bringt mich gern zum Lachen.

Liebste Martsch, grüß mir alle im Frauenzimmer und erzähle,
dass es mir gut ergeht. Gib dem kleinen Albrecht einen Schmatz von
mir. Ob er sich noch an mich erinnert? Und dann bitt ich dich noch,
mir heuer eingemachte Kirschen schicken zu lassen, wie ich sie so ger-
ne ess, auch einige Stücke von dem Feigenkonfekt, das wir immer
vom Nürnberger Apotheker gekauft haben. Gehab dich wohl und
mit Gott.

Gegeben im Schloss zu Glogau, den Dienstag nach Jubilate anno
1528
Barbara, Herzogin von Groß-Glogau und Crossen

Bamberg, Januar 2002

Gregor Haubold stand vor der alten Holztür des Staatsarchivs. Lange war er nicht mehr hier gewesen, das letzte Mal in seiner Studen-
tenzeit, als er irgendeinen Fachaufsatz schreiben musste, dessen
Thema er zu seiner eigenen Betrübnis vergessen hatte. Etwas wie
Nostalgie kam in ihm auf. Trotzdem bereute er nicht, sein Studium
in den Fächern Deutsch und Geschichte abgebrochen zu haben.
Nach wie vor konnte er sich nichts Schöneres vorstellen, als Kastellan auf der Plassenburg und damit quasi ein Teil dieses alten Gemäuers zu sein. Der Gedanke, vor einem renitenten Haufen Ober-
stufenschülern zu stehen und irgendwelchen Spatzenhirnen den
Westfälischen Frieden erklären zu müssen, ließ ihn immer noch
schaudern.

Die Tür des Archivs war verschlossen, als ob es seine jahrhundertealten Schätze nicht so leicht preisgeben wolle, schon gar nicht jemandem, der vielleicht ein uraltes Verbrechen aufzuklären gedachte, das längst verjährt und vergessen war. Haubold zögerte einen Augenblick, dann drückte er entschlossen auf die Klingel. Es öffnete ihm eine bebrillte Archivangestellte fortgeschrittenen Alters in Faltenrock und wollenen Strümpfen, die ihn zunächst etwas misstrauisch beäugte. Auf ihr argwöhnisches »Ja bitte?« rechtfertigte er sein Läuten damit, dass er zu einem Termin mit Herrn Dr. Horn geladen sei. Der Faltenrock führte Haubold mit schon wesentlich freundlicherer Miene nach links die Treppe hinauf durch einen schlecht beleuchteten Gang zum Zimmer des Archivdirektors.

Walter Horn war ein liebenswürdiger älterer Herr mit grauen Haaren, gepflegtem Vollbart und Hornbrille und damit optisch der Prototyp eines Archivars. Seit Jahrzehnten war das Bamberger Staatsarchiv seine berufliche Heimat, und Horn lebte für seine Akten und Dokumente. Für ihn war jedes Schriftstück ein kleines Heiligtum, das er jedes Mal nur mit größter Ehrfurcht und lautlos jubilierendem inneren Jauchzen in die Hand nahm. Er war geradezu begeistert, als ihn sein Kollege Kleinert aus Kulmbach anrief, ihn über die anliegende Problematik aufklärte und das Kommen des Kastellans ankündigte. Mit Feuereifer stürzte er sich auf die Registerbände zur Quellenlage der Plassenburg im 16. Jahrhundert, suchte, blätterte und schrieb.

Als Haubold das Zimmer betrat, wühlte Horn gerade in einem Berg von Pappschubern, Ordnern und losen Blättern, der auf einem Ablagetisch vor dem Fenster sein unordentliches Dasein fristete. Einen dicken Leitz-Ordner unter den Arm geklemmt, eilte der Archivar freudestrahlend auf den Kastellan zu und schüttelte ihm die Hand.

»Schön, schön, dass Sie endlich da sind, mein Lieber, ich warte schon ganz ungeduldig auf Sie.« Seine Stimme war beinahe knabenhaft zart, und er sprach mit einem seltsamen Singsang, was Haubold mit einigem Amüsement registrierte. »Kleinert hat Sie schon avisiert und kurz angedeutet, um was es geht. Ich bin ganz gespannt, was Sie

43

zu berichten haben. Nehmen Sie Tee oder Kaffee? Kaffee, ja? Setzen Sie sich doch, hier bitte.«

Er räumte einen Stapel Unterlagen von dem Besucherstuhl vor seinem Schreibtisch und schaute ihn mit geradezu kindlicher Erwartung an.

»Sie haben also ein Kinderskelett aus dem 16. Jahrhundert gefunden, richtig?«

Der Kastellan erzählte brav von seinem Fund, während Horns Augen hinter den dicken Gläsern mehr und mehr leuchteten.

»Da müssen wir ja unbedingt was herausfinden, oder?«, versetzte der Archivar enthusiastisch. »Ich habe schon gestern alle relevanten Register bereitlegen lassen und grob durchgesehen – also, es gibt eine ganze Menge an Material zum 16. Jahrhundert auf der Plassenburg. Ich würde vorschlagen, Sie sehen sich das mal an und bestellen sich die interessanten Signaturen.«

Haubold war froh, in Horn einen solch begeisterten Mitstreiter gefunden zu haben. Zusammen gingen sie ins Nebenzimmer, und Horn setzte ihm die Register vor, schwere Folianten, in Leder gebunden und mit winziger, aber klarer Archivarshandschrift ausgefüllt. Umständlich entledigte sich Haubold seiner verschossenen Winterjacke, zog sein Schreibzeug aus der Aktentasche und machte sich über die dicken alten Bücher her.

Schon bald schwante ihm Unangenehmes: Die Zahl der infrage kommenden Archivalien war größer, als er vermutet hatte. »Bedenken und Ratschläge der gebirgischen Räte wegen der markgräflichen Kammer- und Hausordnung zu Plassenberg. Hofordnung Plassenberg 1577 mit Frauenzimmerordnung. Personal- und Lohnlisten Plassenberg 1515–17. Gemeinbuch Georg und Albrecht 1536 ff. Anschlag auf Unterhalt von 80 Personen samt Pferden auf der Plassenburg 1542. Bettgewandinventar Plassenberg 1541. Ach, du gute Güte. Besatzung der Plassenburg 1552. Über den welschen Maler zu Plassenberg 1552. Albrecht übergibt die Plassenburg dem Schutz des Landgrafen von Leuchtenberg …«

Haubold machte mit dem Mund ein unschönes Geräusch. Das war ja ein Fass ohne Boden. Mit solch einer geradezu hervorragenden Quellenlage hatte er nicht gerechnet. Einerseits war das für seine Nachforschungen von Vorteil, bedeutete aber andererseits, dass die vier Tage, die er für seine Archivarbeit veranschlagt und Urlaub genommen hatte, bei weitem nicht ausreichen würden. Und wenn er mehr Urlaub nehmen würde, hieß das, dass aus der Pfingstreise an die Ostsee, die er seiner Frau und den Mädchen versprochen hatte … o je, er mochte gar nicht daran denken. Sorgfältig notierte er sich die Signaturen der Archivalien, die er näher anschauen wollte.

Als Haubold nach dem Mittagessen mit Horn wieder den Benutzersaal betrat, fühlte er sich behaglich satt und fast ein wenig schläfrig. Was er sah, übertraf seine schlimmsten Befürchtungen und machte ihn schlagartig wieder hellwach: An seinem Platz lag ein Berg von dicken Folianten, Mappen, Pappschachteln, verschnürten Paketen und Heften. Als er sich setzte, sahen ihn die beiden anderen Benutzer im Saal mitleidig an, einer lächelte ihm sogar aufmunternd zu und flüsterte: »Schöner Haufen Arbeit, was?«

Haubold nickte mit leidender Miene. Er griff sich den ersten Folianten und schnürte ihn auf. Leider musste er feststellen, dass er mehr Schwierigkeiten mit der Schrift des 16. Jahrhunderts hatte als erwartet. Er war ganz einfach aus der Übung. Langsam, aber zäh begann er sich durch die Archivalien zu kämpfen.

Glogau, März 1529

Im Fürstenzimmer brannten sämtliche Kerzenleuchter, und auf die Simse hatte man zusätzlich Öllampen gestellt. Die flackernden Flämmchen warfen tänzelnde Schatten auf die feinen Tapisserien an den Wänden; lange, dünne Fahnen von Ruß schlängelten sich von den Lichtern hoch und hatten schon begonnen, an der Decke schwarze, rußige Flecken zu bilden. Es roch ranzig nach verbranntem Talg, überdeckt von einem Hauch Weihrauch mit seltenen Gewürzen, mit dem man den Raum in den letzten Tagen regelmäßig ausgeräuchert hatte. Das einzige Fenster des Raumes war mit dichten Barchentstoffen verhängt, aber die Zugluft drang trotzdem kalt und unangenehm herein – es war noch nicht Frühling.

Der letzte Herzog von Groß-Glogau und Crossen saß halb aufrecht inmitten seiner Kissen. Er hatte die Augen geschlossen; durch den weit offenen Mund mit den zerbrochenen Zähnen ging sein Atem pfeifend und unregelmäßig. Sein linker Arm mit der verkrüppelten Hand lag auf der gestreiften Bettdecke, während sein rechter kraftlos aus der Bettstatt hing. Um ihn versammelt war der glogauische Hochadel, dazu der herzogliche Beichtvater in vollem Ornat. Bei ihm stand mit gerunzelter Stirn der fürstliche Leibarzt.

Die Tür öffnete sich, und ein Kammerdiener kam mit einem Röhrenleuchter herein. Er erhellte den Weg der jungen Herzogin, die hinter ihm ging, und verbeugte sich, um sie an das Lager ihres Gatten zu bitten. Barbara stockte der Schritt. Sie war inzwischen ein groß gewachsenes, robustes Mädchen von zwölf Jahren und hatte seit ihren Kindertagen an Liebreiz gewonnen. Ihre langen Haare verbargen sich unter einer perlenbestickten weißen Kalotte, und unter ihrem dem Anlass gemäßen einfachen und eng anliegenden Kleid zeichnete sich schon ein recht ansehnlicher Busen ab. Ihr Teint war immer noch makellos, wenn auch etwas zu dunkel, und die dichten schwarzen Brauen waren gezupft und in die Form von Schwalbenflügeln gebracht. In Barbaras hellen grauen Augen, die so oft vor Leidenschaft geblitzt hatten, wenn sie mit dem Herzog über alle möglichen Dinge unter dem Himmel disputiert hatte, lagen Melancholie und Kummer.

Der Leibarzt, ein mageres Männchen mit Augengläsern und weitem Umhang, ging sofort auf sie zu.

»Ihr kommt zur rechten Zeit, Herzogin«, sprach er mit leise schnarrender Stimme und berührte ein wenig zu vertraulich mit spitzen Fingern Barbaras Arm. »Eurem Gemahl bleibt nicht mehr viel Zeit auf dieser Welt.«

Barbara stieß einen kleinen, wimmernden Laut aus und schlug die Hände vor den Mund.

»Ihr könnt ihm nicht mehr helfen, Doktor Weinmann?«

»Gott sei's geklagt, ich fürchte nein«, antwortete der Arzt. »Ich habe alle Mittel meiner Kunst erschöpft, habe den Herzog wohl an die acht Mal zur Ader gelassen und ihm mehrmals den Einlauf gemacht, damit die schlechten Säfte den Körper verlassen – wie Ihr ja wisst, leidet er an einem bösen Schlagfluss, der vom Kopf auf die Lungen gegangen. Aber es ist keine Besserung eingetreten. Nach wie vor kann Euer Gemahl die rechte Seite nicht bewegen. Er ist zu Zeiten bei Sinnen, hat aber Mühe mit dem Reden, und sein Auge und Mund hängen einseitig herab – ein typisches Krankheitsbild, das all meinem Wissen nach nicht mehr auf guten Ausgang rechnen darf. Seit heute nächtens ist ihm auch noch das schlechte Wasser zur Lungen gestiegen und bedrückt nun das Herz, das bald nicht mehr widerstehen wird können. Er liegt auf den Tod, so helf ihm Gott.«

Barbara senkte den Kopf. Bisher hatte sie noch nicht den Mut gehabt, ihren sterbenden Ehemann anzusehen, jetzt aber trat sie an die Bettstatt heran. Zum ersten Mal sah sie den Herzog ohne seine Kappe. Sein beinahe kahler Schädel mit den Grinden und Schwären lag seitlich auf dem Kissen, die Gesichtszüge verschoben und grau zusammengefallen, dunkle Ringe unter den geschlossenen Augen. Sein Körper unter dem dicken Bettzeug kam ihr klein vor wie nie, die Hände durchscheinend und dürr. Er roch nach Schweiß, nach Kot und Urin und nach Erbrochenem. Auch ohne die Diagnose des Arztes hätte Barbara gewusst, dass sie einen Sterbenden vor sich hatte.

Unendliches Mitleid erfasste sie mit diesem kleinen Häuflein Mensch, das so verloren und hilflos in der viel zu großen Bettstatt lag und mit dem Tod kämpfte. Barbara setzte sich auf das Bett und nahm mit einer liebevollen Bewegung die verkrüppelte Hand des einzigen Freundes, den sie bis jetzt gekannt hatte. Während sie die bizarr verformten Finger unbeholfen streichelte, tropften ihre Tränen auf das fleckige Betttuch.

Mit einer Bewegung forderte die Herzogin das Gefolge auf, den Raum zu verlassen. Der Geistliche brachte sein Gesicht ganz nah an ihres, sodass sie seinen schlechten Atem riechen konnte.

»Ihr wisst, gnädige Herrin, es ist nicht recht, ohne die übliche Zeugenschaft zu sterben. Niemals ist so etwas gehört worden. Die Herren vom Adel werden Euren Wunsch nicht verstehen, und ich als herzoglicher Beichtvater kann ihn unmöglich gutheißen. Bedenkt, was Ihr tut.«

Barbaras Stimme klang rau vom Weinen. »Ihr mögt um meinetwillen bleiben, der Hofadel soll gehen. Mein Gemahl hätte nicht gewollt, dass ihn die Herren so schwach sehen, wie er jetzt ist.«

Die junge Herzogin biss die Zähne zusammen und starrte dem Geistlichen trotzig ins Gesicht. Ihre Finger schlossen sich fest um die Hand des Sterbenden, als wollte sie ihm mitteilen, dass sie bis zuletzt zu ihm hielte.

Das Mädchen saß lang am Bett des Sterbenden.

Sie dachte an die vielen Stunden, die sie in den vergangenen beiden Jahren mit dem Herzog verbracht hatte. Wie er über ihre altklugen Sprüche Tränen gelacht hatte, wie er sie mit ihrem römischen Glaubenseifer gefoppt hatte, wo doch der Herr Luther so recht den Glauben erneuert und berichtigt hatte. So oft war sie in die Herzogsgemächer gerufen worden, und der Herzog hatte mit einem Geschenk auf sie gewartet. Und wie liebevoll er sie beobachtete, wenn sie mit ihrem Hündchen spielte. Alles, was sie war, und alles, was sie wusste, verdankte sie ihm. Er hatte sie unterrichtet, sogar in Dingen, von denen die Erziehung eines Weibes nie handeln sollte. Sie hatte teilgehabt an seinen Gedanken und war dadurch zu einer inneren Freiheit gelangt, die einer Frau nicht zustand und die sie nach außen geschickt verbarg. Barbara dachte daran, was werden würde, wenn der Herzog nicht mehr lebte. Nachdem die Ehe nicht vollzogen war, weil sie immer noch nicht die weibliche Blutung hatte, war ihre Stellung bei Hof nicht gesichert. Der glogauische Adel konnte die Ehe womöglich für nichtig erklären lassen und ihr das herrschaftliche Erbe, das ihr als Witwe zustand, streitig machen. Und wenn dann das Herzogtum einem vom einheimischen Adel zufiel, würde man sie als Witwe mit strittigem Anspruch nicht in Glogau bleiben lassen. Der Herzog war alles gewesen, was sie hatte. Jetzt, wo er darniederlag und mit dem Tode rang, fühlte sie sich müde und leer. Und sie hatte Angst vor dem Alleinsein.

Ein leichtes Zucken riss sie aus ihrer Apathie. Die Finger der verkrüppelten Hand bewegten sich, dann der Arm. Der Kopf des Herzogs ruckte zur Seite, und sein eines Auge öffnete sich. Barbara griff nach dem Schwamm, der auf einem Dreifuß neben ihr lag, und befeuchtete die Lippen des Sterbenden.

»Ich bin hier, Liebden, keine Angst, nur der Pfaff und ich. Habt Ihr Schmerzen – könnt Ihr sprechen?«

Der Herzog öffnete und schloss den Mund; seine Lippen zuckten und sein linkes Lid flatterte. Zitternd erwiderte seine Hand fast unmerklich den Druck von Barbaras Fingern. Er formte Laute, die Barbara nicht verstehen konnte. Ganz nah brachte sie ihr Ohr an seinen Mund und hörte doch nur ein fast tonloses, ersticktes Stöhnen.

Der Geistliche reichte ihr einen Becher mit warmem Würzwein, den sie dem zitternden Herzog an den Mund setzte, aber er konnte nicht schlucken, und die rote Flüssigkeit lief seitlich wieder heraus und befleckte Hemd und Bettzeug. Der Herzog hustete, und dann kamen doch Worte, rasselnd und stockend.

»Testament ... Leibgeding ... Schlesien ... gehört dir ... Liebfräulein ... muss ... sterben ... vorbei ... Luft ...«

Ein schwaches Aufbäumen folgte, dann fiel der Herzog in die Kissen zurück. Sein Atem war fast nicht mehr hörbar, und irgendwann, als draußen der Morgen graute und die Nebel über der Oder schwebten, hörte er ganz auf. Das Schloss hüllte sich in Schweigen.

Barbara war mit zwölf Jahren Witwe, noch bevor sie zur Ehefrau geworden war.

Die prunkvollen Begräbnisfeierlichkeiten dauerten drei Tage, bis der Herzog mit einem Leichenzug, der mehrere Kilometer lang war und vom Schloss durch die Stadt Glogau bis zum Dom führte, an die Stätte seiner letzten Ruhe gebracht wurde. Das Volk, das den Herzog nie recht geliebt hatte, bemitleidete dafür umso mehr seine blutjunge Witwe, die allein neben dem Leichenwagen schritt. Der Witwenschleier ließ Barbaras schlanke Gestalt noch kindlicher wirken, und sie trug ihn, als würde er sie ersticken.

Auch Barbaras Vater, der Markgraf Friedrich von Brandenburg-Ansbach, war zum Leichenbegängnis angereist, zusammen mit seinem ältesten Sohn Georg, einem pausbäckigen, dicklichen Fünfzehnjährigen, der zwar von gutmütiger Art, aber etwas schwer von Begriff war. Die Freude, ihren Bruder und Vater wiederzusehen, linderte Barbaras Trauer. Sie begriff aber schnell, dass nicht sie oder das Begräbnis der Grund ihres Kommens war, sondern die Regelung des glogauischen Erbes. Zu diesem Zweck war ein Treffen von Landständen und Räten anberaumt worden, in dem der Markgraf von Ansbach die Ansprüche seiner Tochter vertrat – Barbara war ja als Frau nicht rechtsfähig.

Und dem alten Fuchs, der für seine schlaue Verhandlungstaktik bekannt war, gelang das, womit eigentlich niemand gerechnet hatte: Durch geschicktes Lavieren und Ausnutzen von Streitigkeiten der einzelnen Parteien erwirkte er gegen den Widerstand eines Großteils des ansässigen Adels, dass Barbara als Erbin des Herzogtums Groß-Glogau und Crossen offiziell anerkannt wurde. Als Zugeständnis erreichte der glogauische Adel, dass in den nächsten fünf Jahren die Regierung einem zehnköpfigen Rätekonsortium anvertraut wurde, das dem Markgrafen regelmäßig Bericht erstattete, im Großen und Ganzen aber unabhängig wirtschaften konnte.

Zwar war dadurch Barbaras Erbe vorläufig gerettet, der Markgraf erachtete es jedoch für zu unsicher, seine Tochter in Glogau zu lassen. Er beschloss, Barbara bis auf weiteres mit nach Ansbach zu nehmen, wo man in aller Ruhe und ungestört weitere Maßnahmen zur Sicherung Groß-Glogaus in die Wege leiten konnte.

Barbara verließ das Glogauer Schloss mit gemischten Gefühlen, hatte sie doch hier zwei glückliche Jahre verbracht und war jetzt zumindest nominell Landesherrin. Aber ohne den Herzog schien ihr ein Leben in Glogau trist und freudlos, und je weiter sich ihre Reisekutsche von Glogau entfernte, desto mehr begann sie sich auf ihre alte Heimat zu freuen, besonders auf ihren kleinen Bruder Albrecht und auf die dicke Martsch, ihre alte Amme. Barbara machte es sich in einer Ecke ihrer Kutsche bequem und drückte ihr Hündchen fest an sich. Sie ahnte nicht, dass sie ihr Herzogtum nie wiedersehen würde.

Ansbach, September 1529

Der Spätsommer war in diesem Jahr außergewöhnlich mild. Die Rosen im Ansbacher Hofgarten blühten noch fleißig und verströmten ihr betörendes Aroma in der Mittagssonne. Das Wasserspiel plätscherte glucksend im Brunnen unter der Linde, während die ersten Eichhörnchen schon nach gefallenen Haselnüssen suchten, um sie als Wintervorrat zu vergraben. Denn frühmorgens war es bereits kühl und diesig, und ihr Instinkt sagte den Tieren, dass ein harter und langer Winter bevorstand.

Von der Schmiede her war ein Klopfen und Hämmern zu hören – der Markgraf hatte fünf neue Rösser für den Marstall gekauft, vier braune Wallache und eine kleine Rappstute, die jetzt beschlagen werden mussten. Und über den Rasen wehte der Duft von frisch gebackenem Brot aus der Backstube.

Aus der Südecke des Hofgartens erklang mehrstimmiges Kreischen und Gelächter, und plötzlich brachen aus einer Buchsbaumhecke drei kleine Buben, rannten kichernd und mit den Armen rudernd quer über die Wiese, wo sie in wildem Durcheinander hinpurzelten und sich prustend am Boden wälzten. Hinter ihnen rannte sehr undamenhaft mit gerafften Röcken und barfuß die verwitwete Herzogin von Groß-Glogau und Crossen und stürmte mit den Worten »Jetzt hab ich euch!« auf die Buben zu. Deren kleinster stellte ihr ein Bein, worauf sie mit einem verblüfften Aufschrei zu Boden ging und sich mit schmerzverzerrtem Gesicht den Knöchel rieb.

»Euer markgräfliche Gnaden! Kommt sofort zurück! So wollt Ihr wohl hören!«

Aus der Ferne drang die wütende Stimme eines Mannes.

»Psst! Da ist der Präzeptor«, flüsterte der kleine Markgraf Albrecht, ein braunhaariger, blasser Junge von sechs Jahren.

»Au weh! Das gibt Keile!«, meinte betrübt der zweite Bub, der ein Jahr ältere Landgraf zu Leuchtenberg, der, genauso wie der Dritte im Bunde, einer der jungen Grafen von Gleichen, mit dem Markgrafen zusammen erzogen wurde.

Der Lehrer Beck, ein bärtiger Mann mittleren Alters, dessen Haare sich schon deutlich lichteten, lief hochroten Kopfes auf die Kinder zu, in der Hand eine stattliche Haselrute. Schon griff er sich den kleinen Georg von Leuchtenberg, der hilflos zu zappeln anfing und Barbara den verzweifelten Blick eines waidwunden Rehs zuwarf. Das Mädchen rappelte sich auf und fiel dem Präzeptor in den Arm.

»Magister Beck, nicht schlagen, es ist alles meine Schuld, ich habe die jungen Herren aus der Lernstube gelassen!«

Beck, der liebend gern zugeschlagen hätte, ließ widerwillig die Rute sinken. Gegen das Wort der jungen Herzogin wagte er nicht aufzubegehren, und er war schon gar nicht berechtigt, sie zu züchtigen. Ärgerlich versetzte er: »Ich werde bei nächster Gelegenheit dem Markgrafen berichten, Euer Gnaden. Ihr wisst, dass Euer Bruder, wie es allüberall üblich ist, mit sechs Jahren das Frauenzimmer verlassen hat, um nunmehr eine rechte Erziehung zu genießen. Er ist nicht mehr Euer Spielkamerad, und ich wäre Euch dankbar, wenn Ihr Euch danach zu richten wüsstet.«

Er drehte sich auf dem Absatz um, packte die drei Buben und lief mit ihnen zum Schloss zurück.

Barbara setzte sich auf die steinerne Bank vor der Buchsbaumhecke. Was war dieser Präzeptor Beck doch für ein widerwärtiger Mensch. Der humorlose Tropf setzte wahrhaftig alles daran, den Buben das Leben zu vergällen. Manchmal zeigte ihr der kleine Albrecht sein mit Striemen bedecktes Hinterteil und schwor schluchzend und schniefend und mit kindlichem Zorn in der Stimme, er werde den Beck umbringen, wenn er erst erwachsen sei. Und Barbara zerfloss vor Mitleid, war ihr doch der kleine Bruder sofort wieder ans Herz gewachsen, als sie nach Ansbach zurückgekehrt war. Der Sechsjährige wurde ihr Vertrauter und Spielkamerad, ihr Schutzbefohlener und Hätschelkind.

Im Frauenzimmer hatte sie außer der alten Martsch kaum Freundinnen, am wenigsten ihre älteste Schwester Kunigunde, die es ihr herzlich missgönnte, in der höfischen Rangordnung über ihr zu stehen. Die übergewichtige, wenig attraktive Achtzehnjährige neidete ihrer Schwester die frühe Ehe, während sie selbst trotz einer hohen Mitgift bisher noch keinen Heiratskandidaten gefunden hatte. Und dass Barbara jetzt als reiche Erbin zurückgekommen war und bei Hof höhere Achtung genoss als sie, konnte Kunigunde nicht verwinden. Und auch Ursula, die Zweitälteste mit dem Gesicht voller Pockennarben, hatte wenig für die hübsche junge Barbara übrig, die zudem mit dem Herzogtum Glogau gut versorgt war.

Auch Barbaras Mutter brachte der zurückgekehrten Tochter wenig Zuneigung entgegen. Sie hatte sich nie viel um ihre Kinder gekümmert – deren Betreuung war Sache der Ammen gewesen – und es bereitete ihr Missvergnügen, dass es jetzt wieder drei heiratsfähige Töchter bei Hof gab, um deren günstige Vermählung sie sich zu kümmern hatte.

Bei ihrem Gatten, dem Markgrafen, brauchte sie nicht lange auf eine erneute Vermählung Barbaras zu drängen. Dieser nämlich hatte selber schon längst seine Fühler ausgestreckt. Der nächste Heiratskandidat, so die Überlegungen des Markgrafen, musste mindestens im Rang eines Herzogs oder eines hohen Reichsfürsten stehen, brachte Barbara doch als Leibgeding das reiche Herzogtum Groß-Glogau-Crossen mit in die Ehe. Und sie war überdies noch ein schön anzusehendes Mädchen, zu allem Glück auch noch unberührt, trotz ihrer Witwenschaft.

Kaum war Barbara in Ansbach angekommen, hatte sich ihr Vater schon auf die Suche nach einem geeigneten Heiratskandidaten gemacht. Das Arrangieren von Hochzeiten gehörte zur hohen Schule der Diplomatie, und der Markgraf liebte dieses Spiel. Er streckte diskret seine Fühler beim deutschen, ja europäischen Adel aus, verfasste Briefe, schickte Gesandte, verteilte hier Geschenke und dort Handsalben in klingender Münze. Am Ende war er selbst überrascht vom Ergebnis seiner Bemühungen: Ausgerechnet der viel begehrte junge König Wladislaus von Böhmen erklärte sein Interesse. Auf solch einen saftigen Happen hatte der Markgraf kaum zu hoffen gewagt – ein König in der Verwandtschaft steigerte die politische Bedeutung ungemein und bedeutete einen Aufstieg in höchste Kreise des Reiches. Der Jagiellone hingegen war in erster Linie an Barbaras reichem Erbe interessiert – das bedeutende Herzogtum Groß-Glogau so billig zu bekommen schien ihm ein besonderer Glücksfall. Das Territorium würde sich prächtig als Privatbesitz in sein königliches Territorium einfügen. So willigte er nach kurzen Überlegungen in eine Ehe ein.

Es war im Winter des Jahres 1529, als Barbara zu ihrem Vater bestellt wurde. Draußen schneite es in dichtem Gestöber, und es war unangenehm kalt im Schloss. Die Dienerschaft trug alles, was sie an Kleidern besaß, übereinander auf dem Leib, und die fürstliche Familie hüllte sich in Pelze und Decken. Das Schloss war von Hunden und Katzen bevölkert, die sich sonst draußen im Hof und in den

Stallungen und Wirtschaftsgebäuden herumtrieben, jetzt aber die Nähe der Kamine suchten. Natürlich blieben auch die Mäuse und Ratten nicht aus. Küche und Hofstube waren voll von ihnen, obwohl sie ständig gejagt und vertrieben wurden.

Widerstrebend verließ Barbara ihren Platz neben dem Kohlebecken, wo sie zusammen mit der alten Martsch saß und stickte, das Hündchen zu ihren Füßen. Eine Hofdame setzte ihr die Haube auf und half ihr in die Hornschuhe. Dann ging Barbara durch die kalten, zugigen Gänge in den Mittelflügel des Schlosses, wo die Markgrafengemächer lagen.

Ihre Eltern saßen beim großen Kamin in der Herrenstube. Auf einem Tischchen vor dem flackernden Feuer standen eine silberne Karaffe mit Castell'schem Wein und ein kleines Tellerchen mit dem Lieblingskonfekt der Markgräfin, das man sich zweimal jährlich vom Nürnberger Apotheker kommen ließ. Der Markgraf war bester Laune; über seinem gestutzten Bart zeigten sich kleine gerötete Apfelbäckchen, wie immer, wenn er zu viel vom Wein getrunken hatte.

Auch die Markgräfin wirkte äußerst zufrieden. Sie winkte Barbara vertraulich zu sich.

»Du wirst dich wundern, meine kleine Herzogin, was dir dein Vater gleich berichten wird«, versetzte sie geheimnisvoll, »so ein Glück für das Haus Zollern-Brandenburg!«

Der Markgraf setzte sich in seinem hochlehnigen Stuhl zurecht und begann mit seiner tiefen Bassstimme zu sprechen.

»Die gesamte Familie schaut mit Stolz auf dich, Kind. Wir haben eine neue Heirat für dich beschlossen, wie sie besser gar nicht sein kann: Der König von Böhmen hat sich für dich erklärt. Natürlich will er Groß-Glogau und Crossen, aber das soll deine Sorge nicht sein, solange du ein gutes Auskommen hast. Du, die erste Königin in der Familie. Was für ein Aufstieg! Na, hat's dir die Sprache verschlagen?«

Barbara stand stumm. So schnell hatte sie nicht damit gerechnet, Ansbach wieder zu verlassen. Die Aussicht, Königin von Böhmen zu werden, schmeichelte ihr, aber sie hatte auch Angst vor dem Ungewissen – einem neuen Ehemann, den sie nie gesehen hatte, einer fremden Hofhaltung in einem fremden Land und einer unbekannten Aufgabe als Herrscherin. Über ihre erste Verheiratung hatte sie als damals Achtjährige nicht viel nachgedacht; jetzt schien ihr die neue Ehe von bedenklicher Tragweite und trübte ihre Freude über eine gute Partie.

»Ich freue mich mit Euch, Herr Vater«, fing sie schließlich unsicher an, »und hoffe, meiner zukünftigen Stellung gerecht zu werden und Euch keine Schande zu machen. Ich denke noch mit viel Wehmut an meinen vormaligen Gatten, den Herzog, dem ich herzlich zugetan war, aber eine neue Heirat ist, das versteh ich, für das Haus Brandenburg-Ansbach politisch wünschenswert, da darf ich nicht lange zögern und muss nehmen, wer mir bestimmt ist. Ich bitt Euch, erzählt mir vom böhmischen König, dass ich mehr von ihm kennen lerne!«

»Du wirst gern hören, Tochter, dass er jung ist und ein recht schönes Vermögen hat. Auch heißt es, er sei von angenehmer Gestalt und habe dunkle Locken und dichten Bartwuchs. Seine Stellung in Böhmen ist hinreichend gefestigt, wenn auch die ungarische Krone mit ihm um seine Herrschaft rechtet. Er ist, so hört man, ein wacher Kopf – darum will er auch das Glogau'sche Herzogtum, das für ihn günstig ist. Ich mein, du wirst mit ihm zufrieden sein. Schenk ihm Kinder, das ist deine Aufgabe, nicht mehr und nicht weniger.«

»Wie es Euch beliebt, Herr Vater, ich dank Euch für die Wahl.«

»Du scheinst nicht recht froh zu sein? Schaust wie ein Sauertopf!«

Barbara suchte nach Worten. Sie wusste, dass ein Mädchen über seine Heirat nicht zu bestimmen hatte und den Familieninteressen dienen musste. So war es auch bei ihrer ersten Ehe gewesen, die sich unerwartet als glückliche Wahl erwiesen hatte. Aber in der Zeit mit dem Herzog hatte sie auch gelernt, frei zu denken, und sie besaß einen eigenen Willen. Sie hatte geglaubt, dass sie als Herzogin mit eigener Herrschaft wenigstens vorher über eine neue Ehe befragt werden würde. Dass ihr Vater zum zweiten Mal über ihren Kopf hinweg entschieden hatte, traf sie nun doch. Sie war nicht dumm, und die neue Ehe schien verlockend, aber sie hätte gerne selber mit bestimmt. Doch das alles konnte sie ihren Eltern nicht sagen.

»Hast du einen Wunsch?«, meinte gutmütig der Markgraf und kratzte sich am Bart. »Bist jetzt ja bald Königin.«

»Ja, Herr Vater, einen Wunsch hätt ich schon, ich …«, Barbara zögerte. Sie war sich der Ungehörigkeit ihres Ansinnens bewusst, aber dann sprach sie entschlossen weiter, »… ich möchte gern zusammen mit dem Albrecht unterrichtet werden.«

Der Markgraf sah sie verdutzt an, während seine Frau den Kopf schüttelte.

»Das ist ein recht seltsames Begehren, Tochter, wie kommst du auf solch ungewohnte Gedanken? Du bist doch eine Frau, und nicht garstig dazu, warum solltest du dich mit Dingen belasten, die nur Männer angehen? Wirst ohnehin nichts verstehen. Wozu soll das gut sein?«

»Ich bitt Euch, Vater. Mein toter Mann hat mich in Glogau viel gelehrt – ich möcht's ihm zum Andenken.«

»Na, es sei. Du kannst froh sein, dass ich heut gut aufgelegt bin. Probier's. Du wirst die Sache ohnehin bald lassen. Und an deinen toten Mann brauchst auch nicht mehr so viel denken – hast ja bald einen neuen!«

Barbara lächelte zum ersten Mal. »Danke, liebster Herr Vater, das werd ich Euch nicht vergessen!«

Die Markgräfin meldete sich zu Wort: »Du freust dich mehr über die Lernerei als über deine neue Ehe, wer soll das verstehen? Es wird sowieso nicht lang dauern, dann bist du in Böhmen. Bis dahin soll's gut sein, du darfst jetzt gehen.«

An Weihnachten 1529 fand in der Ansbacher Schlosskapelle die zweite Heirat der Markgräfin Barbara von Brandenburg-Ansbach, Herzogin von Groß-Glogau und Crossen, statt. Da ihr Gatte in Prag aufgrund von politischen Schwierigkeiten unabkömmlich war, hielt man eine Hochzeit »per procurationem« ab, in der ein böhmischer Gesandter die Stelle seines Königs vertrat und das Jawort sprach. Es war eine schlichte und kurze Trauung, vorgenommen vom Abt von Heilsbronn, der gerade auf Besuch zu Ansbach weilte und der höchste Geistliche am Ort war. Als Zeugen waren mehrere Adelige geladen.

Barbara war ernüchtert von der kurzen, schmucklosen Zeremonie. Der Gesandte aus Böhmen verhielt sich ihr gegenüber recht freundlich, aber sie verstand seine Sprache nicht, und das machte sie verlegen. Sie beschloss, so schnell wie möglich Sprachunterricht zu nehmen, damit sie sich zukünftig mit ihrem Mann verständigen konnte. Sie hatte nämlich keinesfalls vor, eine dieser Ehen zu führen, die sich einzig und allein auf die Produktion von Nachkommen beschränkten.

Nach der Trauungszeremonie verabschiedete sie artig den böhmischen Gesandten und wartete dann ungeduldig auf die Schneider, die ihr das Festkleid für die Heimführung nach Böhmen anmessen sollten. Diese war für den Sommer geplant, und dann, in Prag, sollte auch die feierliche Krönung stattfinden und die rechten Feierlichkeiten begangen werden.

Bamberg, Februar 2002

Gibt es einen Ort stilleren Arbeitens und größerer Konzentration als den Benutzersaal eines Archivs? Kein lautes Wort durchbricht die angestrengte Ruhe, in der die Historiker mit den uralten Zeugnissen vergangener Zeiten in schweigsame Zwiesprache treten. Das Bamberger Staatsarchiv war keines dieser modernen Gebäude aus Stahl und Beton, sondern ein alter vierflügeliger Bau, dessen Seiten sich um einen Innenhof gruppierten, in dem Gras wuchs und Obstbäume standen. Die Gänge mit den zum Teil antiken Schränken waren dunkel und schlecht beleuchtet, ebenso der Lesesaal, der im hinteren Teil eine Empore hatte, auf der die Aufsicht thronte.

Seit fast zwei Wochen – er hatte unbezahlten Urlaub genommen – durchforschte Gregor Haubold nun die Bestände des Staatsarchivs zur Plassenburg, und der Aktenberg war schon ein ganzes Stück kleiner geworden. Bisher war noch kein Hinweis aufgetaucht, der ihn bei der Suche nach der Identität des toten Kindes weitergebracht hätte. Der Hof hatte sich, so viel war klar, das ganze sechzehnte Jahrhundert hindurch regelmäßig auf der Plassenburg eingefunden und war immer jeweils für einige Wochen dageblieben. All das war nicht ungewöhnlich. Wenn Haubold wenigstens gewusst hätte, nach welchem Anhaltspunkt er Ausschau halten sollte. So gestaltete sich sein Unternehmen als blinde Suche nach der Stecknadel im Heuhaufen.

Der Kastellan raufte sich zum x-ten Mal die Haare, die schon kreuz und quer von seinem Kopf abstanden. Er öffnete mit einem frustrierten Schnaufer das nächste Archival. Ein leichtes Tippen auf die Schulter ließ ihn zusammenzucken – es war Horn, der ihn leise aufforderte, ihm nach draußen zu folgen. Dankbar für die Pause erhob sich Haubold, zog seine Hose mit einer schwungvoll drehenden Bewegung nach oben und folgte dem Archivar in sein Büro.

Haubold ließ sich auf dem knarzenden Besucherstuhl nieder und sah den Archivar erwartungsvoll an. Horn schien im Wissen um seine Neuigkeit schier zu platzen. Mit triumphierendem Lächeln erzählte er:

»Also. Ich glaube, ich habe da was für Sie. Natürlich bin ich bezüglich Ihres Forschungsproblems nicht untätig geblieben, das können Sie sich ja denken. Ich habe immer, wenn ich Zeit hatte, ein wenig unsere alten Buchbestände zum Thema Plassenburg durchgeblättert. Kennen Sie das Buch von Mader zur Baugeschichte der Plassenburg?«

Haubold nickte.

»Dachte ich mir. Ich habe heute Vormittag nachgelesen, was Mader zur Plassenburg im sechzehnten Jahrhundert schreibt. Nach seinen Angaben lässt sich die Bautätigkeit auf der Burg ganz genau verfolgen. Man kann also eruieren, welche Teile der Burg in dieser Zeit neu gebaut wurden und welche schon da waren.«

»Was hat die Bautätigkeit auf der Burg mit meiner Kinderleiche zu tun?« Haubold konnte nicht recht folgen.

»Sie sagten, Sie hätten die Truhe mit den Gebeinen im Gewölbe unterhalb der Markgrafenzimmer gefunden. Und Mader schreibt nun, dass dieser Teil des Hochschlosses im Jahr 1547 neu gebaut wurde. Wenn das stimmt, haben wir eine zeitliche Abgrenzung. Denn dann kann die Truhe nicht vor diesem Zeitpunkt eingemauert worden sein. Hier, sehen Sie!«

Horn blätterte aufgeregt die betreffenden Seiten in Maders »Bau- und Kunstgeschichte der Plassenburg« auf und gab das schon recht angestaubte Exemplar aus dem Jahr 1933 dem Kastellan zu lesen.

»... Vervollständigung der Außenwehren 1547, dazu Arbeiten im Bereich des Hochschlosses ... Kemenate westlich der Burgkapelle abgerissen und neu aufgerichtet. Horn, Sie sind genial. Der Sherlock Holmes der Staatsarchive! Das könnte wirklich stimmen. Schauen Sie, Mader weist in einer Fußnote auf die betreffende Quelle hin. Das lässt sich also kontrollieren. Meine Güte, das wäre eine echte Hilfe. Kommen Sie!«

Die beiden Männer gingen zurück in den Lesesaal, wo Haubold aus dem wüsten Haufen an seinem Platz einen Akt zog.

»Hier haben wir ihn: ›Förderung der Gepew im Schloss Blassenberg 1547‹.« Der Kastellan begann zu entziffern.

»›... wollen wir berichten, dass die Kemenate neben der Cappellstuben nunmehr abgetragen und an ihrer statt ein newe Kemenaten samt Unterbau aufgericht. Darein befinden sich herrschaftliche Gemächer, ein newe Capellstuben sowie ein krumme Stuben mit Ercker.‹ Tatsächlich. Das muss es sein. 1547 und nicht vorher. Das grenzt unseren Suchzeitraum ein: zum einen auf die Jahre 1547 bis 1554 – 1554 wurde die Burg im Krieg zerstört und bis auf die Grundmauern in Schutt und Asche gelegt. Zum anderen auf die Jahre zirka ab 1570 bis Ende des Jahrhunderts, als die Burg wiederaufgebaut war und die Hofhaltung des neuen Markgrafen Georg Friedrich auf die sanierte Festung kam. Wobei mir Letzteres wahrscheinlicher vorkommt. Vor 1554, das war die Zeit des Markgrafen Albrecht Alkibiades, und der hat sich fast nie auf der Plassenburg aufgehalten. Da war auf der Burg vermutlich nur eine Grundbesatzung oder ein Militäraufgebot während der Belagerung und sicher keine hoch gestellte weibliche Person, die ein Kind bekam. Und Anfang der fünfziger Jahre begann der Bundesständische Krieg, da war die Plassenburg praktisch nur noch Festung und Garnison.«

»Na, ich hoffe jedenfalls, ich habe Ihnen geholfen«, sagte Horn, »dann suchen Sie mal schön in den Unterlagen von Georg Friedrich weiter!«

»Mache ich, mache ich!«, antwortete der Kastellan.

Plötzlich wurde den beiden bewusst, dass ihrem Gespräch sieben Ohrenpaare gefolgt waren, nämlich die der anderen Benutzer des Lesesaals, in dem normalerweise eine Aufsicht für strikte Ruhe sorgte. Die fünf Männer und zwei Frauen hatten ihre Arbeit eingestellt und hörten mit höchst interessierten Mienen zu. Horn duckte sich schuldbewusst, formte mit den Lippen lautlos und mehrmals »Verzeihung, Verzeihung« zu den anderen Benutzern hin und schlich auf Zehenspitzen hinaus.

Gregor Haubold winkte ihm mit einer sparsamen Geste nach und bemühte sich dann, sich möglichst geräuschlos wieder hinzusetzen. Dann begann er, alle Aktenbestände auszusortieren, die in die Jahre vor 1540 datierten. Sein Eifer war neu geweckt.

Brief des Königs Wladislaus von Böhmen an den Markgrafen Friedrich von Brandenburg-Ansbach, 9. Juni 1530

Gottes Gruß und Gesundheit zuvor, verehrter Schwieger, wir wollen Euch wohl unterrichten über das Hingehen der Dinge seit der König von Ungarn, Gott mög ihn strafen, uns die böhmische Krone strittig gemacht hat. Die Nichtigkeit seines Anspruchs steht außer Zweifel, jedoch er hat sich nunmehr anheischig gemacht, auch die Herrschaft über das Herzogtum Groß-Glogau und Crossen mit seinem Anspruch zu belegen, wiewohl doch alle Welt weiß, dass das Land nach allem Recht Erbe Eurer Tochter, unseres angetrauten Eheweibs ist und damit unserer Herrschaft unterworfen. Ich bitt Euch nun zu verstehen, dass es, sofern der König von Ungarn nicht weicht, zum Waffengang kommen wird. Es scheint uns daher nicht ratsam, Eure Tochter billigst diesen Sommer noch heimzuführen, sondern sie bis zu unserem glorreichen Sieg, der unweigerlich sein wird, in Eurer gnädigen Obhut zu belassen. Wir danken Euch für den schönen Jagdfalken und den Zelter, wiewohl wir auch derzeit keine Muße zum Jagen finden können. Unseren Gruß an die Königin von Böhmen.

Wladislaus, König von Böhmen
Gegeben zu Prag am Tag Primi et Feliciani anno 1530

Brief des Markgrafen Friedrich von Brandenburg-Ansbach an seinen Schwiegersohn, König Wladislaus von Böhmen, 25. Februar 1531

Geliebter Schwieger, mit Gott. Alldieweil jetzo über ein Jahr hingangen seit Euer Liebden Verheiratung mit meiner Tochter, der Herzogin von Groß-Glogau und Crossen, sei mir erlaubt nachzusuchen, wann Euer Liebden gedenken, die Braut heimzuführen. Als gute Kunde mög Euch dabei dienen, dass die Herzogin nunmehr vom Kind zum Weib geworden ist und Euch ohne Verzug Erben schenken könnt, wenn sie denn bei Euch wär. Die Dinge in Böhmen, so hört man hier, lägen nicht im Übermaß schwierig, seit König Matthias von Ungarn, als Straf für seine Anmaßung, mit Krankheit geschlagen ist. Die Zeit ist also günstig für Euch. Die Königin, meine Tochter, wartet mit großer Ungeduld darauf, zu Euer Liebden zu kommen und ihm ein rechtes Eheweib zu sein. Sie schickt Euch mit diesem Brief ein Schabracken, die sie selber mit dem böhmischen Wappen bestickt.

Friedrich, Markgraf von Brandenburg-Ansbach
Gegeben zu Ansbach am Tag vor Sonntag Invocavit anno 1531

Brief des Königs Wladislaus von Böhmen an den Markgrafen von Brandenburg-Ansbach, 3. November 1533

Der König von Böhmen an seine Liebden, den Markgrafen Friedrich, seinen Schwieger. Euer letztes Schreiben hat uns im Heerlager erreicht, das nunmehr schon zwei Jahre andauert. Euer Ansinnen, die Heimführung im Sommer nunmehr durchzuführen, ist, wiewohl wir uns daßelbe wünschten, ganz und gar unmöglich. Der König von Ungarn bedrängt uns gar sehr, und wir können uns vieler Kämpfe nicht enthalten. Das Land darbt darob. Unsere Söldnerhaufen verfressen die Ernte kaum dass sie eingebracht, und warten noch auf den Sold. Wir sind jedoch voller Zuversicht, den Ungarn bald beim Genick zu haben. Sobald die Zeiten danach sind, werden wir glück-

lich sein, unser Eheweib umarmen zu können. Gehabt Euch wohl und Gesundheit für die Königin von Böhmen. Gott gebe uns den baldigen Sieg.

Wladislaus, König von Böhmen
Gegeben zwei Tage nach Allerheiligen anno 1533

Schreiben des Markgrafen Friedrich von Brandenburg-Ansbach an König Wladislaus von Böhmen, 23. Mai 1535

Gottes Gruß zuvor, Schwieger. Wie wir von Eurem Gesandten hören, habt Ihr zu Olmütz Euren Frieden mit dem König von Ungarn gemacht. Wiewohl ich dies mit Freuden höre, muss ich zur gleichen Zeit erfahren, dass Ihr in diesem Frieden die böhmischen Nebenländer mit Groß-Glogau dem Ungarn überantwortet. Dass Ihr Euch versehen konntet, die Erbländer Eures Eheweibs herzugeben, nimmt uns wunder und ist uns nicht begreiflich. War keine bessre Wahl da als die Mitgift Eures Weibes? Welches Leibgeding verschreibt Ihr meiner Tochter jetzo, da sie ohne ihr angestammtes Herzogtum sein muss? Die Herzogin, Eure Gemahlin, ist außer sich vor Zorn und lässt hören, sie wolle den Kaiser um Mittelung angehen. Warum habt Ihr Eurem Eheweib solch Unrecht getan, bevor Ihr sie je gesehen? Wann denkt Ihr nunmehr, da Frieden ist, an die Heimführung, die nun schon seit mehr als fünf Jahren nicht stattgefunden? Seid bedankt für Euren Gesandten, den Schweinicka, dem ich diesen Brief zu treuen Händen mitgeb.

In Erwartung Eurer Nachricht der Markgraf von Brandenburg-Ansbach
Gegeben am Sonntag Trinitatis zu Plassenberg anno 1535

Brief des Königs Matthias von Ungarn an den Markgrafen von Brandenburg-Ansbach, 28. Dezember 1535

Gottes Gruß zuvor dem Markgrafen Friedrich zu Brandenburg-Ansbach. Wahrhaftig, Ihr habt einen gewaltigen Fürsprech für das Recht Eurer Tochter, Euer Liebden. Der Kaiser selber hat uns ersucht, uns der strittigen Sach wegen des Herzogtums Groß-Glogau anzunehmen, das uns von unserem lieben Bruder, dem König Wladislaus von Böhmen, rechtmäßig übertragen worden. Nun wollen wir, auf Empfehlung Ihrer kaiserlichen Gnaden, uns nicht verwehren, Eurer Tochter, der Königin von Böhmen, Recht zu tun. Wiewohl es die Kron von Ungarn nicht nötig hätt, so wollen wir doch aus freien Stücken und ohnverpflichtet Euch ein Angebot zukommen lassen. Wir haben beschlossen, den Anspruch Eurer Tochter auf Groß-Glogau, der wahrlich nicht auf festen Beinen steht, abzulösen. Sofern Ihr Euch einverstanden zeigt, bieten wir der Königin von Böhmen ein Leibgeding von fünfzigtausend ungarischen Gulden. Dafür möge sie allen Ansprüchen auf die glogauischen Lande entsagen und auch in der Zukunft mitnichten das Herzogtum beanspruchen. Wiewohl wir der Meinung sind, dass es an unserem Bruder von Böhmen wäre, den Verlust Eurer Tochter gutzumachen, so sei dies unser Wille und Angebot. Lasst wissen, wie Ihr Euch entschieden. Gesundheit und Wohlergehen.

Matthias, König von Ungarn
Gegeben zu Ofen am Tag der unschuldigen Kindlein anno 1535

Ansbach, September 1539

Das Getuschel der Hofdamen verstummte abrupt, als Barbara das Frauenzimmer betrat. Die inzwischen Zweiundzwanzigjährige war zu keiner Schönheit geworden, aber doch zu einer Frau, die die Männer beeindruckte: groß, dunkel und schlank, mit stets wachem Blick und einem Selbstbewusstsein, das manchen verblüffte. Ihre

Bildung und ihr Wissen waren weithin bekannt, und bei Tischgesprächen und Banketten glänzte sie durch geistreichen Witz. Doch das waren die wenigen Gelegenheiten, in denen die nunmehr seit zehn Jahren von ihrem Gatten Verschmähte die bittere Peinlichkeit ihrer Situation vergaß.

Die Königin von Böhmen sah nur kurz zu der langen Holzbank und den Hockern hin, wo die fünf Hofdamen saßen, und ging dann zum Fenster. Langsam ließ sie sich auf dem steinernen Sitz nieder und blickte hinunter auf den Schlosshof.

Barbara fühlte sich müde und zerschlagen. Gerade hatte sie von ihrem Vater die Nachricht erhalten, dass seit längerem wieder einmal ein Brief aus Böhmen eingetroffen war, in dem der König erneut ihre Heimführung mit fadenscheinigen Beteuerungen verzögerte. Sie erinnerte sich. War es wirklich schon fast zehn Jahre her, dass man sie mit dem böhmischen König verheiratet hatte? Wie hoffnungsvoll hatte sie in den ersten Jahren noch auf ihre Heimführung gewartet, hatte um den Ausgang des Kriegs mit Ungarn gebangt, ewig stickend, klöppelnd, nähend, im Frauenzimmer sitzend. Die böhmische Sprache hatte sie gelernt, bis sie sie fließend beherrschte. Jedes Mitglied im Stammbaum der böhmischen Königsfamilie war ihr zum guten Bekannten geworden. Das Land mit seinen Bergen, Flüssen und Städten kannte sie inzwischen so genau, als ob sie schon einmal dort gewesen wäre. Sie hatte alles getan, was man von ihr erwartete, bereitwillig, fügsam, eifrig. Und wie vergebens das alles gewesen war. Nachdem sie ihr Herzogtum durch den Krieg augenscheinlich verloren hatte, war sie für Wladislaus von Böhmen von keinerlei Nutzen mehr. So oft ihr Vater nach Böhmen geschrieben hatte, so viel er auch versucht hatte, seine Beziehungen zum Kaiserhof auszunützen und Wladislaus zum Einlenken zu bewegen, es war doch alles umsonst gewesen.

Ansbach hatte sich für Barbara als Falle erwiesen, aus der sie nicht herauskommen konnte. Durch den Ehevertrag mit Wladislaus war sie einerseits gebunden, andererseits doch nicht angenommen. Ihr standesgemäßer Unterhalt als böhmische Königin kostete die ohnehin hoch verschuldete Ansbacher Hofhaltung mehr, als man sich leisten konnte. An eine Auflösung der böhmischen Ehe und neue Heirat war jedoch nicht zu denken. Jedes Mal, wenn Barbara ihren Vater darauf angesprochen hatte, war ein Tobsuchtsanfall die Folge gewesen. Ihre Mutter und die Schwestern machten ihr das Leben schwer. War sie anfangs noch auf Gleichgültigkeit gestoßen, so hatten die drei bald nur noch Spott und Häme für sie. Dass sie im Rang weit über ihnen stand, reizte die Frauen des Hofstaats, Barbara in Worten und Taten umso mehr zu demütigen.

Ihre einzige Vertraute war die alte Martsch geblieben, die seit einer schweren Erkältung im Winter vor zwei Jahren etwas auf der Lunge zurückbehalten hatte und ständig hustete. Die Martschin war nun beinahe fünfzig Jahre alt und verdankte der Tatsache, dass sie einst markgräfliche Amme gewesen war, das Privileg eines gesicherten Lebensabends am Fürstenhof.

Und da war natürlich noch der junge Albrecht, mit dem sie – eine Vergünstigung, die sie sich immer wieder neu erkämpfen musste – beim Präzeptor Beck Unterricht erhielt. Das Verhältnis zu ihrem inzwischen siebzehnjährigen Bruder war immer noch gut, obwohl die Vertrautheit aus Kindertagen verloren gegangen war. Sie führten häufige Dispute, an denen sich auch der Landgraf von Leuchtenberg gerne beteiligte, ein stiller, hübscher junger Mann mit einem Hang zur Träumerei.

Das Gerede und Gekicher im Frauenzimmer war wieder lauter geworden, und schließlich trat Kunigunde von Brandenburg-Ansbach zu ihrer Schwester. Die älteste Markgrafentochter hatte im Lauf der Jahre nicht an Liebreiz gewonnen. Im Gegenteil, ein Hang zu Süßspeisen und Konfekt war schuld daran, dass sie erheblich an Umfang zugenommen hatte. Von den Dienstboten wurde sie inzwischen hinter ihrem Rücken die »fette Gunda« genannt, was sie natürlich wusste und maßlos ärgerte. Ihr ungesund-gelbliches Gesicht mit den Speckfältchen am Kinn nahm einen hässlichen Ausdruck an, als sie zu sprechen begann.

»Hat die erlauchte Königin von Böhmen schon die neuesten Nachrichten erfahren?«

Barbara schüttelte müde den Kopf.

»Dann muss ich dir's wohl sagen, Schwester. Es heißt, der Kaiser plane nun selber die Verheiratung seiner Tochter mit deinem Wladislaus und unterstütze deine böhmische Sache nicht mehr. Und man sagt auch, der Böhme wolle den Papst um Dispens bitten, weil er dich so schnell wie möglich loswerden will. Sprich, sind deine fünfzigtausend Gulden aus Ungarn denn nun eingetroffen? Noch nicht? Schade. Du könntest dann für deine Haushaltung endlich selber aufkommen und brauchtest nicht mehr das Dasein eines königlichen Schnorrers zu führen.«

Das Gelächter unter den Hofdamen wurde unerträglich.

»Lass mich in Ruhe, Gunda. Ich wünschte bei Gott, dich würde endlich einer heiraten, damit du deine schlechte Laune nicht mehr an mir auslassen kannst.«

Barbara stand auf und lief aus dem Zimmer, während ihre Schwester sich mit einem wütenden Blick wieder zu den Hofdamen gesellte.

Unschlüssig stand Barbara vor der Tür des Frauenzimmers. Sie wusste nicht, wohin sie gehen sollte – außerhalb der Frauengemächer hatte sie nichts zu suchen, nur das Schulzimmer der jungen Herren war ihr zu den festgesetzten Stunden gestattet. Aber sie musste mit jemandem sprechen, und ihr Bruder Albrecht war der Einzige, der ihr einfiel. Sie raffte die Röcke und machte sich auf den Weg zu den Gemächern des jungen Markgrafen. Tränen stiegen ihr in die Augen, ob vor Verzweiflung oder vor Zorn, konnte sie nicht sagen. Es war ihr egal, dass sie ohne feste Schuhe und ohne Schultertuch unterwegs war, und sie ignorierte die Blicke der Dienerschaft.

Vor den Gemächern des jungen Markgrafen stand zum Glück kein Türdiener. Sie öffnete die Pforte mit dem riesigen Schloss und trat ein. Es war niemand da. Sie zog die Tür zu und ließ sich auf einen Dreibeinhocker sinken, um nachzudenken, als sie aus dem Schlafraum nebenan ein keuchendes Geräusch hörte. Das seltsame Keuchen wiederholte sich, wurde lauter und mündete in eine Art Stöhnen und Ächzen. Barbara sprang auf, näherte sich der Zimmertür und horchte. Als sich das Stöhnen schließlich immer weiter steigerte, riss sie die Tür auf.

Sie erstarrte mitten in der Bewegung. Auf dem zerwühlten Fürstenbett kniete nackt auf Händen und Füßen der Landgraf von Leuchtenberg. Hinter ihm kauerte halb aufrecht und ebenfalls nackt der junge Markgraf, den Unterkörper in rhythmisch stoßender Bewegung. Ihre Leiber waren feucht vom Schweiß, und sie keuchten vor Erregung. Die beiden fuhren erschreckt auseinander wie bei einem Verbrechen ertappt. Barbara sah das erigierte Glied ihres Bruders und verstand. Sie konnte den Blick nicht lösen.

»Es tut mir Leid, ich wollte nur … ich habe …«, stammelte sie.

Sie wünschte sich weit weg. Albrecht stand auf und stellte sich in voller Nacktheit dicht vor seine Schwester. Seine Augen waren vor Wut weit geöffnet. Mit mühsamer Beherrschung und verzerrtem Gesicht zischte er nur ein Wort: »Hinaus!«

Barbara rannte. Sie rannte den ganzen Weg zurück ins Frauenzimmer, ließ sich dort zum allgemeinen Erstaunen der Hofdamen auf einen Sessel fallen und barg fassungslos das Gesicht in den Händen.

Am nächsten Tag teilte ihr der Magister Beck mit, dass ihr Bruder sie nicht mehr beim Unterricht zu sehen wünsche. Und drei Wochen später übersiedelte die Hofhaltung der jungen Herren mit aller Dienerschaft samt dem Präzeptor auf die Kulmbacher Plassenburg. Es hieß, der junge Markgraf wolle sich in strengerer Abgeschiedenheit auf seine spätere Regentschaft vorbereiten.

Schreiben des Fritz von Lidwach, Hauptmann auf dem Gebirg, an die Räte zu Ansbach, 6. Februar 1541

Mein freuntlich Dienst zuvor, verehrte Herren Räthe, dies Schreiben trifft Euch, so hoff ich, gesund und wohl. Ihr habt anfragen lassen, wie wir es hier zu Plassenberg mit den Getränken halten, also was alles an Wein und Pier zu den Mahlzeiten ausgegeben wird. Darumb nachstehend ein Copia der Getränkeordnung, wie sie unser gned. Herr anno 1540 aufgestellt und immer noch in Kraft ist; auch des jungen Herrn Albrechten Getränk.

Auf der Räthe Tisch: 16 Maß Weins und 8 Maß Piers den ganzen Tag.

   Item in des Haubtmanns Gemach auf die Hauptmännin und 4 Kinder, auch 3 Maid, vier Knecht und ein Knaben zum Morgen- und Nachtmahl, auch zur Suppen, Mittag und Schlaftrunck des Tags 7 Maß Weins und 20 Maß Piers, nämlich 4 Maß Koch- und 3 Maß Speiswins.

Der reisigen Knecht Tisch: 11 Maß Weins und 11 Maß Piers die zwei Mahlzeit, doch soll es also verstanden werden, so viel die Piers austrinken mögen, das soll ihnen gegeben werden.

Der Bankriesen Tisch: Darüber soll ein Notdurft Piers zu den Mahlzeiten gegeben werden, ungefährlich auf 22 Maß Piers.

Auf der Wächter Tisch: 24 Maß Piers zu dem Morgen und Abendessen.

Dem Thürmer: 4 Maß Piers

Den dreien Thorwarten: jeder 4 Maß Piers den ganzen Tag

Den sechs Edelleuten und dreien edlen Knaben: 18 Maß Weins und 9 Maß Piers

Item dem gned. Herrn Albrechten samt dem Grafen von Leuchtenberg und dem Praeceptorn Beck: Weins genug, so viel sie trinken mögen und kein Pier.

In die Küchen: 3 Maß Weins und 5 Maß Piers auf 5 Personen, nämlich Küchenmeister, zwei Köch, einen Metzker und einen Einkauffer.

Item Kochwein und Essig: 14 Maß Weins und Essigs

Item so muss ich den verehrlichen Herren Räten anzeigen, dass der junge Herr Albrecht und seine edlen Herren so viel schon vom guten Casteller Wein vertrunken haben, dass ein zweites Faß geöffnet werden musste, und das in der Zeit von September bis auf den heutigen Tag. Beinahe jede Nacht zieht sich das Trinken und Zechen bis in den Morgen. Auch will ich angeben, dass sich der junge Herr oft zu Gastereien nach Kulmbach ziehen lässt, wo man versucht, auf ihn katholisch Einfluss zu nehmen. Vor Weihnachten hat er so viel Weins getrunken, dass er in ein tiefen Schlaf gefallen, und war zu befürchten, dass er nimmer aufwacht. Erst nach vier Tagen hat ihn der Doctor Fuchsen wieder zum Leben erweckt, da hatte er dann das Gescheiß und 4 Tag lang Galle gespuckt. Seitdem ist der junge Herr mit dem Gries beladen und hat lang nichts außer Schonbrot essen können. Alldieweil wird es mit ihm je länger je schlimmer, und verbleibt zu hoffen, dass ihn unser gned. Herr Friedrich baldig wieder nach Ansbach abberufen mög.

Gegeben zu Plassenberg, drei Tage vor Esto Mihi anno 1541

Plassenburg, März 1541

Der junge Markgraf Albrecht stand in der Schreibstube im Westflügel des Hochschlosses und wartete auf den gebirgischen Hauptmann, den mächtigen Stellvertreter seines Vaters im Kulmbacher
Landesteil, dem der alte Markgraf die Aufsicht über ihn übertragen
hatte. Nervös kratzte er sich an den Händen, wo zwischen den Fingern schon blutige Abschürfungen zu sehen waren. Es war die Krätze, die ihn in solchen Augenblicken besonders plagte; er brachte sie
schon seit Jahren nicht los, so oft er auch Waschungen mit Essigwasser und Kräuterabsuden machte.

Überhaupt war Albrecht kein gesunder Mensch. Schon von frühester Kindheit an machten ihm regelmäßig schwere Krankheiten
zu schaffen. Durchfälle, Entzündungen aller Art, Furunkel und Fie-
beranfälle waren seine ständigen Begleiter. Er war von ungesunder
Gesichtsfarbe, dünn und schlaksig. Seit seinem vierten Lebensjahr
hatte man ihm einen eigenen Leibarzt beigegeben, den Doktor
Leonhard Fuchs, der ihn auf Schritt und Tritt begleitete, aber seine
schwächliche Konstitution auch nicht dauerhaft verbessern konnte.

Albrecht konnte sich denken, was den Hauptmann der Plassenburg dazu bewogen haben mochte, ihn zu sich zu bestellen. Vorige
Nacht war es in der Hofstube zu einem unglücklichen Zwischenfall
gekommen. Nach einem fröhlichen Trinkgelage mit einigen Höflin-
gen und Kulmbacher Bürgern – seltsamerweise vertrug der sonst so
magenschwache Albrecht enorme Mengen an Alkohol – hatte sich
der kleine, kaum fünfzehnjährige Heinrich Groß von Trockau
heimlich ein weißes Laken übergeworfen. Als gerade die Lichter gelöscht wurden, erschien er den letzten Zechern durch eine Neben-
tür als »Weiße Frau« – das legendäre zollerische Hausgespenst, dem
man seit Jahrhunderten schon das Spuken auf der Burg nachsagte.
Einige der jungen Herren waren zunächst zu Tode erschrocken,
wogegen Albrecht, der wenig zur Mystik neigte, mutig auf den
Geist zuging und in der Stube mit ihm rang.

»Seht her, was Euer zukünftiger Markgraf mit einem Gespenst
macht!«, schrie er und zerrte und zog die »Weiße Frau« quer durch
den Saal. In der hinteren Ecke stand die Tür offen, die auf die Stiege
hinausging, mit der man aus dem ersten Stockwerk auf den Schloss-

hof gelangte. Das Gespenst wehrte sich aus Leibeskräften, doch der junge Trockau war zu betrunken – er stolperte und torkelte und kreischte und kicherte wie irre. Dann folgte ein entsetzlicher Schrei. Der Markgraf hatte das Gespenst über das Geländer der Außentreppe hinunter in den Hof gestoßen. Ernüchterung trat ein. Die jungen Leute rannten über die Treppe zu der verdreht und verrenkt am Boden liegenden »Weißen Frau«. Einer zog das Laken weg – es folgte blankes Entsetzen: Man erkannte den jungen Trockau, der sterbend dalag. Aus einer Wunde am Hinterkopf des Knaben sickerte Blut und bildete langsam eine dunkel glänzende Lache auf dem Pflaster. Noch bevor sich die ernüchterten Zecher entschließen konnten, Hilfe zu holen, tat der Junge seinen letzten Atemzug. Man beschloss, da nun nichts mehr zu machen war und niemand im Hochschloss etwas bemerkt hatte, die Leiche einfach liegen zu lassen. Albrecht hatte zwar jedem, der dabei war, Stillschweigen über den Hergang des Unfalls eingeschärft und das blutige Laken eigenhändig in die Lumpentruhe des Hofmetzgers geworfen, doch nun, im Schreibzimmer des Hauptmanns, war er sicher, dass doch jemand geredet hatte.

Finsteren Gesichts trat der Hauptmann ein. Fritz von Lidwach war ein bulliger Mittfünfziger, dem eine Krankheit in seiner Jugend kein einziges Haar gelassen hatte. Ihm hatte man die Verantwortung für den jungen Albrecht übertragen, und er gedachte, seine Aufsichtspflicht ernst zu nehmen. Aus kleinen, wimpernlosen Augen sah er den Jungen an und stemmte die Arme in die Hüften.

»Zunächst meinen Dank für Euer promptes Erscheinen, junger Herr. Könnt Ihr Euch denken, warum ich Euch habe rufen lassen?«

Er forderte Albrecht mit einem Wink auf, sich zu setzen, und ließ sich selber auf einem Hocker hinter dem Schreibtisch nieder. Albrecht legte den Kopf schief und hob fragend die Augenbrauen.

»Dann muss ich es Euch wohl sagen«, fuhr der Lidwach fort. »Gestern Nacht ist einer Eurer Hofknaben ums Leben gekommen. Offenbar im Verlauf einer Zecherei, wie Ihr sie zu meinem Missfallen des Öfteren abzuhalten pflegt. Und, wie mir zugetragen wurde, seid Ihr nicht unschuldig an seinem Tod. Bevor ich nun, und Gott weiß, wie hart mich das ankommt, zum alten Trockau gehe und Bericht erstatte, will ich von Euch selber den Hergang wissen.«

»Ich fürcht, lieber Lidwach, ich kann Euch nicht viel helfen. Als die Sache passierte, befand ich mich gerade vor dem Kamin auf der anderen Seite der Hofstube, um Wasser abzuschlagen. Als ich den Lärm und den Schrei hörte, war der Arme bereits hinuntergefallen, meiner Seel.«

»Dann muss es wohl Euer Geist gewesen sein, der den jungen Trockau über die Stiege stürzte, wie?«

»Eine Lüge, Hauptmann. Man will mir schaden. Ich ersuch Euch, mir zu sagen, wer sich das ersonnen hat, damit ich den üblen Schelm zur Rede stellen kann.«

Albrecht suchte sein Heil in der Offensive. Er hätte seinen Kopf verwettet, dass der grundanständige Lidwach den Namen des Informanten nicht nennen würde. Doch er hatte sich getäuscht.

»Einer der Höflinge hat sich heute früh unter Heulen und Zähneklappern dem Präzeptor anvertraut. Der Beck ist dann stracks zu mir und hat die Sache erzählt. Und er hat gleichzeitig ersucht, Euren Vater zu bitten, ihn aus seinen Diensten zu entlassen. Er könne Euch nicht mehr bändigen. Und nach allem, was ich in den letzten sechs Monaten über Euch gelernt und erfahren habe, glaub ich ihm das. Eure Zechereien, Euere Gastereien in den Kulmbacher Bürgerhäusern, wo sie versuchen, Euch katholisch zu machen, Eure Händel mit den jungen gebirgischen Adeligen – ich weiß genug, um Euch beurteilen zu können. Jetzt ist das Maß voll. Ich werde Eurem Vater nach Ansbach Nachricht geben und ihn bitten, Euch wieder heimzuholen. Meine Aufgabe ist es, das Oberland zu verwalten, und nicht, Euer Kindermädchen zu spielen. Hier ist nicht der richtige Platz für Euch, Euer Gnaden.«

Lidwach schnaufte, als sei ihm mit dieser Entscheidung eine Last von den Schultern genommen. Auf seiner Glatze standen kleine Schweißperlen, die er jetzt mit einem löcherigen Taschentuch wegwischte.

Albrechts Gesicht war weiß geworden. Seine Unterlippe zitterte.

»Der Beck also. Das wird er mir büßen.«

Er stand abrupt von seinem Platz auf und ging zur Tür, als er sich plötzlich wieder umdrehte und mit dem Finger auf den Hauptmann deutete. Seine Stimme wurde schneidend.

»Und Ihr, Lidwach – seht Euch vor. Ihr könnt meinem Vater

Nachricht geben, aber bedenkt, dass auch ich einmal Markgraf sein werde. Und ich habe ein gutes Gedächtnis. Ich kenne meine Freunde, und ich kenne meine Feinde, verlasst Euch drauf.«

»Noch seid Ihr nicht Markgraf«, knurrte der Hauptmann erbost. Seine geballte Faust fiel donnernd auf den Tisch. »Und ich lasse mich nicht einschüchtern. Nicht von einem Rotzlöffel wie Euch, der seine Dienerschaft umbringt und seinen besten Freund bespringt.«

Albrecht zuckte zusammen, als hätte ihn ein Schlag getroffen, und seine Züge verzerrten sich zur Grimasse.

»Was sagt Ihr da?«

»Ihr habt schon recht gehört, junger Herr. Ich bin nicht blind. Und ist es nicht geradezu ein Wink unseres Herrgotts, dass ausgerechnet Euer lästerlicher Gespiele, der hübsche Leuchtenberg, Euch im Stich lässt und wimmernd beim alten Beck verrät?«

»Wenn Ihr darüber meinem Vater schreibt, lass ich Euch wegen Verleumdung und Hochverrats einen Kopf kürzer machen! Verlasst Euch drauf! Und was soll dann aus der Hauptmännin und Euren unmündigen Kindern werden? Macht jetzt nichts, was Euch später Leid tun würde!«

Albrecht wandte sich, mühsam die Fassung bewahrend, ab und ging zur Tür hinaus. Fast rannte er dabei den Schlossvogt um, der gerade mit einer Rolle Pergament eintrat. Blind vor Wut und Enttäuschung und immer wieder mit der Faust gegen die Mauer schlagend, lief der junge Markgraf den Gang entlang in seine Gemächer.

Der Landgraf von Leuchtenberg saß in einer Fensternische und spielte mit geschlossenen Augen eine Melodie auf der Flöte. Eine hellblonde Strähne seines kinnlangen Haares fiel ihm ins Gesicht, und das letzte Tageslicht, das durchs Fenster fiel, zeichnete seine mädchenhaften Züge noch weicher. Leuchtenberg war der jüngste Sohn des Landgrafen und eigentlich für eine geistliche Karriere bestimmt gewesen, als ihn der alte Markgraf als Gefährten für seinen Sohn an den Ansbacher Hof geholt hatte. Die beiden hatten sich von Beginn an prächtig verstanden, wohl weil der leicht lenkbare und liebenswerte Leuchtenberg die ideale Ergänzung für den Markgrafensohn war, der gerne bestimmte und dem Freund geistig weit überlegen war. Als dann der kleine Graf von Gleichen, der Dritte im

Bunde, tödlich verunglückte, blieben die beiden als verschworene Gemeinschaft übrig.

Irgendwann war dann aus der Bubenfreundschaft wie von selbst eine körperliche Beziehung geworden. Leuchtenberg liebte den herrischen Albrecht, der ihm in so vielen Dingen überlegen war, abgöttisch. Albrecht hingegen genoss die Bewunderung, die blinde Gefolgschaft und die Berührung des ein Jahr Älteren, ohne jedoch darüber zu vergessen, dass es Wichtigeres gab. Hin und wieder holte er sich einen anderen hübschen Knaben in sein Schlafzimmer, mehr aus Neugier denn aus Langeweile, um dann jedes Mal wieder reumütig zu Leuchtenberg zurückzukehren. Aber er war sich von Anfang an darüber klar, dass er, sobald ihm die Herrschaft zufiel, keine Rücksicht mehr auf seine Neigung nehmen konnte. Und es machte ihm nicht viel aus: Seine große Liebe war die Macht.

Mit wenigen Schritten war der Markgraf bei Leuchtenberg, der erfreut hochsah. Albrecht schlug ihm mit einer kurzen Bewegung die Flöte aus der Hand. Das Instrument zerbrach mit einem leisen Knacken an der steinernen Fensterbank. Dann prügelte Albrecht mit beiden Fäusten auf den Sitzenden ein, der schützend beide Hände über den Kopf hielt, sich aber nicht wehrte.

»Du!«, schrie Albrecht. Seine Stimme überschlug sich. »Du! Von allen, die dabei waren, du! Verrätst mich wie ein Weib! Bei Gott, ich könnt dich totschlagen.«

Schwer atmend ließ er von Leuchtenberg ab, dem die Tränen über das Gesicht liefen.

»Wenn das alles zu meinem Vater dringt, bin ich erledigt.«

Albrecht ließ die Arme hängen und sprach halb mit sich selbst. Dann packte er Leuchtenberg beim Kragen und schüttelte ihn.

»Mein Vater steckt mich als Kanonikus nach Heilbronn. Und alles bloß, weil du das heulende Elend kriegst wegen dieses kleinen toten Arschlochs, der Teufel soll ihn holen!«

»Es tut mir so Leid«, schniefte Leuchtenberg. »Wie er so dalag, ich hab's nicht vergessen können. Die ganze Nacht bin ich wach gelegen. Ich wollte nichts sagen, bei meiner Seel. Aber früh kam der Beck und hat mir's auf den Kopf zugesagt, und da bin ich … da hab ich …«

»Verschon mich! Hör auf zu winseln und geh mir aus den Augen. Lass dir im Marstall von mir aus ein Pferd geben und verschwind.«

Albrecht deutete zur Tür und setzte sich erschöpft aufs Bett.

Georg von Leuchtenberg sah ihn fassungslos an. Er rappelte sich aus der Fensternische hoch, aus seiner Nase floss Blut. Mit zögernden Schritten ging er zur Ausgangspforte und legte eine Hand auf den Riegel. Doch er brachte es nicht über sich zu gehen. Wohin auch? Er hatte von frühester Kindheit an nie eine andere Heimat gekannt als den Markgrafenhof. Verzweifelt drehte er sich um, stürzte zum Bettrand und fiel vor dem Markgrafen auf die Knie.

»Verstoß mich nicht, Albrecht, ich bitt dich.«

Er schluchzte. Blut und Tränen liefen über sein Kinn und beschmutzten den Kragen.

»Ich hab niemand auf der Welt als dich. Wo soll ich denn hin? Verzeih mir doch, Albrecht. Ich will alles wieder gutmachen, glaub mir, alles!«

Er bedeckte Albrechts Hand mit nassen Küssen. Der starrte über ihn hinweg auf den Wandteppich.

»Ich bitt dich, Albrecht. Schick mich nicht weg«, flüsterte Leuchtenberg.

Zögernd begann er, Albrechts Haar und Wangen zu streicheln, fuhr mit leichten Fingern die Linie seiner Lippen und Augenbrauen nach. Er nestelte zitternd an Albrechts Hosenlatz, schob die gepolsterte Schamkapsel zur Seite und liebkoste mit weichen Lippen das langsam größer werdende Glied des Markgrafen. Albrecht entspannte sich, auf seinem Gesicht zeigte sich ein zufriedenes kleines Lächeln. Er begann die Zärtlichkeiten des Leuchtenbergers erst spröde, dann heftiger zu erwidern und zog ihn schließlich zu sich in die Kissen.

In derselben Nacht noch starb der Präzeptor Beck.

Am Abend hatte ein offizielles Essen mit den gebirgischen Räten und zwei auf der Durchreise befindlichen brandenburgischen Adeligen stattgefunden. Auf Einladung des Hauptmanns war auch Beck zur Tafel erschienen, wo ihn der junge Markgraf erstaunlicherweise mit am Fürstentisch platzierte.

Beck wirkte zutiefst verunsichert. Er hatte mit einem der gefürchteten Wutausbrüche seines Schützlings gerechnet, vielleicht sogar mit einem Hinauswurf, nicht aber mit einer freundlichen Einladung zum Abendessen an die herrschaftliche Tafel.

Die Runde begann zunächst fröhlich. Man aß Karpfen und Kapaun, frisch geschossene Wildenten in Kräuterabsud, und schließlich wurde ein ganzes Zicklein aufgetragen, dessen Bauch mit Täubchen und Hühnerlebern gefüllt war. Die Gesellschaft redete und lachte, soff, furzte und rülpste, während sich die Hunde um die hingeworfenen Knochen balgten. Beck blieb dabei still und äugte hin und wieder misstrauisch zum Markgrafen, der ihn bisher noch keines Blickes gewürdigt hatte.

Noch vor dem Auftragen der Süßspeise waren die meisten Gäste reichlich beschwipst. Dann begann das obligatorische Zutrinken zu Ehren der beiden Brandenburger. Der große Pokal machte die Runde, und als er das erste Mal den Präzeptor Beck erreichte, erhob sich der Markgraf. Er hatte sich aus der Silberkammer einen kleinen saphirbesetzten Damenpokal bringen lassen und prostete seinem Magister damit zu.

Schlagartig wurde Beck seine Situation klar: Die Sitte verlangte, dass beide nun austranken; alles andere wäre einer tödlichen Beleidigung gleichgekommen. Verzweifelt versuchte der Präzeptor, eine Lösung zu finden, doch ihm fiel nichts ein. Er wollte allerdings den Markgrafen auf keinen Fall provozieren. Also trank er den großen Pokal, der mindestens einen Dreiviertelliter fasste, bis zur Neige aus.

Auch der Markgraf leerte seinen Becher. Georg von Leuchtenberg neigte sich zu ihm.

»Was machst du? Du weißt doch, dass der Alte nichts verträgt!«

»Was kümmert's dich?«, grinste Albrecht. »Soll er sich halt totsaufen!«

Und wieder hob er seinen Becher und trank dem Lehrer zu, der wohl oder übel seinen Pokal ebenfalls leerte.

Nach zwei Stunden verließen die meisten Räte die Tafel; auch der Hauptmann begab sich zur Ruhe. Albrecht, der inzwischen ziemlich angetrunken war, erhob sich, hielt schwankend seinen Becher hoch und sprach mit schwerer Zunge: »Auf meinen geliebten

Lehrer und Erzieher, Magister Hieronimus Beck, den alten Hundsfott!«

Alle lachten und stellten sich mühevoll auf die Füße.

Leuchtenberg versuchte, den Markgrafen wieder auf seinen Platz hinunterzuziehen. »Hör auf, Albrecht, du bringst ihn wirklich noch um!«

Albrecht schüttelte ihn ab. »Und wenn?«

Beck war aschfahl im Gesicht. Er lallte und war kaum zu verstehen.

»Euer Liebden, Nachsicht, aber der Wein ... ich kann nicht mehr.«

»Willst du mich beleidigen, du Köter?« Albrechts Augen verengten sich zu Schlitzen. »Sauf!«

Beck trank und trank. Und der Markgraf trank mit. Als es vom Turm elf schlug, brach Beck zusammen. Zwei Aufwarter trugen den Bewusstlosen in seine Kammer, während Leuchtenberg Albrecht, der kaum noch laufen konnte, bis in die Schlafkammer stützte.

Am nächsten Morgen fand man den Präzeptor an seinem eigenen Erbrochenen erstickt.

In diesem Winter starb auch Markgraf Friedrich. Schon seit langen Jahren litt er an der Gicht wie die meisten seines Standes. Der letzte schwere Anfall kam kurz nach Weihnachten. Hüftgelenke, Knie, Handgelenke und Fingerknöchel des Leidenden waren stark geschwollen und bereiteten ihm höllische Qualen. Die hinzugerufenen Ärzte vermuteten überdies noch ein Steinleiden, das den Zustand des Markgrafen drastisch verschlimmerte. In den letzten Wochen hatte Friedrich das Bett nicht mehr verlassen können und die meiste Zeit vor Schmerzen geschrien. Der eilends herbeigerufene Steinschneider war unverrichteter Dinge wieder abgereist, da der Markgraf trotz seiner unerträglichen Schmerzen nicht zu einer Operation zu überreden war. Schließlich hatte ihn ein dazukommendes Fieber erlöst.

Ende März 1541 wurden die Söhne nach Ansbach heimgerufen – Albrecht von der Plassenburg, Georg, der Älteste, aus Ungarn, wo er acht Jahre lang am Hof seiner Tante erzogen worden war. Es kam zur Landesteilung. Georg erhielt das so genannte Unterland mit

Ansbach als Residenz, Albrecht das Oberland mit den Herrschaften Kulmbach und Bayreuth und der Plassenburg als Hauptsitz. Barbara, die nicht mehr in Ansbach bleiben wollte, wurde in die zollerische Nebenresidenz nach Neustadt an der Aisch geschickt.

Plassenburg, März 2002

Der Kastellan stand mit den beiden Restauratoren und Dr. Weinzierl von der Bayerischen Schlösserverwaltung im mittleren Markgrafenzimmer im Ostflügel. Es ging um die geplante Freilegung der Wandmalereien, die eigentlich schon im vorigen Herbst hätte beginnen sollen. Aber das übliche Hickhack um Gelder und Zuschüsse hatte die Arbeiten verzögert.

»Es sollte möglichst neben der Tür mit dem Abtragen der obersten Putzschichten begonnen werden, und dann können wir uns langsam bis zum Fenster vorarbeiten«, dozierte Weinzierl. »In der Fenstergaube ist ja schon ein erstes Stück der Malerei freigelegt, es ist also klar, wie tief wir gehen müssen. Ich bin sicher, dass etwas Schönes und Dekoratives dabei herauskommt. Das wird das Museum um einiges aufwerten. Sie wissen ja, wir sind auf steigende Besucherzahlen angewiesen.«

Die beiden Restauratoren nickten beflissen, und Haubold verzog den Mund zu einem etwas säuerlichen Lächeln. Steigende Besucherzahlen bei gleich bleibenden Personalkosten oder besser noch bei gleichzeitigem Stellenabbau, das kannte er. Nicht genügend Kassenpersonal, keine Putzfrauen, Schüler, die für ein Taschengeld Führungen abhielten, und im Notfall war da ja immer noch der dämliche alte Haubold, der überall einsprang, wenn Not am Mann war. Und natürlich brauchte dieser dämliche alte Haubold, die gute Seele, keinesfalls ein Spezialräumgerät – sollte er sich doch in der Kälte das Zipperlein holen.

»Äh, darf ich fragen, wie inzwischen die Sachlage bezüglich des TX 2000 Schneemobils ist?« Der Kastellan vermied mit aller Willenskraft ein Zähneknirschen.

»Lieber Herr Haubold, da bin ich momentan überfragt. Der Vorgang liegt bei meinem Kollegen Steingruber, der ist für solche Sachen zuständig. Und, Sie wissen ja, das liebe Geld!«

Weinzierl lächelte Zustimmung heischend und warf Haubold einen verschwörerischen Blick zu. Der Kastellan schnaufte verächtlich, hob die Augenbrauen und verkniff sich das Nicken.

Auf dem Weg über den Schlosshof zur Kastellanswohnung ebbte sein Ärger langsam ab. Er wollte sich nicht die Laune verderben lassen, schließlich war heute die allmonatliche Zusammenkunft der »Forschenden Vier«, wie sie sich nannten. Jeden ersten Freitag im Monat trafen sich Haubold, Archivar Kleinert, Pfarrer Kellermann und Lehrer Götz zum Austausch von Neuigkeiten und zum historischen Plausch, diesmal zum Kaffee in Haubolds Wohnung, nachdem seine Frau mit den Kindern übers Wochenende zur Schwiegermutter gereist war.

Der Kastellan warf die Kaffeemaschine an, und während sie schön schnorchelte, bereinigte er im Büro die größte Unordnung und machte den Tisch und vier Stühle frei. Während er noch schnell das Meerschweinchen mit Trockenallerlei und einem Apfelschnitz fütterte, klopfte es auch schon.

Kellermann kam immer zu früh, und jedes Mal entschuldigte er sich wortreich dafür. Noch während Haubold die Kaffeekanne aus der Küche holte, wobei er auf ein am Boden liegendes Quietschtierchen trat, öffnete der Pfarrer den beiden anderen Herren. Der Kastellan beförderte das Quietschtier mit einem Tritt ins Wohnzimmer, was das Meerschweinchen derart in Schreck versetzte, dass es in seinem Käfig wilde Kreise drehte und die Streu nach allen Seiten stob. Haubold schimpfte in seinen Bart. Jetzt musste er auch noch staubsaugen, bevor seine Frau wiederkam.

Es war ein Kreuz.

»Ja, meine Herren«, begann Haubold, als alle am Kaffeetisch saßen, »in unserer Sache ›totes Kind‹ sind wir ein Stückchen weitergekommen, nicht viel, aber immerhin.«

Und er klärte die anderen darüber auf, was Horn und er im Staatsarchiv herausbekommen hatten.

»Das hätte ich Ihnen auch sagen können«, schmollte Kellermann, »ich habe in der Zwischenzeit nämlich auch den Mader gelesen.«

»Na, Hauptsache, wir wissen's jetzt«, meinte Götz. Er war ein penibler Kompilator und absolut verlässlich, wenn es um Quellenforschung ging. Außerdem galt er, was Kulmbach betraf, als wandelnde Enzyklopädie.

»Ich habe inzwischen alle Aufenthalte des markgräflichen Hofes auf der Plassenburg in der betreffenden Zeit unter die Lupe genommen«, fuhr er fort und teilte Blätter aus. »Das heißt, sämtliche Aufenthalte von Albrecht Alkibiades in dessen Regierungszeit von 1541 bis 1554 und die Aufenthalte seines Nachfolgers Georg Friedrich. Hier ist für jeden eine Kopie.«

»So wie die Dinge jetzt liegen, müssen wir uns also auf Georg Friedrich konzentrieren«, dozierte er weiter und spitzte die Lippen, bis die spärlichen Haare seines Oberlippenbärtchens waagrecht nach vorne standen – eine Angewohnheit, die ihm bei seinen Schülern den Namen »Spitzmaul-Götz« eingebracht hatte.

»Georg Friedrich hat von 1556 bis 1603 regiert. Ein erster Aufenthalt seiner Hofhaltung auf der Plassenburg ist belegt vom 19. Januar bis 31. März 1564. Wir haben dann mehrere Aufenthalte des gesamten Hofes in den siebziger bis neunziger Jahren, schließlich letztmalig im Jahr 1601. So.«

Götz schlürfte zufrieden am Kaffee und leckte sich die Tropfen vom Schnäuzer.

Pfarrer Kellermann nahm die Brille ab.

»Also, ich muss leider eine Fehlanzeige vermelden. Ich habe in der Zwischenzeit die Kulmbacher Taufregister zwischen 1500 und 1600 durchgesehen – nichts. Rein gar nichts.«

Die vier Forscher schauten betrübt in ihre Kaffeetassen. So war kein Weiterkommen. Haubold nahm sich aus lauter Frustration das dritte Nusshörnchen und biss mit einiger Verzweiflung hinein.

»Das Einzige, was jetzt noch bleibt, sind die Quellen im Staatsarchiv. Wenn uns das auch nicht auf die Spur einer hoch gestellten Frau am markgräflichen Hof bringt, die als Mutter unseres eingemauerten Kindes infrage kommt, bleibt uns wohl nichts anderes als aufzugeben.«

Kleinert nickte. »Ich glaube ja nicht, dass wir im Kulmbacher

Archiv etwas anderes haben als die Kollegen in Bamberg. Aber ich sehe trotzdem in der entsprechenden Zeit nochmal nach.«

Nach diesem unbefriedigenden Gedankenaustausch wollte unter den vier Männern keine rechte Stimmung mehr aufkommen. So verabschiedeten sich die Gäste bald.

Haubold räumte Tassen und Teller weg und leerte den Aschenbecher. Es war halb sieben. Er öffnete eine Flasche Pils und ließ sich in seiner ganzen Breite auf dem ramponierten Wohnzimmersofa neben dem Meerschweinchenkäfig nieder, wo das Tierchen inzwischen friedlich in einer Ecke vor sich hin döste. Er trank ein paar kurze Schlucke aus der Flasche, spielte am Schnappverschluss seines linken Hosenträgers und sinnierte.

Brief des Markgrafen Albrecht von Brandenburg-Kulmbach an König Matthias von Ungarn, 22. April 1541

Gottes Gruß und Freundschaft zuvor, und mögen Euer königliche Gnaden gesund und wohl sein. Zunächst wollen wir Euch vom Ableben unseres Herrn Vaters berichten, Gott gebe ihm die Ewige Ruh. In Sachen des Leibgedings unserer Schwester, der Königin von Böhmen, wenden nun wir uns an Euch, die Ihr in glorreichem Sieg über den Jagiellonen Wladislaus die Herrschaft über meiner Schwester Herzogtum erlangt habt. Wiewohl Euer Liebden schon vor längst der Königin ein Leibgeding von fünfzigtausend Gulden versprochen, ist noch kein Wechsel oder Geld eingetroffen. Nun wissen wir, dass auch Euer Liebden der Krieg mit Zahlungen schwer zugesetzt, und können wir gut begreifen, dass derzeit Euer Säckel eng geschnürt sein mag. Deshalb wollen wir Euch als Vormund unserer Schwester ein Vorschlag unterbreiten, der Euch und uns zupass kommen könnt. Anstelle des Geldes, das Ihr an die Königin als Ablöse für ihr schlesisches Erbe ausbezahlt hättet, wäre es ein Besseres, uns als Ihrem Vormund einige schlesische Güter als Pfand zu überlassen. Wir denken an Crossen, Züllichau, Sommerfeld und Bobersberg. Damit bliebe das eigentliche Herzogtum Groß-Glogau rechtmäßig bei Euer Liebden. Es wäre damit auf immer abgelöst, wobei wir uns dazu versehen würden, coram publico darauf Verzicht zu leisten. Dafür stünd uns die Nutzung der schlesischen Güter auf Lebenszeit zu. Somit, so glauben wir, wäre uns und Euch mit Vorteil gedient. Unser Schwester, die Königin von Böhmen, die derzeit in Neuenstatt an der Aisch ihren Aufenthalt hat, wird gegen die neue Regelung kein Protest erheben, dafür verbürgen wir uns. Möcht sie doch endlich der König von Böhmen zu sich nehmen, wenn sie kein rechten Unterhalt mehr bei uns findet.

In Erwartung Eurer gefälligen Antwort Albrecht Markgraf von Brandenburg-Kulmbach
Gegeben zu Plassenberg den fünften Tag nach Ostersonntag anno 1541

Neustadt an der Aisch, August 1541

Die Residenz, sonst als Nebensitz der Ansbacher Markgrafen ein eher ruhiger und beschaulicher Ort, war auf den Beinen. Erstmals seit Antritt ihrer Herrschaft hatten sich die beiden neuen Markgrafen angekündigt, um hier die Huldigung eines Teils des unterländischen Adels entgegenzunehmen. Für den Abend war ein festliches Essen geplant, zu dem Adel, Vertreter der Landstände und Abgesandte der Bürgerschaft von Neustadt geladen waren. Seit zwei Tagen schon hatten die Metzger Ochsen, Schweine und Federvieh auf die Burg getrieben, die bis zum Schlachten im Hof der Residenz angebunden und eingepfercht waren. In der Küche war man schon längst dabei, Gerichte vorzukochen, Brot zu backen, Sülzen und Würste zu machen. Krautfässer, Eier und Käselaibe waren geliefert worden, ebenso eine gute Ladung Casteller Weins, den die Markgrafen für gewöhnlich tranken. Für die Dienerschaft hatte man im Brauhaus Bier bestellt und Speckseiten eingeholt. Und aus den Weiherhäusern der nächsten Umgebung wurden große Zuber mit Karpfen, Forellen, Weißfischen und Neunaugen auf Karren angeliefert und in den Fischkasten geschüttet, wo die Fische noch bis zum Schlachten schwimmen konnten.

Für Barbara war es ein besonderer Tag. Zum ersten Mal seit dem Tod ihres Vaters sollte sie mit ihren beiden Brüdern zusammentreffen. Diesen Moment hatte sie lange herbeigesehnt. Endlich, nach so vielen Jahren, würde sie den ältesten Bruder, Georg, wiedersehen. Er war, so kannte sie ihn als Kind, nachgiebig, ruhig und von versöhnlichem Naturell, und sie erhoffte sich von ihm das Verständnis, das ihr Vater, Albrecht und die restliche Familie nicht aufbrachten. Georg kam außerdem vom ungarischen Hof, wo er erzogen worden war, und konnte ihr bestimmt Neues darüber erzählen, wie es nun König Matthias mit ihren fünfzigtausend Gulden halten wollte. Vielleicht hatte er sich ja sogar bei ihm für sie verwendet.

Die Zusammenkunft mit Albrecht dagegen erfüllte sie mit gemischten Gefühlen. Seit sie ihren Bruder mit dem Landgrafen von Leuchtenberg überrascht hatte, war keine Gelegenheit gewesen, ihn zu sprechen. Aber ihr war sehr wohl klar, was es bedeutete, dass er sie vom gemeinsamen Unterricht ausgeschlossen hatte. Sie wusste jetzt etwas über ihn, was ihn vor aller Welt bloßstellen konnte, kannte sein meistgehütetes Geheimnis. Das musste ihm unerträglich sein. Ob er sie nun dafür hasste?

Sie schob die düsteren Gedanken beiseite. Bestimmt würden ihr die Brüder als ihre Vormünder gestatten, die Ehe mit Wladislaus von Böhmen zu lösen und mit den fünfzigtausend ungarischen Gulden eine eigene kleine Hofhaltung zu bezahlen. Damit hätte die Abhängigkeit von ihrer Familie ein Ende, und sie wäre außerdem frei für eine neue Verbindung. Mit dreiundzwanzig Jahren war sie, dessen war sie sich wohl bewusst, nicht mehr jung, aber sie besaß ein eigenes kleines Vermögen und konnte immer noch Kinder bekommen. Nach wie vor würde sie eine gute Partie sein, zwar nicht mehr auf europäischer oder auf Reichsebene wie vorher, aber wenigstens für den einheimischen Adel. Sie spürte Hoffnung in sich aufsteigen. Alles würde gut werden.

Als die Mittagszeit kam und ein Diener das Zwischenessen brachte, gesellte sich die alte Amme zu ihr und teilte das einfache Mahl mit ihr.

»Ach, Martsch, ich glaub, bald wird alles anders. Stell dir bloß vor, wenn ich endlich frei bin. Albrecht und Georg können mir doch nichts Übles wollen. Der Georg war immer ein lieber Bursch, zwar ein bisschen träge, aber mit einem guten Herz. Und der Albrecht ist doch mein Lieblingsbruder. Er wird ein Einsehen haben, ganz bestimmt. Der gesunde Verstand wird für mich sprechen. Ich kann's gar nicht mehr erwarten.«

Die alte Amme sagte lieber gar nichts und aß stumm weiter. Im Gegensatz zu Barbara, die auf ihren kleinen Bruder nie etwas kommen ließ, hatte sie den jungen Albrecht immer mit Misstrauen betrachtet. Sie wusste von seinen nächtlichen Saufereien in Ansbach und von den Schlägen, die er seinen Kammerdienern angedeihen ließ. Unter der Dienerschaft wurde viel Schlechtes über den jungen Markgrafen geredet, und man hielt sich möglichst von ihm fern, besonders wenn er getrunken hatte. Die Martsch war sich nicht sicher, ob er mit Barbaras böhmischer Ehe die noch so vagen Ansprüche auf das schlesische Herzogtum aufgeben würde. Sie wusste auch, dass im Haus Brandenburg die Frauen nichts galten. Wenn Barbara dies nicht hinnehmen, sondern aus ihrer Ehe ausbrechen wollte, so würde dies ein harter Kampf werden. Und die Martsch fürchtete, dass ihr Schützling diesen Kampf nicht gewinnen konnte.

Am späten Nachmittag ritten die beiden markgräflichen Brüder mit großem Gefolge im Schloss ein. Beide hatten sich für den Umritt fein herausgeputzt, besonders Georg, der eine Vorliebe für Mode und alles Schönsinnige hatte. Albrecht trug eine glänzende Prunkrüstung, die aus seiner schmächtigen Gestalt eine Achtung gebietende Figur machte. Georg hingegen setzte mehr auf bunte Farben in Zivil, die neuesten zweifarbigen Ballonhosen und eine Kappe mit aufgenähten goldenen Medaillen. Beide waren bester Laune und unterhielten sich angeregt mit dem Neustädter Schlossvogt, der ihnen zur Begrüßung entgegengeeilt war. Aus einer geschlossenen Kutsche stiegen die Markgrafenmutter, die nun ihren Witwensitz in Neustadt aufschlagen würde, und die Töchter Kunigunde und Ursula. Während die alte Markgräfin, eine hoch gewachsene und Ehrfurcht gebietende Erscheinung, ganz große Dame war und sich würdevoll in Richtung Schloßeingang begab, folgte ihr die unförmige

Kunigunde watschelnd und Röcke raffend, das Mondgesicht halb von einem Reiseschleier verdeckt. Die zwei Jahre jüngere Ursula, ein eher farbloses Mädchen mit blonden Haaren und knabenhafter Figur, ließ sich von einem der Höflinge den Arm bieten und hineinführen.

Barbara beobachtete die Ankunft ihrer Brüder vom Fenster des Frauenzimmers aus. Mit Ungeduld bereitete sie sich auf das abendliche Festmahl vor. Zur Feier des Tages hatte sie sich bereits am Morgen in die Badstube begeben und sich von der alten Martsch in einem Kessel mit warmem Wasser abschrubben lassen. Auch die Haare hatte sie frisch gewaschen und mit Essigwasser gespült. Sie hatte sich mit einem Fläschchen duftenden Öls den Körper gesalbt und danach die Haare getrocknet und fein eingeflochten. Jetzt fehlte nur noch das Festtagskleid. Sie hatte sich dafür ein älteres Kleid ihrer Großmutter umgenäht, die Ärmel durchbrochen und mit Stoff aus anderer Farbe abgesetzt, sodass es der Mode der Zeit entsprach. Das Kleid war aus grünem niederländischen Tuch mit reichen Stickereien, und die dazugehörige Haube, ebenfalls grün, hatte die Martsch mit kleinen Perlen bestickt. Barbara liebte die Farbe. Sie zog das Mieder an, das ihr die Amme hinten festzurrte, und ließ dann Rock und Ärmel annesteln. Die Haube setzte sie so auf, dass ihr Haar hinten in einem langen Zopf nach der venezianischen Mode den Rücken hinabhing. Sie fühlte sich gerüstet für das Gespräch mit ihren Brüdern. Das Festbankett sollte am frühen Abend beginnen.

Erster von drei Gängen eines fürstlichen Festmahls

1. *Warm gesotten Rindtfleisch*
2. *Abgesotten Rindtfleisch im Salt, du mags's geben kalt oder warm*
3. *Darnach Zulegstück von einem Hammel*
4. *Ein Kappaunen in seiner lautern Brüh, mit Ingwer und auch mit Muscatblüt, und darzu mit ganzem Pfeffer darüber geworfen*
5. *Auch eingemachte Sülzen oder Kuttelfleck gelb oder weiß*
6. *Ein Rinder Niernbraten mit einem Parmasankäs bestreuet*

7. *Ein gebraten Rehschlegel in einem Mandelgescharb*

8. *Kitzfleisch gelb, mit einer süßen Brüh gemacht*

9. *Ein gebraten Indianischer Hahn warm*

10. *Repphühner mit saurem Limoniensaft übergossen*

11. *Gebraten Zaunköniglin*

12. *Ein Schweinskopf kalt abgesotten*

13. *Ein gebraten Ganß mit einer Gänßmilch darunter gemacht*

14. *Ein ungarische Turten mit vielen Blättern gemacht*

15. *Gebratene Hasel Hühner fein warm*

16. *Ein Viertel von einem Kalb, fein gebraten*

17. *Schlickkrapfen von Kälber Nieren*

18. *Ein Äpfel Turten*

19. *Ein kalte Hirsch Pasteten*

20. *Kleine Vögel in Mandelgescharb*

21. *Einen kleinen Lungen Braten von einem Hammel*

22. *Ein Gallert gemacht von Schweinsfüßen, mit Mandel belegt*

23. *Hispanische Pasteten mit einer gehackten Hennenbrust*

24. *Ein Mantscho Blancko*

25. *Ein gebratens Ferklin*

26. *Citronen fein klein gehackt, und auch süß gemacht*

27. *Eingemacht Schweine Wildpret in einem schwarzen Pfeffer*

28. *Jung Lammfleisch fein weiß gemacht, mit sauren Limonien*

29. *Erbsen*

30. *Item was zu jeglichem Gebratens gehört, so trocken auf den Tisch kommt, als Soßen von Weichselsaft, Oliven, Pomerantzen oder kleine Capern*

Das Festmahl war für hundert Gäste aus Adel und Neustädter Bürgerschaft gerichtet. In der Hofstube hatte die Dienerschaft zusätzliche Bänke und Tische aufgestellt, einfache Böcke mit Brettern darüber, die durch lang herabhängende Tischtücher verdeckt wurden. Die Fackelhalter an den Wänden waren bestückt, und Leuchter mit Talglichtern und den teuren Wachskerzen standen griffbereit auf einem Seitentischchen. In der hinteren Ecke der Hofstube hatten die Aufträger und der Silberkämmerer eine Anzahl von Ratzen, Flaschen und Karaffen aufgebaut, die bereits im Keller gefüllt worden waren, ebenso verschiedene Körbe mit Broten – das einfache dunkle Gesindebrot für die Dienertische, das hellere Räte- und Fürstenbrot für die gehobenen Gäste.

Tischgeschirr gab es nur wenig. Je zwei Personen teilten sich ein Holzbrettchen oder – auf den Räte- und Adelstischen – einen Zinnteller. Auf den einfachen Tischen standen irdene oder hölzerne Becher, einer für zehn bis zwölf Mann gerechnet, der dann am Tisch die Runde machte. Die vornehmeren Tafeln waren mit Zinnbechern bestückt. Besteck gab es nicht – jeder hatte sein eigenes Messer dabei.

Die Markgrafenmutter als Gastgeberin betrachtete zufrieden die Tafel. Auf dem Tisch standen vergoldete Silberteller und riesige goldene »Köpfe« – Pokale, die wegen ihrer Größe so benannt waren, ebenso groß wie ein Kopf. In der Mitte des Tisches thronte ein pompöser Tafelaufsatz in Gestalt eines Greifs, der ein geschlagenes Reh in den Fängen hielt. An jedem Platz lag ein feines weißes Fazenettlein, an dem man sich Finger und Mund abwischen konnte. Auf einem Nebentisch hinter der Festtafel war ein Teil des Silberschatzes der Familie aufgebaut: Tabletts, Trinkgefäße, Salzfässchen, Senftöpfe, Schüsseln und Teller, alles massiv und vergoldet.

Eine kleine Empore in der Mitte des Saals bot Platz für die drei Trompeter, die das Festmahl musikalisch gestalten sollten. Davor stand ein winziges Kindertischchen, an dem die beiden Zwerginnen zusammen mit dem Narren speisen sollten.

Das Fest begann. In der Mitte der Fürstentafel thronten die beiden markgräflichen Brüder, rechts neben ihnen saßen ihre Mutter und Schwestern. Barbara stand als Königin von Böhmen ein Ehrenplatz neben ihren Brüdern zu; sie teilte sich den Teller mit dem markgräflichen Hauskaplan. Es war eine der wenigen Gelegenheiten, dass Frauen bei einem offiziellen Festmahl zugegen sein durften, und so war Barbara wie die anderen Damen des Hofes guter Dinge und freute sich auf den Abend. Ihre Brüder und ihre Mutter, die in ausgezeichneter Stimmung waren, begrüßten sie recht freundlich, und sogar Kunigunde hatte ein nettes Wort für sie übrig. Sie scherzte mit dem Hofpfaffen, lachte über die Späße des Narren und aß nach Herzenslust.

Die Aufwarter, meist Jungen vom Adel, trugen ohne Unterlass gefüllte Schüsseln herein und stellten sie auf der Fürstentafel ab.

Barbara saß neben ihrem Bruder Georg, der sich, wie sie fand, in seiner Zeit am ungarischen Hof zu einem rechten Gecken entwickelt hatte. Er trug Hofkleidung nach der neuesten Mode, ein Wams mit geschlitzten Puffärmeln in Grün und Rot und ein Barett, dessen Rand mit Feh gesäumt war und ihm schräg in die Stirn hing. Dick war er geworden, und was er an Bauch zugenommen hatte, hatte er an Haar verloren. Ein Backenbart wuchs ihm üppig von den Ohren bis zum Kinn. Seine blauen Augen leuchteten aus dem rötlichen Gesicht, und das unvermeidliche Grinsen, mit dem er schon als Junge ein bisschen dümmlich ausgesehen hatte, hatte ihn nicht verlassen. Er schoss den Vogel ab, als er schon vor dem Essen nach Wasserkanne und Schüssel zum Händewaschen verlangte – so viel vornehme Reinlichkeit verblüffte den fränkischen Adel zutiefst. Man kam an der Tafel allgemein überein, dass er der vollkommene Höfling sei – in jeder Hinsicht ein Paradebeispiel im Sinne des Erasmus von Rotterdam und seiner Sittenlehre.

Barbara fragte Georg eifrig über den ungarischen Hof aus, und er erzählte bereitwillig den neuesten Klatsch. Albrecht unterhielt sich angeregt mit seiner Mutter und ein paar Räten, und es wurde fleißig getrunken. Die Pokale machten Runde um Runde, und Barbara beschloss, ihr Anliegen zur Sprache zu bringen, bevor ihre Brüder allzu betrunken waren. Die Gelegenheit schien ihr günstig zu sein, als die Hauptgerichte abgetragen waren und alles auf den Süßspeisengang wartete.

»Liebste Brüder«, begann sie, »ich hätt gern ein Wort mit euch geredet, bevor die Frauen sich wieder ins Frauenzimmer zurückziehen müssen.«

Georg und Albrecht bekundeten durch Nicken ihre Zustimmung. Die drei erhoben sich und gingen zusammen in eines der angrenzenden Zimmer, aus dem sie das Personal verscheuchten. Albrecht ließ sich auf einem Scherenhocker nieder und bedeutete seiner Schwester mit einer Geste, sie möge sprechen.

Barbaras Finger spielten unruhig mit ihrer Goldkette.

»Ich weiß nicht recht, wie ich anfangen soll. Georg, Albrecht, ihr kennt meine Lage nur allzu gut. Seit elf Jahren bin ich nun Königin von Böhmen, und bin's doch nicht. Der König nahm mich wegen Groß-Glogau und Crossen, meinem Erbe, und hat es schon lang ohne Recht wegen seiner militärischen Niederlage an die ungarische Krone abgetreten. Er braucht und will mich nicht mehr, hat er doch in den vergangenen Jahren mit immer fadenscheinigeren Briefen meine Heimführung verzögert. Ich weiß nicht mehr, wer ich bin oder nicht bin. Niemand kümmert sich um mich, der Familie bin ich nur Last und Grund für Spott. Jeder will mich los sein, aber der Böhme nimmt mich nie und nimmermehr, ich weiß es.«

Georg und Albrecht machten keine Anstalten, etwas zu erwidern. Albrecht besah mit größtem Interesse seine Fingernägel, und Georg bewunderte den silbernen Gliedergürtel, der ihm von der nicht vorhandenen Taille hing. So sprach Barbara in beschwörendem Ton weiter.

»Mir ist, als schnüre mir die böhmische Ehe die Luft ab. Tagaus, tagein sitz ich und warte, ich weiß nicht mehr auf was. Ich kann so nicht weiter. Hätt ich die fünfzigtausend Gulden, die mir der Ungar versprochen, ich könnt für meinen Haushalt selber aufkommen.«

Barbara stockte und blickte in das unbewegliche Gesicht ihres jüngeren Bruders. Regte sich in ihm irgendein Gefühl? Er sah an ihr vorbei.

»Bruder, ich bitt dich, lass mich die Verbindung lösen, die mir das Herz abdrückt. Jeden Tag bet ich zu Gott, dass endlich alles vorüber sei. Dann wäre ich frei, und mit dem ungarischen Geld nähm mich vielleicht ein anderer, und ich könnte Kinder haben, bevor ich zu alt bin. Elf Jahre, Albrecht, elf Jahre bin ich verbunden und doch verschmäht. Ich bitt dich bei Gott: Hilf mir, dass ich wieder frei bin!«

Albrecht atmete schwer ein. Er stand von seinem Schemel auf und ging zum Fenster. Nach einer Weile drehte er sich um und sah Barbara an.

»Du weißt, wie unser Vater solche Vorschläge aufgenommen hat, und glaubst nun, wir als deine Brüder denken anders? Was bringt dich dazu, die Ehre des Hauses Brandenburg durch die Auflösung deiner Ehe beschmutzen zu wollen? Bei Gott, das kann dir nicht Ernst sein. Du bist rechtmäßige Königin von Böhmen; dafür, dass dich dein Gemahl nicht annimmt, kann ich nicht. Und du bist ein Mitglied der Familie. Deine Bestimmung ist nur eines: nützlich zu sein für das Ansehen des Hauses. Ob du dabei traurig oder froh bist, schert nicht – nicht uns und nicht den lieben Gott. Eigene Wünsche stehen dir mitnichten zu. Also lass uns in der Zukunft mit solch unsinnigen Bitten in Ruhe.«

Barbara zuckte zusammen. Das war ihr Bruder Albrecht, mit dem sie gespielt, den sie gehätschelt und geliebt hatte? Ungläubige Enttäuschung spiegelte sich in ihrem Gesicht.

»Albrecht, ich bitt dich – so lass doch mit dir reden. Du kannst doch nicht mein Unglück wollen.«

Albrecht lachte kalt. »Dein Glück oder Unglück zählt nicht, begreif das endlich. Du hast dich den Wünschen der Familie zu fügen.«

Barbara fühlte, wie ihr alles entglitt. Das durfte nicht geschehen. Sie griff ihren Bruder bittend am Ärmel.

»Lieber Bruder, wenn … wenn du mir nachträgst, dass ich dich und den Landgrafen gesehen hab … du weißt, dass ich keiner Menschenseele verraten würde … du musst dich auch nicht …«

Barbara schluckte. Sie sah ihren Bruder an und wusste im gleichen Augenblick, dass sie einen Fehler begangen hatte.

»Genug!«, fuhr ihr Albrecht über den Mund. »Ich weiß nicht, wovon du sprichst.«

Georg mischte sich nun neugierig ein: »Was ist denn mit dem Leuchtenberg und dir?«

»Nichts, sie redet wirr!« Die Lüge kam dem jungen Markgrafen glatt über die Lippen.

Barbara war zurückgeprallt und wagte nicht zu widersprechen. »So trag wenigstens Sorge, Albrecht, dass ich das Geld aus Ungarn bekomme, um einen eigenen Haushalt zu führen.«

Albrecht setzte sich wieder und lächelte. »Liebste Schwester, das kann ich gar nicht.«

Barbara verstand nicht. »Aber warum denn nicht?«

Ihr Bruder breitete mit einer Geste der Hilflosigkeit die Arme aus.

»Weil ich die fünfzigtausend Gulden abgetreten habe gegen die Nutzung einiger fetter schlesischer Güter. Der Ungar war einverstanden.«

Der Schlag traf Barbara unvorbereitet. Was hatte er getan? Ungläubig schüttelte sie den Kopf. In ihr stiegen Wut und Verzweiflung hoch. Albrecht hatte kein Recht, ihr das Erbe wegzunehmen.

Wie konnte er ihr das antun? Sie machte ein paar Schritte auf ihn zu und sagte mit einem Zittern in der Stimme: »Das kannst du nicht. Es war mein Herzogtum, nicht deines. Alles, was daraus folgt, gehört mir, mir allein. Du beraubst deine eigene Schwester! Das ist nicht recht, bei Gott und den Heiligen.«

Sie wandte sich an ihren ältesten Bruder, der bisher beim Fenster gestanden, mit einem Holzsplitter die Zähne gesäubert und geschwiegen hatte.

»Georg, sprich du für mich!«

Georg runzelte nun mit einem bedauernden Lächeln die Stirn. Barbara tat ihm Leid, aber er wollte sich deswegen keineswegs mit seinem Bruder überwerfen. Nervös spielte er mit seinen Fingern.

»Schwester, ich will dir nicht übel, aber du weißt offenbar nicht mehr, wo dein Platz ist. Die Sache der Familie geht über die eines Weibes, des wirst auch du dich versehen müssen. Du magst allezeit in meiner Hofhaltung leben und bleiben, für dein Auskommen verbürg ich mich. Aber dem König von Böhmen abschreiben – das kann nicht sein. Und das mit dem Geld mach mit dem Albrecht aus.«

»Das dacht ich mir, dass du nicht für mich streitest«, fuhr Barbara ihn an. Der Zorn gewann die Oberhand in ihr. Sie ging auf Albrecht zu und packte ihn an der Schulter; er schüttelte sie ab.

»Gib mir zurück, was mir zusteht«, funkelte sie ihn an.

»Es ist alles gesagt«, erwiderte Albrecht und wandte sich zur Türe.

Barbara hielt ihn mit dem Mut der Verzweiflung auf.

»Ich schreib an den König von Ungarn und fordere mein Recht«, schrie sie ihn an. »Und ich schreib an den Papst um Dispens!«

Albrecht sah seiner Schwester ruhig ins Gesicht, holte dann mit einer Hand aus und schlug zu. Barbara taumelte gegen die Wand.

»Du wirst des Teufels Scheißdreck tun«, sagte der Markgraf ruhig, »oder du sollst mich noch kennen lernen.«

Barbara rappelte sich hoch. Von Schluchzen geschüttelt, lief sie aus dem Raum, durchquerte die Hofstube, in der die Gäste verblüfft aufsahen, und flüchtete sich ins Frauenzimmer.

Die Brüder nahmen ihre Plätze wieder ein.

»Die Königin von Böhmen lässt sich entschuldigen«, sagte Albrecht laut und nestelte dabei behäbig sein Wams auf, »ihr ist nicht wohl.«

Dann bedeutete er dem Hofmeister, mit dem Stab aufzuklopfen. Die Süßspeisen wurden aufgetragen.

Neustadt an der Aisch, Januar 1542

Seit der Unterredung mit ihren Brüdern verging kein Tag, an dem Barbara nicht nach einer Lösung für ihre verfahrene Lage suchte. Was konnte sie tun? Konnte es helfen, sich an den Kaiser zu wenden? Aber auch er würde nicht für eine Frau die guten Beziehungen zu einem seiner Reichsfürsten aufs Spiel setzen. Und ohne das ungarische Geld hatte auch ein Dispensgesuch an den Papst keinen Sinn – sie stünde nach einer Scheidung mittellos da. Zornig und verzweifelt schritt Barbara in ihrem Zimmer auf und ab. Wie sie alles drehte und wendete, sie sah keinen Ausweg.

Doch dann gerieten unerwartet die Dinge in Bewegung. Eines nebligen und frostigen Morgens brachte der junge Aufwarter die Frühsuppe in Barbaras Bettkammer. Er setzte nicht wie sonst das Tablett auf der Truhe ab, sondern drückte sich unschlüssig in der Kammer herum und sagte mit halblauter Stimme: »Der gnädige Herr Ludwig von Eyb ersucht Euch, um die Mittagszeit in die Kapelle zu kommen.«

Kaum hatte er den Satz losgebracht, war er schon wieder verschwunden.

Barbara kannte den von Eyb. Er war einer der Ansbacher Räte ihres Vaters gewesen. Er stand in dem Ruf, ein wahres Genie in Finanzdingen zu sein, und hatte sich dem Markgrafen in den letzten Jahren unentbehrlich gemacht. Fast täglich hatte man ihn bei Hof ein- und ausgehen sehen.

Barbara fragte sich, was den von Eyb dazu bewogen haben könnte, sie zu einem Treffen zu bitten, noch dazu in solch heimlicher

Manier. Die Zeit bis Mittag wurde ihr lang. Mit einem wollenen Tuch um die Schultern machte sie sich schließlich zu früh auf den Weg zur Schlosskapelle.

Das Kirchlein war leer. Barbara ging zum Fürstengestühl und kniete sich auf die rot gepolsterte Fußbank. Sie sprach ein kurzes Gebet und begann zu warten. Die Kälte kroch ihr in die Glieder, und sie zog ihre Wollstola fester. Die Strahlen der Morgensonne fielen durch zwei Spitzbogenfenster auf den Altar, der mit einem kostbaren Tuch aus Brüsseler Spitze abgedeckt war. Barbara betrachtete die Bilder des geschlossenen Triptychons: auf der linken Seite den Tod des heiligen Sebastian, von Pfeilen durchbohrt, auf der rechten die Folterung der heiligen Katharina auf dem Rad. Zwei Mäuse liefen die Wand entlang und verschwanden hinter einem Vorhang.

Als Barbara schon glaubte, der von Eyb käme nicht mehr, wurde die Tür geöffnet, und der Rat trat ins Halbdunkel. Er war ein Mann mittleren Alters, beleibt, mit früh ergrautem Haar und einem gestutzten Kinnbart. Mit seinen dicken, wulstigen Lippen, einer schiefen, mehrfach gebrochenen Nase und den unter buschigen Brauen hervortretenden Augen sah er recht Furcht einflößend aus. Mit wenigen Schritten hatte er Barbara erreicht und machte eine Reverenz.

»Meinen Dank, dass Ihr gekommen seid, gnädige Herrin. Ein Diener steht draußen und sorgt dafür, dass uns niemand stören kann, denn was ich zu sagen habe, ist nur für Eure Ohren bestimmt.«

Barbara nickte.

»Sprecht, Eyb. Was wollt Ihr von mir, und wer schickt Euch?«

Der von Eyb neigte sein Menschenfressergesicht zu der knienden Markgräfin und redete leise.

»Mich schickt der König von Böhmen, Herrin, um Euch ein Schreiben zu übergeben, das der höchsten Geheimhaltung bedarf. Ich habe mich verpflichtet, den Brief nur persönlich in Eure Hände abzugeben und Eure Antwort zu überbringen.«

Eyb zog einen versiegelten Umschlag aus seinem gebauschten Ärmel, und Barbara brach das Siegel mit zitternden Fingern.

Wladislaus Jagiello, König von Böhmen, an die Herzogin von Groß-
Glogau und Crossen

Gottes Gruß zuvor und meine Ehrerbietung, gnedige Frau Barbara.
Wie wir erfahren haben, steht auch Euch der Sinn nach einer Auflö-
sung des Bundes, den wir, obschon nur in procurationem, mit Euch
geschlossen haben. Ihr erseht selber, dass dieser Bund für das König-
reich Böhmen inzwischen nicht mehr von Bedeutung ist, wo Eure
Güter nicht mehr Euch gehören. Wir wissen auch, dass Eure Familie
nicht willens ist, die Ehe antasten zu lassen. Item so müssen wir un-
sere Sache vor den Heiligen Stuhl bringen, wollen wir beide wieder
Freiheit erlangen. Alldieweil die Ehe nie vollzogen und unsere Ver-
bindung zu Rom gut zu nennen ist, tragen wir gute Hoffnung auf
ein Dispens. Ihr habt nur eines zu tun: Verfasst ein Schreiben an den
Papst, in dem Ihr aus genanntem Grund um Nichtigerklärung der
Ehe bittet. Wir werden ein gleiches auf den Weg bringen. Danach
halten wir uns mit Gott und verhoffen auf ein gutes päpstliches Ur-
teil. Als Zeichen unserer brüderlichen Verbundenheit zu Euch sen-
den wir mit diesem Schreiben zehn Silbergulden, die Ihr wohl brau-
chen mögt, um alles zu regeln. Item lasst uns Nachricht zukommen.
Seid versichert, dass der Überbringer dieses Schreibens verlässlich ist
und in meinen Diensten steht.

Gegeben zu Prag am Tag des Apostels Andreas anno 1541
Wladislaus, König von Böhmen

Barbaras Atem ging schneller. Sie überflog das Schreiben ein zweites Mal.

»Eyb, was bringt Euch dazu, Sendbote in böhmischen Diensten
zu sein? Und wer garantiert mir, dass ich Euch vertrauen kann?«

Der Rat setzte sich neben Barbara auf die Kirchenbank. »Oh, das
bleibt natürlich Euch überlassen. Aber ich will offen zu Euch sein.
Im Vertrauen, ich stehe schon seit den Zeiten Eures seligen Vaters
zuweilen in, sagen wir, fremden Diensten. Der Böhmenkönig ist
derzeit, wie Ihr Euch denken könnt, äußerst freigebig – das Deputat
eines Ansbachischen Würdenträgers ist nicht allzu großzügig be-
messen, Ihr versteht. Außerdem befürchte ich, dass nun, nach der

Regierungsübernahme Eurer Brüder, meines Verweilens bei Hof wohl nicht mehr länger sein wird – die Finanzlage des Markgraftums ist nicht zum Besten, und sie werden mich verantwortlich machen, wiewohl das alles bei Gott nicht meine Schuld ist. Da muss ich mich versehen, wo ich bleibe. Aber natürlich müsst Ihr selber entscheiden, ob Ihr mir trauen könnt. Ich jedenfalls will Euch nichts Schlechtes – warum auch? Hier sind im Übrigen die Silbergulden.«

Er überreichte einen kleinen Lederbeutel, in dem es metallen klimperte. Barbara wog das Säckchen unschlüssig in der Hand. Endlich bot sich da ein Ausweg aus der unglücklichen böhmischen Ehe, aber war er auch gangbar? Sie überlegte fieberhaft.

»Eyb, es geht nicht. Meine ungarische Ablösesumme hat der Albrecht für sich genommen. Wenn ich mich von dem Böhmen lossage, ist meines Bleibens hier nicht mehr. Meine Brüder würden mich sofort verstoßen. Und wo sollte ich hingehen ohne Geld? Albrecht würde sich an jedem, der mich aufnimmt, zu rächen wissen.«

Eyb schlug einen beruhigenden Tonfall an.

»Ich weiß Bescheid über Eure Lage. Deshalb habe ich mich vorsorglich nach einer Möglichkeit umgetan, bei der Ihr versorgt wärt. Ich kann Euch glücklicherweise den Willen des Reichsritters Konrad von Heideck erklären, Euch nach einer Ehescheidung zur Frau zu nehmen. Der von Heideck ist ein anständiger Mann; auf seinen Gütern hättet Ihr ein Auskommen. Der König von Böhmen hat ihm für den Fall einer Heirat eine hohe Summe geboten.«

»Ein Reichsritter, noch dazu aus der Hofdienerschaft meines Vaters? Das ist weit unter meinem Stand. Meine Brüder würden niemals zustimmen.«

»Das glaube ich nicht. Mit Verlaub, wenn Ihr erst geschieden seid, bringt Ihr dem Haus Zollern keinen Nutzen mehr, und Euer Bruder hat Euch bereits alles genommen, was Ihr hattet. Er wird sich fügen, um den Skandal möglichst schnell zu beenden und Euch aus dem Haus zu haben. Eine böhmische Handsalbe von, sagen wir, fünfundzwanzigtausend Gulden wird dazu noch das ihre tun – Ihr kennt seine Geldgier.«

»So viel ist es dem Böhmen wert, mich los zu sein?«

Der von Eyb lächelte verschmitzt.

»Nun, Liebden, Ihr wisst vielleicht noch nicht, dass König Matthias von Ungarn kürzlich auf den Tod verunglückt ist. Wladislaus Jagiello denkt an eine Ehe mit seiner Witwe. Dann hätte er Böhmen und Ungarn auf einen Schlag. Das dürfte ihm noch viel mehr wert sein als ein paar tausend Gulden.«

Barbara erhob sich.

»Lasst mich darüber nachdenken, Eyb. Geht jetzt. Ich geb Euch Nachricht. Und ich dank Euch für Eure Hilfe.«

Da war er nun, der Hoffnungsschimmer, auf den sie so lange gewartet hatte. Aber so sehr sie die Auflösung ihrer sinnlosen Ehe herbeisehnte, ihre Angst vor Albrecht ließ sie zögern. Würde er sie wieder misshandeln oder gar hinauswerfen? Was konnte er darüber hinaus noch tun? Barbara blieb in der Kapelle knien und überlegte fieberhaft. Wenn sie aus Angst diese Chance nicht ergriff, winkte ihr ein Leben in Eintönigkeit und Langeweile. Nichts würde sich je mehr ändern. Sie würde langsam in den Mauern des Neustädter Frauenzimmers alt werden, ohne Mann, ohne Kinder, ohne eigene Mittel, ohne die geringste Möglichkeit, ihre Zukunft zu bestimmen. Sie würde die Abhängigkeit von ihren Brüdern und die Gehässigkeit ihrer Schwestern ein Leben lang ertragen müssen.

»Ich will leben«, flüsterte sie sich selber zu. »Und wenn Albrecht mich halb tot prügelt, ich find mich nicht ab.«

Es störte sie, dass ihre Flucht unabdingbar mit einer neuen Ehe verbunden war, mit einem Mann, den sie – wie ihre beiden vorigen – nie vorher gesehen hatte. Ihr war auch nicht wohl bei dem Gedanken, dass Heideck, wo sie dann leben sollte, nicht allzu weit von Ansbach lag. Allerdings regierte in Ansbach ihr Bruder Georg, der vermutlich nicht eingreifen würde. Aber Albrecht? Würde er sich wirklich mit Geld zufrieden geben und sie in Ruhe lassen?

In den nächsten Tagen fand sie keine Ruhe. Nachts lag sie wach und überlegte, tagsüber brütete sie über ihren Handarbeiten. Schließlich zog sie die Martsch ins Vertrauen, weil sie die Einzige auf der Welt war, die sie niemals verraten würde.

Die Alte verdrehte die Augen zum Himmel und schüttelte den Kopf.

»Kindchen, denk gar nicht erst an solche Dinge. Wer weiß, was passieren kann – dein Bruder ist ein böser Mensch. Du hast hier dein

Auskommen, musst weder Hunger noch Durst leiden und lebst recht im Überfluss. Was erwartet dich da draußen? Hier geht es dir nicht schlecht, sei doch zufrieden mit dem, was du hast. Mann und Kinder sind auch nicht immer ein Segen. Der liebe Gott weiß schon, wie er alles einrichtet.«

»Der liebe Gott kümmert sich wohl eher um das Wohlergehen meines Bruders als um meines, Martsch«, erwiderte Barbara. »Ist es falsch, wenn ich das ungerecht finde? Kannst du mich nicht verstehen? Ich fühl mich lebendig begraben!«

»Ich versteh dich schon, Bärbel, aber ich hab auch Angst um dich. Wir Frauen haben noch nie über uns selber bestimmt, so ist die Welt eingerichtet. Du musst dich an diese Ordnung halten, sonst bringst du Unglück über dich, das glaub ich. Aber ich weiß auch, dass du so recht traurig bist, und das tut mir wehe. Du bist mir doch wie mein eigenes Kind. Wenn du also willst, dann helf ich dir, auch wenn ich glaub, dass es nicht recht ist. Ich seh doch, dass du dich schon entschieden hast.«

Barbara umarmte ihre alte Amme.

»Wenigstens eine, die auf meiner Seite ist. Ja, ich hab mich entschieden. Der liebe Gott mag es mir nachsehen. Schick mir den kleinen Aufwarter, ich muss ihm Nachricht geben. Ich schreibe dem Eyb, dass ich den von Heideck sprechen will, bevor ich mich an den Heiligen Stuhl wende. Nie mehr werd ich einen heiraten, den ich nie gesehen hab.«

Das Treffen mit Konrad von Heideck fand erst im Frühling statt, anlässlich einer Jagd im späten März, zu der auch der Heidecker geladen war. Vorher war es nicht möglich gewesen, ihn in Barbaras Nähe zu bringen.

Die Jagdgesellschaft, geführt von Markgraf Georg, kam bei Einbruch der Dunkelheit im Neustädter Schloss an. Unter viel Gelächter und Geschrei ritt der Adel in den Hof ein. Barbara versuchte vom Fenster aus zu erraten, welcher der Reiter wohl ihr – so alles gut ging – zukünftiger Ehemann sein mochte, aber es waren zu viele darunter, die sie nicht kannte.

Da das Jagdessen ohne weibliche Beteiligung stattfand, hatte Barbara keine Gelegenheit, ihren zukünftigen Ehemann zu treffen. Sie

hoffte insgeheim, dass er ihr wenigstens eine Nachricht ins Frauenzimmer schicken würde, doch die Zeit verging, und niemand kam.
Schließlich begab sie sich zusammen mit der Martsch zu Bett, enttäuscht und deprimiert. Vielleicht wollte Konrad von Heideck sie
inzwischen gar nicht mehr.

Mitten in der Nacht klopfte es. Barbara, die endlich in einen unruhigen Schlaf gefallen war, fuhr hoch und ließ die Martsch die Türe
aufriegeln. Draußen stand ein Bote des Heideckers mit einer ver-
hängten Röhrenleuchte, der die Herzogin zum Mitkommen aufforderte. Barbara sprang aus den Kissen, warf sich einen weiten Mantel
um, schlug die Kapuze hoch und folgte dem Mann schweigend
durch das dunkle Schloss bis zu einer kleinen Pforte im Südflügel.
    Zögernd und leise trat sie ein, während der Bote vor der Tür war-
tete. Der Raum war zur Aufbewahrung des Bettgewands bestimmt
– an den Wänden standen große und kleine Truhen, in denen sich
Laken und Kissenbezüge stapelten. Auf einer der hinteren Truhen
saß, ein flackerndes Talglicht neben sich, ein Mann. Er erhob sich
und machte eine hastige, etwas unbeholfene Reverenz.
    Die Herzogin stand stumm und sah ihn lange an. Das sollte also
ihr dritter Gemahl sein: Er war nicht größer als sie und vielleicht ein
paar Jahre älter. Sein Gesicht war eher nichts sagend, aber nicht un-
freundlich; er hatte dichtes braunes Haar und einen welligen halblangen Bart, der in einer Spitze unter dem Kinn auslief, wie es die
Mode vorschrieb. Die Augen waren in der Dunkelheit kaum zu erkennen, nur eine erstaunlich große Warze über der linken Braue.
Ein leichtes Zucken der Oberlippe verriet seine Nervosität.
    Endlich brach Barbara das Schweigen.
    »Ihr seid also Konrad von Heideck«, stellte sie fest und trat nä-
her an ihn heran. »Ich hatte mir Euch älter vorgestellt und irgendwie – anders.«
    »Ich hoffe, ich habe Eure Erwartungen nicht allzu sehr ent-
täuscht, Herzogin, nun, da Ihr mich seht«, antwortete der von Heideck vorsichtig und mit einem leichten Lispeln. »Ihr jedoch erscheint mir genauso, wie Ihr mir geschildert worden seid – groß,
dunkel und von angenehmem Angesicht. Mein Freund Eyb hat
nicht zu viel versprochen, und das freut mich recht.«

Barbara überhörte das Kompliment. »Wie viel Geld hat man Euch geboten, dass Ihr mich nehmt?«

»Oh, genug, genug. So viel, dass ich die Herrschaft Heideck, die von Schulden gedrückt wird, entlasten kann und noch mehr.«

Er zögerte. Schließlich trat er einen Schritt auf sie zu. »Wir wollen ehrlich miteinander sein, Herrin. Ich kann mir denken, dass es Euch beleidigt, wenn Euch einer für Geld nimmt – noch dazu einer von niedrigerem Stand. Aber manchmal spielt einem das Leben halt schlecht mit, und man muss sich versehen, wo man bleibt. Ich bin Euer Weg in die Freiheit, und Ihr seid die Lösung für meine Geldprobleme. So passen wir wohl zueinander. Ich sag Euch zu, Euch in Ehren zu halten und als Herrin von Heideck zu behandeln. Und ich will Euch zu nichts zwingen, was Euch nicht recht und billig ist. Wollt Ihr als mein Weib mit mir leben, freut's mich umso mehr, wenn nicht, soll's mir auch recht sein. Auf meinem Ansitz in Heideck ist Platz genug für zwei Haushalte. Es ist Eure Entscheidung.«

Barbara sah ihn forschend an. Ehrlichkeit hatte ihr schon immer imponiert. Sie begann, den Mann zu mögen. »Habt Ihr keine Bedenken, dass meine Brüder Euch Übles wollen, wenn Ihr sie durch diese Heirat hintergeht?«

»Wie ich höre, soll es für den Markgrafen Albrecht ein hübsches Handgeld geben, und Georg …« Er winkte geringschätzig ab. »Ich gehöre der freien Reichsritterschaft an; ich unterstehe nur dem Kaiser und bin sonst niemandem verpflichtet«, versetzte er nicht ohne Stolz. »Greift man einen Reichsritter an, beleidigt man die Krone des Heiligen Römischen Reichs, und das werden die Markgrafen von Ansbach-Kulmbach nicht wagen, gerade jetzt, wo Albrecht als Söldnerführer in kaiserliche Dienste treten will.«

»Er will was?«

»Mit Hilfe kaiserlicher Dukaten das Fürstentum sanieren, Ihr habt schon richtig gehört. Bei der Übernahme des Fürstentums Kulmbach musste Euer Bruder feststellen, dass seine neue Herrschaft von so hohen Schulden geplagt ist, dass er sich nicht einmal eine eigene Hofhaltung auf der Plassenburg wird leisten können. Er hat dem von Eyb wegen seiner Schuldenmacherei Tod und Teufel angedroht, aber der ist inzwischen rechtzeitig zu den Nürnbergern geflohen. Albrecht hat den Landständen zugesagt, die Herrschaft nicht mit den Kosten eines Fürstenhofes zu strapazieren und stattdessen als Reiterführer für Karl V. in den französischen Krieg zu ziehen. Das kostet den Kaiser ein Sümmchen, und außerdem lässt sich wohl gut Beute machen. Wenn wir Glück haben, ist Euer Bruder also gar nicht im Land, während wir unseren, sagen wir, kleinen Vertrag schließen.«

Die Nachricht, dass ihr Bruder weit weg sein würde, erleichterte Barbara über alle Maßen. Jetzt konnte sie in Ruhe nach Möglichkeiten suchen, ihr Dispensgesuch auf den Weg zu bringen, ohne befürchten zu müssen, dass Albrecht in all seiner Gewalttätigkeit plötzlich vor der Tür stand. Fast packte sie der Übermut. Sie lachte und blinzelte dem von Heideck verschwörerisch zu.

»Sollen wir uns jetzt das Heiratsversprechen geben, mein Ritter von Heideck? Ein Gelöbnis wär wohl angemessen.«

Konrad schmunzelte. Die Dinge liefen in jeder Hinsicht ausgezeichnet. »Wenn Ihr es wünscht, Herrin.«

Barbara wurde wieder ernst. »Ich will sicher sein, dass ich Euch trauen kann. Das Einzige, worum ich Euch bitten möcht, ist Euer Versprechen als Ritter des Heiligen Römischen Reiches. Ich biete Euch dafür meines.«

»Das ist nicht mehr als recht und billig«, erwiderte Konrad von Heideck.

Er beugte das Knie und nahm Barbaras Hände.

»Ich, Konrad von Heideck, gelobe vor Gott, Euch, Barbara von Brandenburg-Ansbach, zu meinem rechtmäßigen Weib zu nehmen und in Ehr und Achtung zu halten. Und ich rufe alle Heiligen zu Zeugen, dass meine Absichten gegen Euch ohne Tadel sind.«

»Und ich, Barbara, Markgräfin von Brandenburg, Herzogin von Groß-Glogau und Crossen und bald einstmalige Königin von Böhmen, biete Euch, Ritter Konrad von Heideck, meine Hand als Ehegemahl. Dies gelob ich Euch vor Gott und allen Heiligen, bei meiner Seel. Möge unser Bund gegen alle Welt fest stehen und bald besiegelt sein.«

Barbara erwiderte Konrads Händedruck und spürte die Wärme, die von ihm ausging. Jetzt, da der erste Schritt getan war, erschien ihr alles ganz einfach …

Barbara, Markgräfin von Brandenburg, Herzogin von Groß-Glo-
gau und Crossen und Königin von Böhmen, an den Heiligen Vater
und obersten Hüter der Christenheit zu Rom, 3. April 1542

Die Liebe und der Rat des allmächtigen Gottes und aller Heiligen
seien allzeit mit Euch. Heiliger Vater, als Frau und Königin wende
ich mich in meiner Not an Euch, der Ihr Einsicht in die Pläne Gottes
habt und den Sinn der Vorsehung erkennen mögt. Seit nunmehr elf
Jahren bin ich dem König von Böhmen beigegeben, notabene ohne
ihm zugeführt zu sein. Gleich wie die heilige Muttergottes bin ich
immer noch Jungfrau und unberührt wie ein Kindlein. So wollt Ihr
gnädiglich ersehen, dass die von Gott dem Allmächtigen vorgegebe-
ne Bestimmung einer Ehe zwischen Mann und Frau nicht erfüllt
worden ist. Diese Zuwverniss gegen die göttliche Vorsehung betrübt
mich gar sehr, ebenso wie meinen Gatten, den König von Böhmen,
der eine andere, gottgefälligere und fruchtbare Bindung eingehen
möchte, die, da sie die ungarische Witwe betrifft, dem Frieden des
Heiligen Römischen Reiches zum Besten gereichen würde. Mit die-
sem Schreiben bezeuge ich, Barbara, Königin von Böhmen, dass die
Ehe mit meinem in prospectionem angetrauten Gemahl nie vollzo-
gen wurde, ja ich ihn nie gesehen hab. Und ich bitte Euch, Heiliger
Vater, aus diesem Grunde um Auflösung und Nichtigerklärung die-
ses Bunds, möge Euer Wille mir eine Botschaft des Himmelreichs sein.

Barbara, Markgräfin von Brandenburg, Herzogin von Groß-Glo-
gau und Crossen und Königin von Böhmen
Gegeben zu Neuenstatt an der Aisch am Montag nach Palmarum
anno 1542

Plassenburg, April 2002

Gregor Haubold befand sich auf seinem täglichen Rundgang durch
die Schauräume der Plassenburg. Es war kurz nach sechs Uhr
abends, und sein Magen meldete sich hartnäckig mit einem Gefühl,

als wolle sich seine Speiseröhre innigst mit seinem Zwölffingerdarm verknoten. Wie immer, wenn er Hunger hatte, wurde Haubold nervös. Er klimperte mit dem umfangreichen Schlüsselbund, den er in der ausgebeulten Hosentasche trug, während er ungeduldig den Zählerkasten des Zinnfigurenmuseums hinter der Kasse überprüfte. Dann rüttelte er routinemäßig an der Tür zum Kellerabgang und sah sich kurz im Garderobenbereich um. Er stellte fest, dass der alte graue Schal, den ein Besucher vergessen hatte, immer noch an der gleichen Stelle hing wie am Tag vorher. Am Zentralschalter knipste er alle Lichter aus und freute sich darauf, in einer Viertelstunde mit seiner Frau und den beiden Töchtern am Tisch zu sitzen.

Abschließend lenkte Haubold seine Schritte in Richtung der Markgrafenzimmer, wo die Restauratoren sicher schon längst Feierabend gemacht hatten. Der Kastellan besah sich das Ergebnis mühevoller Kleinarbeit. An der Stirnseite des ersten Markgrafenzimmers erstand durch die Freilegungsarbeiten gerade ein riesiges Schlachtengemälde, das den Markgrafen Albrecht Alkibiades zu Pferde darstellte, wie er gerade auf einen Söldnerhaufen einschlug.

Der Alkibiades war in voller Rüstung abgebildet, nur auf den Helm hatte der Maler verzichtet. Dadurch konnte er das Gesicht des Markgrafen porträtieren, dessen dominantestes Merkmal ein langer, vom vielen Flechten welliger und auf der Brust spitz zulaufender Bart war, der seinen Träger älter machte, als er vermutlich zu diesem Zeitpunkt war. Die Wangen wirkten eingefallen, die Nase scharfkantig, und unter dünnen, halbmondförmigen Brauen blickten kleine, dunkle Augen hervor, die jeden Gegner im Nu zu erfassen schienen. Ringsum war Schlachtengetümmel dargestellt, schräg im Hintergrund offensichtlich die Burg oder Stadt, um die gekämpft wurde. Unter dem Gemälde stand in deutlich lesbaren Buchstaben:

»ALBERTUS IV. Bellator. Markgraf. Brandenb. Martis Lacertus atqu. Turbo Sortis. Ein Welt-berühmbter Krieges-Held.«

»Ganz ordentlich gemalt«, dachte sich Haubold, »da wird sich der Weinzierl freuen.«

Während Haubold seinen Blick über einzelne Details schweifen ließ, fiel ihm eine Frauengestalt auf. Der Kastellan schüttelte leicht den Kopf, schürzte die Lippen und sog laut Luft durch die Nase ein.

Ein Frauenmotiv in einem Kriegs- und Heldengemälde? Das war in der Tat ungewöhnlich.

Haubold vergaß für einen Moment sein bevorstehendes Abendessen. Er bemerkte neben dem großen Kamin einen Stuhl, den die Handwerker als Ablage für verschiedene Pinsel und Stifte benutzt hatten, räumte ihn leer und zog ihn vor das Wandgemälde. Mit einiger Anstrengung wuchtete er seine zweieinhalb Zentner auf den Stuhl, der bedenklich wackelte, und brachte seine Nase dicht an das Gemälde heran.

Tatsächlich: Auf einem Mauersöller war deutlich eine grün gekleidete weibliche Gestalt zu erkennen, barhäuptig und mit dunklen, wehenden Haaren. Gesicht und Halspartie waren wegen eines großen gelblichen Stockflecks nur schlecht zu erkennen. Die Gestalt beobachtete offensichtlich das unter ihr wogende Kampfgeschehen, die linke Hand auf die Mauer gestützt. Haubold fiel auf, dass der kleine Finger seltsam verkrümmt aussah und dass diese Hand von einem Ring mit roten Steinen geziert wurde.

»Alkibiades, alter Schwerenöter«, schmunzelte der Kastellan, »da hast du wohl mit der Stadt noch eine andere Eroberung gemacht und dein kleines Abenteuer hier an der Wand verewigen lassen, ts ts ts.«

Haubold kletterte vorsichtig von seinem Stuhl und wollte sich schon zufrieden in Richtung Heimat aufmachen – aber halt, er konnte sich nun doch nicht verkneifen, nach einer Signatur des Gemäldes zu suchen. Doch alles, was er fand, war ein verschlungenes Initial in der rechten unteren Ecke, das so schlecht erhalten war, dass es alles Mögliche bedeuten konnte: CM oder LM oder LN.

»Sagt mir nichts«, murmelte der Kastellan.

Haubold beendete eilig seinen Rundgang und kam gerade noch rechtzeitig zum Abendessen in die Kastellanswohnung.

Später, während seine Frau die Mädchen ins Bett brachte, setzte sich Haubold mit einer Flasche Bier an den Schreibtisch und überlegte. Albrecht Alkibiades also. Der Kastellan griff nach dem Standardwerk über die Hohenzollern von Günther Schumann und blätterte.

»Da haben wir ihn ja! Albrecht, genannt Alkibiades, Markgraf von Brandenburg-Kulmbach 1541–1554. Mal sehen, ob sich da was über einen Kindsmord finden lässt.«

Er überflog die Seiten.

»… *trat er als Reiterführer in kaiserliche Dienste und folgte Karl V. in den französischen Krieg. Gilt als Erfinder der so genannten Pistolenreiter als strategische Eingreiftruppe in der Schlacht. Der Waffendienst bot nicht nur die Sanierung seines überschuldeten Fürstentums durch Subsidien, sondern auch Ruhm und Ehre nebst Karrieremöglichkeiten auf Reichsebene.*

… Doch Albrechts Rechnung ging nicht auf – des Kaisers Zahlungsmoral war schlecht, und statt Gewinn machte der Markgraf nur neue Schulden …

… Die einzigen Einkünfte, die in schöner Regelmäßigkeit in Albrechts Kasse flossen, waren die Steuern aus den schlesischen Gütern, die vom Krieg nicht betroffen waren …

… In der Schlacht von Rochlitz erlitt der Markgraf eine katastrophale Niederlage, durch die er sein gesamtes Regiment verlor. Mit diesem Debakel hatte der Zoller, der in diesem Krieg eigentlich seine zerrütteten Finanzen hatte konsolidieren wollen, nicht nur sämtliche Aussichten auf Gewinn eingebüßt, sondern auch das eingesetzte Kapital verloren …«

Haubold trank den letzten Rest Bier aus.

»Pechvogel, der alte Albrecht, und wahrscheinlich nicht besonders clever«, murmelte er vor sich hin, »von wegen weltberühmter Kriegsheld!«

Neustadt an der Aisch, September 1542

Die Luft flimmerte über den Dächern des Neustädter Schlosses. Seit Wochen schon machte die unerträgliche Sommerhitze Mensch und Tier zu schaffen. Auf den Feldern verdorrte das Getreide, und die Zisternen im Schlosshof waren beinahe leer. Das Leben in der Residenz schien wie von bleierner Schwere niedergedrückt; keiner tat mehr als unbedingt nötig und man vermied es, sich länger im Freien aufzuhalten. Selbst die Hunde und Hühner, die sonst in buntem Durcheinander den Hof unsicher machten, hatten sich irgendwo in den Schatten verzogen. Das Schloss, vor allem die Zimmer im Nordflügel, bot noch die angenehmsten Temperaturen.

Plötzlich kam Leben in die beiden Torwächter, die vor ihrem Ausguck im zweiten Stockwerk des Torturms gedöst hatten; Hufgetrappel und Rufe waren zu hören. Auch die Bankriesen, alles ehemalige Landsknechte mit grimmigen Narbengesichtern, sprangen von ihrem Posten auf und schnappten sich Lanzen und Helme. Die Wächter schoben mit vereinten Kräften den schweren Eichenholzriegel zurück und ließen die Tore aufschwingen.

Eine Horde Berittener sprengte auf schäumenden und schweißbedeckten Pferden in den Hof, allen voraus Markgraf Albrecht auf einem mächtigen Schimmel und knapp hinter ihm sein Bruder Georg, der einen isabellfarbenen Zelter ritt. Noch bevor die Pferde zum Stehen kamen, war Albrecht mit einem Sprung auf dem Boden und warf die Zügel einem verdutzten Stallknecht zu.

»Wasser und die Übermaß Hafer für die Rösser, Maulaff!«

Albrecht wartete sichtlich ungeduldig, bis sich sein Bruder in gewohnter Langsamkeit vom Pferd begeben hatte, und lief ihm voraus die Treppe hinauf. Georg hatte Mühe, bis zum Frauenzimmer mit ihm Schritt zu halten, und kam ihm halb rennend hinterher. Noch bevor der Türhüter protestieren konnte, wurde er beiseite gestoßen, und Albrecht stürmte in den Raum.

»Wo ist die Matz?«, fuhr er die dicke Martsch an. »Sie soll herkommen!«

Barbara trat aus dem Nebenzimmer. Ein Blick ins Gesicht ihres Bruders genügte, um ihr zu sagen, dass alles entdeckt war. Albrecht zog aus der Innenseite seines Wamses eine Pergamentrolle und warf sie seiner Schwester hin. Sie bückte sich und hob das Schriftstück auf. Obwohl sie es noch nie gesehen hatte, erkannte sie sofort das anhängende Siegel des Papstes. Der Text war in kunstvoller Schrift auf Latein abgefasst, und Barbaras Sprachkenntnisse genügten, um zu erfassen, dass es eine Nachfrage des Heiligen Stuhls wegen ihres Dispensgesuches war. Man wollte sich des Einverständnisses des Hauses Zollern versichern, nachdem das Gesuch einer Frau doch recht ungewöhnlich sei.

»Erklär dich, du unverschämtes Weibsstück!«

Albrecht riss ihr die Urkunde wieder aus der Hand.

»Du hast uns alle hintergangen. Deine eigene Familie ist dir einen Dreck wert. Herrgott, wie steh ich jetzt da! Bei Hof lacht man über mich! Das Haus Zollern hast du zum Gespött des Reiches gemacht! Und der von Böhmen lacht sich ins Fäustchen. Ich kann's nicht fassen.«

Barbara straffte den Rücken. Mit der flachen Hand strich sie sich eine Locke aus der Stirn; ihre Wangen brannten. Jetzt entschied sich alles.

»Ja, Albrecht, ich hab's getan. Ich hab an den Papst um Dispens geschrieben, weil ich frei sein wollte. Nicht nur die Familie hat eine Ehre, auch ich hab ein bisschen Stolz und das Recht auf eigenes Handeln. Zwölf Jahre bin ich von Euch verächtlich und hart gehalten worden. Allzeit war ich die Gefangene eines sinnlosen Eheversprechens. Hätt ich mein Leben so verbringen sollen? Ich hab mich zweimal folgsam verheiraten lassen, wie es das Herkommen ist, und jetzt ist meine Jugend vorbei. Lasst mich die Jahre, die mir bleiben, auf meine Art verbringen, weiter will ich nichts von Euch.«

»Luder! Wen schert dein Stolz, wenn es um die Interessen der Familie geht? Ich könnte dich ...«

Georg hielt seinen Bruder mit einer Handbewegung zurück. Barbara stand immer noch hoch aufgerichtet, trotzig und unbeugsam.

»Du überschätzt dich, Schwester.« In der Stimme des sonst so bedächtigen Georg schwang Ärger mit. »Du bist eine Frau und hast nichts zu verlangen, außer die Familie misst es dir zu. Gilt dir das Andenken deines Vaters gar nichts? In den Schmutz hast du's gezogen, und wofür? Welche Freiheit hast du schon zu gewinnen? Wo willst du denn hin, und wer soll dich unterhalten, wenn nicht wir?«

»Sorg dich nicht, Georg, ich hab an mein Auskommen schon gedacht. Von Euch verlang ich nichts. Ich werd euch nicht mehr zur Last fallen.«

Albrecht fuhr erneut auf. »Was soll das heißen, nicht mehr zur Last fallen? Willst du ins Kloster?«

Barbara nahm all ihren Mut zusammen. »Nein, Albrecht, ich hab einen, der mich ein drittes Mal nimmt.«

Albrecht schnappte nach Luft, während Georg mit offenem Mund dastand.

»Sieh an, nicht bloß, dass unser Schwesterlein heimlich eine

Scheidung betreibt, sie verheiratet sich auch noch hinter unserem Rücken. Da kann man dir ja nur noch Glück wünschen.«

Albrecht lächelte und trat einen Schritt auf Barbara zu. Das Lächeln gefror.

»Du musst verrückt sein!«, brüllte er. »Glaubst du, du entscheidest die Welt?«

Georg versuchte, ruhig zu bleiben. »Wir werden natürlich die Dispens beim Heiligen Stuhl anfechten, Barbara. Eine neue Ehe ist da gänzlich unmöglich, das wirst du wohl einsehen.«

»Georg, ich hab es schon gelobt, vor Gott und den Heiligen, und ich kann's nicht brechen.«

Die Brüder sahen sich mit einer Mischung aus Zorn und Ungläubigkeit an. Albrecht sprach nur ein einziges Wort: »Wer?«

»Das sag ich euch erst, wenn ich eure Erlaubnis zur Ehe hab.«

Albrecht schäumte. »Nur über meine Leiche, das schwör ich dir. Und jetzt rede!«

»Albrecht, so hör doch.« Barbara setzte alles auf eine Karte. Sie sprach beschwörend.

»Es wird dein Schaden nicht sein. Der König von Böhmen hat wissen lassen, dass ihm eine Scheidung und eine neue Heirat viel Geld wert sind. Du müsstest dann nicht mehr beim Kaiser dienen, der dir ja doch nichts zahlt ...«

Albrecht wurde weiß wie die Wand. Sein linker Mundwinkel zuckte. »Ich soll mich von dem böhmischen Hundsfott bestechen lassen? Willst du mich zu Tod beleidigen? Willst du das?«

Er packte Barbara bei den Schultern und schüttelte sie. Ihr hochgestecktes Haar löste sich in wilden Strähnen, während sie versuchte, sich loszureißen. Die Martsch fiel dem Markgrafen auf der einen Seite in den Arm, und Georg packte seinen Bruder auf der anderen. Gemeinsam zogen sie ihn von Barbara weg, die sich schwer atmend gegen die Wand lehnte. Georg schob seinen Bruder zur Tür hin.

»So erreichst du gar nichts. Lass mich mit ihr reden.«

Albrecht nickte. »Versuch's.«

Er drehte sich auf dem Absatz um und ließ mit lautem Krachen die Tür ins Schloss fallen.

Georg bot seiner Schwester einen Hocker an.

»Setz dich. Und jetzt sagst du mir, wem du dich versprochen hast, damit wir das Gelöbnis aus der Welt schaffen können. Nimm Vernunft an. Und mit Albrecht sprech ich schon.«

»Du wirst gegen Albrecht nichts ausrichten, das weißt du wohl. Er ist ein böser Mensch, der sich selber nicht gut sein kann, und er hasst mich mehr, als du dir vorstellen kannst. Ich trau ihm nicht, Georg. Wenn ich den Namen sag, bringt er ihn in seiner Wut um. Und ich will mich nicht an einem ehrlichen Menschen versündigen.«

Georg seufzte.

»Heilige Muttergottes, mach's uns doch nicht so schwer. Meinetwegen lös den Verspruch, ohne deinen Verlobten preiszugeben. Ein Schriftstück soll mir genügen. Und dann schreibst du gemeinsam mit uns an den Papst und widerrufst. Danach magst du hier bleiben oder mit mir nach Ansbach kommen, es ist mir gleich. Du weißt, ich mein es nicht schlecht mit dir.«

Barbara schüttelte den Kopf.

»Georg, sei du mein Fürsprech. Rede mit Albrecht, dass er das Geld nimmt; er hat es doch dringend vonnöten. Man spricht, so hör ich, im ganzen Reich schon über seinen Bankrott. Was tut's euch, wenn ich irgendwo mit einem unbedeutenden Gemahl ein friedliches Leben führe? So oder so, der Böhme wird mich nie und nimmermehr annehmen – jetzt, wo er die Dispens beinah schon hat, erst recht nicht. Die Ehe war nie das Papier wert, auf dem sie stand. Nein, Georg, ich nehm nichts zurück. Jetzt muss es ausgefochten sein, Gott helf mir.«

Barbara lächelte müde. Sie griff nach der Hand der alten Martsch, die die ganze Zeit nicht von ihrer Seite gewichen war. Georg zuckte mit den Schultern und wandte sich verärgert zum Gehen.

»Auch meine Geduld ist begrenzt, Schwester. Ich versteh dich nicht. Dein Dickkopf bringt dich in Teufels Küche. Sieh zu, wo du bleibst.«

Barbara überlegte hastig. War es richtig gewesen, jetzt eine Entscheidung zu erzwingen? Aber sie hatte keine andere Wahl gehabt. Hätte der Heilige Stuhl nicht zuvor den Rat ihrer Brüder eingeholt, wäre nach Erhalt der Dispens eine Hochzeit in aller Heimlichkeit möglich gewesen. Keiner hätte danach mehr ein Recht gehabt, sie aufzuhalten. Jetzt lagen die Dinge anders, und an eine unentdeckte Heirat war nicht mehr zu denken.

Was sie tun konnte, war nicht viel. Auf jeden Fall musste sie ihren zukünftigen Ehemann, den von Heideck, schützen, indem sie seinen Namen auf keinen Fall preisgab. Dann konnte sie versuchen, Nachricht an den von Eyb zu senden, um die oberländischen Landstände zu mobilisieren, die sicherlich großes Interesse daran hatten, dass das böhmische Geld floss. Außerdem konnte sie noch an Verwandte um Beistand schreiben, vielleicht auch noch den Abt von Heilsbronn um günstige Einflussnahme bitten. Der Abt hatte sie aus der Taufe gehoben und immer regen Anteil an allem genommen, was Barbara betraf. Jedenfalls musste alles sehr schnell gehen, bevor ihre Brüder Maßnahmen ergriffen und es ihr unmöglich wurde, Nachrichten aus dem Schloss zu bringen.

»Bring mir Schreibzeug, schnell!«, wandte sie sich an die Martsch.

Barbara, Markgräfin von Brandenburg, Herzogin von Groß-Glogau und Crossen und Königin von Böhmen, an den gned. Herrn von Eyb zu Nürnberg, in Eile

Alles ist entdeckt. Meinen Brüdern steht der Sinn, die Dispens anzufechten. Die dritte Heirat wird mir verweigert. Allein die Landstände könnten noch helfen, das Blatt zu wenden. Ich bitt Euch, wirkt auf dieselben ein: Wenn sie die fünfundzwanzigtausend böhmischen Gulden im Land haben wollen, so mögen sie meine Brüder vom guten Handel überzeugen. Eilt, lieber Eyb. Wir und der König von Böhmen werden uns erkenntlich zeigen, so alles gut geht. Und warnt unseren gemeinsamen Freund, sich ruhig zu halten. Dann ist noch nichts verloren. Barbara.

Von diesem Tag an war eine Wache vor dem Frauenzimmer postiert. Die Martsch, die aus Küche und Keller das Essen holen durfte, schmuggelte die Nachricht an den von Eyb unter ihren Röcken nach draußen. Eine Aufspülerin nahm das Schreiben – wie die anderen Briefe davor – abends mit in die Stadt, von wo es ein Bote nach Nürnberg beförderte. Die beiden hatten bisher schon ein gut Teil der zehn Silbergulden kassiert, die Barbara für diese Zwecke erhalten hatte.

Auf dem gleichen Weg gingen drei weitere Briefe Barbaras nach draußen: einer an den Abt von Heilsbronn, einer an die Verwandtschaft in die Mark Brandenburg und ein dritter an Wladislaus Jagiello von Böhmen. Alle enthielten die verzweifelte Bitte um Hilfe.

Heilsbronn, Oktober 1542

Abt Sebald von Heilsbronn erhob sich, wie es seiner Gewohnheit entsprach, erst spät von seinem Arbeitstisch. Die Mönche hatten ihr Abendessen längst gemeinsam im Refektorium eingenommen, während sich der Abt noch mit den Fischrechnungen der klösterlichen Weiher und deren Bestückung mit Karpfen- und Weißfischsetzlingen für das folgende Jahr beschäftigte. Jetzt wurde es langsam dunkel und das Lesen ohne Kerzenlicht fiel schwer.

Der Abt verließ seinen Schreibtisch und ging ins angrenzende Zimmer, wo bereits eine kleine Tafel für ihn hergerichtet war. Er war ein hagerer, hoch aufgeschossener Mann jenseits der siebzig, trotz seines Alters ein wacher Geist, tief religiös und manchmal stur wie ein Bock. Er rieb sich die gichtigen Finger, die vom Schreiben schmerzten, und griff dann nach dem winzigen Messingglöckchen auf dem Sims über der Truhe. Der leise Ton rief Bruder Irenäus herbei, der, dienstbeflissen wie immer, sogleich in der Dienerpforte auftauchte.

Sebald nickte ihm zu, um ihm zu bedeuten, dass man auftragen könne. Der Abt, der trotz einer tiefen Ehrfurcht vor der Askese kein Kostverächter war, freute sich auf sein Abendessen. Heute war Fischtag, und soviel er wusste, war ein Fässchen mit eingesalzenen Heringen angekommen, das den weiten Weg von der Ostsee bis hierher geschafft hatte. Seefisch war eine willkommene Abwechslung zum ansonsten recht eintönigen Klosteressen. In einem Milchsud mit Safran und Ingwer gesotten, passte der Hering vorzüglich zu dem süffigen dunklen Bier, das der alte Bruder Wendelin trotz seiner neunzig Jahre noch immer im Klosterkeller braute.

Der Abt setzte sich auf die kleine Holzbank, rieb die Füße aneinander und sprach ein Gebet. Noch bevor er zu Ende war, eilten zwei Novizen herbei und stellten einen Krug Bier, eine Schüssel mit dem Fischgericht sowie ein Körbchen mit zwei Herrenbroten vor ihm ab. Der Alte zog sein Essmesser unter der Kutte hervor und begann zufrieden und mit Appetit, den Fisch zu zerteilen. Das Brot war allerdings vom Vortag – ein Glück, dass er noch fast alle Zähne hatte. Vergnüglich kauend bemerkte er endlich Bruder Irenäus, der sich unschlüssig vor der Dienerpforte herumdrückte.

»Deo gratias, lieber Bruder in Gott, dass du mich wieder einmal beim Abendmahl stören willst«, bemerkte der Abt und drehte scherzhaft die Augen zum Himmel, »es wird schon was Wichtiges sein.«

»Ein Schreiben, Vater, von der Markgräfin Barbara zu Neustadt. Ein reitender Bote hat es soeben von Nürnberg hergebracht.«

Mit einigem Erstaunen begann der Abt, das Siegel zu brechen. Er überlegte, wie lange es jetzt her war, dass er, damals noch Beichtvater der markgräflichen Familie zu Ansbach, die Markgräfin aus der Taufe gehoben hatte. Fünfundzwanzig Jahre, herrje, wie die Zeit verging. Aus der Ferne hatte er den Weg seines Täuflings mitverfolgt, ihren Weggang nach Glogau, ihre Rückkehr und den erneuten Verspruch. Die unselige Hochzeit per procurationem mit dem Böhmenkönig hatte er sogar selber zelebriert.

Seine schmalen Lippen formten lautlos Silben, während er las. Schließlich schob er mit einem Laut des Widerwillens die Fischschüssel von sich weg und kratzte sich an der Tonsur.

»Da schmeckt einem ja das beste Essen nicht mehr«, brummte er.

Eine Dispens des Papstes zu erbitten, und noch dazu ohne Genehmigung der Brüder. So etwas war ja noch nie vorgekommen! Ein Teufelsmädel! Aus seinem kleinen Täufling war offensichtlich eine Frau mit eigenem Kopf geworden, wer hätte das gedacht? Der Abt schüttelte leicht amüsiert den Kopf und begann, im Zimmer umherzuwandern.

Eine Katastrophe, dass der alte Markgraf gestorben war. Was für ein Verlust! Und seine Söhne, die beiden Taugenichtse! Es hieß, besonders Georg sei durch seinen langen Aufenthalt am ungarischen Hof stark lutherisch beeinflusst. Und Albrecht, ob der überhaupt an etwas glaubte außer ans Geld? Als junger Spund war er oft mit seinem Jagdgefolge in Heilsbronn regelrecht eingefallen wie eine Räuberhorde, hatte frech die Lebensmittelvorräte verfressen und den Keller leer gesoffen. Man konnte nicht einmal protestieren, waren doch die Klöster verpflichtet, die markgräfliche Gesellschaft während der Jagd aufzunehmen und zu verpflegen. Der Abt wurde immer zorniger. Kein Respekt vor dem Klosterleben, keine Rücksichtnahme! Haderlumpen allesamt! Lutherisch der eine, gottlos der andere. Nicht in der Lage, ihrer Schwester eine ordentliche Ehe zu schaffen, mit einem Haufen Kindern und einem christlichen Ehegatten. Dieser Jagiello, pah, aus heidnischer Familie, die irgendwann aus Gründen der Selbstsucht und Machtgier konvertiert war, das war kein Ehemann für eine fromme und gut zollerische Prinzessin. Die jetzt zu allem Überfluss auch noch drohte, sich etwas anzutun. *»Bevor ich zu Albrecht auf die Plassenburg geh, will ich mir lieber den Tod tun«*, hatte sie geschrieben. Auch das noch. Ihre Schwester in die Todsünde treiben, das sah den Markgrafen ähnlich. Nein, man musste das verhindern.

»Irenäus!«, schrie der Abt und drehte sich um, wobei er beinahe mit dem Mönch zusammengeprallt wäre, der die ganze Zeit wartend vor dem Fenster gestanden hatte.

»Ach so, du bist ja da. Richte alles her, dass wir übermorgen nach Ansbach aufbrechen können. Wollen doch mal sehen, ob sich die zwei Saububen von ihrem alten Beichtvater noch etwas sagen lassen. Richt dem Bruder Bernhard in der Küche aus, er soll mir nicht wieder so madigen Käse mitgeben wie beim letzten Mal. Und wir fahren nicht im Wagen, das geht mir zu langsam. Sorg im Stall dafür, dass meine Stute ab heute keinen Hafer mehr bekommt. Ich bin schließlich nicht mehr der Jüngste und brauch kein Ross mit Temperament.«

Am übernächsten Morgen nach der Frühsuppe brach der Abt mit seinem Begleiter bei strahlendem Sonnenschein nach Ansbach auf.

»Das bockige Weib macht mich wahnsinnig!«

Albrecht paradierte vor der Tür des heimlichen Gemachs hin und her, hinter der sein Bruder sich gerade befand.

»Weißt du, wer eben bei mir war? Abt Sebald von Heilsbronn, höchstpersönlich! Will mir billigst erklären, was eine Dispens ist, und dass der Papst immer Recht hat! Und dass die Barbara von uns schlecht behandelt wird. Der Mann hat mit mir geredet wie ein Schulmeister! Muss ich mir das bieten lassen?«

Er blieb stehen und schlug mit der flachen Hand gegen die Holztür.

»Kommst du da heute nochmal raus?«

Die Tür ging auf und Georg erschien. Er schob das Hemd in den Hosenbund und trat in den Raum.

»Barbara hat den alten Sebald aus Heilsbronn holen lassen?«

»Sie hat ihm hinter unserem Rücken geschrieben, er möge uns ins Gewissen reden. Das hat sich der Alte natürlich nicht zweimal sagen lassen.«

»Langsam wird es auch mir zu viel.«

Georg ließ sich auf einen gepolsterten Lehnstuhl sinken und griff sich eine Zinnstize mit Wein vom Tisch.

»Der Abt beunruhigt mich nicht so sehr. Was mir alldieweil mehr Sorgen macht, sind die Landstände. Gestern wollte ich mit dem von Waldenfels und dem alten Wirsberg gebirgische Steuersachen besprechen. Sie haben gefragt, ob es denn stimme, dass bald böhmisches Geld ins Land fließen möcht! Es sei ein Gerücht in Umlauf, und sie wüssten es von einem Vertreter des Schwabacher Rats. Wir müssen dem ein Ende machen, Albrecht, aber wie?«

Albrecht kochte innerlich. Seine gebirgischen Räte rechneten also schon mit böhmischen Gulden, und das gerade jetzt, wo er die Stände wegen einer weiteren Anleihe angehen wollte! Er brauchte dringend Geld, um eine neue Söldnerarmee auszuheben, und nun das!

Georg kratzte sich ausgiebig am Hinterkopf, förderte mit spitzen Fingern eine Laus zutage und knackte sie mit einem schicksalsergebenen Seufzer. Dann wischte er sich das Blut an der Hose ab.

»Und wenn wir vielleicht doch …«

»Wenn du dich von deiner Schwester im ganzen Reich zum Gespött machen willst, nur zu, wie's beliebt! Aber ich nicht. So lass ich nicht mit mir handeln! Hast du dir schon überlegt, was passiert, wenn der Papst die Ehe für nichtig erklärt, hm? Daraus würde folgen, dass die fünfzigtausend Gulden Ablöse des ungarischen Königs ebenfalls als nichtig gelten würden, weil Wladislaus Jagiello dann keinerlei Anspruch auf Barbaras Güter gehabt hätte. Und daraus wiederum folgt, dass ich die schlesischen Güter, die mir als Pfand statt dieser fünfzigtausend Gulden überlassen wurden, wieder herausrücken müsste. Und das, mein lieber Bruder, werd ich zu verhindern wissen. Worauf du dich verlassen kannst! Und wenn ich das Weibsbild auf der Plassenburg einsperren muss, ich will, dass sie das Verlöbnis auflöst und das Dispensgesuch zurücknimmt.«

»Barbara aufs Gebirg zu bringen ist vielleicht kein schlechter Gedanke.«

Georg nahm noch einen Schluck Wein.

»Ich will dich ja nicht in Unruhe versetzen, aber zu Neustadt, so berichtet mir zumindest der dortige Schlossvogt, geht die Rede davon, dass der geheime Anverlobte mit Gefolge kommen möcht, um Barbara wegzubringen. Nein, nein, keine Angst, ich hab schon die Wachen verstärken lassen. Außerdem habe ich verfügt, Becken auf den Mauern und Türmen aufzuhängen, damit schnell Alarm geschlagen werden kann. Alles ist dort in Bereitschaft, ein Eindringen mit Gewalt wird es nicht geben. Aber auf dem Gebirg wär Barbara wirklich in besserer Sicherheit.«

»Ich gäb was drum, wenn wir wüssten, wer der Mann ist, dem sie sich versprochen hat. Und ich weiß auch schon, wer uns das vielleicht sagen könnt!«

Albrecht riss die Tür der Markgrafenwohnung auf und winkte den davor stehenden Kammerdiener heran.

»Geh zum Vogt und sag, er möge den von Eyb daherbringen!«

Er drehte sich zu seinem Bruder um.

»Ich habe da einige, sagen wir mal, vertrauenswürdige Männer, alles erprobte Landsknechte, die von mir den Auftrag hatten, gewisse Nachforschungen anzustellen. Vorhin wurde mir gemeldet, sie wären in Ansbach angekommen, in Begleitung des Herrn von Eyb.

Sie haben ihn offenbar überzeugt, Nürnberg für einige Tage zu verlassen und uns in Ansbach einen Besuch abzustatten.«

»Der Eyb? Was soll der mit der Sache zu schaffen haben?«

»Meine Leute haben ein Schreiben von Barbara an ihn abgefangen, ein Hilferuf, so scheint's. Er steckt mit ihr unter einer Decke. Vielleicht ist er der Mittelsmann zwischen ihr und dem Böhmen. Wahrscheinlich hat er gedacht, wenn er sich in Nürnberg verschanzt, kriegen wir ihn nicht.«

Albrecht grinste. Er nahm seinem Bruder die Zinnstize aus der Hand und prostete ihm zu.

»Hat er sich verrechnet, der alte Fuchs.«

Die Kellerkammer, in die man den ehemaligen Ratsherrn gesperrt hatte, war finster und feucht. Durch ein kleines Loch ganz oben in der Ecke fiel das letzte Licht des Tages herein und verlor sich irgendwo im Raum. Ludwig von Eyb saß zusammengekauert auf einem Haufen Stroh, ein Bündel Angst. Die eine Seite seines Gesichts war blutunterlaufen – man hatte ihn in Nürnberg verprügelt und die Treppe hinuntergestoßen. Der Daumen seiner rechten Hand war blau und stark geschwollen und stand unnatürlich von der Hand ab. Er hielt den Arm abgewinkelt, um den verletzten Finger zu schützen. Hemd und Umhang waren schmutzbefleckt, ein Ärmel hing in Fetzen. Unterwegs hatte er einen Schuh verloren; der Strumpf war durchgescheuert, und lange Fransen umbaumelten seinen Knöchel. Die enge Samthose war am Gesäß aufgeplatzt.

Er musste eine ausgesprochen lächerliche Figur abgeben – er, das ehemalige Finanzgenie des alten Markgrafen, vor dem Kirche, Adel und Landstände gezittert hatten. Das Glück war wandelbar! Was sollte jetzt mit ihm werden? Seine Hände zitterten, er fror und hatte Hunger, und er war nicht fähig, einen klaren Gedanken zu fassen. In seinem Bauch rumorte es. Als er den Drang nicht länger bekämpfen konnte, ließ er in einer Ecke die Hosen herunter und entleerte sich. Der Gestank seiner Exkremente mischte sich unerträglich und ekelhaft säuerlich mit dem Geruch von Moder und Schimmel. Trotzdem fühlte er sich besser und fiel in einen dumpfen Zustand zwischen Schlaf und Wachsein.

Ein greller Lichtstrahl traf ihn beinahe wie körperlicher Schmerz und riss ihn aus seinen Wachträumen. Jemand zerrte ihn unter den Armen hoch und stellte ihn taumelnd auf die Füße.

»Auf, Dicker, der Markgraf hat Sehnsucht nach dir!«

Er wurde gestoßen und vorwärts gedrängt, über Treppen und durch Gänge, während sich seine Augen langsam wieder ans Sehen gewöhnten.

Die hölzerne Doppeltür des Markgrafenzimmers sprang auf, und der schmutzstarrende, übel riechende Ludwig von Eyb fiel Albrecht direkt vor die Füße. Der ehemalige Rat rappelte sich hoch und kam neben dem Söldner zum Stehen, der ihn hergebracht hatte.

Georg sprang auf und hielt sich mit vorwurfsvollem Blick sein Fazenettlein vor die Nase. Albrecht stellte seinen Krug auf den Tisch und trat, nicht ohne die Nase zu rümpfen, auf den Ratsherrn zu.

»Was wart Ihr früher doch für ein reinlicher Mensch, Eyb. Ich bin entsetzt! Euer Aufzug – vordem hättet Ihr nicht gewagt, so vor Eurem Landesherrn zu erscheinen. Und alles nur, weil unsere Schwester mit Euch korrespondiert. Warum tut sie das wohl und zu welchem Zweck?«

Ludwig von Eyb machte einen vergeblichen Versuch, sich gerade zu halten. Mit der unverletzten Hand strich er seine wirren Haare zurecht. Er öffnete den Mund, um sich linkisch zu verteidigen.

»Ich weiß nicht, wie Eure Schwester dazu kommt, ausgerechnet mich zu inkriminieren, bin ich doch längst aus Euren Diensten ausgeschieden! Als freier Bürger – mit allem Recht, das damit verbunden ist – habe ich mich zu Nürnberg niedergelassen. Ich will niemandem übel, weder Euch noch eurer Schwe…«

Noch bevor er zu Ende sprechen konnte, hatte Albrecht schon ausgeholt und ihn mit dem Handrücken ins Gesicht geschlagen. Der Ring, den der Markgraf trug, riss eine unschöne Schmarre, die sich von Eybs Backe bis zur Oberlippe zog und aus der dunkelrotes Blut tropfte. Der Söldner hielt die Arme des Ratsherrn fest und zwang ihn auf die Knie. Georg war bei dem Schlag seines Bruders sichtbar zusammengezuckt und stieß nun einen kleinen, wimmernden Laut aus. Mit angewidertem Gesichtsausdruck wandte er sich ab und sah aus dem Fenster.

Albrecht holte tief Luft und fuhr mit seinem Verhör fort.

»Verrat, Eyb. Ihr habt Verrat an Eurem Landesherrn begangen. Wisst Ihr, was darauf steht? Ich könnte Nachsicht walten und Euch am Leben lassen, allerdings nur, sofern Ihr geständig seid. In wessen Auftrag steht Ihr, und wem hat sich meine Schwester anverlobt? Diese beiden Fragen sollt Ihr mir beantworten, Eyb, wenn Euch der heile Zustand Eures Körpers etwas wert ist. Und ich warte nicht lange.«

Der Ratsherr kniete wie betäubt, keines Wortes fähig. Die Angst saß auf ihm wie ein Alb und machte ihn stumm. Mit weit aufgerissenen Augen starrte er den Markgrafen an, dessen Gesicht die Freundlichkeit selbst war. Lächelnd sah Albrecht auf den knienden Eyb herunter, der sich mit beiden Händen vor ihm aufstützte, und lächelnd trat er ihm mit dem Absatz seines Stiefels auf die Hand mit dem gebrochenen Daumen.

Eyb heulte auf und wand sich unter Albrechts Tritt. Der Markgraf hob den Fuß und beobachtete immer noch lächelnd, wie sich Eyb stöhnend über der verletzten Hand krümmte.

»Ihr wollt es doch nicht wirklich darauf ankommen lassen, Eyb. Es gibt viele Möglichkeiten, Euch zum Sprechen zu bringen. Ein peinliches Verhör würde Euch nicht gut tun.«

Der Ratsherr hob den Kopf und sah Albrecht ins Gesicht. In seinem Blick lag blanke Angst. Er fing an, am ganzen Körper zu beben. Langsam wie in Zeitlupe verzerrte sich sein breitlippiger Mund zu einer Mitleid heischenden Grimasse; in seinen Augen sammelte sich Wasser.

Albrecht schob ihm einen Schemel hin.

»Wollt Ihr jetzt reden?«

Eybs rappelte sich mühsam hoch und sackte auf dem Hocker in sich zusammen. Seine Schultern zuckten. Der Ratsherr fing leise an zu schluchzen.

Nach einer Stunde wussten die beiden Markgrafen alles, was sie wissen wollten.

Zwei Wochen später in aller Herrgottsfrühe brach Markgraf Albrecht mit fürstlichem Gefolge von Ansbach auf. Ziel des Zuges war die Kulmbacher Plassenburg; allerdings hatte der Markgraf Befehl erteilt, den Weg über Neustadt an der Aisch zu nehmen.

Langsam schlängelte sich die Reisegesellschaft an Nürnberg vorbei, machte Station auf der Cadolzburg und bewegte sich auf den Aischgrund zu. An die siebzig berittene Hofdiener begleiteten den Markgrafen, alle auf gerüsteten Pferden. Ein Wagen stand unter besonderer Bewachung durch bewaffnete Söldner. Er trug die Albrecht zustehende Hälfte des zollerischen Familienschatzes – Schmuck und Kleinodien, das massive, vergoldete Silbergeschirr und nicht zuletzt Albrechts Anteil am »Eingehörn«. Dabei handelte es sich um einen äußerst seltenen, gezwirbelten Narwalzahn, dem – neben den üblicherweise als Heilmittel benutzten Edelsteinen – besonders wundersame Heilkräfte zugeschrieben wurden. Ein einziges Exemplar war zigtausend Gulden wert. Das zollersche Familienstück wurde gehütet wie ein Schatz. Es war in den drei Jahrzehnten, die es schon im Hausbesitz war, bereits um ein Erkleckliches reduziert worden – bei einer Krankheit oder sonstigen Notfällen schabte man eine Winzigkeit davon ab und verabreichte das Pulver dem Kranken. Albrecht hatte wegen seines notorisch schlechten gesundheitlichen Befindens darauf bestanden, immer seinen Anteil am Eingehörn mit sich zu führen. Deshalb war es bei der Erbteilung unter den wachsamen Augen der beiden Markgrafen in zwei Hälften zersägt worden.

Als die Neustädter Residenz in Sicht kam, sprengte Albrechts Leibwache voraus, um den Hof für die Wagenkolonne räumen zu lassen. Die Holzräder der Wagen und Karren machten einen ohrenbetäubenden Lärm auf dem Kopfsteinpflaster, während der Zug das Doppeltor passierte und in den Hof einrollte.

Barbara stand am Fenster ihrer Kemenate und hielt den schweren Damastvorhang zur Seite gezogen. Als sie den Lärm im Hof hörte, war sie von ihrer Stickerei aufgesprungen und zur Fensternische gelaufen. Jetzt sah sie ihren Bruder Albrecht an der Spitze seiner Mannschaft einreiten. Ihre Blicke trafen sich für einen kurzen Moment – sie glaubte etwas wie ein triumphierendes Aufblitzen zu bemerken –, dann saß der Markgraf ab und verschwand durch die große Pforte im Südflügel.

Muttergottes, was hatte er jetzt wieder vor? Was konnte er ihr noch antun? Ihre Dispens hatte er inzwischen sicherlich zum Scheitern gebracht, ihre Heiratsabsichten waren so gut wie zunichte, und weder vom Eyb noch von Abt Sebald von Heilsbronn hatte sie irgendetwas gehört.

In den letzten Wochen hatte sie fast jede Hoffnung aufgegeben. Sie hatte sich beinahe schon an den Gedanken gewöhnt, in der Neustädter Residenz zu bleiben und sich auf Dauer ihr kleines Reich in der Frauenkemenate einzurichten. Sie hatte sogar ernsthaft darüber nachgedacht, sich mit ihren Brüdern zu vergleichen, den Gedanken aber wieder verworfen – zu Albrecht führte kein Weg zurück.

Als es nun an der Tür des Frauenzimmers klopfte, erwartete sie ihren Bruder, und ihre Anspannung wuchs. Sie setzte ihr Häubchen auf und stopfte die langen Haare darunter – schließlich, und darüber musste sie beinahe lachen, war sie eine verheiratete Frau. Hastig strich sie sich die letzten Locken aus der Stirn und stand stocksteif. Haltung, dachte sie, du musst jetzt Haltung bewahren.

Die Tür ging auf, und herein kam Christoph von Guttenberg, ein gebirgischer Adeliger, den sie schon als Rat ihres Vaters kennen gelernt hatte. Sofort fiel die Spannung von ihr ab.

»Ihr seid es, Guttenberg, ich dachte schon …« Sie unterbrach sich. Misstrauen keimte in ihr auf.

»Ich hab Euch lange nicht gesehen. Wie kommt's, dass Ihr Erlaubnis habt, mich zu sprechen?«

Guttenberg machte eine zierliche Reverenz. Er war ein kräftiger Mann, vielleicht sechzig Jahre alt, mit schütteren Haaren, groß und grobschlächtig. An seinem Hals glänzte ein Furunkel, der dringend geöffnet werden musste. In Barbaras Kinderzeit zu Ansbach war er ein berüchtigter Mann gewesen; es hieß, er habe im Streit seinen Bruder zum Krüppel geprügelt.

Etwas zu höflich wandte er sich jetzt an Barbara.

»Gott grüß Euch, Euer Liebden, mich schickt Euer Bruder, unser allergnädigster Markgraf.«

Er lächelte sie freundlich an.

»Ich habe Auftrag, Euch anzuweisen zu packen, was Euer ist, und Euch bereitzuhalten, morgen früh mit dem Hofstaat auf Reise zu gehen. Ich freue mich außerdem, Euch sagen zu dürfen, dass mich der gnädige Herr Albrecht zu Eurem zukünftigen Hofmeister bestallt hat.«

»Hofmeister? Aber ich habe seit Ansbach keinen mehr gehabt. Und für welche Reise soll ich mich bereitmachen?«

»Aufs Gebirg, Euer Liebden! Der Hofstaat Eures Bruders begibt sich auf die Plassenburg, und Ihr habt Befehl, Euch anzuschließen. Morgen früh brechen alle auf.«

Barbara schnürte es die Kehle zu. Die grimmige Festung auf dem Gebirg gehörte zu den schlimmsten aller ihrer Befürchtungen. Schon in früheren Zeiten war sie von den Markgrafen als Gefängnis für unbequeme politische Gegner und auch unliebsame Familienmitglieder benutzt worden. Sie ahnte, dass Albrecht ihr dieses Schicksal zugedacht hatte, um ihr jede Möglichkeit zu einer Heirat zu nehmen und sie zur Rücknahme ihres Dispensgesuches zu zwingen. Die Knie wurden ihr schwach, und sie fürchtete zu fallen.

»Eure Hand, Guttenberg!«, flüsterte sie.

Der neu erkorene Hofmeister griff ihr mit einer Hand um die Taille, während seine andere ihren Arm stützte. Sorgsam führte er sie zur steinernen Sitzbank der Fensternische und half ihr, als sie dort niedersank. Die Markgräfin verbarg das Gesicht in den Händen. Sie kannte die Plassenburg nur allzu gut. Ob es im Frauenzimmer immer noch keine Glasfenster gab und man im Winter die Rahmen mit gegerbten Häuten in die Mauerlöcher einsetzen musste? Und arbeitete im Kellergewölbe immer noch der alte Kellner mit dem Buckel, der einen wunderbaren Würzwein nach seinem Geheimrezept braute, das er niemandem verriet? Sie erinnerte sich an einen Winter voll Schnee, in dem das Wasser in den Krügen gefror und die Armen von Kulmbach jeden Tag bis vors äußere Tor gezogen kamen, um die Reste vom Gesindetisch in Empfang zu nehmen, nur Brot und Zugemüse, denn Fleisch- und Fischreste waren der Herrschaft immer zu schade für Bettler gewesen. War es in den Wohnkemenaten immer noch so zugig und ungemütlich, dass selbst zwei Lagen Wandtapisserien, ein lodernder Kamin und überall verteilte Kohlebecken die Kälte nicht abhalten konnten, die in alle Glieder kroch?

Barbara schauderte. Sie hatte als Fünfjährige eine ihrer Hofdamen auf der Burg sterben sehen – eine Erkältung, die auf Brust und Lunge geschlagen war und in fiebrigem Delirium geendet hatte. Es war ihre erste Begegnung mit dem Tod gewesen, ein beängstigender, jämmerlicher Tod. Das Leben auf der Plassenburg war ungesund, das wusste jeder, der mit dem Markgrafen hinaufzog, und musste doch mit.

Ihr fiel ein Wandgemälde der alten Plassenburger Markgrafenkammer ein, das sie als Kind oft in seinen Bann gezogen hatte: Der Raub der Persephone – eine verzweifelt sich windende Erdentochter mit üppigen Formen, die vom lustentbrannten Gott der Unterwelt in die dunkle Schattenwelt hinabgezogen wurde. Das bin ich, durchfuhr es sie, er will mich hinbringen, wo ich kein Licht mehr sehe. Ich soll auf dem Gebirg vermodern, Heilige Mutter Maria, lass das nicht zu …

Barbara fuhr aus ihren Gedanken hoch, als ihr der von Guttenberg einen gläsernen Buckelpokal voll Wein hinhielt. Sie griff danach, ohne wirklich hinzusehen, und trank den Becher aus. Es gab nichts mehr zu sagen.

Der von Guttenberg war längst gegangen, als Barbara aus ihrer Versunkenheit erwachte. Sie schickte nach der dicken Martsch, die in ihrer ganzen Breite ins Frauenzimmer watschelte, einen Stapel Tücher im Arm. Die alte Amme erkannte sofort, dass Barbara verzweifelt war.

»Mariaundjosef, Bärbel, was ist dir?«

Sie warf die Tücher hin und fasste die Markgräfin an beiden Händen. Das war mehr, als Barbara ertragen konnte. Sie setzte sich weinend auf den nächsten Fußschemel und zog dabei die Martsch mit auf den Strohboden.

»Er bringt mich auf die Plassenburg, Martsch, er sperrt mich ein und lässt mich dort …«

Sie klammerte sich an die alte Dienerin, der ebenfalls die Tränen in die Augen kamen.

»Ich hab's gewusst, es geht nicht gut, heilige Muttergottes, ich hab's gewusst. Kindchen, du musst jetzt stark sein; du musst aushalten, die Burg ist gewiss nicht auf ewig. Das kann der Albrecht nicht, seine eigene Schwester als Gefangene halten – die Verwandtschaft wird sich rühren und der Abt von Heilsbronn. Wart's nur ab, bestimmt! Bist ja nicht allein; ich komm mit dir, deine alte Martsch. Alles wird sich mit der Zeit finden, glaub's mir!«

Barbara fühlte sich von aller Kraft verlassen. Sie ließ sich von der alten Martsch wiegen wie ein Kind, in einem Schwall von tröstenden Worten geborgen, mit dem die Amme sie schon als Säugling beruhigt und in den Schlaf geschaukelt hatte. Ihr Hündchen, ein Sohn der alten Bless, die vor einem halben Jahr an Altersschwäche eingegangen war, trabte und hopste aufgeregt um die am Boden kauernden Frauen herum und stupste japsend seine kalte Schnauze abwechselnd gegen Barbaras Arm und das gut gepolsterte Hinterteil der Amme.

Nach einer Weile hörte Barbara auf zu weinen, stand auf und half der Martsch hoch. Die zog ein Taschentuch aus dem Ärmel und reichte es der Markgräfin, die sich geräuschvoll schnäuzte.

»Komm, Martsch.« Ihre Stimme klang dünn und leise. »Lass uns das bisschen packen, was uns gehört. Anderes bleibt uns wohl nicht.«

Am Morgen des nächsten Tages wartete der Reisetrupp des Markgrafen im Neustädter Schlosshof. Die Ein- und Mehrrosser hatten schon aufgesessen und hielten ihre aufgeregt tänzelnden Pferde zurück, alle Kutscher saßen auf ihren Böcken. Der Markgraf stand in der Mitte des Hofes neben dem Ziehbrunnen und unterhielt sich angeregt mit dem Neustädter Vogt und dem Silberknecht, der gerade die Kisten mit dem Tafelgeschirr aufladen ließ.

Barbara betrat die Schlossfreiung vom Südflügel aus, unsicheren Schritts und mit tiefen Ringen unter den Augen. Sie hatte in der vergangenen Nacht kaum geschlafen. Fröstelnd zog sie ihren grauen Reiseumhang fester zu und sah sich suchend um, während hinter ihr die Martsch aus der Tür trat, das Hündchen auf dem linken, ein Bündel unter dem rechten Arm. Als die Reiter und Wagen sich zur Ausfahrt formierten, kam Christoph von Guttenberg dienstbeflissen auf die Markgräfin zu.

»Eure Kutsche steht dort drüben, Euer Liebden.«

Ein widerwärtig freundliches Lächeln stand ihm im Gesicht. Er griff Barbara unter den Ellbogen und führte sie quer über den Hof zu einem kleinen Wagen mit zugezogenen Vorhängen, der von zwei stämmigen Braunen gezogen wurde. Mit beinahe elegantem Schwung öffnete er den Schlag.

»Guttenberg, ich möchte vorher mit meinem Bruder, dem Markgrafen reden; ich bitt Euch, erweist mir den Dienst und führt mich zu ihm.«

»Leider, gnädige Herrin, habe ich Anweisung, Euch direkt zu Eurem Wagen zu geleiten; der Markgraf Albrecht, so teilte er mir mit, wünscht kein Zusammentreffen mit Euch.«

Barbara schaute sich nach ihrem Bruder um und erspähte ihn auf seinem großen Schimmel, Anweisungen rufend und wild gestikulierend. Eindrucksvoll sah er aus in seiner Soldatenkluft, die rötlichbraunen langen Haare den Rücken herab und den gelockten Bart in zwei Spitzen geteilt. Wie immer war er von ungesunder Blässe, aber die Energie, die ihm trotz seiner häufigen Krankheiten zu Eigen war, teilte sich jeder Bewegung seines Körpers mit. Er bemerkte seine Schwester mit einem kurzen, abfälligen Blick und riss sofort die Zügel herum, um sich abzuwenden.

Barbara erkannte die grenzenlose Verachtung, mit der er sie gemustert hatte, und gab sofort jeden Plan auf, mit ihm zu reden. Sie nahm das letzte bisschen Stolz zusammen, straffte den Rücken, raffte die Röcke und stieg in die Kutsche, die ihr zugedacht war. Hinter ihr wackelte die Martsch auf das Gefährt zu und machte Anstalten einzusteigen, als sie auf einen Wink Guttenbergs von zwei Söldnern zurückgehalten wurde.

»Die Königin von Böhmen reist ohne Dienstgesinde!«, erscholl die Stimme des Hofmeisters, kalt und unnachgiebig.

Die Martsch begann sich kreischend gegen die Soldaten zu wehren; sie schlug mit ihrem Bündel um sich und verlor es. Brot, kalter Braten und Äpfel kullerten auf den Boden. Das Hündchen befreite sich aus dem Griff der alten Amme und wuselte verstört in dem ganzen Durcheinander, wich Tritten aus und bellte, was das Zeug hergab. Die Söldner hatten alle Mühe, die Alte zu bändigen, bis sie sich schließlich heulend geschlagen gab, sich das Hündchen schnappte und es schützend an sich drückte.

»Bärbel, Bärbelchen«, greinte sie verzweifelt.

Die Markgräfin streckte ihre Arme aus dem Fenster der anfahrenden Kutsche und schrie den Namen ihres Bruders.

»Ich will sie mitnehmen, Albrecht, hörst du mich? Lass wenigstens sie mir zuletzt, ich hab doch sonst nichts mehr …«

Der Wagen rollte auf das Schlosstor zu, dahinter trabte die Wachmannschaft und ein letzter Karren mit Proviant. Die Torflügel schlossen sich hinter der Reisegesellschaft; im Schlosshof zurück blieb die alte Martsch, Rotz und Wasser liefen ihr übers Gesicht.

Nicht weit vom Neustädter Schloss entfernt, als die Gesellschaft wegen eines Hindernisses kurz anhalten musste, langte die Hand eines Söldners durch das Fenster von Barbaras Kutsche und schob den Vorhang zur Seite. Etwas Braunes, Felliges flog herein und rappelte sich jaulend von der Sitzbank hoch. Barbara brauchte einen Moment, um zu begreifen, dass es ihr Hündchen war, das da durchs Fenster geworfen worden war. Sie nahm es auf ihren Schoß und kraulte es mechanisch. Ihre anfängliche Wut und ihr Schmerz über den Verlust der Amme wurden langsam von einem ohnmächtigen Gefühl völliger Hilflosigkeit abgelöst. Sie fühlte sich unendlich müde. Alles war umsonst gewesen, und keiner konnte ihr jetzt mehr helfen. Ihre Lage war hoffnungsloser denn je. Die Tränen liefen ihr übers Gesicht und tropften auf das wollige Fell des Hündchens. Schließlich ergab sich die Markgräfin in eine müde Teilnahmslosigkeit, die sie die Strapazen der Reise klaglos ertragen ließ.

Inventar der persönlichen Sachen der Königin von Böhmen gehörig, aufgenommen durch die Hofmeisterin zu Plassenberg, am Tag Simonis et Jude anno 1542

Item eine Reisetruhe mit Tragegriffen, als Schrank aufzustellen im Gemach der gnedigen Herrin, darin

3 Kissenbezüge aus lundischem Tuch
7 Bettücher, davon drei gestreift
1 bestickter Tischteppich mit morgenländischem Muster
12 feine Handzweln und Fazenettlein, davon zwei bös und zehn gut
1 Paar Forheng aus Barchent, dazu zwei Quasten, alles rot
1 Schauben, blau

1 Spieglein

1 Putz-Scher

6 Löffelein mit dem glogauischen Wappen darauf

16 Tücher und Hadern für die weiblich Notdurft

3 Hauben, davon eine mit Fell und zwei mit Perlein

1 Pokällein mit Frau Barbaras Namen und Gloria Dei darauf

1 Kamm von Horn gemacht

1 Paar Schuh, nicht mehr ganz gut

2 Kleider, eins grün, das ander rot und blau

4 Paar dicke Strümpf, zu tragen zur Winterzeit

1 Messerlein, darin ein Spruch graviert, mit hörnern Griff

1 kleiner flandrisch Wandteppicht, darauf Frau Flora im Frühling

Außerdem: 1 Kästlein mit Kleinodien, das sind 1 Haarreif mit drei Diamant-Tafeln, ein Ringlein mit Rubinlein wie ein Kreutz, 1 Gürtel mit Medaillen beschlagen, davon 1 fehlt, 1 Gewandnadel mit einem anhangenden Perlein.

Kulmbach, Mai 2002

Gregor Haubold betrat am Freitagabend die Gaststube seines Stammlokals in der Stadt. Unterwegs hatte ihn ein Schauer überrascht, und nun war er völlig durchweicht. Er zog seine Jacke aus und ging um die Schanktheke mit den Wurstdosenpyramiden herum in die hintere Ecke der Wirtschaft. Hier stand der runde Stammtisch aus Eichenholz, in dessen Mitte ein großes Messingschild mit integriertem Aschenbecher und der barock geschmiedeten Aufschrift »Reserviert« prangte.

Es war schon einiges los an diesem Abend, verräuchert wie die Kneipe war, aber die anderen Herren der »Forschenden Vier« waren noch nicht eingetroffen. Der Kastellan setzte sich auf die hintere Bank, von wo aus er alles im Blick hatte, und öffnete verstohlen den Knopf seines Hosenbunds.

Eine Viertelstunde später saß die Runde in trauter Eintracht um den Tisch, jeder mit einem Glas vor sich und Haubold auch schon mit einem riesigen Teller undefinierbaren Gekröses, das er mit Appetit in sich hineinlöffelte, dazu ein Schüsselchen mit zwei »seidenen« Kartoffelklößen, die genau die richtige Konsistenz hatten, um nach einem raffinierten Moment schmackhafter Klebrigkeit auf der Zunge zu zergehen.

Pfarrer Kellermann war der Erste, der die Sache »totes Kind« zur Sprache brachte. »Irgendwas Neues zu unserem kleinen Kriminalfall, meine Herren?«

Seine kleinen wässrigblauen Äuglein unter den buschigen Brauen machten die Runde. Allgemeines Kopfschütteln war die Antwort.

»Nichts. Einfach nichts.«

Götz zuckte die Schultern. »Ich habe alles durchgesehen, was ich zu Georg Friedrich finden konnte. Ein paar Kollegen habe ich auch gefragt – keiner weiß irgendwas.« Er dirigierte die Kellnerin mit der zweiten Portion Saure Nieren mit Kloß zu sich und rollte sein Besteck aus der Papierserviette.

Archivar Kleinert bedauerte ebenfalls. »Von meiner Seite auch nichts Neues. Die Archivalien zu Georg Friedrich, die das Kulmbacher Archiv besitzt, sagen nicht viel aus.«

Götz begann, seine beiden Klöße sauber in der Mitte zu zerteilen und die in Butter gerösteten Brotbröckchen mit der Messerspitze aus dem Inneren herauszupulen.

»Isst du dein Klößbrot nicht?«, wunderte sich Haubold, und auf ein leicht angewidertes Kopfschütteln des Lehrers langte er mit seiner Gabel auf dessen Teller und beförderte die buttrigen Stückchen von dort direkt in seinen Mund. Genießerisch kauend begann er zu erzählen.

»In punkto Kinderleiche hat sich bei mir auch nichts ergeben, weder in der Literatur noch in den Bamberger Archivalien. Ich bin fast der Meinung, wir sollten Georg Friedrich abhaken und woanders weitersuchen.«

»Ja, aber wo denn?« Pfarrer Kellermann nahm seine Brille ab und massierte sich mit Daumen und Zeigefinger zwischen den Augenbrauen. Er trug wie immer seinen beige gezopften uralten Shetlandpullover, an dem er jetzt seine Augengläser zu säubern versuchte.

»Ich hätte da so eine Vermutung«, gab der Kastellan zurück.

Er schob den leer gegessenen Teller in die Tischmitte und begann, seine Gedanken zu erläutern.

»In den Markgrafenzimmern wird zurzeit auf Teufel komm raus renoviert. Anscheinend hat die Schlösserverwaltung wieder mal ein bisschen Geld übrig. Na ja, jedenfalls, in einem der Zimmer haben die Restaurateure fast eine ganze Wand freigelegt, die vorher mehrfach übertüncht worden war. Jetzt sieht man ein ziemlich mittelmäßiges Schlachtengemälde mit Albrecht Alkibiades in der Mitte, wie er kämpft und dreinhaut.«

»Ja und?«

Götz und die anderen konnten daran nichts Außergewöhnliches entdecken.

»Wartet's nur ab, jetzt kommt's. Auf dem Söller der Burg oder der Stadtmauer im Hintergrund ist eine Frau abgebildet. Also ich für meinen Teil habe noch nie auf einem Schlachtengemälde eine Frau gesehen. Ihr? Also. Die Frau schaut dem Kampf zu und stützt sich dabei auf die Mauer. Sie trägt ein grünes Kleid und hat dunkles langes Haar. Und sie hat einen komisch abgeknickten Finger.«

»Das muss ein echter Realist gewesen sein, der so etwas gemalt hat. Normalerweise wurde bei Porträts doch eher idealisiert, oder?«

Götz blickte sich Zustimmung heischend bei den anderen um.

»Jedenfalls«, so fuhr Haubold fort, »ist das doch seltsam – eine Frau auf einem Schlachtbild in Zusammenhang mit dem kriegerischen Markgrafen, der nie verheiratet war und demgemäß auch keine Kinder hatte. Vielleicht hat er eine Mätresse mit abbilden lassen. Vielleicht ist im Hintergrund die Plassenburg stilisiert, wo sie auf ihn wartet? Vielleicht ist sie von ihm schwanger?«

»Ist das nicht ein bisschen weit hergeholt?«, meinte Kellermann. »Es könnte genauso gut die Herrin irgendeiner Stadt oder Burg sein, die gerade erobert wird.«

»Ja, aber dann wäre sie bestimmt mit diversen Herrschaftsinsignien dargestellt. Und das ist sie nicht. Sie trägt nicht mal Schmuck, außer einem einzigen kleinen Ring mit einem Kreuz aus roten Steinen.«

Jetzt meldete sich Kleinert zu Wort. Er hatte während der letzten Sätze in sein Bierglas gestarrt und angestrengt über etwas nachgegrübelt.

»Das kommt mir irgendwie bekannt vor, ich weiß bloß nicht warum. Ein Frauenbild mit abgeknicktem Finger, Mensch, so was hab ich schon mal gesehen. Wenn ich bloß wüsste, wo …«

Er fuhr sich durch die Haare, was aber seinen Bürstenschnitt nicht weiter in Unordnung brachte.

Die Diskussion gedieh an diesem Abend nicht weiter, weil kurz nach Kleinerts Überlegungen der Wirt mit fünf Schnäpsen an den Tisch kam. Kurz nach halb elf Uhr gingen alle mehr oder weniger angeheitert heim – alle bis auf Kleinert, der sich noch einen Kaffee bestellte und in verbissenes Nachdenken verfiel. Eine Frau mit abgeknicktem Finger, die hatte er doch schon mal irgendwo gesehen …

Am darauf folgenden Montag um neun Uhr dreißig klingelte im Büro des Kastellans das Telefon. Mit unüberhörbarem Triumph in der Stimme meldete sich der Archivar.

»Ich hab's gewusst, die Frau kenn ich!«

Haubold konnte nicht ganz folgen.

»Wen kennst du und wieso?«

»Na, die Frau in dem Schlachtenbildnis, von der du beim Stammtisch erzählt hast.«

Jetzt ging Haubold ein Licht auf. »Was, du weißt, wer das ist?«

»Nein, das nicht. Hör zu. Das mit dem krummen kleinen Finger ist mir gleich bekannt vorgekommen. Und als ich heute so bei der ersten Tasse Kaffee am Schreibtisch sitze, fällt's mir wieder ein. Vor sieben Jahren, als ich das Archiv übernommen habe, musste ich mir einen Überblick über die Bestände verschaffen. Unter anderem hab ich dabei den Kartenschrank durchgeschaut. Karten, Planzeichnungen, Grundrisse und so weiter. Und mittendrin auch ein ganzer Haufen kolorierter Pläne vom Ausbau der Plassenburger Verteidigungsanlagen im 16. Jahrhundert. Unter Albrecht Alkibiades, genau genommen. Die Pläne hat ein italienischer Baumeister namens Guerini gezeichnet, es geht darin um die Verstärkung der Mauern und Bastionen zum Buchberg hin …«

Haubold unterbrach den Redefluss.

»Komm endlich zur Sache, Wolfgang. Was ist jetzt mit der Frau?«

»Nur die Ruhe. Also, die Pläne haben ihre Signatur alle auf der

Rückseite, und die hab ich natürlich auch überprüft. Das Nette daran war, dass auf etlichen Rückseiten alle möglichen Skizzen gezeichnet waren, ganz offenbar aus Langeweile. Tiermotive, Studien von verschiedenen Körperteilen, Pflanzengirlanden, so was. Und auch ein paar Personenskizzen, ganz unterschiedlich. Eine dieser Personenskizzen ist mir damals aufgefallen, weil sie eben an einer Hand einen verkrüppelten Finger hatte. Die Figur selber war nur recht grob gearbeitet, aber daneben war noch einmal die Hand gezeichnet, übergroß und mit allen Details, und das hat mich irgendwie fasziniert. Es hat mich an die ›Betenden Hände‹ von Dürer erinnert. Gerade hab ich's mir noch einmal angeschaut. Das oberste Glied des kleinen Fingers steht in einem seltsamen Winkel hoch, ist dann im Gelenk abgeknickt und stark verkrümmt, sodass der Fingernagel seitlich nach außen zeigt. Und das Beste kommt noch. Neben dem Porträt steht eine handschriftliche Bemerkung, gezeichnet mit dem Kürzel von Spieß – du weißt doch, Philipp Ernst Spieß, der Plassenburger Archivar Ende des 18. Jahrhunderts, der die so genannten ›Spieß'schen Collectaneen‹ verfasst hat. Da steht: ›Orig. hierz. Kanzl. bibl. Bayr.‹. Das heißt, aller Wahrscheinlichkeit nach befindet sich dieses Original heute in der Bayreuther Kanzleibibliothek. Und jetzt kommst du!«

Haubold zögerte keine Sekunde.

»Was hast du heute noch vor?«

»Ich hab noch eine Benutzerbetreuung um halb elf, danach nichts Besonderes.«

»Doch. Du hast eine dringende Dienstfahrt nach Bayreuth, um eine Eintragung zu überprüfen. In der Mittagspause hole ich dich ab. Hoffen wir, dass die Kanzleibibliothek über ein ordentliches Bestandsverzeichnis verfügt.«

Die Bestände der alten Kanzleibibliothek hatten inzwischen ihren Standort irgendwo in den Kanzleiräumen der Universität Bayreuth. Dies wurde Haubold auf seine telefonische Anfrage hin mitgeteilt. Er schwang sich in seinen alten Passat und fuhr mit quietschenden Reifen hinunter in die Stadt. Punkt zwölf Uhr parkte er hinter dem Stadtarchiv ein und wartete auf Kleinert, der keine fünf Minuten später die Wagentür öffnete und einstieg.

»Auf geht's, Meister!«

Kleinert holte sein Vesperbrot aus der Aktentasche, während der Kastellan mit Vollgas in die Bundesstraße Richtung Bayreuth einbog.

»Musst du immer fahren wie eine Sau?« Kleinert hatte Mühe, seine Salamischnitte aus dem Butterbrotpapier zu wickeln, und verlor dabei eine Gurkenscheibe, die einen feuchten Fleck auf seiner Hose hinterließ.

»Fahr doch das nächste Mal selber!« Haubold beschleunigte ungerührt auf hundertzwanzig Stundenkilometer.

Der Verkehr hielt sich in Grenzen, und so brauchten sie keine halbe Stunde bis zum Uni-Gelände. Als die beiden dort ihr Anliegen in der Kanzlei vorbrachten, ernteten sie zunächst nur Kopfschütteln.

»Bilder – nö«, meinte ein junger Mann mit Nickelbrille, der gerade irgendetwas in den Computer hackte, »nicht dass ich wüsste. Hier gibt's nur Bücher und so.«

»Aber die gesamten Bestände der Kanzleibibliothek befinden sich doch hier in der Kanzlei?«

Haubold klang leicht verzweifelt.

»Ja schon, aber von Bildern weiß ich nichts. Vielleicht fragen Sie mal in der Uni-Bibliothek.«

»Gibt's denn kein Verzeichnis der Bestände in der Kanzlei?«

»Sicher gibt's das, aber da stehen nur Bücher drin.«

Archivar und Kastellan sahen sich ratlos an. Gerade als sie sich wieder zum Gehen wenden wollten, öffnete sich die Tür und die Rettung erschien in Gestalt einer älteren Bürodame, die aus der Pause zurückkam.

»Ach, Frau Loose, vielleicht wissen Sie was über Bilder aus der alten Kanzleibibliothek?«

Frau Loose fing sofort an zu referieren.

»Bilder, natürlich. Aber zur alten Kanzleibibliothek gehören meines Wissens nur noch ein paar kleinere Bilder. Alle größeren Gemälde und die Karten haben wir dem Stadtarchiv Bayreuth zur Aufbewahrung übergeben, als wir hierher ins neue Gebäude umgezogen sind. Das war im Juli 95.«

Haubold und Kleinert jubilierten innerlich.

»Und die Bilder, die sich noch in der Kanzlei befinden, sind die hier im Haus?«

»Ja, ja. Ich habe sie schließlich selber aufgehängt. Kommen Sie, ich zeige sie Ihnen.«

Die Sekretärin ging mit wippender Aufsteckfrisur voraus durch die Gänge und führte sie zu einem Zimmer im sechsten Stock.

»Hier drin sind die nicht ausleihbaren Bestände der früheren Kanzleibibliothek, also Bücher, die älter sind als hundert Jahre, Kartenmaterial, alte Folianten und Ähnliches. In diesem Raum war bestimmt seit dem Umzug niemand mehr. Weil wir damals nicht recht wussten, wohin mit den Bildern, habe ich sie einfach hier drin aufgehängt – dazu sind Bilder schließlich da, oder?«

Sie blickte erwartungsvoll vom einen zum anderen.

Haubold und Kleinert sahen sich die Bilder an. Fast alle waren kleinformatige Porträts von einem Maler des 17. Jahrhunderts namens Heinrich Bolland, Öl auf Holz. Sie zeigten verschiedene zollerische Markgrafen und ihre Ehefrauen, fast schon Miniaturenmalerei, äußerst detailgetreu. Dann waren da noch zwei kolorierte Landschaften, zwei nicht besonders qualitätvolle Stiche von Georg Friedrich und eine Karte des Amtes Bayreuth von 1734.

Über einem ausgedienten Schwarzweißkopierer hing schließlich das, was Haubold und der Archivar suchten. Es war ein Frauenporträt, ungefähr 25 × 60 cm groß und, wie Haubold bemerkte, gar nicht schlecht gemalt. Und es handelte sich dabei ganz eindeutig um eine Ausarbeitung zu der Skizze im Kulmbacher Stadtarchiv.

Vor einem unscheinbaren graubraunen Hintergrund stand eine höfische Dame. Sie trug ein dunkelgrünes, kostbares Kleid, vielleicht aus Samt, das mit vielen kleinen Perlen abgesetzt war und ein eng anliegendes Mieder hatte. Die Ärmel waren oben an der Schulter und dann noch einmal am Ellbogen geschlitzt und gepufft, darunter kam weißer durchsichtiger Stoff zum Vorschein. Das dunkle, fast schwarze Haar war in der Mitte gescheitelt und über den Ohren hochgesteckt, und über dieser Frisur trug die Dame ein perlenbesetztes weißes Häubchen, das eine hohe Stirn frei ließ. Der bemerkenswerteste Zug an dem schmalen Gesicht der Frau waren zwei eigenartig helle Augen unter bogenförmigen, dichten Brauen, die den Betrachter sofort mit einem traurigen Blick zu fixieren schienen. Ansonsten fand sich nichts Auffälliges, die Nase war gerade, der Mund etwas üppig – insgesamt wohl keine zeitgenössische, sondern eher eine moderne Schönheit, wie Kleinert bemerkte. Hals, Ohren und Dekolleté waren völlig ohne Schmuck. Die Dame stand mit leicht nach hinten gewölbtem Rücken, als suche sie an einer Wand Halt, das Becken etwas nach vorne geschoben. Sie hielt die Arme abgewinkelt, die linke Hand ungefähr in Nabelhöhe, die rechte etwas darunter. Die Ärmelenden waren nach der Mode der Zeit überlang und schräg geschnitten, sodass man von den beiden Händen nur die Finger sehen konnte. Und da war er tatsächlich – der verkrüppelte, in seltsamem Winkel abstehende kleine Finger der linken Hand, einziger Makel einer sonst fehlerfreien Schönheit.

Die beiden Männer standen eine Weile vertieft in den Anblick der Dame und ließen die seltsame Melancholie des Bildes auf sich wirken.

»Sie sieht irgendwie traurig aus«, meinte Haubold betrübt, »und so ein schmales Gesicht.«

Kleinert zuckte die Schultern.

»Blöderweise steht nirgends auf dem Bild, wer sie ist. Und eine Signatur des Künstlers gibt es auch nicht. Da steh'n wir nun, wir arme Tor'n, und sind so klug als wie …«

Die Sekretärin, ein wahrer Goldschatz, unterbrach das Goethe-Zitat und reichte ihm einen aufgeschlagenen alten Folianten.

»Hier bringe ich Ihnen das frühere Eingangs- und Inventarbuch der Kanzleibibliothek. Da ist auch die Signatur des Bildes, sehen Sie, ›N 812 a‹, wie auf der Seite des Rahmens aufgebracht.«

Haubold und Kleinert beugten sich über das Buch, und der Archivar begann die krakelige winzige Schrift zu entziffern: »Porträt einer Unbekannten, vermutl. 16. Jhd., Öl auf Leinwand, Maße 25 ½ auf 58 ½ Centim., Holzrahmen, vergoldet. Zustand: gut. Künstler: unbek.«

Schweigsam gingen die beiden Männer zum Auto zurück. Auf der Landstraße Richtung Kulmbach fasste Haubold seine Überlegungen zusammen.

»So, jetzt haben wir also eine unbekannte Frau, offenbar aus dem 16. Jahrhundert. Die Vorzeichnung zu dem Ölbild liegt bei dir im Archiv und befindet sich auf der Rückseite eines Bauplans, der unter Albrecht Alkibiades angefertigt wurde. Damit können wir das Ding auf die Jahre zwischen 1541 und der Schleifung der Burg 1554 datieren. Das ist doch schon mal was! Zu dieser Zeit hat sich also vermutlich eine Frau auf der Burg befunden, die der Zeichner gesehen und porträtiert hat.«

»Jedenfalls war sie sicherlich keine wirklich hoch gestellte Dame. Ist dir aufgefallen, dass sie keinerlei Schmuck trägt? Nicht das kleinste Ohrringchen, kein Ring, kein Halsschmuck? Normalerweise wollte man doch gerade auf Porträts zeigen, was man hat. Abgesehen davon, dass ein Maler, der beim Porträtieren einer wichtigen Persönlichkeit einen körperlichen Makel wie diesen Krüppelfinger derart plastisch abgebildet hätte, sofort geschasst worden wäre. Aber das Kleid ist vornehm, das stimmt schon. Irgendwas passt da nicht zusammen.«

»Ist es denn jetzt die gleiche Frau wie auf deinem Wandgemälde im Markgrafenzimmer?«

»Na, glaubst du, es hat zur gleichen Zeit in Zusammenhang mit Albrecht Alkibiades und der Plassenburg zwei dunkelhaarige Frauen mit einem verkrüppelten kleinen Finger gegeben?«

»Wo du Recht hast ...«

»Und ist dir aufgefallen, wie die Frau im Bild dasteht? Beide Hände vor dem Bauch und ein so komisch durchgedrücktes Kreuz? Wenn die nicht schwanger war ...«

»Auf den Frauenporträts der Zeit haben die Damen meistens so eine Haltung. Offenbar fand man das damals besonders anmutig.«

»Aber es könnte doch sein!«

So vor sich hin fabulierend fuhren sie Kulmbach und der Plassenburg entgegen.

Kulmbach, Oktober 1542

Der Zug des Markgrafen schlängelte sich das Maintal entlang in Richtung Kulmbach. Die Altstraße war in einigermaßen gutem Zustand und hatte nur wenige Schlaglöcher, das Wetter war mild, und die Wagen und Packpferde kamen ordentlich voran. Die Stimmung im Tross war gut, Scherze und Witze kursierten, und alle waren froh, die Reise bald hinter sich zu haben.

Barbara saß in ihrem verschlossenen Wagen und sah dem letzten Abschnitt ihrer unfreiwilligen Reise mit Düsternis entgegen. Nach inzwischen siebentägiger Fahrt in der holprigen Kutsche tat ihr jeder Knochen weh. Man hatte sie bisher höflich, aber ohne Freundlichkeit behandelt. Dort, wo der Zug die Nacht verbracht hatte, zuletzt im Bayreuther Schloss, hatte man sie unter Bewachung in ein Zimmer geführt, ihr eine Abendmahlzeit und einen Nachttiegel gebracht. Ihr Schlaf war von Albträumen durchsetzt, aus denen sie immer wieder schweißgebadet aufwachte, und am Morgen fühlte sie sich ausgelaugt und wie gerädert.

Ihren Bruder Albrecht hatte sie seit Beginn der Reise nur noch von fern zu Gesicht bekommen, lediglich der Hofmeister Guttenberg sprach mit ihr und erschien morgens und abends, um sich manierlich nach ihrem Befinden zu erkundigen. Es war ihr unmöglich, irgendeinen Zugang zu ihm zu finden.

Lange bevor man Kulmbach erreichte, konnte man die Plassenburg auf dem Bergrücken oberhalb der Stadt erkennen. Die Festung bot einen imposanten Anblick. Wie ein Stein gewordenes Symbol von Stärke und Wehrhaftigkeit thronte sie mit ihren Türmen und Bastionen hoch über dem Maintal und wirkte trotz des herrlichen Sonnenscheins düster und bedrohlich. Erbaut aus riesigen Blöcken graubraunen Sandsteins, glotzte das Bollwerk markgräflicher Macht wie ein finsterer Beobachter auf die kleine Reisegesellschaft nieder, die sich weit unten den Fluss entlangschlängelte.

Die Burg war noch nie erobert worden, weder in den Hussitenkriegen noch danach. Mit ihren drei Beringen, den dicken Mauern und Türmen und dem massigen Hochschloss galt sie als uneinnehmbar. Und so sicher die Burg gegen Erstürmung von außen war, so zuverlässig war sie auch als Verwahrungsort für Gefangene. Niemand gelangte ungewollt hinein und niemand hinaus.

Der Zug passierte gegen Abend das Stadttor und die Wagen fuhren in Kulmbach ein. Die Bürger des wohlhabenden Städtchens liefen in den Gassen zusammen oder hingen aus den Fenstern, um einen Blick auf den Markgrafen und seinen Tross zu erhaschen. Vereinzelt erscholl ein halbherziger Hochruf, aber so recht freuten sich die Kulmbacher nicht über die Ankunft ihres Landesherrn – er hatte sich durch sein bisheriges Auftreten hier nicht viel Freunde gemacht. Die Rekrutierungen für Albrechts Söldnertruppe waren im ganzen Oberland in vollem Gange, und viele junge Männer waren nicht freiwillig mitgegangen, sondern zum Dienst gepresst worden. Kaum einer war gut zu sprechen auf den kriegerischen Zollerngrafen.

Albrecht schien das nicht zu stören. Ungerührt ritt er hoch erhobenen Hauptes an der Spitze seiner Hofgesellschaft. Auf dem Oberen Markt hielt der Zug kurz an, und der Markgraf nahm gleichgültig die Begrüßung durch eine in Windeseile zusammengestellte Abordnung Kulmbacher Bürger entgegen. Dann ging es weiter, der Zug bog um die Petrikirche, und der steile Anstieg zur Plassenburg hinauf begann.

Barbara spürte, wie ein Zittern sie überfiel. Um sich abzulenken, steckte sie den Kopf aus dem Fenster und ließ ihr Gesicht von dem frischen Luftzug kühlen. Sie sah über den steilen Hang mit seinen Obstbäumen und frisch gepflanzten Weinstöcken auf die Stadt hinunter, wo sich die Leute langsam wieder zerstreuten. Das riesige Äußere Tor der Burg kam immer näher, eindrucksvoll bemalt mit dem Wappentier der Hohenzollern, einem roten Adler auf schwarzem Grund. Und dann öffnete es sich wie ein gefräßiges Maul, um die gesamte Reisekolonne in den Vorhof der Burg zu verschlucken.

Immer noch sah Barbara aus dem Fenster ihrer Kutsche, während der Zug nach rechts abbog und dem Weg in Richtung auf das Mittlere Tor folgte. An der östlichen Mauer bemerkte sie neben einigen kleinen Fachwerkhäuschen viele ganz einfache Hütten aus

Holz – Quartiere für die 150 italienischen Bauleute, die in Albrechts Auftrag die Bastion zum Buchberg hin verstärkten. Mitten im Weg stand ein hölzerner Kran, den der Zug umfahren musste. Mehrere Feuer brannten, um die einige der Italiener lagerten und sich mit fremdartigen Lauten unterhielten. Einen von ihnen hörte Barbara eine eigenartige Melodie singen. Ihr Wagen fuhr durch das Mittlere Tor des zweiten Berings in den inneren Vorhof. Hier lag die Burgschmiede, schon von weitem erkennbar an einem großen Holzkohlehaufen. Barbara spürte den warmen Luftzug im Gesicht, der von der immer noch rot glühenden Esse ausging. Hühner und Ziegen stoben auseinander und Tauben flogen auf, während sich die Reisegesellschaft ihren Weg bahnte. Schließlich passierte auch Barbaras Kutsche das Innere Tor, das in den unteren Bereich des Hochschlosses führte.

Im Hof wurden gerade die ersten Fackeln angezündet und tauchten die Burg in ein flackerndes gelbes Licht. Die Festung wirkte finster und abweisend wie eh und je, und Barbara schnürte es die Kehle zu. Sie blieb wie versteinert in ihrer Kutsche sitzen, bis ihr Hofmeister Guttenberg den Schlag öffnete.

»Das Ende der Reise, Herrin!«

Er sagte es mit einem Lächeln und übersah die Angst in ihrem Gesicht. »Ich habe Anordnung, Euch sofort in Eure Gemächer zu führen.«

Barbara raffte die Röcke, nahm den Hund auf den Arm und stieg zögernd aus. Der von Guttenberg führte sie die Treppe zum Sagarach hinauf – so hieß, keiner wusste mehr warum, die erhöhte Hälfte des Schlosshofes, die durch ein Geländer vom niedrigeren Hof abgetrennt war. Die Markgräfin stolperte beinahe die Stufen hinauf, so weich waren ihr die Knie geworden. Wortlos folgte sie dem Hofmeister, der einen Röhrenleuchter trug, durch Räume und Gänge, stieg Treppen hinauf und hinunter, bis er vor der Wohnung des Schlossvogts im Westflügel des Hochschlosses stehen blieb. Barbara hatte erwartet, zu den Frauenzimmern geleitet zu werden, und verstand zunächst nicht.

»Was ist, Guttenberg, wo wollt Ihr hin?«

»Wir sind da, Euer Liebden.«

»Ihr scherzt, Hofmeister, hier ist nicht das Frauenzimmer.«

In Barbaras Brust verkrampfte sich etwas.

»Euer Bruder hat befunden, dass Ihr Quartier in der Hausvogtei nehmen möchtet. Er trägt Sorge, Ihr mögt woanders leicht abhanden kommen, und befiehlt Euch deshalb in die Wohnung des Vogts als einen der sichersten Plätze im Schloss.«

Der Hofmeister sperrte mit einem großen Schlüssel das schmiedeeiserne Schloss auf und ließ die Markgräfin eintreten. Die Hausvogtei war wirklich einer der sichersten Orte in der Hochburg. Der Vogt hatte die Schlüsselgewalt über die gesamte Festung. Er nahm nach dem abendlichen Absperren der Tore sämtliche Schlüssel an sich und bewahrte sie über Nacht in seinem Wohn- und Schlafbereich auf, der deshalb mit besonderen Türschlössern vor unbefugtem Eindringen geschützt war.

Barbara sah sich um. Keine Teppiche, nackte Wände, nur ein winziges vergittertes Fenster.

»Guttenberg, ich weigere mich, in diesen Räumen zu bleiben.«

Ihr alter Kampfgeist erwachte wieder.

»Solche Umgebung lass ich mir nicht zumuten. Ich verlang von Euch als meinem persönlichen Diener, mich in die Frauengemächer zu führen!«

Guttenberg setzte sein liebenswürdigstes Lächeln auf und breitete kopfschüttelnd die Arme aus.

»Ich bin zwar Euer Hofmeister, Liebden, doch zuallererst ist der Markgraf Albrecht mein Dienstherr und mein Landesherr. Ich richte mich nach seinen Befehlen, erst dann kommen Euere. Ich kann Euch also kein anderes Quartier zuordnen, es sei denn, Euer Bruder weist mich an.«

»Er hat Euch nicht zu meinem Hofmeister, sondern zu meinem Kerkermeister bestellt, Guttenberg.«

»Wenn Ihr es so sehen wollt …«

Guttenberg zuckte mit den Schultern.

»Ich will meinen Bruder sprechen. Eure Dienste nehm ich nicht an, ich wünsch Euch nicht mehr in meiner Nähe. Geht und tut ihm darüber Bescheid. Er mög sich mir selber erklären.«

»Der Markgraf, Euer Bruder, hat verlauten lassen, Ihr sollt ihm nicht unter die Augen kommen, es sei denn, Ihr seid bereit, Euer Dispensgesuch und Eure Verlobung schriftlich zu widerrufen. Entscheidet Ihr Euch, dies zu tun, so könnt Ihr alle Freiheit zurückbekommen und er wird Euch verzeihen. Es liegt also bei Euch.«

Barbara hätte dem Hofmeister am liebsten ins Gesicht geschlagen, widerstand aber dem Impuls. Stattdessen trat sie mit aller Wut gegen ein zinnernes Nachtgeschirr, das neben ihr am Boden stand. Es flog scheppernd gegen die Wand und rollte quer durchs Zimmer.

»Ich werde nichts widerrufen, gar nichts«, schrie sie.

In ihrer Aufregung quetschte sie das Hündchen zu stark, das sich aus ihren Händen wand und in eine Ecke flüchtete.

»Und wenn er mich mein Leben lang einsperrt, ich geb nicht nach! Mein Versprechen brech ich nicht, da geht mir mein Seelenheil vor! Sag ihm das, du scheinheiliger Wicht, und geh mir aus den Augen! Hinaus mit dir!«

Barbara deutete mit hoch erhobenem Arm auf die Tür. Ihr Gesicht war weiß wie die Wand und ihre Wangenmuskeln verkrampft, aber sie stand wie eine Statue.

Guttenberg hatte einen hochroten Kopf bekommen. Er drehte sich auf dem Absatz um und schlug die Tür mit einem dumpfen Krachen hinter sich zu. Dann drehte sich der Schlüssel zweimal im Schloss.

Barbara starrte auf die Tür. Sie ballte beide Fäuste vor Wut und Erbitterung. Wie ein gefangenes Tier im Käfig begann sie in der Vogtswohnung auf- und abzugehen. Sie verspürte einen unwiderstehlichen Drang zu schreien. Draußen hörte sie ein leises Geräusch. Mit ein paar Schritten war sie an der verschlossenen Tür und trommelte mit der flachen Hand gegen die schweren Holzbalken. »Du wirst nicht erleben, dass ich vor dir im Staub lieg, Albrecht, hörst du mich?«, schrie sie. »Täusch dich nicht! Deine Schlechtigkeit und Gemeinheit werden mir nichts anhaben. Und wenn ich hier zugrunde gehen muss, ich krieche nicht vor dir zu Kreuze. Niemals!«

Ihre Stimme hallte verloren durch die Gänge der Hochburg.

ZWEITES BUCH

Plassenburg, April 1543

Ein außergewöhnlich milder Winter war ins Land gezogen. Nicht einmal auf dem unwirtlichen Fichtelberg war der Schnee liegen geblieben, die Weiher waren nicht zugefroren, und die Fronbauern hatten die ganzen Monate über ohne Pause Steine für die Erweiterung der Plassenburger Wehren brechen können. Längst hatte Markgraf Albrecht, der seit seinen militärischen Abenteuern im Dienste des Kaisers immer öfter mit dem Beinamen des griechischen Feldherrn »Alkibiades« bedacht wurde, mit seinem Gefolge die Plassenburg verlassen. Er kämpfte, immerhin als protestantischer Landesherr, für monatlich dreihundert Gulden auf Seiten des katholischen Karl V. gegen König Franz I. von Frankreich.

Barbara stand am vergitterten Fenster der Vogtei und schaute auf Kulmbach und den gegenüberliegenden Rehberg. Es war ein grauer Tag. Über der Stadt hing eine dichte Wolkendecke, aus der es ab und zu ein paar Tröpfchen regnete. Die Markgräfin konnte einzelne Menschen erkennen, in dicke Umhänge oder Decken gehüllt, die sich durch die engen Straßen bewegten. Ein paar Schweine liefen grunzend durch die Häuserfluchten, immer auf der Suche nach Abfall, den die Bürger aus den Fenstern kippten oder auf die Misthaufen trugen. Die Kamine rauchten, und auf den krummen Dächern gurrten die Tauben.

Es war Barbara zur Gewohnheit geworden, jeden Tag stundenlang am Fenster zu stehen, den Blick auf die Gassen der Stadt gerichtet. Manchmal schien es ihr, als ob sie sich nur dadurch davon überzeugen könnte, dass wenigstens draußen das Leben weiterging.

Hofmeister Guttenberg ließ sich längst nicht mehr blicken. Statt seiner kam die Hofmeisterin einmal wöchentlich in die Vogtei, um nach Barbara zu sehen. Sie war eine dürre, ältliche Person mit kleinen, flinken Maulwurfsäuglein, die rot gerändert waren und unaufhörlich tränten. Wenigstens hatte sie nichts von der arroganten

Eiseskälte ihres Mannes, wenngleich sich auch ihre Freundlichkeit in Grenzen hielt. Gleich bei ihrem ersten Besuch hatte die Guttenbergin für klare Verhältnisse gesorgt:

»Ihr könnt Euch denken, warum ich hier bin, Frau Barbara. Da Ihr die Anwesenheit meines Mannes nicht mehr wünscht, werde ich nun seine Stelle einnehmen. Euer Bruder braucht einen vertrauenswürdigen Aufpasser für Euch, der ihm regelmäßig Bericht erstattet. Ich muss sagen, dass mir diese Aufgabe wenig Vergnügen bereitet, aber nun gut, einer muss es wohl tun. Ich bin gehalten, auf Euer Wohlergehen zu achten und Euch dazu zu bringen, Euer Verlöbnis aufzusagen. Sobald dies geschehen ist – schriftlich natürlich –, bin ich berechtigt, Euch aus der Haft in die Frauenzimmer zu entlassen. Bis dahin dürft Ihr niemanden sprechen und niemandem schreiben. Ihr wisst nun Bescheid, Liebden. Ich selber habe nichts gegen Euch. Wenn Ihr etwas braucht oder Wünsche habt, dann tut mir Bescheid oder lasst es mir durch den Wächter ausrichten.«

»Ich dank Euch für Eure Offenheit, Guttenbergin. In meiner Lage ist schon Ehrlichkeit eine Wohltat. Ihr könnt meinem Bruder ausrichten, dass mein Sinn nach wie vor fest steht. Es liegt nicht in meiner Macht, ein Verlöbnis, das vor Gott gegeben wurde, zu brechen. Ich würde ja mein Seelenheil verlieren. Albrecht hat mir schon so viel genommen – das darf er nicht auch noch von mir verlangen. Lieber bleib ich mein Lebtag im Kerker, als dass ich die ewige Verdammnis auf mich nehm.«

Die von Guttenberg hatte den Kopf geschüttelt.

»Einen solch festen Glauben verlangt kein Gott von Euch, Liebden.«

»Die ewige Seligkeit und mein Gewissen – das ist alles, was ich noch habe. Was ich sonst auf Erden besessen hab, hat mir mein Bruder genommen, Guttenbergin. Er hat mir mein schlesisches Erbe gestohlen, mein Wittum, von dem ich leben sollte. Ihm geht es nur ums Geld! Jetzt steh ich mittellos da. Mir gehört nichts mehr, außer mein freier Wille. Zweimal hat mich meine Familie an Ehemänner verschachert. Der erste, Gott hab ihn selig, war gut zu mir, und ich hab ihn geliebt, wie man als Kind lieben kann. Der zweite hat mich verstoßen, und ich durfte ihn dennoch nicht verlassen. Ich war für meine Familie immer nur eine Handelsware, nicht besser als ein Stück Vieh.

Jetzt hab ich mir selbst einen Mann gewählt, der mich achtet und mit dem ich leben könnt. Aber man gönnt mir meine Zukunft nicht, die einzige Zukunft, die mir noch bleibt. Setz ich's jetzt nicht durch, bleib ich ewig unter der Fuchtel meines Bruders, der mich hasst.«

»Seid doch einsichtig, Liebden. Wann hätte jemals die Frau bestimmt, wen sie nimmt? In Euren Kreisen ist die Familie wichtiger als das Schicksal einer Einzelnen. Und ich versteh auch nicht, wie Ihr Euch jetzt noch durchsetzen wollt.«

»Was mein Bruder mit mir macht, bringt Schande über das ganze Haus Brandenburg! Meine zollerischen Verwandten in der Mark werden dabei nicht tatenlos zusehen. Auch der alte Abt Sebald von Heilsbronn wird mir beistehen. Und die politischen Gegner meiner Brüder haben bereits meine Verbindung unterstützt. Sie werden Albrecht im Reich unmöglich machen. Und da ist immer noch Wladislaus, der erst wirklich zufrieden sein wird, wenn ich wieder unter der Haube bin. Nein, Guttenbergin, ich hab Hoffnung genug, bald wieder hier herauszukommen.«

Die Hofmeisterin hatte eingesehen, dass Barbara nicht umzustimmen sein würde. Sie hatte sich die wässrigen Augen umständlich mit einem Zipfel ihres Ärmels getrocknet und dann gleichgültig mit den Schultern gezuckt.

»Frau Barbara, Ihr bringt Euch ins Unglück. Nehmt Vernunft an und zieht Euren Verspruch zurück. Eher wird der liebe Gott ein Einsehen haben als Euer Bruder. Je früher Ihr das begreift, desto schneller kommt Ihr hier heraus. Und, weiß Gott, heraus müsst Ihr schließlich irgendwann. Schreibsachen lasse ich Euch bringen, sodass Ihr jederzeit Euren Entschluss niederschreiben könnt. Bleibt Ihr verstockt, so kann ich Euch nicht helfen.«

So war die Guttenbergin schließlich gegangen. Kurze Zeit später hatte der Wächter eine kleine, mit Schnitzereien verzierte Lade mit ein paar Pergamentbögen, zwei angespitzten Gänsekielen, einem Tintenglas und einem Sandfässlein durch das Türchen gereicht. Das Holzkästchen stand seither unberührt auf der Fensterbank in Barbaras Schlafkammer.

In der ersten Zeit ihrer Gefangenschaft hatte sie noch gewartet. Gewartet darauf, dass ihr Bruder käme, oder die Hofmeisterin, oder ein Brief von ihren Verwandten aus der Mark Brandenburg. Sie hatte darauf gewartet, dass sich dreimal am Tag das Fensterchen in der Türe öffnete und ihr Essen hereingereicht wurde, und noch einige Male, um ihre Notdurft in einem Nachtscherben dem draußen postierten Landsknecht hinauszuhalten. Sie hatte gewartet auf Schlaf und darauf, dass Ruhe in ihr einkehrte, dass der Schmerz und die Wut nachließen. Sie wusste nicht mehr, wie oft sie das Kästchen mit den Schreibutensilien vor sich auf den Tisch gestellt, wie oft die Feder in die Tinte getaucht, wie oft alles wieder auf den Sims über dem Bett zurückgestellt hatte. Irgendwann hatte sie geglaubt, verrückt werden zu müssen, weil sie sich dabei ertappte, dass sie nicht mehr nur mit ihrem Hündchen, sondern auch mit sich selber sprach. Immer öfter fand sie sich im Streit mit ihrem Bruder, ihrer Schwester Kunigunde, dem Hofmeister. Und sie begann auch, mit dem toten Heinrich von Groß-Glogau zu sprechen, mit ihm über Religion, Alchemie, Politik zu disputieren, wie sie es in glücklichen Zeiten als Kind getan hatte. Das waren ihre besten Momente, während derer sie sich in ihrer Phantasie wieder im Glogauer Schloss befand, unbeschwert und fröhlich.

Die Tage flossen zäh wie flüssiges Blei. Morgens wurde Barbara vom Klappern des kleinen Holzladens in der Tür geweckt, mit dem der Wächter das Hereinreichen der Frühsuppe ankündigte. Im Gegenzug schob ihm Barbara das zappelnde Hündchen hinaus, das dann in den großen Hof durfte und von der Küche mit Futter aus den täglichen Abfällen versorgt wurde.

Das Hündchen war Barbaras einziges Privileg. Barbara hatte es Max getauft, nach einem der Ansbacher Stubenheizer, dem es ähnlich sah, wenn es den Kopf schief legte und die Stirn in Falten zog. Max lief während seiner freien Stunden überall im Schloss herum. Die Dienerschaft hatte sich bald daran gewöhnt, dass das Hündchen im Gegensatz zu den unzähligen Streunern, die immer irgendwie ins Schloss fanden, nicht verjagt werden durfte. Max machte täglich seine Runden, fand schnell Stationen, an denen er sich immer wieder einfand. So besuchte er regelmäßig nach seiner Futterzeit in der Küche die Pferdeställe, dann die Bankriesen im Hof und den Torwart des Inneren Tores. Zurück im Schloss fand er meist die Wäschemädchen zum Spielen aufgelegt, untersuchte dann die große Hofstube und lief gewöhnlich am Ende zum alten Endres, der als Faktotum für allerlei kleinere Arbeiten zuständig war und immer irgendwo herumkrauterte. Der brachte Max dann zurück zu Barbaras Wächter, und das Hündchen wurde wieder durch die Türluke gereicht.

Um sieben Uhr begann der tägliche Morgengottesdienst in der Schlosskapelle. Hierzu musste sich das Hofgesinde geschlossen einfinden, nicht nur, um in der christlichen Religion unterwiesen zu werden, sondern weil bei dieser Gelegenheit der Schlossvogt seine Anwesenheitskontrolle vornehmen konnte. Zu diesem Gottesdienst war es Barbara gestattet, ihre Zimmer zu verlassen. Sie ging in Begleitung des Landsknechts zur Kapelle und betrat diese über eine Tür, die zum Fürstenplatz auf der Empore führte. Von dort aus hörte sie die Predigt.

Der Morgengottesdienst war Barbaras einziger Kontakt zur Außenwelt. Sie konnte zwar mit niemandem sprechen, aber in dieser Stunde wenigstens fühlte sie sich als Teil der Burggemeinschaft. Sie kannte bald die Gesichter aller Hofdiener, wusste eher als der Vogt, wenn einer krank aussah oder fehlte. Eine Zeit lang hatte sie sich ein Spiel daraus gemacht, an den Gesichtern oder der Kleidung zu erraten, welche Funktion der- oder diejenige bei Hof hatte, ob Stallknecht oder Kellerjunge, ob Wäscherin oder Küchenmagd. Sie erkannte die Torwarte und die Bankriesen an ihren Lederwämsen, den Schmied an seiner Schürze und den Türmer an seinem Schafspelz, der im Winter Schutz vor dem Wind bot. Vornehmster Kirchgänger war der gebirgische Hauptmann, inzwischen der neu ernannte Wolf von Schaumberg, der immer in Begleitung seiner Frau und der beiden Kinder erschien. Neben ihnen saßen Barbaras Hofmeister Guttenberg und dessen sauertöpfische Frau, dann der Vogt Melchior von Arnstein, zu erkennen an dem riesigen Schlüsselbund, der an seinem Gürtel hing. Er war ein grobschlächtiger Mann mit langen, fettigen Haaren und weit abstehenden Ohren. Sein linkes Augenlid und der linke Mundwinkel hingen kraftlos herab – ein Zeichen dafür, dass ihn Gott schon einmal mit dem Schlagfluss gestraft hatte. Mit forschendem Blick überflog er die Schar der Kirchgänger, ob nicht einer fehlte, dem dann Lohn und Kost für diesen Tag gestrichen wurden.

Den Gottesdienst hielt der alte Burgkaplan Körber, der dem Hauptmann auch als Schreiber diente. Er war ein wortgewaltiger Prediger, der seine Ansprache mit weit ausladenden Gesten seiner knochigen Arme unterstrich. Sein Haar war schlohweiß und hing ihm lang und glatt bis auf die Schultern. Die Predigten, die er hielt, bestanden meist aus sich wiederholenden Androhungen von Hölle und Fegefeuer. Körber beschwor jedes Mal ein drastisches Sammelsurium der schlimmsten Strafen für die alltäglichen Sündenfälle der Menschen herauf, um sie nur ja auf dem rechten Weg zu halten. Wie ein unheimlicher schwarz gekleideter Racheengel stand er dann vor dem Altar und spuckte Gift und Galle auf das geduckte Häufchen seiner Zuhörer. Angst hielt er für das beste Mittel, um seine Schäfchen vor Fehltritten zu bewahren. Das Burggesinde fürchtete seinen Zorn und hielt sich außerhalb der Gottesdienste von ihm fern. Nicht einmal der Hauptmann konnte mit ihm fertig werden, wenn ihn die heilige Wut packte.

Am Anfang hatte Barbara unter den ständigen Tiraden des Kaplans gelitten, hatte sie in der Schlosskirche doch eher Hoffnung und Frieden gesucht. Doch schließlich gewöhnte sie sich daran, die Predigt zu überhören und ihre eigene ganz persönliche Zwiesprache mit Gott zu halten. Besonders angetan hatte es ihr eine aus Lindenholz geschnitzte Muttergottes, die schräg unterhalb der Empore an der Wand hing. Die Figur hatte das Gesicht leicht nach oben gerichtet und sah mit eigenartig wissenden Augen zu Barbara hinauf, die Lippen zu einem winzigen, kaum wahrnehmbaren Lächeln verzogen. An ihren schlimmsten Tagen fand Barbara in diesem Lächeln Trost und Zuspruch.

War der Frühgottesdienst vorüber, wurde Barbara von ihrem Wächter wieder in die Vogtei gebracht. Dann begann ihr täglicher Kampf mit der Zeit. Während die Bediensteten der Burg ihrem Tagwerk nachgingen, saß sie am Fenster und beschäftigte sich mit Handarbeiten. Zwar hatte sie nie gerne gestickt und genäht, doch jetzt griff sie nach Nadel und Faden, weil sie sonst nichts hatte, um mit der Langeweile fertig zu werden. Irgendwann hatte ihr dann die Hofmeisterin ein flandrisches Klöppelkissen gebracht. Klöppeln hatte Barbara schon als Kind in Glogau gelernt, die Technik des Spitzenmachens war damals gerade in Mode gekommen. Das Verschlingen, Zwirnen und Flechten der Fäden an den Holzspulen hatte ihr früher leidlich Spaß gemacht – nun, auf der Plassenburg, wurde es zu ihrem einzigen Zeitvertreib. Immer schneller ließ sie die Klöppel von einer Hand zur anderen tanzen, steckte Nädelchen in das pralle Kissen, erfand neue Muster und Motive. Bald sprangen die kleinen hölzernen Spulen hin und her, ohne dass Barbara noch hinsehen musste, mechanisch bewegte sie die Finger und hing dabei ihren Gedanken nach, den Blick meist in die Ferne gerichtet. Unter ihren geschickten Händen entstanden Spitzendeckchen, Borten und Brusteinsätze für Mieder, Zierposamenten, Haarnetze und Häubchen. Sie erfand immer neue Muster, immer neue Variationen, die Klöppel zu verschlingen. Und in jedes Teil verwob sie, wie sie es schon als Zehnjährige in Glogau getan hatte, an irgendeiner Stelle ihr Initial, ein kunstvoll verschlungenes großes B mit einem Krönchen, umgeben von einer Blütenranke. Was fertig war, wurde von ihr sorgfältig in eine Truhe gelegt, die sich langsam mit den Handarbeiten füllte.

So verbrachte sie die Stunden bis zum Mittagsmahl und zum Nachtessen, die ihr wieder vom Wächter durch das Türfenster gereicht wurden. Beim Einbruch der Dunkelheit, wenn die Burg zur Ruhe kam und alle sich zur Nacht begaben, ging auch sie zu Bett. Oft lag sie dann schlaflos da und wälzte sich von einer Seite zur anderen. In diesen Stunden waren Zorn, aber auch Verzagtheit und dunkle Schwermut ihre Bettgenossen. In manchen Nächten, wenn Beten und Weinen nicht mehr gegen die Verzweiflung halfen, schrie sie in ihre Kissen, bis sie heiser war und endlich vor Erschöpfung in einen unruhigen Schlaf fiel.

Gemeinsames Schreiben der Markgrafen Georg von Brandenburg-Ansbach und Albrecht von Brandenburg-Kulmbach an den Hauptmann auf dem Gebirg, Wolf von Schaumberg, vom 25. Mai 1543

An Wolfen von Schaumberg, Haubtmann auf dem Gebirg zu Plassenberg, die Verwahrung der Frau Barbara betreffend

Gott zum Gruß zuvor, getreuer Haubtmann, und Gesundheit und allzeit guten Rat. Item dass du uns ersucht hast, dich zu unterweisen wie du es mit unserer Schwester halten sollst, nimmt uns wunder, hat doch der Hofmeister der von Guttenberg genaue Anweisung erhalten, die hättest du billigst von ihm erfahren sollen. So ist unser ernstlich Befehl, dass du mit dem höchsten und besten Fleiss verwahrest, dass ihr kein Schrift oder Botschaft ohne dein sonderliches Wissen zugebracht werde, auch dass sie selber kein Brieff und Nachricht aus dem Schloss schicke. Dieweil ihre Sache noch nicht gerichtet ist, soll unsere Schwester bei dir auf dem Gebirg bleiben, bis von uns anderer Entscheid kommt. Du sollst Sorge tragen mit Wächtern und anderm, dass sie nicht aus dem Schloss kommt, wann oder wohin sie auch wolle. Du wollest auch sorgen, dass sie keinen Besuch empfange, komme, wer da sei. Aber ist unsere Besorgnis, dass die Königin von Böhmen in ihren Zimmern alleine sei, dieweil sie geschrieben hat, sie wolle sich ein Leids thun. Item der Hofmeister soll darumb dem Wächter verordnen, er mög alle Stund in die Vogtei hineingehen und Umschau halten. Item ist von Wichtigkeit, dass ihr zum Essen und auch sonst kein Messer gereicht wird. Und dass von den Wächtern und dem Gesind, das mit unsrer Schwester zu schaffen hat, niemands in die Stadt gehe ausgenommen allein der Hofmeister. Er mag auch sein Hausfrau mit ihm nehmen, doch dass sie ihre Kinder und Jungfrauen daoben lass.

Mit Essen und Trinken sollst du unser Schwester so halten wie das einfache Schlossgesind. Ist nit unser Mainung, dass sie Casteller Wein trinken soll; das Burghaiger Gewächs mag ihr genügen, so weiß sie wie unser Unmut schmeckt. Auf deine Frage nach dem Hundt geben wir dir Antwort, dass ihr der umb Gottes Willen gelassen werden soll. Du schreibst außerdem, unser Schwester lass um Bücher bitten. Das soll ihr keines wegs gepasirt werden, weil wir meinen, dass ihr Sturheit auch davon herkombt, dass sie zu viel aus Büchern gelernt und gelesen hat, was dem Geist und der Anlage eines Weibes schlecht zuträglich ist.
Mit Gott.

Gegeben zu Ansbach am Freitag Urbani anno 1543
Georg und Albrecht, Markgrafen zu Brandenburg etc.

Brief des Markgrafen Albrecht von Brandenburg-Kulmbach an seinen Vetter Johann Cicero von Brandenburg, 4. Juni 1543

Gott zum Gruß bevor und brüderliche Lieb und Treu allezeit, bester Vetter. Ihr begehrt zu wissen, wie es in der Sache unserer Schwester mit dem Böhmenkönig steht. Wisset also, dass es ihr wohl ergehet und wir viel Kosten auf ihren Unterhalt aufwenden, sonderlich jetzo, so wir ihr ein eigen Fürstenthum zu Blassenberg angerichtet und ihr Hofmeister, Jungkfrauen, Edle, Tischdiener und Knaben, Thorhüter, Schneyder und Koch verordnet haben. Wenn Euch der Abt von Heilsbronn ander Dinge schreibt, so wird das seinem Alter zuzurechnen sein. Er ist mit der Zeit ein greiser Mann worden, der die Welt mit ungutem Misstrauen verfolgt.

Was die böhmische Ehe anbelangt, so ist, Gott sei's gedankt, endlich eine Lösung gefunden, wenn auch Ihr als hochwertes Mitglied der Familie Euer Zustimmung erteilt. Wir und unser Bruder zu Ansbach haben uns mit dem Böhmen verglichen: Die Ehe wird nicht als ungültig erklärt, sondern endlich – wie wir immer gefordert – als rechtens anerkannt. Dafür haben wir in deren sofortige Scheidung eingewilligt und befinden, wo ein Dingk nit zu hindern ist, muss man das Beste daraus wenden. Ein Schiedspruch des Papstes wird wohl nicht lang mehr auf sich warten lassen, und damit sei endlich die böhmische Ehe geschieden und aufgetan. Dadurch bleiben uns die schlesischen Güter aus unserer Schwester Heiratsgut gänzlich und ohne Widerruf. Dieweil unser Schwester die Auflösung der Ehe selbsten gewünscht und betrieben hat, ist unser Meinung, dass ihr Anrecht auf ihr Leibgeding verwirkt und verloren ist. So behalten wir die Güter als unser gutes Recht.

Uns und unserm Bruder zu Ansbach bleibt jetzo noch, das unanständige Verlöbnis unserer Schwester mit dem von Heideck aus der Welt zu schaffen. Was in das Weib gefahren ist, dass sie ihren Stand und die Familie ohn alle Ursach in solche Schand und Peinlichkeit gebracht, mag der Teufel wissen. Wir haben sie bis heut noch nicht dazu bringen können, ihm aufzusagen. Das ist die Sturheit der Weiber! Wir sind aber doch guten Muts, den Heidecker zu bewegen, dass er auf das Heiratsversprechen verzichtet, sei es mit Geld oder anderem. Die Zeit wird es richten.

Wir bitten Euch zum Schluss, uns ein Fässlein eingesalzen Herin-
ge und eine Tonne Stör ins Feldtlager zu schicken, Ihr wisst wohl,
dass dergleichen in Franken nicht zu haben ist. Unsern brüderlichen
Dank zuvor und Wünsche für Euer Gesundheit.

Albrecht Markgraf zu Brandenburg-Kulmbach
Gegeben im Feldt zu Landrecies, am Tag vor Dienstag Bonifacii
anno 1543

Schwabach, 29. August 1543, Häuptleinstag, decollatio Johannis

Simon Tuchmann lief schnellen Schrittes durch die Schwabacher
Kotgasse, die an diesem Tag ihrem Namen wieder alle Ehre machte. Es stank entsetzlich, und die Hinterlassenschaften der Stadtschweine und -kühe, die jeden Morgen vom Stadthirten auf den
Hutwasen und an die Kühweiher zwischen dem Hördler- und dem
Nürnberger Tor getrieben wurden, zwangen Tuchmann, im Zickzack zu laufen und hier und da einen kleinen Hüpfer zu machen.
Die Spätsommerhitze war drückend, und Myriaden von Mücken
erhoben sich über den Dunghaufen, wenn der lange Mantel des Juden darüber streifte. Tuchmann war auf dem Heimweg vom Haus
des Stadtfischers, bei dem er ein paar Forellen und Weißfische für
das Abendessen seiner kleinen Familie erstanden hatte. Die Tuchmanns waren die einzigen Juden in Schwabach – Simons Nachnamen wussten nur wenige, weil er allgemein als »Simon Jud«
bekannt war. Seine Familie war die einzige, die es nach der Vertrei-
bung der Nürnberger Stadtjuden vor inzwischen fast hundertfünf-
zig Jahren hierher verschlagen hatte. Die Ansbacher Markgrafen
hatten als Herren der Stadt Schwabach und liberale Landesfürsten
die Ansiedlung der Vertriebenen erlaubt und sie seither unterstützt
– natürlich nicht ohne Hintergedanken: Die Juden waren Bankiers.
Das Betreiben eines Handwerks war ihnen untersagt, genauso der
Landbesitz. So hatten sich viele von ihnen auf den Handel verlegt,

vornehmlich den mit Geld. Denn Zinsen für verliehenes Geld zu nehmen war wiederum den Christen verboten. Auch Simon Tuchmann war im Geldverleihergewerbe tätig; nebenbei betrieb er noch einen recht lukrativen Holz-und Viehhandel. Seit jeher zahlte seine Familie den Markgrafen einen beträchtlichen jährlichen Geldbetrag als »Schutzgeld« dafür, dass sie ihnen von höchster Stelle aus garantierten, von Nachstellungen unbehelligt zu bleiben. Sein Vater und Großvater, Salomon und Hyle Tuchmann, hatten es zu persönlichen Geldgebern der immer verschuldeten Landesherren gebracht, und auch Simon war einer der landesherrlichen Finanziers.

Eigentlich hätte er auf der Straße den hohen, spitzen Judenhut tragen müssen, doch das Schwabacher Stadtregiment war, was Juden betraf, tolerant und sah über allzu strenge Kleidervorschriften hinweg. Und auch Tuchmann war kein Dogmatiker; er pflegte gute Kontakte zu seinen christlichen Nachbarn, konnte es sich sogar hin und wieder erlauben, in ein Wirtshaus zu gehen. Sein jüngster Bruder Moische war konvertiert, hatte christlich geheiratet und verdrückte inzwischen wohl mehr Schweinebraten als der dicke Schwabacher Metzger an der Fleischbrücke. Seine Frau betrieb die kleine Garküche neben dem Schlachthaus, in der die unverkäuflichen Fleischreste zu allerlei Suppen und Geschnetzeltem verarbeitet wurden.

Tuchmann passierte die schmucken Handwerkerhäuser in der Kotgasse, in denen Büttner, Sattler, Bierbrauer und Messerschmiede ihren Gewerben nachgingen. Er befingerte fröhlich die Fische, die er in einem offenen Körbchen trug, als sein Töchterchen Riwka ihm entgegengelaufen kam.

»Du musst heimkommen, Papa, schnell, ein Bote aus Ansbach ist da und hat eine Nachricht für dich. Er sagt, es ist eilig.«

Tuchmann griff erst einmal lachend nach seiner Kleinen und warf sie hoch in die Luft. Sie quiekte und zauste ihm den Bart. Das zierliche dunkelhaarige Mädchen war sein Ein und Alles.

»Oj, da wird der Markgraf wohl wieder Geld brauchen«, flüsterte er seiner Tochter verschwörerisch zu. »Alsdann heimwärts in die Geldstube, Mäusele.«

Das Tuchmannsche Haus lag in der Nähe des Nürnberger Tors auf dem Pinzenberg. Es war eine massive, zweigädige Fachwerkkonstruktion mit einem neu gebauten Flügel, Hofreit, Stallung und Kutscherhaus. Innen gab es fünf heizbare Zimmer, die der Jude mit seiner Frau Grönla und den drei Kindern bewohnte. Im Keller befand sich eine gemauerte Mikwe, das rituelle Tauchbad, das allmonatlich von der ganzen Familie und darüber hinaus von deren weiblichen Mitgliedern nach der Menstruation zur Reinigung benutzt wurde. Das Dach besaß eine Vorrichtung, mit der ein Teil der kassettenähnlichen Balkenkonstruktion geöffnet werden konnte, um im Herbst das Laubhüttenfest, den jüdischen Erntedank, unter freiem Himmel feiern zu können.

In der Wechselstube saß bereits der markgräfliche Bote bei einem Humpen Bier und fühlte sich sichtlich unwohl – einen von der Hausfrau gebackenen Kringel hatte er abgelehnt, weil er nichts Koscheres essen wollte. Womöglich war Kinderblut unter den Teig gemischt oder Kräuter, die einem die Manneskraft raubten! Man wusste doch, von den Juden kam nichts Gutes, allesamt waren sie Brunnenvergifter, Wucherer und zauberische Nestelknüpfer.

Als Tuchmann eintrat, erhob sich der Hofdiener, erleichtert, dass das Warten ein Ende hatte. Etwas unwillig machte er eine kurze Verbeugung. Tuchmann lächelte jovial.

»Schalom, guter Herr Niklas, lang nicht mehr gesehen! Ich sehe, meine Frau hat Euch mit dem Nötigsten versorgt. Schmeckt das Bier, ja? Vom Nachbarn frisch gebraut! Sagt an, steckt Euer Herr wieder in Geldnöten? Ich steh selbstverständlich zu Diensten, wenn ich aushelfen kann. Wann soll ich in Ansbach sein?«

»Gar nicht, dieses Mal.«

Der Bote setzte ein wichtiges Gesicht auf und leierte seine auswendig gelernte Nachricht herunter.

»Ich soll Euch ausrichten, dass unser gnädiger Herr Markgraf Georg morgen um die Mittagszeit in der Stadt eintrifft, um die Schwabacher Münze zu inspizieren. Er geruht danach höchstselbst mit Euch zusammenzutreffen. Ihr mögt darum kurz nach Sonnenuntergang ins Wirtshaus zum Goldenen Stern am Marktplatz ins heimliche Zimmer kommen. Und dass Ihr darüber mit niemands redet.«

Der Bote Niklas verabschiedete sich schleunigst und verließ das Judenhaus. Vor der Tür schlug er hastig das Kreuzzeichen, dankbar, von den Christusmördern unbehelligt geblieben zu sein.

Simon Tuchmann kratzte sich nachdenklich am Gemächt. Bisher war er zu Geschäften immer nach Ansbach zitiert worden. Meistens war es um Darlehen und Anleihen gegangen, und Georg hatte sich als geschickt feilschender Handelspartner erwiesen. Tuchmann hatte bisher immer gern mit ihm verhandelt, man pflegte hinterher den Geschäftsabschluss mit einem Glas Wein zu besiegeln. Auch wenn der Markgraf die Kredite eher schleppend zurückzahlte, so war er für Tuchmann doch ein attraktiver Kunde. Diese Vorgehensweise heute war jedoch ungewöhnlich. Offenbar wollte der Markgraf ein heimliches Treffen mit ihm. Ob das Gutes verhieß?

Am nächsten Tag, dem Tag der Enthauptung des heiligen Johannes, im Volksmund »Köpfleinstag« genannt, war die ganze Stadt auf den Beinen. Jung und Alt wollten einen Blick auf den Markgrafen erhaschen, der seit seinem Regierungsantritt vor zwei Jahren das erste Mal nach Schwabach kam.

Der kleine Zug des Landesherrn – Georg war lediglich mit zwanzig Einrossern, einigen Dienern und zwei Ansbacher Räten unterwegs – sollte durch das Zöllnertor zum Marktplatz einreiten. Am Abend, nach den offiziellen Feierlichkeiten, würde sich der Markgraf ins Wirtshaus zum »Goldenen Stern« begeben, das am Marktplatz lag und die erste Adresse am Ort war – hier waren schon vor vierzehn Jahren unter Mitwirkung des berühmten Nürnberger Theologen Osiander die für die Reformation so bedeutsamen »Schwabacher Artikel« abgefasst worden. In der Wirtschaft sollte der Markgraf mit seinem Gefolge zu Abend speisen und die Nacht verbringen. Für das Morgengrauen des nächsten Tages war die Weiterreise nach Cadolzburg angesetzt.

Die Schwabacher hatten ihre Stadt für den großen Tag fein herausgeputzt. Die Straßen, die der Markgraf benutzen würde, waren säuberlich vom Unrat gereinigt worden, Schlaglöcher hatte man zugeschüttet und tiefe Pfützen trockengelegt. Sogar die »Reiher«, die schmalen Einschnitte zwischen den Häusern, wohin man üblicherweise Abfälle und Nachttopfinhalte schüttete, hatten die erwartungsvollen Bürger ausgeräumt, damit es in der Stadt nicht so stank. Viele Häuser waren mit Laub, Fähnchen und Blumen geschmückt.

Vor dem »Goldenen Stern« war eine Tränke für die markgräflichen Pferde bereitgestellt und Heu aufgeschüttet worden. Die Mägde hatten den Schankraum von Spinnen und Ungeziefer befreit, Bänke und Tische geschrubbt und frisches Stroh und Binsen auf dem Boden ausgebreitet. Die Wirtsfrau, ein behäbiges, grobschlächtiges Weib mit einem Kropf so groß wie eine Männerfaust, kochte seit zwei Tagen ununterbrochen: sauer Geschnetzeltes mit Innereien, gefüllte Kälbermägen, Kaninchenpasteten und was sonst noch als vornehme Speise galt. Auf hölzernen Gestellen duftete das frisch gebackene Brot. Alles war in heller Aufregung.

Als der Markgraf einritt, regnete es. Trotzdem waren die Straßen mit Menschen gesäumt, die zu ihrer Enttäuschung nur einen pudelnassen Landesherrn zu sehen bekamen, der bis zum Kinn in einen unförmigen gewachsten Regenmantel eingemummt war. Aus vielen Kehlen erschollen Hochrufe, denn im Gegensatz zu seinem Bruder Albrecht war der joviale, sinnenfreudige Georg bei seinen Landeskindern ausgesprochen beliebt.

Georg winkte den Schwabachern durch den Regen zu. Er genoss solche Auftritte, und in Momenten wie diesen liebte er seine Untertanen aufrichtig, was allerdings selten lange anhielt. Schwabach gehörte neben Ansbach, Erlangen und Neustadt an der Aisch zu den wichtigsten Zentralen der untergebirgischen Herrschaft, und es verfügte mit seinen vielen Brauereien und dem aufstrebenden Goldschlägerhandwerk über ein stattliches Steueraufkommen von fast dreitausend Gulden. Während der Markgraf genüsslich überlegte, welche Summe wohl dieses Jahr aus der Stadt in seinen Säckel fließen würde, erreichte er den Marktplatz und stieg vor dem neu gebauten Rathaus ab. Nach dem mittäglichen Festbankett kamen die Gespräche mit den Honoratioren der Stadt über Verwaltungsprobleme, Steuern und Preise. Georg langweilte sich, ebenso beim anschließenden Gericht auf dem Kirchplatz neben dem Rathaus, das die üblichen leidigen Streitfälle brachte. Regieren war ein ermüdendes Geschäft.

Bei Sonnenuntergang machte sich Simon Tuchmann wie befohlen auf den Weg zum »Goldenen Stern«. Er hatte seine Feiertagskleider an – schwarzes Wams, enge schwarze Hosen und einen schwarzen, samtbesetzten Mantel mit in Doppelreihe angeordneten silbernen Schmuckmedaillen. Der Regen hatte die Straßen zum Teil in tiefen Morast verwandelt. Selbst die hohen Trippen konnten nicht verhindern, dass die feinen Ziegenlederschuhe vom Schlamm durchweicht wurden und Tuchmann unangenehm nasse Füße bekam.

Der Jude begegnete kaum einem Menschen. Alles war noch vor Einbruch der Dunkelheit in die Häuser zurückgekehrt. Aus manchen Fenstern drang ein spärlicher Lichtstrahl – die Stadt bereitete sich auf die Nacht vor.

Das Wirtshaus zum »Goldenen Stern« war schon von weitem zu erkennen, denn es war hell erleuchtet. Bratenduft umschmeichelte Tuchmanns Nase, als er durch den mittleren Torbogen in den Hausgang eintrat. Er vermied es, durch die große Stube zu gehen, wo die Räte und einige reiche Bürger noch beim Bier saßen, sondern stapfte gleich nach links in die Küche. Auf Schemeln in der Ecke warteten aufgeregt zwei junge Hübschlerinnen, die zu des Markgrafen Erbauung herbestellt worden waren. Ihre flammenfarbenen Mieder leuchteten im Schein des Herdfeuers. Der Wirt Paulus Beringer, ein gutmütiger rotgesichtiger Bär, winkte den Juden nach hinten.

»Du wirst schon erwartet, Tuchmann. Über den Hof, die Treppe hoch und dann die erste Tür. Und gute Geschäfte!«

Tuchmann lachte und machte sich auf den Weg zum »heimlichen Zimmer«.

Der Raum roch muffig, als ob er lange nicht mehr benutzt worden wäre. Ein markgräflicher Türsteher, der das Treffen bewachen sollte, schloss die Tür von außen, nachdem der Jude eingetreten war. Drinnen brannten vielleicht ein Dutzend teure Bienenwachskerzen, verteilt auf mehrere Leuchter. Die Decke mit ihren schweren Balken war so niedrig, dass Tuchmann unwillkürlich den Kopf einzog.

Georg saß mitten im Zimmer an einem quadratischen Tisch, vor sich eine Karaffe mit Wein und zwei Zinnbecher. Er bot seinem Besucher mit einer weit ausholenden Bewegung den Platz gegenüber an.

»Schön, Euch zu sehen, Simon Tuchmann. Täusche ich mich,

oder seid Ihr seit dem letzten Mal dicker geworden?« Er kicherte. »Das machen die guten Geschäfte, was? Ich hoffe, Ihr schröpft nach wie vor die Nürnberger Kaufleute?«

»Oh, man tut, was man kann, Euer Liebden.« Tuchmann legte die Hand aufs Herz und machte eine tiefe Verbeugung, dann nahm er auf dem bedeuteten Schemel Platz. Offenbar war der Markgraf ausgezeichneter Laune.

»Wie Ihr Euch denken könnt«, begann Georg, »handelt es sich heute nicht um die gewöhnlichen Darlehenssachen.«

Er griff sich den Becher und nahm einen tiefen Schluck.

»Ich will Euch gar nicht lang auf die Folter spannen, Tuchmann. Ich habe vor, ein Geldgeschäft von besonderer Art zu tätigen. Dazu brauche ich einen vertrauenswürdigen, sagen wir, Mittelsmann, und ich glaube, Ihr seid der Richtige dafür.«

»Euer Vertrauen ehrt mich, Liebden. Wenn ich Euch mit meinen bescheidenen Möglichkeiten behilflich sein kann …«

»Das könnt Ihr, Tuchmann, das könnt Ihr wohl. Ist Euch der Ritter Konrad von Heideck bekannt?«

»Eigentlich nur vom Hörensagen, Herr. Eine alte Familie, niederer Adel. Ist nicht sein Vater am Ansbacher Hof erzogen worden? Soviel ich weiß, hat Herr Konrad von ihm eine kleine Herrschaft geerbt, nicht weit von Ansbach, die aus der Burg Heideck selbst, ein paar Dörfern und Gerechtsamen besteht. Und er ist, wie so viele aus der Reichsritterschaft, völlig verschuldet. Ein entfernter Vetter von mir, Herschel Grün aus Georgensgmünd, zählt zu seinen Geldgebern.«

»Sehr gut, sehr gut.« Georg rieb sich das Kinn. »Ich habe nun folgenden Auftrag an Euch, Tuchmann: Findet heraus, wo überall der von Heideck Schulden hat, bei anderen vom Adel, der Kirche, Juden oder Kaufleuten. Und dann kauft die Schuldscheine unter Eurem Namen auf. Das nötige Geld stelle ich zur Verfügung, meine Räte haben Anweisung, Euch die gewünschten Summen auszuhändigen. Das Ganze muss möglichst schnell und in aller Stille geschehen, und vor allem eines: Mein Name darf nicht genannt sein.«

Simon Tuchmann wackelte bedenklich mit dem Kopf, zog die Augenbrauen hoch und sah den Markgrafen mit einem verschmitzten Gesichtsausdruck an.

»Lieber Herr, ich bin nur a armer Jid – was hab ich davon?«

Der Markgraf lächelte und hob beschwichtigend die Hände.

»Keine Angst, Tuchmann, Ihr sollt schon das Eurige haben. Ich biete Euch an: Wenn der Heideck mir die Schulden zahlt, den dritten Teil der Zinsen. Zahlt er nicht, den zehnten Teil in zwei Jahren. Schlagt ein!«

»Die Hälfte, und den siebten Teil nach einem Jahr.«

Georg seufzte.

»Es sei.«

Der Markgraf und der Jude schüttelten sich die Hände.

»Es ist immer ein Vergnügen, mit Euch Geschäfte zu machen, edler Herr«, versetzte Tuchmann fröhlich.

»Ich hoffe, Ihr sagt das auch noch, wenn ich die Frist für die Rückzahlung des letzten Darlehens verlängern will.«

Die beiden Männer lachten, und Georg schenkte die beiden Becher voll Wein.

Nach dem Zusammentreffen mit dem Markgrafen war es finster geworden. Simon Tuchmann ließ sich von einem der Wirtsknechte heimleuchten. Nachdenklich ging er hinter dem buckligen Balthasar her, der die Laterne höflich neben sich hielt, damit der Jude möglichst viel sehen konnte. Der hing seinen Gedanken nach. Der Markgraf, so viel war klar, wollte den Ritter von Heideck in die Hand bekommen. Zu diesem Zweck brauchte er einen Strohmann, der ihm die gesamten Schulden des Ritters zusammenkaufte, sodass Georg am Ende der einzige Gläubiger blieb. Tuchmann versuchte vergeblich, irgendetwas zu finden, was den Auftrag für ihn selber gefährlich machen könnte, kam aber zu dem Schluss, dass dies nicht der Fall war. Ehrenrührig war die Mission ebenfalls nicht, sein Ruf als Bankier stand nicht auf dem Spiel – er führte lediglich einen völlig rechtmäßigen Auftrag seines wichtigsten Kunden aus. Zu Hause angekommen, schloss er zufrieden die Haustür auf, drückte dem Balthasar eine Münze in die Hand und ging sofort zu Bett. Morgen würde er nach Georgensgmünd reiten und dort ein Wörtchen mit seinem Vetter Herschel reden.

Die »Forschenden Vier« trafen sich diesmal ausnahmsweise bei Ulrich Götz, der Geburtstag feierte und zu einem Kaffeestündchen eingeladen hatte. Götz bewohnte zusammen mit seinem verwitweten Vater eine Dreizimmerwohnung mit Balkon in einem Mehrfamilienhaus aus den dreißiger Jahren, das nur einen Katzensprung von der Hauptschule entfernt lag, an der Götz unterrichtete.

Haubold und Kleinert trafen sich unten an der Haustür, beide mit einer in Geschenkpapier gewickelten Flasche Frankenwein unter dem Arm. Die beiden gingen die Treppe nach oben, wo Götz schon in der Tür stand und übers ganze Gesicht strahlte wie ein Weihnachtsmann, während er Glückwünsche samt Wein entgegennahm. Drinnen im Wohnzimmer saß bereits – wie hätte es anders sein können – der notorische Frühankömmling Kellermann vor einem Gläschen »Himmlisches Moseltröpfchen« und unterhielt sich angeregt mit Vater Götz, den er von dessen Zeit als Kirchenvorstand und Leiter des ökumenischen Seniorenstammtisches noch bestens kannte.

Haubold und Kleinert ergriffen die dargebotenen Weingläser und ließen sich nebeneinander auf der orangebraunen Siebziger-Jahre-Couch nieder. Das Möbel quietschte bedenklich, und der Archivar hielt sich am Sofarand fest, um nicht in die von Haubold verursachte Kuhle abzurutschen.

»Wie weit sind denn nun die Forschungen zu euerem Kriminalfall mit dem eingemauerten Kind gediehen?« Vater Götz war neugierig, schließlich hatte ihn der Sohn stets über die Sachlage auf dem Laufenden gehalten.

Haubold erzählte von der Fahrt nach Bayreuth und der Entdeckung des Porträts mit der geheimnisvollen dunklen Dame, während die anderen Obstkuchen mit Sahne aßen.

»Sie ist eine richtiggehende Schönheit, schwarze Haare, graue Augen, kluges Gesicht«, berichtete der Kastellan, »und sie sieht tatsächlich irgendwie schwanger aus – na ja, finden wir jedenfalls. Aber das Wichtigste, nämlich wer die Frau nun ist, das haben wir leider noch nicht herausbekommen.« Er zuckte mit den Schultern und machte sich nun seinerseits über den Kuchen her.

»Na, da seid ihr doch schon ganz schön weit«, meinte der alte Götz jovial. »Man muss eben immer dranbleiben an einer Sache, dann kommt auch was dabei raus. Wie ich immer sage: Steter Tropfen höhlt den Stein, und wer suchet, der findet, gell? Als ich damals mit meiner Frau – der Ulrich war noch ganz klein – ...«

»Äh, ja, Papa, wolltest du nicht die Nüssle und die Salzletten aus der Küche holen?« Ulrich Götz kannte die endlosen Monologe seines Vaters zur Genüge und war entschlossen, sich diese wenigstens an seinem Geburtstag zu ersparen. Vater Götz verstand diesmal auch tatsächlich den Wink mit dem Zaunpfahl, sprang auf und eilte beflissen aus dem Wohnzimmer. Sein Sohn lächelte den anderen viel sagend zu.

»Ich war in der Zwischenzeit natürlich auch nicht untätig und habe in den Pfingstferien im Archiv gesessen.«

Kleinert nickte bestätigend. Götz hatte ihn mit seiner redseligen Art mehrere Tage von der Arbeit abgehalten.

»Zunächst«, fuhr Götz fort, »habe ich mir Quellen vorgenommen, die etwas darüber aussagen könnten, wer sich alles auf der Plassenburg aufgehalten hat. Die erste ist eine Auflistung aller auf der Burg befindlichen Hofzugehörigen aus dem Jahr 1551, als Albrecht Alkibiades mit seinem Gefolge hier war. Bitte schön.«

Wie es seine Gewohnheit war, teilte Götz Blaupausen aus. Auch sein Vater, mit Knabbersachen wieder aus der Küche aufgetaucht, griff sich eine davon.

Kellermann überflog das Verzeichnis. »Hm, der Markgraf selber mit Kammerpersonal, Schreiber, Arzt, Keller- und Küchenmeister, alles ganz normal. Und schaut mal, der Albrecht hatte sogar einen ›Knaben zum Tragen des Regenmantels‹. Witzig. Und die Jäger mit ihrer Hundemeute sind auch dabei, samt einem Trompeter. Aber was sind eigentlich Bankriesen?«

»Ganz einfach, das sind ehemalige Landsknechte, damals ›Reisige‹ genannt, die den Dienst quittiert haben und sozusagen als Burgpolizei Wachdienst tun. Vermutlich saßen sie dazu beim Tor auf einer Bank«, erklärte Haubold. »Aber wichtiger ist: tja, meine Herren, keine Frau!«

Allseits ernsthaftes Nicken.

Götz griff sich erneut einige Blätter Papier.

»Außer dieser Personalliste hab ich noch was gefunden, nämlich ein Inventar des herrschaftlichen Wohnbereichs aus dem Jahr 1553. Es handelt sich dabei um das letzte aller Plassenburger Inventarien vor der Zerstörung im Bundesständischen Krieg. Ich habe mir gedacht, dass vielleicht irgendetwas, ein Einrichtungsgegenstand oder so, auf die Anwesenheit einer Frau hindeuten könnte.« Er verteilte die Kopien, damit alle einen Blick darauf werfen konnten.

»Inventarium der Fürstenzimmer zu Plassenberg wie geschehen am Tag der unschuldigen Kindlein anno 1553

Im Frauenzimmer:
(jetzo in den Gastgemächern derer vom Adel)

drei Bettstatt, davon eine ein Himmelbett mit Behang
zwei große und vier kleine Truhen, darin Bettgewand
ein Lehnstuhl, schön geschnitzt, mit Polstern
2 Sidelhocker, einer wackelt
zwei Scherenstühle, einer mit Kissen
eine lange Banck auf zweien Böcken
1 Tisch
3 Nachtscherben, 1 bös, 2 gut
ein Leuchter für vier Lichter
ein Röhrenleuchter
2 Kohlebecken
ein Wandteppich, darin die Motten waren
zwei Paar Vorheng, eins rot, eins grün
1 Tischteppich
1 damasten Bettvorhang an das Himmelbett

In meins gnedigen Herrn Gemach:

vier Bettstatt
zwei Klappbetten

1 große Schranktruhen, schön bemalt
3 Truhen für Bettgewand
vier Sidelhocker, geschnitzt, 3 mit Kissen
ein breiter Stuhl mit Polster
zwei Tisch, einer klein, einer groß
2 Blech vor die Kamin
2 Kohlebecken
3 Par Vorheng, grün
2 Wandteppich dick und gut
drei Röhrenleuchter mit 2 Röhrn
1 Nachtgeschirr aus Zinn
1 Schreib-Tisch schön geschnitzt, dazu
1 Lehnstuhl mit Armstützen, davor
1 Fußhocker mit Polster
ein kleine Truhen für Kleinöter mit schönem Beschlag und gar
zierlich Schlösslein
ein Hunds-Napf
1 groß Uhrwerk.«

Haubold nahm noch einen Schluck Moseltröpfchen und versuchte, dabei nicht das Gesicht zu verziehen. Widerlich süß, das Zeug. Er resümierte: »Gut. Jetzt wissen wir also, wie das Frauenzimmer eingerichtet war, und dass es sich zu dieser Zeit offenbar in anderen Räumlichkeiten befand als sonst, nämlich in den Gästezimmern des gebirgischen Adels. Die Frage ist: Wurde es auch bewohnt?«

Kellermann schürzte die fleischigen Lippen und nickte bedächtig.

»Ich glaube schon. Ihr wisst doch alle, wie sich das Leben auf einer Burg damals abgespielt hat. Räume, die nicht benutzt wurden, standen normalerweise leer oder waren nur noch mit dem Grundmobiliar versehen. Wir wissen zum Beispiel, dass in Abwesenheit der Hofhaltung das halbe Schloss so gut wie leer war. In der Hofstube standen gerade so viele Tische, wie die Grundbesatzung brauchte. Kam die Herrschaft aufs Gebirg, baute man erst aus Böcken und Brettern neue Tische und Bänke dazu. Und auch in den Markgrafenzimmern standen gemäß den früheren Inventarien nur die blanken Betten. Bettzeug, Vorhänge, Lampen, Nachttöpfe und andere Einrichtungsgegenstände brachte man erst dahin, wenn jemand darin wohnte. Bis dahin hob man es in der Silberkammer zusammen mit dem Tafelsilber auf. Die großen Truhenschränke wurden gar samt Inhalt von Ansbach oder Neustadt her mitgebracht und dann aufgestellt.«

»Sie meinen also, dass die im Inventar erwähnten Vorhänge, Kissen, Leuchter und Ähnliches darauf hindeuten, dass im Frauenzimmer jemand gelebt hat?« Vater Götz schaltete sich wieder ins Gespräch ein.

»Ich meine, dass das Inventar zu einem Zeitpunkt gemacht wurde, als es bewohnt war, ja.«

»Und als gleichzeitig auch die Markgrafengemächer bewohnt waren«, warf Haubold ein und langte nach einem Bündel Salzletten.

Hier griff Pfarrer Kellermann zu einem Zettel, den er schon die ganze Zeit vor sich liegen hatte.

»Apropos! Ich habe mir die Biographie des Albrecht Alkibiades von Johannes Voigt vorgenommen. Sie ist zwar nicht mehr ganz taufrisch – schon 1852 geschrieben –, aber es handelt sich um ein hervorragend recherchiertes Werk. Also, ich habe festgestellt, dass sich der Markgraf nach seiner Regierungsübernahme im Jahr 1541 nur selten nachweislich auf der Plassenburg aufgehalten hat. Und zwar erstmals 1542 im Oktober. 1543 und 1544 kein Nachweis, erst wieder im Frühling 1545. Das letzte Mal ist der Markgraf im Winter 1553/54 hier belegbar. Also, es sieht insgesamt so aus, als ob sich dieser Albrecht Alkibiades wohl nicht so recht um Kulmbach und seine Burg gekümmert hat.«

»Winter 1553/54 – das passt ja zusammen mit unserem Inventar vom Tag der unschuldigen Kindlein, also vier Tage nach Weihnachten.« Haubold kratzte sich nachdenklich am Kopf und hinterließ seine spärliche braune Lockenpracht in ziemlicher Unordnung. Ulrich Götz, ganz aufmerksamer Gastgeber, schenkte ihm derweil das perlende Moseltröpfchen nach, bevor er noch abwehren konnte. Da setzte sich Vater Götz plötzlich mit einem lauten Räuspern auf dem Sofa in Positur und hub triumphierend zu reden an.

»Also für mich ist die Sache ganz klar!«

Aus der Runde kamen Ausrufe des Erstaunens; Kellermann ließ ein sonores »Hört, hört!« ertönen. Vater Götz blickte Aufmerksamkeit heischend um sich, dann legte er los. Die grauen

Haare, die aus seinen Ohren wuchsen, vibrierten leicht, während er sprach.

»Der Mörder ist Markgraf Albrecht Alkibiades! Er hatte eine Weibsperson als Geliebte, die mit ihm in den Frauengemächern der Burg lebte, wenn er im Lande war. Und diese Frau war entweder nicht standesgemäß oder aber verheiratet. Und als sie dann ein Kind von ihm bekam, musste dieses beseitigt werden, weil es ein Bastard war, und wegen der Erbfolge. Na, was sagt ihr nun?«

Die »Forschenden Vier« sahen sich wortlos an. Schließlich erbarmte sich Kellermann.

»Donnerwetter, Herr Götz, Sie kombinieren ja wie seinerzeit Hercule Poirot!«

Götz strahlte.

»Ja, eine ganz erstaunliche Theorie«, beeilte sich Haubold zuzustimmen.

Nur Sohn Ulrich wirkte genervt.

»Na ja, Papa, ganz interessant. So was Ähnliches haben wir uns auch schon gedacht, weißt du.« Ulrich Götz tätschelte seinem Vater die Schulter. »Bloß, was wir brauchen, sind Belege, verstehst du, wir wollen das beweisen können!«

Vater Götz guckte seinen Sohn beleidigt an. Die Stimmung war plötzlich getrübt. Da haute Kleinert mit der Faust auf den Tisch.

»Sagt mal, kriegt ihr jetzt eigentlich überhaupt nichts mehr mit?«

Die anderen machten verblüffte Gesichter. »Wieso?«, fragte Kellermann.

»Wieso! Weil ihr das Wichtigste direkt vor eurer Nase habt! Schaut euch doch mal das Inventar genauer an!«

Kleinert hielt das Papier vor sich und schlug schwungvoll mit dem Handrücken seiner rechten Hand dagegen. Die Knopfäuglein des Archivars funkelten.

Alle griffen sich das Blatt und studierten es. Schließlich ging Haubold ein Licht auf.

»Ach, du meinst ...«

Kleinert rollte die Augen.

»Genau! Die Truhe! Da steht's doch: ›ein kleine Truhen mit schönem Beschlag und gar zierlich Schlösslein‹! Wenn das nicht unsere

Truhe ist, in der das Kind eingemauert wurde, dann fress ich einen Besen! Da habt ihr euren Beleg!«

»Wenn das stimmt, wäre das natürlich ein Ding«, meinte Götz junior und stupste aufmunternd seinen Vater an, der immer noch schmollend neben ihm saß. »Das hieße ja praktisch – nachdem die Truhe in den Markgrafenzimmern stand –, dass Albrecht Alkibiades tatsächlich in den Tod des Kindes verwickelt war.«

Vater Götzens Selbstbewusstsein war sofort wiederhergestellt.

»Hab ich doch Recht gehabt! Der Albrecht war der Mörder!« Mit neu gewonnenem Elan ließ er sich eine Hand voll Erdnüsschen in den Mund rieseln und kaute begeistert mit vollen Backen.

Götz junior hub zu einer Erwiderung an, die er sich dann aber doch lieber verkniff. Derweil war der Kastellan zu einer weiteren Schlussfolgerung gelangt.

»Wenn die Truhe zu Ostern 1553 noch in Albrechts Zimmern stand, dann war das Kind um diese Zeit noch am Leben, äh, beziehungsweise vielleicht noch gar nicht geboren. Der Mord muss demnach zwischen diesem Zeitpunkt und dem Niederbrennen der Plassenburg im Oktober 1554 passiert sein. Das grenzt unseren Forschungsschwerpunkt zeitlich auf anderthalb Jahre ein. Ja, es wird doch langsam!«

Kellermann wiegelte ab.

»Nun mal ganz vorsichtig, meine Lieben. Das alles trifft nur zu unter der Voraussetzung, dass die kleine Truhe im Inventar tatsächlich die war, in der das Kind lag. Und – bei allem Scharfsinn, den ich uns zutraue – das ist bisher nichts weiter als eine Hypothese. Wer weiß schon, wie viele solche Truhen auf der Plassenburg herumgestanden haben?«

»Schon richtig«, meinte Kleinert, »aber die Wahrscheinlichkeit ist jedenfalls gegeben. Und in Anbetracht der Tatsache, dass wir sonst nicht viel haben, würde ich sagen, wir verfolgen diese Spur erst einmal weiter, ohne dabei andere Möglichkeiten außer Acht zu lassen. Oder?«

Haubold schloss sich der Meinung des Archivars an.

»Gut, sehen wir uns also bis zum nächsten Treffen verstärkt die Jahre 1553/54 an.«

Götz stand auf. »Und jetzt, nachdem wir mit neuem Schwung an die Sache herangehen können, wie wär's mit ein paar Toast Hawaii?«

Wieder so was Süßes, dachte der Kastellan und beschloss, auf dem Heimweg einen Stopp bei der Döner-Bude zu machen.

Brief des Hofmeisters Wilhelm von Guttenberg an den Markgrafen Albrecht von Brandenburg-Kulmbach, Plassenburg, 5. Februar 1544

An meinen genedigen Herrn und Markgrafen Albrechten zu Brandenburg, derzeit im Feldt gegen den Frantzosenkönig vor der Festung Landrecies, Mittwoch Sankt Agathen Tag anno 1544

Durchleuchtigster Hochgeborner Fürst, unterthänigsten Gruß und Gottes Hülf und Gnad voraus meinem gnedigen Herrn Albrecht Alcibiaden ins Feldt. Dieweiln Euer Gnaden über das Wohl Eurer Schwester der Markgräfin von Brandenburg unterrichtet sein wollen, so versäume ich nicht, Euch darüber Botschaft zu geben. Die Frau Barbara ist nach nunmehr bald anderthalb Jahr in der Verhaftung und nach dauernder Befragung und Anmahnung immer noch verstockt und verweigert gäntzlich eine Auflösung ihres Verspruchs. Ich und mein Eheweib haben im guten und im bösen mit ihr gehandelt, und alles vergebens. Wer der Sturheit Eurer Schwester ohne peinliche Mittel beikommen will vermag ich nicht zu sagen. Dabei besorgt uns seit dem Sommer, dass Euer Schwester Befinden nicht zum Besten steht. Sie verweigert zuzeiten aus Trotz das Essen, was dazu geführt, dass sie immer magerer von Statur und immer bleicher von Angesicht geworden. An Laurenzi lag sie mit einer Affliction der Lungen und hohem Fieber darnieder, sodass der Haubtmann und ich um ihr Leben gefürchtet und den Doctor aus der Stadt heraufbefohlen haben – wollt der Himmel verhüten, dass Frau Barbara in der Gefangenschaft ein Leid widerfahrn sollte, was Euer Gnaden Verwandte und Freunde missverstehen und ganz falsch auslegen könnten. Nach drei Wochen, etlichen Purgationen und fünf Aderlässen ward sie Gott seis gedankt wieder halben Wegs genesen. Doch verfällt sie seitdem öfters in einen Zustand der Melancholey, dieweiln sie dann jeden Mals niemandem eine Antwort gibt, mit starrem und trübem Blick herumgeht und ihr Handarbeiten gänzlich sein lässt, auch ihr Hündtlein vernachlässigt. Auch vermelden die Wechter vor der Tür, dass sie des nachts zuweilen laut mit sich selbsten spricht.

Item so scheint mir und auch dem Haubtmann vernünftig, nunmehr zu überlegen, wie es mit der Sache zu einem Ende kommen kann. Wenn Euer Gnaden endtlich siegreich vom Feldt zurückkehren und selbsten mit der Schwester sprächen, würd vielleicht ein Nachgeben sein.

Gott gebe Euch und den Euren und auch unserm allergnedigsten Kaiser Karl einen baldigen glorreichen Sieg gegen den König von Frankreich und eine glückliche Heimkehr aufs Gebirg.

Wilhelmus von Guttenberg, Hofmeister zu Plassenberg

Brief Barbaras von der Plassenburg aus an ihre Brüder Georg und Albrecht, geschrieben am 11. Mai 1544

Gottes Lieb und Fürsorg mit Euch, liebe Brüder, und den Schutz der Dreifaltigkeit immerdar. So wollet mit brüderlicher Lieb und Freuntlichkeit vernehmen, wie es mir in der elendiglichen Gefangenschafft zu Plassemberg ergeht, die ihr in Euerm Zorn und Unwillen über mich verhängt habt. Mir mangelt nicht an Brot noch Wein, und doch leide ich Not an Körper und Seel. Mich ängstigt die Wirrniss und Traurigkeit, die mich oft befällt, und ich hab kein Menschen, der mich trösten und bergen könnt. So befürcht ich, wenn diese Not und Heimsuchung nicht bald von mir genommen würden, ich möcht einem Wahnsinn verfallen. Und manchmal ergreift mich eine Sehnsucht, dass ich möcht am liebsten darnieder liegen und sterben. Doch alleweiln hoff ich, doch noch bessre Tage zu sehen und kann nicht glauben, dass Ihr Eurer Schwester ein solches Schicksal wünschet und befehlet. Darum herzliebe Brüder bitt ich Euch, wenn ich wider Euch hab getan, es mir durch Gotts Willen zu vergeben und Euer Ungnad von mir zu nehmen. Wenn ein Dingk nit zu ändern

und zu wenden ist, so soll man das Beste daraus kehren. Wollet doch
Ihr das auch für mich tun und Euern Zorn von mir wenden. Ich
bekenn's, ich hab ihm gelobt, nicht mehr und nicht weniger. Will ich
meiner Seele genug tun, so muss ich ihm halten. Darum, herzliebe
Brüder, ich bitt Euch durch Gottes Willen und unserer lieben Frauen
und des Jüngsten Gerichts Willen auch, dass Ihr Euern Sinn nicht gar
so aufs Zeitliche setzen wollet, sondern das Ewige auch bedenken
mögt. So wollet doch Euer Einverständnis auch dazu geben und
mich aus Euern Ungnaden nehmen, denn was je geschehen ist, kann
nicht wieder aufgehoben werden. Und wenn man mir den Tod gibt,
so kann ich es nicht ungetan machen und ihm entsagen. Herzliebe
Brüder, geht in Euer eigen Hertz und bedenkt: Wollt ihr mich mein
Lebtag in dem Gefängnis sein lassen? Tut, wie Ihr gegen Gott ver-
antworten wollt und lasset Euch das schnöde Gut und die weltliche
Ehr nicht allzu lieb sein. Jesus Maria amen.

Barbara Markgräfin zu Brandenburg, vormals Herzogin von Groß-
Glogau und Crossen und auch gewesene Königin zu Böhmen
Datum zu Plassenberg mit unser eigen Handt am Tag vor Sonntag
cantate anno 1544

Feldlager vor der Festung Landrecies, Frankreich, Ende Juni 1544

Die Kaiserlichen hatten ihr Hauptlager auf einem grasbewachsenen
Hügel gegenüber der Festung von Landrecies aufgeschlagen. Die
Entfernung betrug etwas mehr als einen Kanonenschuss – so war
das Lager selbst vor Beschuss sicher, während hingegen die Festung
von einem Vorposten aus gut zu treffen war. In einer unregelmäßigen Reihe waren hinter einem palisadenbewehrten Erdwall Kanonen und Feldschlangen, Kartaunen und Falkonettlein aufgestellt,
daneben säuberlich angehäufte Pyramiden mit dicken Bleikugeln
und rund zubehauenen Steinen verschiedener Größe. Zwei Wächter patrouillierten mit Lanze und Schwert vor den Geschützen auf

und ab. Es war Essenszeit. Die Soldaten befanden sich alle im Hauptlager, wo die Feuer schon lustig brannten und ein reges Treiben herrschte. Es roch nach gebrutzeltem Speck und Zwiebeln. Vor den Zelten kochten die Weiber der Landsknechte für ihre Familien, Kinder rannten umher, und die Männer saßen beisammen und tranken humpenweise das Bier, das heute als Sonderration ausgegeben worden war. Vor den Wagen der Marketenderinnen, die bis zum Rand mit Vorräten gefüllt waren, hatten sich lange Schlangen von Soldatenfrauen gebildet, die für das Abendessen noch die eine oder andere Zutat brauchten. Gelächter und der Klang von Trommeln und Flöten wehten vom Lager zur Festung hinüber.

Das größte Zelt des Hauptlagers stand etwas abseits von den Unterkünften der einfachen Landsknechte. Es war in den Farben weiß und schwarz gehalten, und vor der aufgeschlagenen Eingangsplane war die Fahne des Markgrafen von Brandenburg-Kulmbach aufgepflanzt. Daneben stand ein gelangweilter Wachposten, der ebenfalls in den kulmbachischen Farben gekleidet war.

Als Moritz von Sachsen schwungvoll auf den Eingang des markgräflichen Zelts zusteuerte, fuhr der Wachposten auf und salutierte erschrocken. Der junge Herzog lächelte ihm freundlich zu und trat ins Innere. Obwohl er wie Albrecht Alkibiades von protestantischer Konfession war, kämpfte er auf Seiten Karls V. und hatte sich erst gestern mit dreihundert Reisigen zu den Belagerern gesellt. Dies hatte die Moral der alkibiadischen Truppen stark verbessert, die während der letzten Monate erheblich gelitten hatte – nicht zuletzt wegen der schlechten Zahlungsmoral des Markgrafen, der oft den Sold später auszahlte als den Landsknechten vertraglich zugesichert war.

Moritz von Sachsen hatte das, was man Charisma nennt. Er war das Bild eines Soldatenfürsten – schlank, groß gewachsen und muskulös. Der Ruf eines glänzenden und durchtrainierten Kämpfers eilte ihm voraus. Für jeden seiner Soldaten fand er ein gutes Wort, und seine Truppe liebte ihn abgöttisch. Obwohl sich sein Haar an den Schläfen schon etwas lichtete und ihm in einer lässigen Locke von der Mitte aus in die Stirn fiel, war er gut aussehend zu nennen, dunkel, mit lebhaften und intelligenten eisblauen Augen und einem sauber gestutzten schwarzen Bart.

Sein Eintreten wurde im Zelt lautstark begrüßt. In der vorderen Hälfte des Raumes stand ein grob aus Holz zugehauener Tisch auf zwei Böcken, um den sich schon einige Männer versammelt hatten und Wein aus zinnernen Bechern tranken. In der Mitte der Längsseite saß Albrecht Alkibiades, Befehlshaber der Belagerarmee, und winkte dem Herzog jovial zu. Der Markgraf war trotz bohrender Kopfschmerzen, die ihm seit Wochen schwer zu schaffen machten, guter Laune. Jetzt, nachdem die erbetene Verstärkung eingetroffen war, hoffte er auf einen baldigen Fall der Festung. Ihm gegenüber saß sein wichtigster Berater, Ritter Wilhelm von Grumbach, ein vierschrötiger, untersetzter Mittfünfziger mit einem Froschgesicht unter einem kaum zu bändigenden grauen Haarschopf. Sein Erkennungszeichen war eine große Wucherung am Hals, die aussah wie schwärzlicher Blumenkohl und mit der er seit Jahrzehnten einen vergeblichen Kampf ausfocht: Weder Besprechen noch der ständig aufgetragene Saft des Schöllkrauts ließen den eklen Auswuchs vergehen, und auch Abschnüren, ja Wegschneiden konnten ein Nachwachsen nicht verhindern.

Neben Grumbach saß der junge Landgraf von Leuchtenberg, dessen blonde Schönheit auf eigenartige Weise mit Grumbachs abstoßender Physiognomie kontrastierte. Leuchtenberg war in den letzten Monaten still geworden. Er hatte vor Landrecies den Krieg kennen gelernt, und der Anblick von Blut, Leid und Sterben hatte ihn tief mitgenommen. Das war nicht sein Metier. Zutiefst graute ihm vor jedem Angriff, die Mentalität des Soldaten war ihm fremd. Im Gegensatz zu Albrecht Alkibiades, der das Kriegshandwerk in vollen Zügen genoss, schauderte der Landgraf beim Anblick von Verwundeten und verabscheute die grimmig-fröhliche Brutalität der Landsknechte. Das hieß jedoch nicht, dass er feige im Kampf war. Man fand ihn zu Pferd mitten im erbittertsten Gefecht, brüllend und dreinschlagend – nach dem Kampf aber war er tagelang kaum ansprechbar, hing blass und schweigend den schwärzesten Gedanken nach, aß nicht, trank aber dafür umso mehr. Der Alkohol wurde zu seinem ständigen Begleiter. Seine offensichtliche Unfähigkeit, mit dem Krieg zurechtzukommen, hatte ihn dem jungen Markgrafen in letzter Zeit sichtlich entfremdet. Albrecht Alkibiades, der sich als Feldherr ganz in seinem Element fühlte, brachte keinerlei Verständnis für derartige Zimperlichkeit auf. Hatte er anfangs noch versucht, den Landgrafen mit groben Scherzen aufzumuntern, so zog er sich mit der Zeit zurück. Die beiden teilten zwar hin und wieder noch das Lager im markgräflichen Zelt, wussten sich aber ansonsten nicht mehr allzu viel zu sagen. Und darunter litt Georg von Leuchtenberg am allermeisten.

Grumbach machte nun bereitwillig den Platz neben Albrecht Alkibiades für den Herzog von Sachsen frei, der sich mit einem zufriedenen Seufzer niederließ.

»Ich hoffe, ich störe Eure Runde nicht«, wandte er sich an den Markgrafen, der sich beeilte abzuwinken.

»Ganz im Gegenteil, lieber Vetter von Sachsen, Ihr seid in höchstem Grad willkommen.« Albrecht strahlte seinen Besucher an. »Gerade haben wir davon gesprochen, wie wertvoll das Eintreffen Eurer Truppe für uns sein kann. Die Franzosen werden sich nicht mehr lang halten können, wenn wir vereint angreifen, oder ich will einen Besen fressen. Nehmt einen Schluck Wein, damit wir darauf anstoßen können!«

Mit einem Wink bedeutete er dem Diener in der Ecke des Zeltes, einen weiteren Becher zu bringen. Grumbach goss dem neu Dazugekommenen ein und hob sein Glas.

»Fürwahr ein schöner Anblick, die beiden größten Kämpfer und Feldherren der kaiserlichen Sache so traut vereint zu sehen. Ich trinke auf den glorreichen Sieg Eurer vereinten Truppen, Euer herzogliche und markgräfliche Gnaden, und dass er bald kommen möge!«

Die vier Männer leerten ihre Becher.

Dann holte der Markgraf aus einer Truhe, die neben seinem Spannbett im hinteren Bereich des Zelts stand, eine zusammengerollte Karte der Festung Landrecies und ihres Umlandes. Er breitete das große Stück Pergament auf dem Tisch aus und beschwerte die Enden mit Weinbechern.

»Lasst uns nun zum militärischen Teil des Abends kommen, gute Herren. Hier, so mögt Ihr unschwer erkennen, ist gezeichnet die Festung mit ihrer Umgebung. Da unser Hügel, wo wir mit dem Feldlager stehen. Ich habe mit schwarzer Tinte bezeichnet, welche

Gebäude innerhalb der Festung schon durch Beschuss beschädigt sind, ebenso die Breschen, die in die Mauer geschlagen wurden. Aber leider sind die Schäden bis jetzt gering. So müssen wir uns wohl oder übel darauf versehen, sie entweder vor die Tore zu locken und dort mit Gefechten zu schwächen oder sie mit einer langen Belagerung zu zermürben und auszuhungern. Letztere Möglichkeit gefällt uns schlecht, weil wir je länger je mehr Geld an unsere Landsknechte bezahlen müssen und unser Säckel schon leerer ist, als uns gut tut. Allerdings dürften auch die Franzosen ein langes Eingeschlossensein scheuen – sie wissen, dass die Festung sich wegen Wassermangels nicht ewig halten lassen wird. Deshalb haben sie bis jetzt auch bereitwillig jedes Gefecht auf der Ebene vor der Festung angenommen – ein Sieg auf dem Schlachtfeld ist ihre einzige Möglichkeit davonzukommen.«

Moritz von Sachsen betrachtete nachdenklich die Karte, blies dabei die Backen auf und rieb sich den Bart.

»Wie führen sich die Franzosen im Gefecht?«

»Besser als uns lieb ist, Vetter. Besonders im Kampf Mann gegen Mann sind sie uns überlegen. Das ist auch der Grund, warum sich die Belagerung schon seit Monaten hinzieht. Bisher haben sie ungefähr die Hälfte der Scharmützel knapp für sich entscheiden können.«

»Woran liegt's?«

»Wenn ich das wüsste! Vielleicht daran, dass sie mit dem Mut der Verzweiflung fechten? Außerdem habe ich beobachtet, dass sie eine Gruppe Landsknechte abseits halten, die später dorthin geschickt wird, wo das Gefecht am härtesten tobt. Das hat ihnen schon manches Mal den Hals gerettet.«

Der Sachsenherzog grübelte.

»Eine Eingreiftruppe, die dort den Kampf aufnimmt, wo man ihn zu verlieren droht – ein Einfall, der so dumm gar nicht ist.«

»Schon richtig, Liebden, allerdings habe ich auch schon festgestellt, dass die Gruppe oft zu lange braucht, um an den Ort des Geschehens zu kommen. Bis sich die Landsknechte dorthin durchgeschlagen haben, wo man sie braucht, ist das Gefecht schon entschieden.«

Moritz von Sachsen grübelte weiter. Schließlich verzog sich sein Gesicht zu einem jungenhaften Grinsen.

»Und wenn wir die Eingreiftruppe beritten machen?«

Albrechts Bewunderung für Moritz von Sachsen war ihm vom Gesicht abzulesen. »Dann wären die Reiter natürlich schneller an Ort und Stelle ...«

»... und könnten nach Ende ihres Einsatzes sich sammeln und andernorts erneut zuschlagen!«

Die beiden Strategen prosteten sich zu. Ihre Tischgenossen hatten sie längst vergessen. Grumbach, der zu militärischen Gesprächen wenig beitragen konnte, verabschiedete sich schließlich. Nur Leuchtenberg blieb am anderen Ende des Tisches sitzen und hörte den Planungen weiter zu. Schließlich ging er zum Paravent, der den Schlafbereich des Zelts vom Wohnbereich trennte, und holte seine Pistole, die dort samt Umhängegeschirr und Pulverhorn hing. Er nahm wieder am Tisch Platz, schenkte sich Wein nach und begann, die Waffe ausgiebig und mit Akribie zu putzen, während die beiden Feldherren weiterplanten.

»Es könnte genügen, die Truppe dreißig Mann stark zu machen, meint Ihr nicht auch?«

Albrecht nickte. »Für den Anfang ja. Wir werden ja in den ersten Gefechten sehen, ob's mit dieser Zahl genug ist. Ich will gleich morgen früh dreißig erfahrene Landsknechte aussuchen, die auch reiten können. Als Ausrüstung schlag ich Helm, Arm- und Beinschienen, Brustpanzer, Spieß und Kurzschwert vor. Wenn wir ein paar Tage zu Pferd üben, möcht alles in einer Woche einsatzbereit sein.«

Moritz von Sachsen wandte sich höflich an den Landgrafen, der immer noch mit gelangweilter Hingabe seine Schusswaffe reinigte. »Was sagt Ihr dazu, bester Leuchtenberg? Lasst uns Eure Meinung hören!«

Georg von Leuchtenberg betrachtete nachdenklich seine Pistole und wog sie in der Hand. Dann stand er auf und steckte sie ins Halfter zurück. »Warum rüstet Ihr Eure Reiter nicht mit Pistolen aus? Mit dem Schwert werden sie nur in langwierige Kämpfe verwickelt, handeln sich Verletzungen ein und können sich nicht schnell zurückziehen. Hinreiten, zwei, drei gezielte Schuss, Rückzug und neuer Einsatz anderswo, das wäre das Beste.«

Er schlenderte zum Tisch zurück und griff sich den Weinbecher.

»Gebt jedem zwei geladene Pistolen. Rüstung braucht Ihr dazu wenig, weil die Reiter gar nicht in den Kampf Mann gegen Mann verwickelt werden. Also nur Lederkoller und Beinschutz. Wenn die Reiter ihre Pistolen abgeschossen haben, ziehen sie sich zurück und laden außerhalb des Kampfgeschehens nach. Dann sind sie für ein zweites Eingreifen bereit.«

Moritz von Sachsen klatschte sich mit beiden Händen auf die Oberschenkel.

»Ihr seid ja ein Tausendsassa, Landgraf! So etwas hat es in der Kriegsführung hierzulande je noch nicht gegeben. Und die Ausrüstung ohne schweren Panzer ist überdies noch billig! Euer Freund ist ein heller Kopf, Vetter.«

Albrecht lächelte etwas gequält. Warum war bloß er nicht auf den Gedanken gekommen? Ausgerechnet Leuchtenberg, der den Krieg nicht vertragen konnte, verfiel auf die ideale Lösung und stahl ihm damit die Schau! Zorn stieg in ihm hoch.

Leuchtenberg sah den Markgrafen an und wusste, dass er einen Fehler gemacht hatte. Statt sich die Bewunderung des Freundes zu sichern, hatte er sich dessen Neid zugezogen.

Moritz füllte im Überschwang die Becher, dass der Wein schwappte.

»Auf den Sieg!« Er prostete den beiden anderen zu.

Zu später Stunde und reichlich angetrunken verließ der Herzog von Sachsen das markgräfliche Zelt. Albrecht, immer noch voll Begeisterung ob der neuen Siegesaussichten, ließ sich mit einem Seufzer auf sein Feldbett sinken.

»Was für ein Mann! Welch große Kämpfernatur, und klug dazu! Mit dem muss jede Schlacht gewonnen sein! Und hast du gesehen? Diese Kraft, die breite Brust, der entschlossene Blick! Ein Mannsbild durch und durch!«

Leuchtenberg setzte sich neben Albrecht und strich ihm liebevoll über die Schulter. »Und dank den Pistolenreitern werden wir bald in die Festung Landrecies einziehen.«

Albrecht schüttelte Leuchtenbergs Hand ab. »Hast du bemerkt, wie er mich angesehen hat? Wie Achill und Patroklos werden wir sein! Und vertragen kann er auch was – säuft wie ein Loch und geht am Schluss noch grade! Ist das ein Kerl und Feldherr dazu! Erfindet heut Abend so nebenbei die Eingreiftruppe zu Pferd!«

»Die mit Pistolen ausgerüstet unschlagbar sein wird«, ergänzte Leuchtenberg.

»Mag sein.« Albrecht winkte ungeduldig ab. »Wirklich wichtig ist die Schnelligkeit! Teufelskerl, dieser Sachse. Wie Ritter Lanzelot an König Artus' Hof!«

Georg von Leuchtenberg zeigte nicht, wie weh ihm Albrechts Bemerkung tat. Er wusste, dass Albrecht ihn für einen Schwächling hielt und dass dies der Grund für die Entfremdung zwischen ihnen war. Aber er war bereit zu kämpfen, um den Freund nicht zu verlieren.

»Gib mir das Kommando über die Pistolenreiter!« Erwartungsvoll sah er den Markgrafen an.

Albrecht zog die Augenbrauen hoch. Mit einem verächtlichen Grunzen ließ er sich rückwärts aufs Feldbett fallen.

»Das ist nicht dein Ernst, mein Lieber. Du zitterst ja schon, wenn du nur an die Schlacht denkst. Nein, nein, das ist nichts für dich. Das Kommando bekommt ein zuverlässiger Mann mit Kampferfahrung, einer wie der alte Neithart von Künzelsau. Der ist ein Soldat von echtem Schrot und Korn, ein wahrer Draufgänger und Dreinschläger, und reitet wie der Teufel.«

»Ach Albrecht, lass mich doch zeigen, was ich kann. Du weißt genau, dass ich im Kampf nicht schlechter bin als andere.«

»Aber vorher und hinterher spielst du das Klageweib, säufst und haderst mit der Welt. Das ganze Lager zerreißt sich schon über dich das Maul! Herrgott, ich kann dich doch nicht an die Spitze eines Haufens von Landsknechten stellen, die sich hinter deinem Rücken über dich den Arsch ablachen. Und wer garantiert mir, dass dich nicht im nächsten Scharmützel die Angst ankommt und du völlig den Kopf verlierst? Wirklich, Georg, ich weiß gar nicht, wie du auf so einen Gedanken kommen kannst.«

Leuchtenberg war schwer getroffen. Um Albrecht nicht ansehen zu müssen, stand er auf und goss sich einen Becher Wein ein, den er auf einen Zug hinunterkippte. Er hatte einen widerlichen Geschmack im Mund. Albrecht trat zu ihm und schlug ihm gutmütig auf die Schulter.

»Meinetwegen kannst du bei den Pistolenreitern mitkämpfen. Dein Pferd ist gut, eine Pistole hast du sowieso. Aber das Kommando schlag dir aus dem Kopf!«

Georg von Leuchtenberg lachte bitter.

»Danke für die Großzügigkeit, Feldherr! Es hat Zeiten gegeben, da hättest du mir viel mehr anvertraut als nur den Befehl über eine Reitereinheit.«

Albrecht zuckte mit den Schultern. »Ja, Georg, wenn ich mir's recht bedenk, dann sind diese Zeiten wohl vorbei.«

Stille trat ein, während sich in Leuchtenberg die Verzweiflung wie eine Hitzewelle ausbreitete. Er schluckte und versuchte, die aufsteigende Panik in sich zu kontrollieren. Bittend breitete er die Arme aus und trat einen Schritt auf den Freund zu.

»Albrecht, wenn der Krieg aus ist ...«

Der Markgraf drehte sich abrupt um und begann, betont gleichgültig in der Truhe mit den Landkarten zu stöbern. »Wenn du gehst, sag der Wache draußen, ich möchte nicht mehr gestört werden.«

Georg von Leuchtenberg ließ die ausgebreiteten Arme fallen, griff sich seinen Umhang und verließ das Zelt wortlos. Die Tränen brannten in seinen Augen.

Abenberg in Mittelfranken, Juni 2002

Hätte man Thomas Fleischmann, seines Zeichens frisch gebackener Magister in den Fächern Mittlere Geschichte, Neuere Geschichte und Deutsch, noch vor sechs Monaten gesagt, dass er nach seinem Examen die Betreuung eines heimatkundlichen Klöppelmuseums übernehmen würde – er hätte das Ganze für einen schlechten Witz gehalten. Ausgerechnet er, passionierter Biertrinker und gestandener Historiker mit einem Faible für Militaria und das Kriegshistorische Museum in Ingolstadt, ausgerechnet er sollte sich nun um solchen Weiberkram kümmern. Warum nicht gleich die Konzeption einer Ausstellung von Häkeljäckchen? Fleischmann hatte schwer mit sich gerungen, bevor er die auf ein Jahr befristete Teilzeitstelle in dem kleinen Städtchen Abenberg angenommen hatte. Aber Jobs für Historiker waren dünn gesät, und das Wichtigste war, erst einmal eigenes Geld zu verdienen.

Fleischmann saß an seinem Schreibtisch, knabberte an einem Apfel und schaute trübsinnig aufs Abenberger Kopfsteinpflaster hinunter, auf das gerade ein Platzregen prasselte. Mit Zeige- und Mittelfinger kraulte der junge Historiker sein Oberlippenbärtchen. Bis übermorgen musste er ein Konzept präsentationsfertig haben, das immerhin die völlige Neugestaltung des Klöppelmuseums zum Inhalt haben sollte. Fleischmann überlegte lustlos vor sich hin. Entnervt schmiss er den Apfelbutzen in den Papierkorb. Heute war einfach nicht der Tag zum Bäumeausreißen. Er stand auf, streckte sich und ging ein paar Schritte in dem kleinen Büro hin und her. Sein Blick fiel auf einen Beistelltisch in der Ecke, auf dem ein Karton stand.

»Frau Spachmüller! Haben Sie das Paket zu mir hereingestellt?«

Die bisherige ehrenamtliche Betreuerin des Klöppelmuseums steckte ihren Kopf zur Tür herein. Stilla Spachmüller, benannt nach der Schutzpatronin ihres Heimatstädtchens, der seligen Gräfin Stilla, war eine rundliche ältere Dame mit randloser Brille und weißen, hochtoupierten Haaren, die aussahen wie ein aufgestülpter Wattebausch. Sie war regelrecht aufgeblüht, seit Fleischmann das Museum führte. Ach, wäre sie bloß nochmal zwanzig! So ein hübscher junger Mann. Und so höflich und nett. Manchmal ertappte sie sich dabei, wie sie rot wurde, wenn er sie ansprach. Aber jetzt schüttelte sie nur leicht den Kopf.

»Ja, wissen Sie denn nicht mehr, das sind doch die Sachen, die Sie neulich bei der Auktion gekauft haben!«

»Ach Gott, ja!« Vor sechs Wochen hatte Fleischmann bei einer Versteigerung des Auktionshauses Boltz in Bayreuth über das Internet ein Konvolut Klöppelwaren aus verschiedenen Jahrhunderten ersteigert, hauptsächlich weil sich darunter auch Arbeiten aus leonischen Drähten befanden. Im letzten Jahrhundert nämlich, so hatte er in Erfahrung gebracht, war vor allem im Erzgebirge das Klöppeln mit Gold- und Silberdraht gebräuchlich gewesen. Mit dem härteren Material hatten – eine Besonderheit – nur Männer geklöppelt. Fleischmann sah im Geiste schon eine kleine Abteilung mit gold- und silberglänzender Klöppelware vor sich, ein gut beleuchtetes schimmerndes Prachtstück. So etwas, befand er, war für Museumsbesucher doch ungleich attraktiver als das restliche Zeug wie Deckchen oder Sofakissenbezüge und dergleichen.

Er stellte den unerwartet leichten Karton auf den Fußboden und schlitzte mit seinem Autoschlüssel das Klebeband auf. Zunächst stieß er auf etliche Lagen weißes Seidenpapier. Darunter kamen die ersten geklöppelten Stücke zum Vorschein, mehrere verschnürte Päckchen mit der Aufschrift: »Annaberg, 19. Jhd., div. Arbeiten«. Fleischmann kramte weiter. Endlich fand er das, wonach er gesucht hatte: ein dünnes Schächtelchen, etikettiert mit »Arbeiten aus Gold- und Silberdraht, Zeit u. Herkunftsort unbek.«. Fleischmann öffnete das Schächtelchen und war sofort enttäuscht. Was er sah, waren nicht die wunderbar glänzenden Klöppelteile, die er erwartet hatte. Nein, da lagen ein paar stumpf verblichene, netzähnliche Gebilde, die rostigen Ako-Pads nicht unähnlich waren. Fleischmann schnaufte erbost. »Erhaltungszustand: gut bis sehr gut, dass ich nicht lache!« Er griff sich ein Teil aus der Schachtel und stellte fest, dass der Draht brüchig und an einigen Stellen schon aufgelöst war.

»Das schicke ich denen zurück«, murmelte Fleischmann, »und zwar sofort. So geht's ja nicht! Sieht aus wie der Scheuerschwamm von meiner Oma, das Zeug, und zerbröselt einem in den Fingern, bevor man's in die Vitrine legen kann. Nee, nee, meine Damen und Herren.«

Missmutig legte er die leonischen Drahtarbeiten neben sich auf dem Boden ab und wühlte weiter in dem Karton herum. Leer. Er stand auf, drehte die Schachtel herum und schüttelte kräftig. Das als Ausstopfmaterial benutzte zerknüllte Seidenpapier fiel heraus – aber nicht allein. Mit einem kleinen Plopp landete ein weiteres Päckchen vor Fleischmanns Füßen. Die Hülle war aus vergilbtem, fleckigem Stoff, wahrscheinlich Leinen, bräunlich und abgegriffen. Es war mit eindeutig ganz neuem Haushaltsgarn verschnürt, das sorgsam zu einer Schleife gebunden war. Der junge Historiker zog die Schleife auf und faltete den Stoff vorsichtig auseinander. Was dann zum Vorschein kam, machte ihn erst einmal ratlos. Drinnen lagen Klöppelarbeiten, die völlig anders aussahen als alles, was er bisher kannte. Zunächst, und das war klar zu erkennen, waren die

Sachen deutlich älter. Das Garn war besonders dünn und hatte sich mit der Zeit gelblich verfärbt. Und dann die Technik, die Muster, die Anordnung der Fäden, alles war irgendwie seltsam, ihm gänzlich unbekannt. Fleischmann war sich bewusst, dass er mit diesem feinen Gespinst etwas Besonderes in der Hand hielt. Da musste der Rat des Experten her! Und wer kannte sich besser aus als Stilla Spachmüller, die schon als Kind bei den Marienburger Klosterschwestern Klöppeln gelernt hatte und seither Generationen von Abenberger Schülerinnen als Handarbeitslehrerin unterrichtet hatte?

»Frau Spachmüller, können Sie mal kommen?«

Die Gerufene wieselte prompt in Fleischmanns Büro. Ihrem rosa geblümten Angorapullover entströmte ein durchdringender Maiglöckchenduft, als sie sich zusammen mit Fleischmann über die Klöppelsachen beugte, die dieser gerade auf seinem Schreibtisch auslegte.

»Allmächt, so was Schönes!«

Die alte Dame war sichtlich beeindruckt. Mit spitzen Fingern hob sie ein rundes Deckchen hoch und begutachtete es ausgiebig.

»So muss man vor langer, langer Zeit geklöppelt haben. Schauen Sie sich das an – ich wüsste gar nicht, wie man dieses Muster arbeitet. Das muss eine uralte Technik sein, die längst in Vergessenheit geraten ist. Ich habe noch nie etwas Ähnliches gesehen. Sehen Sie, wie kunstvoll diese Blütenrosette gemacht ist? Und das Herz da? Wunderschön! Und sie hat ein außergewöhnlich feines Garn benutzt. So was nimmt man heute gar nicht mehr, weil es so schwierig zu klöppeln ist und leicht reißt.«

Fleischmann hatte indes einen Zettel entdeckt, der ganz unten im Päckchen gelegen hatte. Darauf stand kurz und bündig in Maschinenschrift: »Klöppelarbeiten, Kulmbach, wahrsch. 16. Jhd.«

»Das stammt aus dem sechzehnten Jahrhundert, schreiben die vom Auktionshaus Boltz. Und dass es aus Kulmbach kommt.«

Stilla Spachmüller nahm ein Stück nach dem anderen auf und steigerte sich dabei in echte Begeisterung.

»Das sind die ältesten Arbeiten, die ich je gesehen habe, und zugleich die schönsten. Ganz was Filigranes! Kulmbach, sagen Sie? Hm. Das erinnert mich aber eher an Klöppeltechniken, die ich vom

Böhmischen her kenne. Ach Gottele, schauen Sie bloß, Herr Fleischmann, ein Babymützchen! Niedlich!«

Fleischmann grinste etwas schief. »Ja, goldig! Ähem, wissen Sie was, Frau Spachmüller, ich habe das Gefühl, das hier könnte neben den Abenberger Arbeiten der Glanzpunkt unserer neuen Ausstellung werden, was meinen Sie?«

Stilla Spachmüller drehte und wendete immer noch entzückt das Babymützchen in der Hand.

»Obacht!« Fleischmanns Worte rissen sie aus ihren Gedanken. Das Mützchen war ihr unter den Händen in zwei Teile zerfallen.

»Heiliger Strohsack! Allmächt, da kann ich jetzt aber nichts dafür! So fein wie Spinnweben, herrje! Herr Fleischmann, wirklich, ich hab's gar nicht arg angefasst!« Ihr kamen fast die Tränen.

Fleischmann rollte mit den Augen. »Können Sie das wieder irgendwie zusammennähen, ohne dass man was sieht?«

Die Miene der alten Dame hellte sich sofort auf. »Na ja, ich denke schon. Wenn ich ein dünnes beiges Garn nehme, fällt es vermutlich gar nicht auf. Ja, das geht bestimmt. Und wenn es in der Vitrine liegt, merkt das von weitem keiner.«

Fleischmann überlegte.

»Wir müssen unbedingt verifizieren, ob die Altersangabe stimmt, die das Auktionshaus da mitgeliefert hat.«

Die alte Dame legte die Teile des Babymützchens mit einem Seufzer beiseite. Doch plötzlich stutzte sie. Sie griff sich ein Deckchen und suchte nach einer bestimmten Anordnung der Fäden. Dann nahm sie sich noch einmal ein Stück des Mützchens und verglich, danach inspizierte sie eins nach dem anderen die Teile, die noch auf dem Schreibtisch lagen.

»Ja, so was. Herr Fleischmann, schauen Sie, was ich gefunden hab! Nein, so müssen Sie es drehen. Und, was sehen Sie?«

Fleischmann wusste nicht, wonach er suchen sollte. »Wieso, was ist denn da?«

»Na, hier! In der Rosette! Ganz deutlich, ein winziges ›B‹! Mit einem Krönchen drüber!«

»Jetzt sehe ich es auch. Mensch, Sie haben ja Adleraugen, Frau Spachmüller! Tatsächlich, ein Initial!«

»Und das ›B‹ findet sich in den anderen Arbeiten auch, schauen

Sie, hier ist es am Rand, und hier seitlich, und da ist es ganz in der Mitte.«

Die beiden steckten die Köpfe über den Klöppelsachen zusammen. Und wirklich ließ sich in jedem einzelnen Stück das gleiche Initial finden.

»Der Anfangsbuchstabe des Besitzers, vermutlich.« Fleischmann dachte an seine eigenen Stofftaschentücher, auf denen in jeder Ecke ein von seiner Oma liebevoll gesticktes »TF« prangte.

»Oder der Besitzerin«, verbesserte Stilla Spachmüller. »Ich glaube nicht, dass die Sachen einem Mann gehört haben. Deckchen, Babymützchen, hier vermutlich eine Spitzeneinlage für den Ausschnitt, ein Beutelchen mit zusammenziehbarem Rand. Nein, das waren auf jeden Fall Damensachen.«

Sie nahm sich vorsichtig die Teile des Mützchens und wandte sich zur Tür.

»Ich mache mich gleich mal an die Reparaturarbeiten, wenn es Ihnen recht ist.«

»Ja, ja, gehen Sie nur. Ich kümmere mich derweil um die Herkunft der Sachen.«

Fleischmann kramte den Auktionskatalog der Firma Boltz aus der Ablage und rief an.

Dort verband man ihn mit einer älteren Dame mit auffallend rauer Stimme, die sich zunächst als wenig hilfsbereit erwies.

»Wenn Sie nicht mehr Informationen in dem Paket bekommen haben, dann wissen wir auch nicht mehr. Alle Fakten, die uns zur Auktionsware zugänglich sind, liefern wir den Käufern selbstverständlich mit.«

»Ja, aber Sie können mir doch bestimmt sagen, woher das Auktionshaus die Sachen bekommen hat?« Fleischmann war die Enttäuschung anzuhören.

Die Reibeisenstimme verneinte. »Tut mir Leid, aber die persönlichen Daten unserer Anbieter dürfen wir nicht weitergeben.«

»Und wenn Sie ... ich meine, könnten Sie dem früheren Besitzer vielleicht einige Fragen stellen und die Antworten an mich übermitteln? Oder ihn einfach fragen, ob er einverstanden ist, dass ich ihn mal anrufe? Ach, bitte, seien Sie doch so nett.«

Fleischmann warf all seinen Charme in die Waagschale und verlieh seiner Stimme einen schmelzenden Unterton. Bisher hatte diese Taktik – zumindest bei Frauen fortgeschrittenen Alters – noch nie versagt.

Am anderen Ende der Leitung seufzte es. »Na, meinetwegen. Ich muss allerdings erst im Eingangsbuch nachsehen, ob da ein konkreter Besitzer verzeichnet ist oder ob es sich um einen anonymen Nachlass oder einen Trödelmarktskauf oder Ähnliches handelt. Moment.«

Pause. Fleischmann hoffte. Die Stimme meldete sich wieder.

»Hören Sie? Also, Sie haben Glück, hier im Eingangsbuch steht es: Die Sachen stammen von einer Dame aus Kulmbach. Ich werde versuchen, sie zu erreichen, und sie bitten, sich mit Ihnen in Verbindung zu setzen. Mehr kann ich nicht tun. Und versprechen kann ich gar nichts.«

Fleischmann bedankte sich wortreich und hinterließ seine Adresse und Handy-Nummer.

Kulmbach, Juli 2002

Pfarrer Kellermann saß an seinem Schreibtisch im Dekanat und brütete über der Sonntagspredigt. Das hatte es noch selten gegeben, dass ihm überhaupt nichts einfiel. Lag es an der Hitze? Seit vier Tagen erreichten die Temperaturen die Dreißig-Grad-Grenze, die Schulen hatten hitzefrei, und die Freibäder waren überfüllt. Kellermann hatte heute aus reiner Notwehr etwas getan, was er eigentlich zutiefst verabscheute, nämlich kurze Hosen angezogen. Lächerlich sah er darin aus, mit seinen weißen, dicht behaarten Beinen, den gestrickten Socken und den Birkenstock-Sandalen. Er haderte mit sich selbst. Dies war nicht sein Tag.

»Jetzt gibt's Kaffee!«

Lissy Kriegmeier, die Dekanatsschreibkraft, schwebte herein. Für Kellermanns Geschmack war ihr luftiges Sommerkleidchen ein bisschen zu durchsichtig. Überhaupt sah die Kriegmeier für eine kirchliche Angestellte immer entschieden zu flott aus. Und dieser

Lippenstift! Man musste ihr allerdings zugute halten, dass sie ihre Arbeit tadellos und zuverlässig erledigte, keinen Gottesdienst ausließ und als Leiterin der Krabbelgruppe in der Gemeinde äußerst beliebt war. Sie stellte den riesigen Humpen, den Kellermann stets benutzte – eine lila Steinguttasse in der Form eines Nachttopfs mit dem Logo des Evangelischen Kirchentags von 1992 –, auf ein Seitentischchen.

»Hätten Sie dann noch etwas für mich, Herr Pfarrer?«

Kellermann schüttelte den Kopf.

»Ja, dann würde ich gern Zeitausgleich nehmen, weil's heute so schön ist.«

»Nur zu, Frau Kriegmeier«, meinte Kellermann gnädig, »gehen Sie ruhig heim und suchen Sie sich ein schattiges Plätzchen im Garten!«

»Schattiges Plätzchen? Ich fahre jetzt ins Freibad und lege mich in die Sonne. Schauen Sie bloß, wie blass ich noch bin!«

Kellermann schaute lieber nicht. Dass sich jemand bei dieser Hitze auch noch freiwillig in die Sonne legen wollte, musste eine moderne Variante des Masochismus sein.

»Na, dann passen Sie bloß auf, dass Sie keinen Hitzschlag kriegen.«

Die Kriegmeier lachte fröhlich und entschwebte in ihrem Sommerkleidchen durch die Bürotür. Kellermann verdrehte die Augen.

Wieder allein, nippte er an seinem Kaffee. Er entschloss sich, die Sonntagspredigt auf den nächsten Tag zu verschieben. Der Schweiß lief ihm an der Stirn herunter, und er öffnete die Tür, damit es ein bisschen durchziehen konnte. Sein Blick fiel auf den Kellerabgang. Unten in den Kellerräumen lagerten die Bestände des Kulmbacher Kirchenarchivs. Und plötzlich wusste Kellermann, was er den restlichen Nachmittag über tun würde.

Drunten war es angenehm kühl. Alles, was sich im Laufe der letzten Jahrhunderte an kirchlichen Unterlagen in Kulmbach angesammelt hatte, lagerte hier mehr schlecht als recht in alten Hochregalen. Ziemlich schnell fand Kellermann die Abteilung, die er suchte: 16. Jahrhundert. Ganz links im Regal stand das Taufregister, das er bereits durchgesehen hatte, ohne einen Hinweis auf das tote Kind auf der Plassenburg zu finden. Die Kriegmeier hatte das Buch falsch eingestellt; es stand auf dem Kopf. Kellermann grunzte, nahm den dicken Band heraus und schob ihn richtig herum wieder hinein. Dann griff er sich das daneben stehende Sterberegister, einen in Leder gebundenen Folianten, auf dessen vorderem Umschlag die Worte »Heyrathen, Geburthen und Todesfell, ao. 1518–1541« zu lesen waren.

Seitlich an der Wand stand ein Tisch mit einem wackligen Holzstuhl davor. Kellermann befreite beide mit einem zerknüllten Tempotaschentuch vom Staub, ließ sich nieder und begann nach Sterbefällen von Kindern zu suchen. Er stieß auf Familien, in denen über Jahre hinweg kein Säugling überlebte – Fieber, Durchfälle, mangelnde Hygiene und ansteckende Krankheiten forderten vor allem unter den Jüngsten und Schwächsten ihren Tribut. Endlich entdeckte er auch einige Sterbefälle, die Burgbewohner betrafen. Zwei davon fand er an zwei aufeinander folgenden Tagen im März 1541: »In d. Nacht auf Gertrudis, ao. 1541 – Heinrich v. Trockau, Höfling u. Einrosser, die Treppen zur großen Hofstuben hinabgestürtzet u. todt gefunden, im 15ten Lebensjahr.« Und dann: »Nacht Gertrudis ao. 1541 – Hippolytus Beckh, 47 Jahr alt, unsers gned. jungen Herrn Praeceptor u. Lehrer, zu Todt gezechet u. im Schlaffe gest.«

»Na, schöner Lehrer, so einer«, murmelte Kellermann kopfschüttelnd vor sich hin, während er sich den nächsten Band aus dem Regal holte.

Zwischen 1542 und 1552 fand Kellermann im Register nur einen einzigen Toten auf der Plassenburg: Im Herbst 1552 befielen den Burgkaplan Otto Körber im Alter von 78 Jahren Atemnot und Krämpfe, worauf er, versehen mit den heiligen Sterbesakramenten, »tugenlich verschied«.

Ab November 1553 mehrten sich die Sterbefälle im Register. Kellermann erinnerte sich, dass ungefähr um diese Zeit die Belagerung Kulmbachs durch die Truppen der Koalition gegen Albrecht Alkibiades begonnen haben musste. Die Todesursachen und die Verstorbenen selber bestätigten dies: Es waren jetzt junge Männer darunter, Landsknechte oder kämpfende Stadtbürger mit Verletzungen durch Kämpfe vor der Stadt, aber auch Zivilisten – Alte, Frauen und Kinder –, die durch Kanonenschüsse, Brandsätze, Dach- und

Mauereinstürze starben. Schließlich zwei ganze Seiten mit Toten, erschossen, aufgespießt, erstochen, Kehlen durchgeschnitten, verbrannt – ganz offensichtlich spiegelten sie die Einnahme der Kulmbacher Vorstadt durch das bundesständische Heer wider. Die Eintragungen endeten am 26. November 1553 mit dem Satz: »Item da der Fall Culmbachs kurtz bevor stehet, beginnet ein grosz Flüchten in die Wälder; wer Einlass erhält, auch aufs Sloss.«

Kellermann, ganz versunken in seine Lektüre, fuhr auf, als er ein Rumpeln hörte, gefolgt von schweren Schritten, die die Treppe herunterkamen.

»Ist da drunten wer?«

Heinz Buchner, der Dekanatshausmeister und Messner der Petrikirche, tauchte zwischen den Regalen auf und sah sich suchend um. Buchner war ein agiler Sechzigjähriger mit einem kleinen Schmerbäuchlein, immer freundlich und immer zum Reden aufgelegt. Sein fast kahler runder Schädel glänzte, während er um alle Ecken äugte und schließlich den Pfarrer entdeckte. Neugierig trat er heran und warf einen Blick über Kellermanns Schulter.

»Was machen Sie denn an so einem schönen Tag bei den alten Schwarten hier unten?«

»Oh, ich forsche ein bisschen im sechzehnten Jahrhundert herum«, entgegnete Kellermann gut gelaunt. »Die ›alten Schwarten‹ können recht interessant sein, wenn man Dinge aus der Stadtgeschichte wissen will. Wollen Sie mal reinschauen? Das hier ist ein Kulmbacher Heirats-, Sterbe- und Geburtenregister aus den Jahren 1540 bis 1553. Geschrieben hat das einer meiner Amtsvorgänger, vermute ich, und zwar der damalige Pfarrer der Petrikirche Johann Eck.«

»Das ist doch derjenige, der die Reformation in Kulmbach durchgesetzt hat, oder?«

»Genau. Der Eck hat damals die Stadt und wohl damit das ganze Fürstentum Kulmbach auf die protestantische Linie gebracht. Und zwar so unumkehrbar, dass später der Landesherr, Albrecht Alkibiades, eine Restitution des katholischen Glaubens nicht mehr bewerkstelligen konnte, obwohl er es versucht hat.«

»Aber schauen Sie, Herr Pfarrer, hier am Schluss, ab Dezember

1550, da hat ein anderer geschrieben. Das ist eine völlig andere Schrift.«

»Ja, tatsächlich!« Nun sah es Kellermann auch. »Größere und schmalere Buchstaben, nach rechts geneigt, mehr Schnörkel und irgendwie eigenwilliger. Hm. Könnte sein, dass dies die Schrift des zweiten Pfarrers ist. Der alte Eck hat sich nämlich gegen Ende seiner Amtszeit Unterstützung geholt, einen jungen Geistlichen, der in Prag studiert hat, soviel ich weiß. Aber an den Namen kann ich mich nicht erinnern.«

»Vielleicht war das derjenige, der auch diesen berühmten Bericht über die Belagerung und Zerstörung Kulmbachs vom November 1553 geschrieben hat?«

»Georg Thiel, meinen Sie? Nein, das ist nicht derselbe. Thiel kam erst später hierher. Wenn ich mich recht erinnere, wurde er erst an Pfingsten 1553 als Hofprediger auf die Plassenburg berufen. Und die neue Schrift im Register setzt ja schon 1552 ein. Außerdem lässt sich das leicht beweisen. Warten Sie mal …«

Kellermann stand auf und holte einen anderen alten Band aus dem Regal.

»Hier haben wir eine Sammlung von Predigten aus den Jahren zwischen 1560 und 1570. Diese Schriften stammen von Thiel; er war ja nach dem Wiederaufbau Kulmbachs bis zu seinem Tod hier Superintendent. Und schauen Sie, der schreibt völlig anders.«

»Eindeutig, ganz anders«, bestätigte Buchner. »Sagen Sie, was ist denn eigentlich aus dem Johann Eck und dem anderen geworden, bei der Zerstörung von Kulmbach, weiß man das?«

»Eck ist vor der Einnahme der Stadt geflohen, so wie die meisten anderen auch. Zurückkommen konnte er allerdings nicht mehr, weil er kurze Zeit später in Coburg gestorben ist, vielleicht eine Folge der Strapazen. Und der andere – keine Ahnung.«

Buchner machte ein enttäuschtes Gesicht, wobei seine dicken Backen nach unten in Richtung Schultern sackten.

»Schade. Wär interessant gewesen!« Er sah auf die Uhr. »Oh, schon nach fünf, Schluss für heute! Sperren Sie alles zu, wenn Sie gehen, Herr Pfarrer?«

»Mach ich, mach ich«, versicherte Kellermann.

Nachdem der Messner gegangen war, hatte Kellermann zwar keine rechte Lust mehr, sah aber trotzdem noch die Register bis zum Jahr 1600 durch. Nichts. Außerdem wurmte es ihn, dass er den Namen des Inhabers der zweiten Pfarrstelle unter Johann Eck nicht wusste. Wenigstens den wollte er am Schluss noch herausfinden. Er suchte in den Regalen, bis er schließlich einen schmalen Band mit dem Titel »Bestallungen der Geistlichkeit zu Culmbach, ihr Aufgaben, Lohn und Deputat unter Mkgf. Albrechten« entdeckte. Im Stehen blätterte er darin herum. »Hier haben wir es«, brummte er vor sich hin. »Samstag Lucie anno 1552. Auf die zweite Pfarrstelle der Kirche Sankt Petri ... aus Wittenberg – hm, also nicht aus Prag –, wo er die Wissenschaft der Theologie studiert hat ... geboren anno 1529 zu Kitzingen ... Magister Jacobus Tiefenthaler.«

Na, wenigstens ein Erfolg! Kellermann steckte das Heftchen wieder zurück, knipste das Licht aus und ging nach oben. Zu diesem Zeitpunkt konnte er noch nicht ahnen, worauf er an diesem Nachmittag tatsächlich gestoßen war.

Vor der Festung Landrecies, Frankreich, Juli 1544

Der junge Reitersoldat drängte sein Pferd brüllend durch das wogende Getümmel der Kämpfer. Er lenkte das Tier mit Schenkeln und Gewichtshilfen, denn er brauchte beide Hände, um mit dem Schwert nach links und nach rechts zu hauen. Gestalten tauchten vor und neben ihm auf wie Schemen, kreischten mit aufgerissenen Mündern, griffen an, fielen blutig und verstümmelt zu Boden. Die Spitze eines Schwertes schlitzte ihm den Lederärmel auf, ein Pfeil zischte mit pfeifendem Sausen nah an seinem Ohr vorbei. Rings um ihn waren ebenfalls Reiter, die sich verbissen ihren Weg suchten bis vor eine Senke, in der die markgräflichen Fußknechte vom Feind eingeschlossen und in arger Bedrängnis waren. Das Klirren von Schwertklingen übertönte das Hufgetrappel. Dreck und Steine spritzten, wo die Kriegsrösser galoppierten. Kampfrufe, schrille Todesschreie und das Stöhnen von Verwundeten erfüllten die Luft. Es stank nach Blut, Kot und Urin.

Die Pistolenreiter sammelten sich, es waren noch sechsundzwanzig von den dreißig, die losgeritten waren, um die Eingeschlossenen zu entsetzen. Der junge Reiter zog wie die anderen seine schwere Luntenschlosspistole aus dem Halfter. Er versuchte, sein Pferd so ruhig wie möglich zu halten, um die Kugel in den Lauf zu stecken, nachzustopfen und dann den Hahn mit beiden Händen zurückzuziehen. Weil seine Hände vor Anstrengung zitterten und schweißnass waren, glitten seine Finger mehrmals ab, bevor ihm das Spannen gelang. Keuchend hob er die Pistole, nahm einen der feindlichen Soldaten ins Visier. Durchatmen, Befehl abwarten, abdrücken. Das Faustrohr, ein teures Stück aus einer renommierten Nürnberger Waffenschmiede, zündete sicher und sofort, als der Hahn auf den Zündschwamm niedersauste.

Das Kampfgetümmel erstarrte einen Moment, als alle sechsundzwanzig Pistolenreiter ihre Ladung auf einmal abfeuerten. Dann brach in der Senke Chaos aus. Ein Teil der französischen Landsknechte suchte sein Heil in der Flucht, und die markgräflichen Fußsoldaten begannen, brüllend und Schwerter schwingend nachzusetzen. Eine andere Gruppe der Franzosen aber scharte sich um einen riesigen Anführer mit wallendem Bart und zornrotem Gesicht, der Befehle schrie und wild gestikulierte. Neithart von Künzelsau, der zunächst den Rückzug seiner Reiter anordnen wollte, entschied sich dafür, an Ort und Stelle nachladen zu lassen, um noch einmal in die sich formierende Gruppe zu feuern. »Stehen bleiben, nachladen, auf Feuerbefehl warten!« Künzelsau schrie sich fast die Lunge aus dem Leib. Die Pistolenreiter gehorchten, waren so für kurze Zeit auf ihre Waffen konzentriert und damit wehrlos. Genau das erkannte der französische Anführer und gab seinen Leuten den Befehl zum Sturm. Noch bevor die markgräflichen Schützen ihre Pistolen nachgeladen hatten, wurden sie von den ersten Spießen getroffen. Panik griff um sich.

Der junge Pistolenreiter hatte den Hahn seines Faustrohrs noch nicht ganz gespannt, als sein Pferd ein gellendes Wiehern ausstieß, sich hoch aufbäumte und mit ihm durchging. Der Reiter, völlig überrumpelt von der plötzlichen Bewegung, verlor seine Waffe und die Zügel und klammerte sich mit aller Kraft um den Hals des Pferdes, das in wildem Galopp buckelnd davonstob. Es war vom Bolzen einer Armbrust in den Vorderschenkel getroffen worden, und nun rannte es in wilder Jagd um sein Leben. Der Soldat zwickte die Knie zu und fischte verzweifelt nach den Zügeln, bekam sie in die Finger, legte sich mit dem ganzen Gewicht im Sattel zurück, bis das Pferd schließlich entkräftet zum Stehen kam. Jetzt erst konnte er sich umsehen. Er war pfeilgerade mitten durch die Franzosen geschossen, die sich nun zwischen ihm und seiner Truppe befanden. Soviel er erkennen konnte, hatten sich die Seinen ein Stück weiter oberhalb der Senke erneut gesammelt. Er musste versuchen, wieder zu ihnen zu stoßen, und trieb sein blutendes Tier vorwärts, um seitlich am Feind vorbeizukommen. Die beiden hatten die halbe Strecke geschafft, als Neithart von Künzelsau seinen Männern erneut den Feuerbefehl zubrüllte.

Der Pistolenreiter spürte einen harten Schlag am linken Knie, der sein Bein vorübergehend taub machte. Er schrie vor Schreck laut auf, trieb aber sein verwundetes Tier unverdrossen weiter. Das Pferd stob in blinder Angst mitten in die Pistolenreiter hinein, strauchelte, knickte röchelnd mit der Vorderhand ein und brach unter seinem Reiter zusammen. Der blieb schwer atmend mit geschlossenen Augen neben seinem Tier liegen. Und auf einmal spürte er den Schmerz, der in seinem linken Knie raste und ihm fast den Atem nahm. Ächzend rappelte er sich hoch und sah das Blut, das seinen ledernen Beinschutz bereits dunkel gefärbt hatte. Er versuchte aufzustehen, aber sein gesamtes linkes Bein war von solcher Schwäche befallen, dass er es nicht heben konnte. Angst und Übelkeit stiegen in ihm hoch. »Wenigstens bin ich bei den Meinigen in Sicherheit«, dachte er. Doch in diesem Moment stob die ganze Truppe der Pistolenreiter an ihm vorbei und setzte den flüchtenden Franzosen nach. Er wollte rufen, doch er brachte nur ein schwaches Krächzen aus der Kehle. Steine und Dreckklumpen, aufgewirbelt von den Hinterhufen der Pferde, prasselten auf ihn herab. Als sich der Staub wieder legte, sah er die Pistolenreiter nur noch von weitem. Er war allein.

»Der Nächste!« Hieronimus Stock, der Feldscher, wischte sich den Schweiß von der Stirn. Sein Wams war rot vom Blut der Verwundeten. Der gebürtige Schwabe, Sohn eines einfachen Schusters, hatte sich das Studium der Medizin nicht leisten können und stattdessen eine handwerkliche Ausbildung zum Wundarzt gemacht. Seit zehn Jahren verdingte er sich überall dahin, wo Krieg geführt wurde, und war zum Spezialisten für alle Arten von Hieb-, Schnitt- und Schussverletzungen geworden. Sein Ruf war bis an den kaiserlichen Hof gedrungen, und so hatte ihn Albrecht von Brandenburg-Kulmbach für sich und seine Truppe verpflichtet. Fünf Stunden arbeitete der Chirurg nun schon ununterbrochen, assistiert von seinem Gehilfen und Lehrling Benedikt, einem verschlossenen, immer etwas finster wirkenden Achtzehnjährigen, der erst aufblühte, wenn er mit am Operationstisch stand.

Der Operationstisch, eine einfache Konstruktion aus zwei hölzernen Schragen mit einer darüber gelegten Platte, stand im Freien neben einem großen Feuer, in dessen Glut die Eisen zum Ausbrennen der Wunden steckten. Darüber hing ein großer Kupferkessel mit kochendem Wasser. Ein länglicher Holzzuber war neben den Tisch gezogen worden, in den der Wundarzt achtlos die abgeschnittenen Gliedmaßen, Finger, Arme, Beine warf. Ringsum war alles rot gefärbt vom Blut. Es roch nach verbranntem Fleisch und den verschiedenen Salben und Pasten, die auf die Wunden geschmiert wurden. Etwas abseits wartete der Feldpfarrer auf seinen Einsatz; wenn es sein musste, spendete er noch auf dem Tisch den Sterbenden Trost und die letzte Ölung. Die Schreie der Hunderte von Verletzten, die in unmittelbarer Nähe gelagert wurden, übertönten diejenigen der Patienten, deren Wunden bei vollem Bewusstsein vom Arzt versorgt wurden, bis hin zum Abtrennen von Gliedern, die nicht mehr zu retten waren.

Der junge Pistolenreiter war einer der Letzten, den man zu Hieronimus Stock zum Verarzten brachte. Man hatte den durch den starken Blutverlust ohnmächtig Gewordenen erst spät gefunden und zum Feldlager geschafft, und außerdem gab es dringendere Fälle als ihn. Zwei Helfer wuchteten den Bewusstlosen mit Schwung auf den Operationstisch. Der Gehilfe schlitzte geübt mit dem Schermesser den blutdurchtränkten ledernen Beinschutz auf und legte die Wunde frei.

»Schussverletzung im Knie«, diagnostizierte er in Richtung von Hieronimus Stock, der sich in einer Wanne die Hände säuberte.

»Die Kugel steckt noch.« Vorsichtig begann er, mit einem Schwamm die Wunde vom Blut zu säubern. Der Verletzte zuckte, stöhnte, öffnete die Augen und versuchte, sich aufzurichten. Sein bleiches Gesicht war schmerzverzerrt.

»Keine Angst, Soldat, du bist beim Feldscher und in Sicherheit. Wir richten jetzt dein Knie, also bleib ruhig liegen, beiß die Zähne zusammen und halt's aus. Sei froh, dass du lebst!«

Der so Angesprochene ließ sich mit einem Seufzer wieder zurückfallen.

Währenddessen begutachtete Stock die Wunde.

»Sieht übel aus, das Knie, was? Bluten tut nichts mehr, das ist schon gut. Aber die Kugel muss heraus. Benedikt, den Storchenschnabel! Und halt das Bein gut fest!«

Der Gehilfe reichte seinem Meister eine Art Pinzette, die dieser in den Schusskanal einführte. Der Verletzte schrie, als das Instrument in sein zerschmettertes Knie eindrang, und bäumte sich auf.

Stock stocherte ungerührt, bis er die Kugel spüren konnte, zwickte die Pinzette zusammen und zog sie mit einer drehenden Bewegung heraus.

»Da!« Er hielt die deformierte Kugel hoch. »Blei, kein Stein. Schau, Benedikt, die Kugel ist zwar draußen, aber das Knie ist kaputt. Was sagt das Feldbuch der Wundarznei zu Verletzungen durch Bleikugeln?«

Das »Feldtbuch der Wundtartzney« des berühmten Straßburger Wundarztes Hans von Gersdorff war das am weitesten verbreitete chirurgische Fachbuch der Zeit. Benedikt kannte es bereits in- und auswendig.

»Bleikugeln verursachen Zerreißungen und Quetschungen. Knochen werden zerschmettert, und die Splitter müssen entfernt werden. Weil die Kugel durch Schießpulver verunreinigt ist, muss die Wunde vom Gift befreit werden durch Herbeiführen einer Eiterung. Nur durch den Eiter findet eine heilende Reinigung statt.«

»Brav. Also, du machst die Knochensplitter. Das Kniegelenk ist hin, auch die Kniescheibe. Da ist nichts mehr ganz, ja, ja.«

Stock öffnete seine Salbentruhe, während der Gehilfe dem sich windenden und nach Luft schnappenden Verletzten die Knochensplitter aus dem Knie zog. Er griff sich eine Messingbüchse und entnahm ihr mittels eines Holzspatels eine kleine Menge schwärzlicher Paste, die er auf und in die Wunde schmierte.

»Verbinden, los.« Er wandte sich an den Pistolenreiter, der jetzt schwer atmend, aber entspannt und mit geschlossenen Augen dalag.

»Also, Freund, dein Knie ist gerichtet. Die Eiterung wird bald einsetzen und deine Wunde vom giftigen Pulver säubern, das an der Kugel haftet. Mit ein bisschen Glück heilt's dann ohne weitere Entzündung. Steif wird's jedenfalls bleiben, weil das Gelenk vollständig zerstört ist. Na, bist ja noch ganz gut davongekommen! Der Nächste!«

Der Pistolenreiter wurde vom Tisch gehoben und zu den anderen Verwundeten gelegt.

Am nächsten Tag begann die Wunde zu eitern, wie es der Feldscher vorausgesagt hatte. Der junge Pistolenreiter erholte sich etwas, trank warmen Wein mit Ei, Kräutern und Honig und aß hungrig. Zusammen mit elf weiteren Verletzten hatte man ihn in ein Zelt verlegt, wo sich die Männer gegenseitig um ihre Wunden kümmerten. Als nach fünf, sechs Tagen die ersten schon wieder laufen konnten und das Zelt verließen, fühlte sich der Pistolenreiter wieder schlechter. In seinem Knie wühlte es wie ein Feuerbrand. Unter dem Lumpenverband quoll immer noch gelblich-grünes, mit Blut vermischtes Wundsekret aus dem Schusskanal. Die Wundränder verfärbten sich schwarz, und vom Knie abwärts schwoll das Bein zusehends an. Das Fieber kam. Stöhnend wälzte sich der Pistolenreiter auf seinem Lager. Als das Fieber täglich höher stieg, die Schmerzen immer unerträglicher wurden und der Verletzte schließlich Schüttelfrost bekam und zu phantasieren anfing, brachte man ihn auf einer Bahre zurück zur Krankenstation des Wundarztes.

Hieronimus Stock entfernte die Binden und betrachtete mit angewidertem Gesichtsausdruck das brandig aufgedunsene Bein. Es schimmerte dunkelblaurot bis schwarz, und die Haut sah stellenweise lederartig aus. Unterhalb des Knies hatten sich bereits Blasen gebildet, die Verflüssigung des Gewebes hatte begonnen. Ein widerwärtiger Geruch wie Jauche stieg von dem absterbenden Fleisch auf. Benedikt drückte sich ein Tuch auf die Nase und wendete sich angeekelt ab, um ein Würgen zu unterdrücken.

»Gangrän. Hab ich mir's fast gedacht.« Der Feldscher drehte sich zu seinem Gehilfen um. »Bei Schusswunden, notabene, tritt noch öfter der feuchte Brand hinzu als bei anderen Verletzungen, merk dir das, Benedikt. Warum bringt ihr ihn so spät, ihr hirnlosen Eselskälber?«, schnauzte er die Bahrenträger an. »Warum hat keiner seine Binden gewechselt? Ein Tag mehr, und er wär krepiert! Haut jetzt ab, ich muss operieren! Benedikt, hopp, schür das Feuer!«

Er krempelte die Ärmel hoch und suchte seine Instrumente zusammen: das kleine spitze Messer zum Aufschneiden der Haut, das größere zum Durchtrennen der Muskelstränge, die Beinsäge, ein gezwirbeltes Haarseil zum Abbinden, Schwämme und Stofffetzen für die Blutstillung. Das Glüheisen steckte er in das inzwischen aufflackernde Feuer. Er begutachtete den Fiebernden, der leise Unverständliches vor sich hin flüsterte, und band seinen Oberkörper mit Seilen am Tisch fest. Dann steckte er ihm ein Stück weiches, stoffumwickeltes Holz zwischen die Zähne.

»Benedikt, bind ab!«

Der Gehilfe legte die Schnur eine Handbreit oberhalb des Knies um den Oberschenkel und band mit einem doppelten Knoten zu. Dann schob er das Drehholz zwischen Bein und Schnur und drehte so lange zu, bis der Blutfluss sichtbar unterbrochen war – unterhalb der Drucksperre verfärbte sich das Bein langsam heller.

»Los!«

Stock arbeitete schnell und geschickt mit dem skalpellähnlichen Messerchen.

»Schau, Benedikt, ich trenn die Haut erst direkt am Knie ab, unterhalb der Amputationsstelle. Dann zwei Schnitte an den Seiten, so. Glotz nicht, wisch ab!«

Während Benedikt mit Schwämmen das hervorquellende Blut abtupfte, löste der Feldscher langsam mit einer Art Schaber die Haut vom Fleisch und klappte die beiden so entstandenen Hautlappen zurück. Mit dem größeren Messer schnitt er oberhalb des Knies in den Muskel. Der junge Pistolenreiter, der bisher ganz still gelegen und nur wirres Zeug vor sich hin gesprochen hatte, riss in unsäglichem Erstaunen die Augen auf und spuckte das Beißholz aus. Er wirkte plötzlich hellwach und zerrte wild an den Stricken, die ihn hielten. Mit einer Stimme, die vor Entsetzen kreischte, begann der

Gepeinigte schrill und durchdringend zu schreien. Unbeeindruckt von der Reaktion seines Patienten schnitt und sägte sich Hieronimus Stock stoisch und unerschütterlich weiter durch die Oberschenkelmuskeln, bis er sie vorne und hinten völlig durchtrennt hatte. Das Bein des Pistolenreiters, der nun wie ein Wahnsinniger mit sich überschlagender Stimme schrie und sich mit seinen letzten Kräften gegen die Fesseln stemmte, hing nur noch am Knochen.

»Die Beinsäge, Junge.«

Stock setzte die Säge an. Der Pistolenreiter erbrach sich in Krämpfen; Galle, Rotz und Speichel quollen ihm aus Mund und Nase. Er flog am ganzen Körper. Aus seinem weit aufgerissenem Mund drangen nicht mehr menschliche Töne, bis seine Stimme plötzlich mit einem dunklen Gurgeln erstarb und sein Körper erschlaffte.

»Gott sei's gedankt, endlich ist er bewusstlos«, seufzte Benedikt erleichtert. Er war grünlich im Gesicht.

Der Chirurg sägte nun mit geübten Bewegungen den Knochen vollends durch. Er packte das abgetrennte Bein am Fußgelenk und schmiss es seinem Gehilfen zu.

»Weg damit. Und schau, ob das Glüheisen so weit ist.« Er wischte sich die Schweißperlen aus dem Gesicht, griff zu einer Feldflasche, die an einem Pfosten neben dem Operationstisch hing, und nahm einen tiefen Schluck.

»Das Ausbrennen«, erklärte er, während er sich in einem Ledereimer das Blut von den Händen wusch, »dient nicht nur der absolut wirksamen Blutstillung, sondern versiegelt auch die Schnittfläche und verhindert, dass sich die Entzündung weiterfrisst. Feuer heilt!«

Er schlüpfte in eine Art dicken Handschuh und zog das rot glühende Eisen aus dem Feuer. Während Benedikt sorgfältig die beiden Hautlappen zur Seite hielt, damit sie unversehrt blieben, drückte der Wundarzt das Eisen mitten in die Amputationswunde. Das verbrannte Fleisch zuckte und zischte, und es stank entsetzlich.

»So. Jetzt mach vorsichtig die Abbindschnur locker. Noch ein bisschen. Gut. Siehst du, es blutet nicht. Die Adern sind allesamt verschmort. Jetzt können wir nähen.«

Stock zog die beiden Hautstücke über die offene Wunde. Mit einer dicken Nadel und einem gezwirbelten Schafsdarm setzte er die ersten zwei Stiche, dann ließ er seinen Assistenten weitermachen.

»Früher hat man das Verschließen mit den Hautlappen nicht gemacht«, erklärte Stock dabei, »da ließ man die Wunde einfach offen. Aber oft kam dann später Schmutz hinein, und es gab wieder eine Entzündung. Man musste deshalb nicht selten noch einmal operieren und das Glied ein Stück höher abschneiden. Wenn die Wunde mit Haut bedeckt ist, kann das nicht mehr so leicht geschehen, und alles wächst gut zu und sieht auch schöner aus. Notabene: Haut ist der beste Verband.«

Der Gehilfe war geschickt im Umgang mit der gekrümmten Nadel. Ein ums andere Mal stach er durch die Haut und zog mit dem Faden die Wundränder sorgfältig zusammen. Er legte aus sauberen Leinbahnen einen Verband an. Dann löste er die Stricke, mit denen der Operierte festgebunden war. Der stöhnte leise und öffnete die Augen. Der Atem ging schwach, aber regelmäßig.

»Alles vorbei, Junge.« Stock klopfte seinem Patienten sachte auf die Schulter. »Musst allerdings in Zukunft ohne dein linkes Bein auskommen.«

Der Pistolenreiter weinte.

Der Wundarzt und sein Gehilfe verließen das Zelt und gingen nebeneinander über den Platz. Benedikt war skeptisch.

»Meister Stock, glaubt Ihr, der überlebt das?«

»Schwer zu sagen. Das Fieber hat ihn stark geschwächt. Wenn es jetzt schnell und gleichmäßig sinkt, könnte er's schon schaffen. Hält die trockene Hitze dagegen noch länger an, seh ich schwarz. Die nächsten Stunden werden's weisen. Wenn du willst, geh später zu ihm und leg ihm feuchte Tücher auf die Brust, das hilft. He, ihr zwei da drüben! Tragt den Amputierten ins Zelt zu den Schwerverletzten. Aber vorsichtig!«

Nachricht des Hauptmanns auf dem Gebirg und des Hofmeisters zu Plassenburg an den Markgrafen Georg von Brandenburg-Ansbach, 14. September 1544

Gottes Lieb und unsern Gruß zuvorn, gnediger Herr Georg. Dieweiln wir auf unsern letzten Bericht an Markgraf Albrechten nach Speyer kein Antwort erhalten haben, wollen wir uns fuglich an Euch wenden. Mit Eurer Schwester wird es je länger je schwieriger, wovon wir mehrmals an Euch und Euern Bruder berichtet haben. Ist sie nicht in Traurigkeit und Melancholei befangen, so bemächtigt sich ihrer eine große Aufgeregtheit und Anspannung. So weigert sie sich oftmals, den Gottesdienst zu besuchen und lässt verlauten, sie spräche nächtens selber mit Gott und den Heiligen!

Wir befürchten nun, dass sich die Frau Barbara ein Leids anthun könnte und bitten Euer markgrefliche Gnaden um Rathschlag, wie wir weiter verfahren sollen. Unser unterthenigster Vorschlag wäre, ihr eine Dienerin beizugeben, die ihr aufwarten und schlimmen Zufällen hindern könnte. Baldige Nachricht ist vonnöthen, darumb bitten wir, dem Bothen gleich Nachricht mitzugeben. Unsern Dank und Gehorsam.

Gegeben zu Plassenberg am Tag exaltatio crucis anno 1544
Wolf von Schaumberg, Haubtmann auf dem Gebirg
Wilhem von Guttenberg, Hofmeister

Kurze Nachricht des Markgrafen Georg von Brandenburg-Ansbach an den Hauptmann auf dem Gebirg, 20. September 1544

Gottes Gruß zuvorn, bester Wolfen von Schaumberg. Nimbt mich Wunder, dass Markgraf Albrecht auf deine Schreiben kein Antwort gibt, so muss ich allso auch für ihn mit sprechen. Deine Nachricht über das Befinden unserer Schwester betrübt mich schwer, doch liegt es in ihrer Hand, aus der Verhaftung zu kommen. Wenn sie zuweiln der Melancholie anheim fällt, so liegt das am Ungleichgewicht der Körpersäfte. Ihr Temperament ist dann feucht und kalt im Übermaß, weil zu viel schwartze Galle im Körper sich befindet. Deshalb ist zu empfehlen, ihr stark und scharf gewürztes Essen geben zu lassen mit Pfeffer, Nelken und anderm. Man hört, dass solcherart Melancholei dann geheilt ist, wenn schwarzer Urin auftritt, weil dann *die Galle auf natürlichem Weg abgeht. Du wollest also den Inhalt der Nachtscherben meiner Schwester beobachten lassen und Meldung machen, wenn solches eintritt.*

Dass mein Schwester meint, nächtens in persona mit himmlischen Mächten zu sprechen, ist höchst gefährlich – derhalben mein ernstlich Befehl, du mögest dies füglich für dich behalten. In Zeitläuften unsicherer Religion wie den jetzigen mag solche Wirrnis leicht für Ketzerei ausgelegt werden. Unsre Lage als protestantischer Fürst mit einem Bruder, der für das katholische Habsburg im Feld steht, ist ohnedies schon schwierig genug. Stellt sich bis zum Frühjahr keine Besserung ein, so ist mein Befehl, ihr eine oder zwei unbescholtene Mägdlein oder Frauen beizugeben, damit sie nicht Gefahr für uns und unsern Bruder schaffe. Mit Gott.

Gegeben zu Ansbach, den Sambstag vor Matthei
Georg, Markgraf zu Brandenburg-Ansbach

Plassenburg, April 1545

Die Sonne ging gerade unter, als sich das äußere Tor der Burg öffnete und die kleine Gruppe der Schlossbediensteten entließ, die in der Stadt wohnten. Schwatzend und lachend marschierten die Aufspülerin und die Wäscherin, der alte Ochsenknecht, der Kanzleischreiber und einer der Stalldiener den steilen Weg nach Kulmbach hinunter.

»Das Abendvesper wird immer schlechter, seit der dicke Veit aus Bayreuth Koch ist«, regte sich der Schreiber auf, »so ein zähes Trumm Krautfleisch wie heut hab ich mein Lebtag noch nicht erwischt.«

Der Stallknecht grinste.

»Jetzt geht mir auf, warum ich heut früh den alten Sattel in die Küche hab bringen müssen. Den hat der Veit ins Kraut geschmissen!«

Die beiden Frauen kicherten. Eine von ihnen trug in der gerafften Schürze die Reste vom Gesindetisch, um daheim ihre fünf Kinder zu versorgen.

Alle hielten inne, als sich ihnen ein großer Trupp Reiter von unten her näherte. Es musste sich um Landsknechte handeln – sie trugen Brustpanzer und hatten Spieße und Schwerter dabei. Je zwei von ihnen ritten auf stämmigen Pferden nebeneinander. Es waren mindestens dreißig oder vierzig.

»Aus dem Weg, ihr da!«, schrie einer der Reiter. »Macht Platz, ihr Lahmärsche!«

Die Fußgänger drängten sich an einer Engstelle am Rande des Fußwegs zusammen, um die Soldaten vorbeizulassen.

»Steht nicht da wie die Kälber und glotzt! Verbeugt Euch gefälligst, wenn Euer Landesherr vorbeikommt!«

Die Schlossbediensteten erkannten tatsächlich inmitten der Landsknechte mehrere vornehme Reiter, darunter einen auf einem weißem Pferd, und beugten respektvoll die Knie. Noch bevor sie sich wieder aufrichteten, holte ein Soldat mit seinem Schwert aus und klatschte der Frau, die ihm am nächsten stand, laut lachend mit der breiten Seite der Waffe auf das Hinterteil. Die Ärmste bekam das Übergewicht, schrie auf und fiel der Länge nach hin. Semmeln und Fleischreste kullerten den Hang hinab. Die Soldaten grölten und trieben ihre Tiere weiter.

Von droben erklang ein Trompetenstoß, und die beiden Flügel des Äußeren Tors schwangen weit auf. Markgraf Albrecht Alkibiades ritt nach jahrelanger Abwesenheit wieder in seine Landesfestung ein.

»Liebden! Wacht auf!« Jemand rüttelte an Barbaras Schulter. »So werdet doch wach!«

Die Markgräfin richtete sich im Bett auf und sah verwirrt um sich. Seit einiger Zeit hatte sie zugestimmt, abends einen Schlaftrunk einzunehmen, den ihr der Kulmbacher Doctor aus Baldrian, Hopfen, Mohnsaft und allerlei Kräutern zusammenbraute. Seitdem schlief sie traumlos und tief und wachte erst spätmorgens auf.

Langsam erkannte sie das Gesicht der Hofmeisterin.

»Was wollt Ihr, Guttenbergin? Ist schon Mittag?« Sie rieb sich die Augen und ließ sich wieder in die Kissen sinken.

»Nein, die Frühmesse ist gerade zu Ende. Liebden, Ihr müsst

aufstehen. Euer Bruder, der Markgraf, ist gestern angekommen und will Euch heute sehen!«

Barbara zuckte zusammen und war mit einem Mal hellwach.

»Welcher – Georg oder Albrecht?«

»Albrecht natürlich. Markgraf Georg liegt, so sagt man, schon seit drei Wochen krank zu Ansbach darnieder.«

Die Markgräfin begann vor Aufregung zu zittern. War es möglich, dass ihre Gefangenschaft ein Ende hatte? Weshalb sollte Albrecht diesmal sonst zu ihr kommen?

Die Hofmeisterin betrachtete Barbara prüfend. Seit die Markgräfin nachts besser schlief, hatte sie Gott sei Dank wieder eine gesündere Gesichtsfarbe, und ihre grauen Augen waren nicht mehr mit dunklen Ringen unterlegt. Trotzdem waren ihre Wangen eingefallen, und sie wirkte dünn und zerbrechlich. Die Guttenbergin beschloss, Barbara beim Ankleiden zu helfen und sie zu frisieren, damit sie in ordentlichem Zustand ihrem Bruder begegnen konnte. Sie und ihr Mann wollten nicht dafür verantwortlich gemacht werden, dass die Gefangene womöglich verwahrlost aussah.

Während zwei Stubenknechte kamen und frisches Stroh auf den Fußboden schütteten, wühlte die Hofmeisterin in der Kleidertruhe. Etliches zog sie hervor, was von den Motten angefressen war, bis sie schließlich ein weit ausgeschnittenes ockerfarbenes Kleid fand. Das würde gehen, befand sie, suchte die passenden Ärmel und eine Schaube und legte alles über einen Sidelhocker.

»Viel Auswahl an Kleidern habt Ihr ja nicht«, wandte sie sich an Barbara, die inzwischen das Bett verlassen hatte und nackt und verloren am Fenster stand. Erschreckt stellte die Guttenbergin fest, wie mager die Markgräfin war. Über den flachen kleinen Brüsten erkannte man die Rippenbögen, Arme und Beine waren knochig. Barbaras Körper hatte alle Üppigkeit verloren. Die langen Haare fielen ihr wirr bis auf die Hüften, an denen die Knochen deutlich sichtbar hervortraten.

»Kommt, Liebden, ich will Euch beim Ankleiden helfen.«

Die Guttenbergin zog Barbara vom Fenster weg und warf ihr das gelbe Kleid über. Dann befestigte sie die geplusterten weißen Ärmel an den Schulterteilen und machte am Ausschnitt ein geklöppeltes Brusttuch fest, das sie hinten am Hals verschnürte.

»Wisst Ihr, was mein Bruder vorhat, Hofmeisterin? Hat er etwas gesagt?«

Die Guttenbergin schüttelte den Kopf.

»Nichts weiß ich, gar nichts! Ihr kennt doch Euren Bruder – er redet mit keinem. Als er gestern ankam, ist er sogleich in seine Zimmer und nicht mehr wieder herausgekommen. Er fühlt sich krank und hat schlimme Schmerzen im Kopf, das hat er meinem Gemahl gesagt. Deshalb will er auch heute früh in die Badstube nach Kulmbach gehen und sich danach vom Doctor anschauen lassen. Später kommt er dann zu Euch, das ist alles, was ich sagen kann. Setzt Euch, damit ich Eure Haare kämmen kann.«

Barbara ließ sich auf dem Hocker nieder und versuchte, ihre Gedanken zu sammeln, während die Hofmeisterin einen Schildpattkamm mit ausgesägten Zähnen aus der kleinen Schatulle nahm und ihr das Haar glättete.

»Tut's weh, Liebden? Lauter Butzen und Knoten, und ganz verfilzt! Ihr solltet besser auf Euch achten und jeden Tag kämmen, sonst muss es eines Tages abgeschnitten werden. Dabei habt Ihr so schönes Haar, so schwarz und dicht. Da, jetzt glänzt es auch wieder!« Die Hofmeisterin fasste Barbaras dunkle, schwere Haarpracht mit beiden Händen im Nacken zusammen, drehte alles zu einer dicken Kordel und steckte diese am Hinterkopf mit vielen beinernen, fingerlangen Nadeln zu einem Nest hoch. Dann drapierte sie ein gewebtes goldfarbenes Haarnetz um die Frisur.

»So, jetzt könnt Ihr aufstehen, Liebden!«

Barbara gehorchte. Obwohl ihr das Kleid nicht mehr so recht passte, weil sie so dünn geworden war, sah sie beinahe so schön wie früher aus, fand die Guttenbergin. Die Markgräfin hatte auch nach der langen Zeit in der Haft immer noch die gleiche elegante Haltung und die gleichen ruhigen Bewegungen: Aufrecht und gerade stand sie da, den Kopf auf dem schlanken Hals leicht zur Seite geneigt. Das Gelb des schweren Damaststoffs bildete einen starken Kontrast zu ihren dunklen Haaren. Die Hofmeisterin schnaufte erleichtert auf. Der Markgraf würde keinen Grund haben, ihr und ihrem Mann vorzuwerfen, dass seine Schwester in zu schlechter Verfassung sei.

Als die Guttenbergin gegangen war, setzte sich Barbara in ihren gepolsterten Lehnstuhl und wartete. Dass Albrecht sie besuchte, musste ein gutes Zeichen sein. Denn schlimmer, so dachte sie, kann es schließlich nicht werden. Mehr als einsperren konnte er sie ja nicht. Vielleicht hatte er nach anderthalb Jahren eingesehen, dass sie nicht nachgeben würde. Sie fragte sich, ob sie ihn hasste, und konnte keine Antwort finden. Irgendwie waren ihr in den letzten Monaten alle Gefühle abhanden gekommen. Sie war innerlich taub, hatte zu einer Gleichgültigkeit gefunden, die ihr unheimlich war. Wer war sie – Frau, Markgräfin, Gefangene, jung, alt? Spürte sie ihren Körper noch? Ich weiß es nicht, dachte sie, ich bin mir selber eine Fremde geworden. Panik kroch in ihr hoch. Was war nur mit ihr passiert?

Sie ballte die Fäuste und schüttelte den Kopf. Dann begann sie, im Zimmer auf und ab zu gehen. Auf einmal wurde ihr klar, dass sie kurz davor gewesen war zu kapitulieren. Sie hatte sich vernachlässigt, war krank geworden, hatte an ihrem Glauben gezweifelt, hatte den Tod herbeigesehnt. Ich muss mich zusammennehmen, beschloss sie, ich muss mich zwingen, wieder so zu werden wie früher. Als Erstes werde ich den Doctor mit seinem Schlaftrunk hinauswerfen. Die Mixtur macht mich benommen und lässt mich nicht denken. Sie wollen mich damit nur gefügig machen. Und Albrecht soll nicht merken, wie schlecht es mir geht. Ich muss wieder essen und zu Kräften kommen. Die Tränen stiegen ihr in die Augen. Hoffnung, dachte sie, ich spüre Hoffnung. Ich fühle wieder etwas. Es kann noch alles gut werden. Es war, als sei sie aus einem langen Schlaf erwacht.

Sie klopfte an die Vogteitür, damit der Wächter das Guckfenster öffnete.

»Cunz, bring mir ein rechtes Mittagsmahl mit Fisch, Fleisch und Beigemüse! Ich bin hungrig. Und schick auch in den Keller nach einem Krug Wein mit Honig.«

Albrecht war wie fast immer in den letzten Monaten mit bohrenden Kopfschmerzen erwacht. In seinen Schläfen hämmerte es, und über seiner Stirn lag ein Druck wie von tausend Tonnen. Er schwang die Beine aus dem Himmelbett und benutzte ausgiebig den Nachtscherben.

An der gegenüberliegenden Wand schliefen in zwei Spannbetten seine persönliche Leibwache Heinz von Bayreuth, ein Bär von einem Landsknecht, und der kleine Michel, ein Bub von zehn Jahren, der den markgräflichen Regenmantel trug. Ersterer schnarchte, dass man es bis nach Kulmbach hören musste.

»Auf!«

Albrecht Alkibiades trat gegen den Bettpfosten des Landsknechts, der mit einem Grunzen hochfuhr. Auch der Junge wurde wach und streckte sich.

»Hol mir den Kammerherrn zum Ankleiden. Er soll leichte Sachen mitbringen; ich geh nach der Frühsuppe in die Badstube.« Der kleine Regenmantelträger schlüpfte in sein Hemd und wieselte los.

Der Landsknecht stieg in seine ledernen Kniehosen und die Stiefel, während Albrecht am offenen Fenster stand und den Kopf auf den Schultern rollen ließ.

»Das Schädelweh bringt mich noch um!« Er atmete ein paar Mal tief durch.

Nach der Frühsuppe verließ Albrecht die Markgrafengemächer. Für den Vormittag hatte er die Obere Badstube in der Stadt reservieren lassen. Im Schloss selber gab es keine Badegelegenheit, und so gingen seit jeher die Herren der Plassenburg in die Stadt, so oft sie sich einer intensiveren als nur einer Katzenwäsche unterziehen wollten.

Zusammen mit fünf Söldnern zu seiner Bewachung ritt der Markgraf im morgendlichen Sonnenschein nach Kulmbach hinunter. Die Stadt besaß drei Badstuben: das Mainbad außerhalb der Stadtmauer, die Mittlere Badstube im Unteren Stadtgässchen und die Obere Badstube, die der Burg am nächsten lag. Hierhin lenkte das Grüppchen die Pferde. Während die Soldaten rund um das Haus Posten bezogen, wurde der Markgraf vom Bader unter tiefen Verbeugungen in Empfang genommen. Zwei Dienerinnen kleideten Albrecht im Vorbad aus, übergossen ihn mit warmem Wasser und rubbelten ihn mit Seife von oben bis unten ab. In ein weiches Tuch gewickelt, betrat der Markgraf schließlich die Badstube selber und legte sich auf eine der Holzbänke. Heißer Dampf nahm ihm fast den Atem, und er begann sofort zu schwitzen. Zweimal ging er zwischendurch zurück ins Vorbad, um in einen Kessel mit lauwarmem Wasser zu tauchen und sich zu erfrischen. Danach führte ihn der

Bader selbst in den Ruheraum, wo vor einem wohlig warmen Kachelofen ein Lager gerichtet war.

»Womit darf ich Euer Gnaden dienen? Aderlass? Schröpfen? Ein hübsches Maidlein? Alles, was beliebt!«

»Schröpfen darfst du, Bader, aber mehr auch nicht. Später kommt der Doctor und erledigt alles Weitere.« Mit diesen Worten drehte sich der Markgraf auf den Bauch.

Der Bader, der wenig davon begeistert war, dass ihm der Markgraf die Konkurrenz ins Haus holte, ließ sich von seinem Gehilfen acht heiße Schröpfköpfe bringen. Der Liegende zog jedes Mal die Luft zwischen den Zähnen ein, wenn Peitinger die runden Glaskolben paarweise auf seinem Rücken festdrückte. »Geht's, Euer Gnaden?«

»Frag nicht so scheinheilig, du Schinder«, knurrte Albrecht zurück.

Bald waren die Schröpfköpfe mit Blut gefüllt, und der Bader nahm sie vorsichtig ab, bevor sie ganz erkalteten und von selber abfielen. Sein Gehilfe tupfte gerade das Blut vom Rücken des Markgrafen, als eine der Mägde eintrat.

»Der Herr Doctor wär jetzt da, Euer Gnaden!«

Albrecht ließ ihn hereinholen, während der Bader naserümpfend den Raum verließ.

Nikolaus Scharf war ein rotgesichtiger älterer Herr und ein Arzt von hervorragendem Ruf; lediglich die Tatsache, dass er dem Trunk verfallen war, beeinträchtigte bisweilen den Erfolg seines segensreichen Wirkens. Heute jedoch war er stocknüchtern, hörte sich Albrechts Litanei konzentriert an und besah sich die tiefroten Schröpfstellen auf dem Rücken des Markgrafen.

»Gut, gut, Euer Liebden, das Schröpfen ist erfolgreich bei allerlei Leiden der heiß-trockenen Ausprägung, die mit Fieber und Entzündungen einhergehen, aber der reißende und drückende Kopfschmerz, das ist eine ganz andere Sache. Ich würde Euer Gnaden täglich dreimal kalte Wickel mit einem Kräuterabsud empfehlen, den ich Euch aufs Schloss schicken lassen werde. Und ...«

»Hört mir auf mit derlei unwirksamem Getändel, Quacksalber!« Der Markgraf unterbrach den Arzt sichtlich wütend. »Kräuterwickel! Seid Ihr ein Kräuterweib oder ein studierter Doctor der Medizin? Ich will ein wirksames Mittel, das mir die Schmerzen nimmt. Wenn Euch nichts Besseres einfällt, könnt Ihr wieder gehen!«

Scharf zuckte zusammen und überlegte fieberhaft, was seinen Patienten zufrieden stellen könnte.

»Euer Gnaden, es gäbe da schon eine Methode…«

»Lasst hören!«

»Diese Methode folgt einer neuen Theorie aus den Niederlanden, die besagt, dass Kopfschmerz dadurch entsteht, dass sich schlechte Säfte im Schädel stauen. Man muss nun diesem bösen Plasmenstau die Möglichkeit verschaffen, wieder aus dem Schädel auszutreten, wodurch dann eine Heilung erzielt wird. Dies geschieht folgendermaßen: Man fädelt quer über dem Nacken ein zwei Finger langes Haarseil dicht unter der Haut durch und lässt es eine Zeit lang dort. Das Haarseil zieht daraufhin die schlechten Säfte an, weshalb die Stelle bald anschwillt und sich unter dem Einfluss des Gifts rötet und erhitzt. Schließlich koagulieren die bösen Säfte zu gelbem Eiter, die Wunde geht auf oder wird durch einen Schnitt geöffnet, und mitsamt dem Eiter fließt alles Schlechte aus dem Kopf ab. Notabene: Die Schmerzen haben ein Ende.«

Der Markgraf überlegte. Viel Lust hatte er nicht, eine derartige Prozedur über sich ergehen zu lassen.

»Wie lange wird das dauern?«

»Vielleicht zehn bis fünfzehn Tage, je nachdem, von welcher Art die üblen Säfte sind und wie ihre Giftigkeit beschaffen ist.«

»Fangt an!«

Die Markgräfin hörte, wie sich der Schlüssel im Schloss drehte, und sprang aus ihrem Lehnstuhl auf. Endlich!

Albrecht stand in der Tür, ein dünnes Lächeln auf den Lippen. Er hatte einen dicken Leinenverband um den Hals, über den sein langer gegabelter Bart bis auf die Brust fiel. Barbara erschrak, wie weiß er im Gesicht war. Sie hatte sich so viele Begrüßungsworte zurechtgelegt, doch jetzt fiel ihr nichts mehr ein, und sie spürte einen Kloß im Hals. Sie starrte ihren Bruder an und brachte keinen Ton heraus.

»Na, Schwester, so sprachlos vor Freude, dass du mich wiedersiehst?«

Der Markgraf trat ins Zimmer und ließ sich auf dem nächstbesten Stuhl nieder.

Barbara versuchte, so freundlich zu sein, wie sie konnte, aber es klang mühsam.

»Grüß dich Gott, Albrecht. Lang ist's her, dass wir uns das letzte Mal gesprochen haben.«

Sie wagte nicht zu fragen, was er wollte.

Albrecht sah sie prüfend an.

»Hast dich gut gehalten, meine Liebe. Respekt! Wie lange bist du jetzt schon hier?« Er wartete nicht auf Antwort. »Fünfzehn Monate? Mehr? Ja, die Sturheit liegt in der Familie! Und du hast dir's noch nicht überlegt?«

Die Markgräfin spürte, wie ihr innerlich kalt wurde. Plötzlich war ihr klar, dass Albrecht nicht gekommen war, um sie freizulassen. Wie hatte sie nur glauben können, er würde nachgeben! Ihre Knie wurden weich, und sie setzte sich ihrem Bruder gegenüber, um diese Schwäche nicht zeigen zu müssen. Sie hielt es nicht mehr länger aus.

»Albrecht, ich bitt dich, sag mir, warum du gekommen bist!«

Er schmunzelte und strich sich den Bart über der Brust glatt.

»Oh, ich bringe dir Grüße von unserer Schwester Kunigunde, die ich auf dem Weg hierher besucht habe. Wie du vielleicht noch nicht weißt, haben wir sie endlich unter die Haube gebracht: Sie hat den Pfalzgrafen bei Rhein geheiratet. Hat uns ein schönes Stück Mitgift gekostet – du siehst, Georg und ich sind nicht kleinlich! Gunda hat sich gefreut wie ein kleines Kind und ist vor lauter Zufriedenheit schier noch dicker geworden. Man weiß inzwischen nicht mehr, wo die Brust aufhört und der Kopf anfängt, so fett ist ihr Hals unterm Doppelkinn! Na, dem Pfalzgrafen gefällt's!«

Barbara bemühte sich, ruhig zu bleiben, aber ihre Stimme zitterte.

»Und was ist mit mir, Albrecht? Wie lang wollt ihr mich noch hier einsperren?«

»Bis du vernünftig wirst, Schwester. Oder was hast du geglaubt? Meinst du, Georg und ich geben nach, bloß weil dein Eigensinn jedes Maß übersteigt?«

Albrechts Augen wurden schmal, und plötzlich sah er aus wie

eine lauernde Raubkatze. »Du hast jetzt lang genug Gelegenheit gehabt, über deinen Trotz nachzudenken. Gib's auf und sag deine Verlobung ab – du wirst sehen, dass wir auch für dich eine gute Heirat arrangieren können wie für die Gunda. Wir sind ja keine Unmenschen!«

Barbara fuhr hoch. »Nein? Was seid ihr dann? Liebende Brüder, die ihre Schwester von einem heiligen Versprechen abbringen wollen, auf dass sie ihre ewige Seligkeit einbüße? Ich hab's vor Gott geschworen, dass ich ihn nehm, Albrecht! Und ein Schwur ist das Heiligste, was es gibt, das weißt du so gut wie ich! Wer ihn bricht, auf den warten Hölle, Fegefeuer und Verdammnis. Ich kann dir alles geben, Bruder, nur nicht mein Seelenheil. Und Gottes Zorn fürcht ich mehr als deinen!«

Albrecht stand auf. »Nun gut, das wäre geklärt, Schwester. Ich hab's nicht anders erwartet. Übrigens hast du einen hartnäckigen Fürsprecher, meine Liebe!«

Sie sah überrascht auf. »Wen?« Ihre grauen Augen blitzten.

»Den alten Sebald von Heilsbronn, den alten Holzkopf! Der Abt hört nicht auf, mir und Georg mit Briefen die Geduld zu rauben. Jetzt spuckt er schon seit Monaten Blut, aber der alte Narr will und will nicht sterben. Vorher, hat er jedenfalls gedroht, will er sich in deiner Sache an das kaiserliche Appellationsgericht wenden.«

Der Markgräfin wurde vor Aufregung ganz heiß. »Gott sei's gedankt, ich hab noch Freunde. Vielleicht kann sich doch noch alles zum Guten wenden. Albrecht, ich bitt dich, lass dich erweichen. Schau, ich hab doch schon genug gelitten, fast wär ich zugrunde gegangen, der Guttenberg hat's dir bestimmt geschrieben.«

Albrecht spuckte auf den Boden. Mit einer schnellen Bewegung packte er Barbaras Arm und zog sie zu sich. Ganz nah kam er mit seinem Gesicht an ihres.

»Und du wirst hier zugrunde gehen, Barbara, das versprech ich dir. Du kommst hier nie mehr heraus, wenn du nicht tust, was ich will. Vergiss den Abt, und vergiss deine Verlobung. Dein Seelenheil scheißt mich einen Dreck, verstehst du? Von mir aus kannst du auf der Plassenburg vermodern, dann hätt ich eine Sorge weniger.« Er ließ sie abrupt wieder los. »Also überleg's dir, und zwar schnell.«

Die Markgräfin konnte nicht verhindern, dass ihr die Tränen in die Augen stiegen; sie blinzelte. Albrecht hatte Recht. Wenn sie jemals aus diesem Gefängnis heraus wollte, musste sie nachgeben. Und sie wollte heraus. Sie würde es so nicht mehr lange aushalten können. Sie musste sich zwischen ihrem Gewissen und ihrem neu erwachten Wunsch, endlich wieder zu leben, entscheiden. Entschlossen wischte sie sich mit dem Handrücken über die Augen. Sie fühlte sich unendlich müde.

»Wenn ich dir deinen Willen tun soll und dem von Heideck absagen, dann möcht ich von dir zuvor mein schlesisches Wittum zurück, die fünfzigtausend Gulden, damit ich mir einen eigenen Haushalt einrichten kann. Dann fall ich keinem von Euch mehr zur Last. Das ist nicht zu viel verlangt dafür, dass ich mein Seelenheil aufs Spiel setze.«

»Meiner Treu, Schwester, du kannst verhandeln! Dein Angebot wär schon recht, nur – ich hab nichts mehr, was ich dir zurückgeben könnte. Du kannst dich selber überzeugen, wenn du willst: Drunten im Plassenburger Gewölb steht meine Kriegskasse, da sind keine fünf Säcke Silber mehr drinnen. Ich bin auf den Hund gekommen, und das ist die Wahrheit! Das, was ich hab, reicht gerade noch, um tausend Söldner anzuwerben für das nächste kaiserliche Scharmützel.«

»Dann muss halt der Georg ...«

Albrecht kicherte. »Dem Georg geht's nicht besser, der hat auch keinen Pfifferling übrig. Er hat schon die Kirchenkleinodien einziehen lassen, um seine üppige Hofhaltung zu finanzieren. Und jetzt will er sogar heiraten – die kleine Emilia von Sachsen, so heißt es, bekommt eine achtbare Mitgift! Ja, Schwester, wir haben ein Fürstentum geerbt, das unser Vater schon ruiniert und mit Schulden überzogen hat, und jetzt müssen wir die Zeche zahlen. Da bleibt für dich nichts übrig, du wirst sehen müssen, wo du bleibst. Und damit mir nicht früher oder später doch noch von irgendwoher Schwierigkeiten entstehen, möcht ich, dass du derweil das hier unterschreibst.«

Er zog eine Rolle aus dem Wams und breitete sie auf dem Tisch aus, auf dem, immer bereit, das Schreibzeug stand. Barbara las.

»Ich, Barbara, Markgräfin zu Brandenburg-Ansbach, verwittwete Herzogin von Groß-Glogau und Crossen, ehemals Königin von Boehmen, versicher und gelob, dass ich mein verschrieben Glogauisches Wittum von fünfzigtausend Gulden oder entsprechende Nutzniessungen aus schlesischen Gütern aus freien Stücken und ohngefährdet meinem geliebten Bruder Albrecht, genannt Alcibiades, Markgraf von Brandenburg-Culmbach, überantwortet hab, damit zu thun, was ihm beliebt. Item darnach hab ich mein Haushaltung zu Plassenberg eingericht, wie es sich für eine Markgräfin-Wittwe geziemet, mit Dienerschaft, Gefolge und allem, was zur Bequemlichkeit meines Leibes nötig. Fürwahr, ich bekenn's und schwör's, dass dies mein freier Wille war, so Gott und die Heiligen bezeugen mögen.

Plassenberg, am Tag nach Misericordia Domini anno 1545 ...«

Der Platz für die Unterschrift war noch frei.

Barbara bekam für einen Augenblick keine Luft mehr. Dann holte sie tief Atem. Mit einer kurzen Bewegung fegte die Markgräfin das Pergament vom Tisch. Das Tintenglas fiel um, und eine hässliche schwarze Lache sickerte langsam über die hölzerne Tischplatte.

»Du verhöhnst mich! Du spottest sogar Gottes und der Heiligen! Vor nichts hast du Achtung! Was bist du nur für ein Mensch? Böse bist du und gemein, wie der Teufel selbst! Du verlangst zu viel, Albrecht, du treibst es zu weit.«

Sie begann, in weiser Voraussicht vor ihrem Bruder zurückzuweichen, als fürchtete sie, er würde gleich zuschlagen, so wie schon einmal. Albrecht war mit zwei, drei schnellen Schritten bei ihr. Barbara hob die Arme schützend vors Gesicht. Doch er packte sie nur schmerzhaft am Arm, zerrte sie zum Tisch zurück und drückte sie auf den Stuhl nieder.

»Du unterschreibst jetzt«, zischte er. Kleine Speicheltröpfchen sprühten von seinem Mund auf Barbaras Gesicht. »Aufsässiges Miststück, das du bist! Nimm die Feder!« Er zwang ihr den Gänsekiel in die Hand, hob das Schriftstück vom Boden und legte es vor seine Schwester hin. Seine Augen verengten sich zu Schlitzen, aus denen Gift und Galle schoss. »Wenn du nicht gehorchst, Barbara, dann schwör ich dir bei Gott, dass du aus diesem Loch nie wieder herauskommst, so wahr ich Albrecht von Brandenburg-Ansbach heiß! Ich lass dich auf Wasser und Brot in deinem eigenen stinkenden Auswurf sitzen, bis du langsam krepierst! Du hast mich noch nicht kennen gelernt!«

Seine Faust knallte auf die Tischplatte.

Barbara wusste, dass ihr Bruder fähig war zu tun, was er androhte. Wie ein Ring legte sich die Verzweiflung um ihre Brust. Sie fühlte Panik in sich aufsteigen, unkontrollierbar, wahnsinnig. Die Intensität dieses Gefühls traf sie wie ein Schlag. Sie begann am ganzen Leib zu zittern. Sogar ihre Zähne klapperten, sodass sie sie zusammenbeißen musste. Es war ihr nicht möglich, noch einen klaren Gedanken zu fassen, sie spürte nur eines: dass sie das, was Albrecht mit ihr vorhatte, nicht ertragen würde. Sie packte die Feder fester, glättete das Papier und setzte mit unsicherer Schrift ihren Namen unter das lügnerische Dokument.

Sofort ließen die Panik und das Zittern nach. Sie barg das Gesicht in den Händen.

Albrecht schnappte sich das Pergament und rollte es zusammen.

»Warum nicht gleich so?«, knurrte er.

»Da hast du deinen Willen, Bruder.« Barbara versuchte, wieder Fassung zu gewinnen. »Darf ich jetzt die Vogtei verlassen? Bitte!«

Albrecht befingerte seinen schmerzenden Nacken und verzog das Gesicht. »Wo denkst du hin, Schwesterlein?« Er grinste. »Schließlich besteht noch deine unsägliche Verlobung. Überhaupt, ich weiß gar nicht, was du willst. Dir geht's hier doch gut! Vielleicht wirst du hier herauskommen, wenn ich einen richtigen Ehemann für dich gefunden hab, einen, der von Vorteil ist und standesgemäß. Wer weiß?«

Er wandte sich zum Gehen und klopfte an die Tür, damit der Wächter öffnete.

»Nein!« Barbaras Entsetzen stand in ihren Augen. Sie klammerte sich an ihren Bruder. »Ich muss hier heraus, Albrecht, ich halt's nicht mehr aus, bitte …«

Der Markgraf versuchte, sich aus ihrem Griff zu winden. Er hatte es eilig; seine Wunde im Nacken pochte und brannte höllisch.

»Dann schreib doch deinem Wicht von einem Buhlen ab!«, brüllte er.

Er packte Barbara an den Schultern und stieß sie so schroff von sich weg, dass sie strauchelte. Die Markgräfin stürzte ihm mit ausgestreckten Armen nach.

»Bleib! Albrecht!«

Sie versuchte, ihn mit der linken Hand am Wams zu fassen, aber er war schon durch die Tür und schlug diese von draußen mit aller Kraft zu.

Barbara schrie. Ihr kleiner Finger steckte zwischen Türrahmen und Schloss.

Kulmbach, Juni 1545

Das Mädchen mit dem dicken blonden Zopf schlüpfte durch die Seitentür des imposanten Bürgerhauses an der Hauptstraße. Noch an der Schwelle schnallte sie die hölzernen Trippen an ihren Schuhen fest, denn es hatte die ganze Nacht geregnet und die Straßen und Gassen der Stadt waren voll schlammiger Pfützen. Am Morgen war Gott sei Dank die Sonne durchgekommen, denn heute war Markttag, und da konnte man gutes Wetter gebrauchen. Eigentlich hätte Katharina nicht alleine zum Johannimarkt gehen dürfen – sie war schließlich die Tochter des alten Fursfeh, als Wirt, Kaufmann und Ochsenhändler einer der wichtigsten Männer der Stadt. Für eine anständige Bürgerstochter geziemte es sich nicht, herumzustreunen wie ein Armeleutekind. Aber heute war ihr dreizehnter Geburtstag, und sie hatte beschlossen, diesen Tag nicht mit dem langweiligen Hüten ihrer jüngeren Geschwister zu verbringen.

Es war noch früh, und der städtische Hirte war gerade dabei, das Vieh zusammenzutreiben, um es auf die Weiden und Tränkstellen außerhalb der Stadt zu führen. Katharina zwängte sich zwischen Kuhschwänzen durch bis zum Platz vor der Kirche. Hier hockten bereits die Kulmbacher Bettler, verkrümmte Gestalten, mit Schwären bedeckt, armlos, beinlos, blind, unbehaust. Ein Stück abseits kauerte der Gott sei Dank einzige Leprose der Stadt, der aussätzige Niklas, der regelmäßig zur Warnung mit seiner Klapper rasselte.

Für diese Ärmsten der Armen war der Markttag, an dem viele Münzen den Weg in ihre Holzschalen fanden, eine bitter notwendige Überlebensquelle.

Nicht weit entfernt stand der Schandpfahl, und Katharina entdeckte nicht ohne Genugtuung, dass heute die Helmbrechtin daran gekettet war, ein wegen seiner Zanksucht stadtbekanntes garstiges Weib, das die Spottreden der Vorübergehenden mit herausgestreckter Zunge und groben Gesten beantwortete. Neben ihr steckte gerade der Büttel einen Stadtfremden in den Fußblock, weil dieser bei einem Diebstahlsversuch erwischt worden war. Noch am Abend würde man den Delinquenten aburteilen und mit Schimpf und Schande aus den Mauern jagen.

Katharina erreichte den gepflasterten Marktplatz, nachdem sie vorher noch schnell mit einem waghalsigen Sprung dem Inhalt eines Nachttopfs ausgewichen war, den die Magd des Pfannenschmieds aus dem Fenster im ersten Stock gekippt hatte. Am Rathaus war die rote Marktfahne aufgehängt. Solange sie im Wind flatterte, besaßen auch die von auswärts kommenden Verkäufer das Marktrecht. Überall hatten sie ihre Tische und Stände aufgebaut, waren Buden, Zeltdächer und Holzbänke aufgestellt worden. In den Torbögen des Rathauses hielten die einheimischen Handwerker ihre Waren feil, Schneider, Schuster, Gürtler, Bäcker und Metzger. Katharina stand mit großen Augen vor den bunten Schlitzkleidern, die auf Bügeln von einer hohen Querstange herabhingen, schaute mit Begeisterung die farbigen Bänder an, die die Tuchhändler auf Rollen befestigt hatten, dass die Enden lustig herumflatterten. Das Mädchen entdeckte einen Mönch, der Rosenkränze anbot, einen Kammmacher mit hölzernen und beinernen Kämmen und Bürsten, einen Pastetenbäcker mit herrlich duftenden Teigtaschen. Da waren die Messerer, die Flaschenschmiede mit ihren blechernen Trinkgefäßen, ein Fingerhutmacher aus dem Schwäbischen, Zinngießer, Nagler und Werkzeugmacher. Und natürlich die Töpfer, die Pfeifenkrämer, die Weber, Färber und Gerber, die ihre Tuche, Felle und Lederwaren feilboten.

Katharina ließ sich in der Menge der Käufer und Schaulustigen treiben. Geld hatte sie keines dabei, aber es genügte ihr, die ganze bunte Vielfalt des Markttreibens zu beobachten. Wann sonst gab es in der Stadt so viel Interessantes zu sehen? Nicht einmal bei den großen kirchlichen Prozessionen herrschte so viel Trubel.

Vor dem Marktwirtshaus führte ein Gaukler einen Tanzbären vor, während die Umstehenden einen respektvollen Kreis um die beiden bildeten. Katharina war das riesige braune Tier unheimlich, obwohl es an seiner Kette mit dem Nasenring die drolligsten Drehungen vollführte und eigentlich recht friedlich aussah. Ein paar Lausbuben ärgerten den Petz, indem sie kleine Steinchen auf ihn warfen, bis der Besitzer des Tieres einen der Lümmel am Schlafittchen packte und ihm ein paar saftige Watschen verpasste. Das Publikum murmelte beifällig.

Katharina grinste schadenfroh, denn der Geohrfeigte war der Nachbarsbube Kunz, mit dem sie eine innige Feindschaft verband. Sie ging weiter und schaute staunend zu, wie ein fahrender Geselle einen Vogel vorführte, der allerlei Worte krächzen konnte. Als der Vogel jedoch seinem Meister schlimme Schimpfworte und Obszönitäten nachzusprechen begann, genierte sie sich und ging schnell weiter.

Ihre Aufmerksamkeit wurde schon wieder von etwas Neuem gefesselt. Vor der Wohnung des Nachtwächters stand ein Bettelmönch auf einer Kiste und stritt mit einem fahrenden Scholaren über die Putzsucht: »So sind die des Teufels, die mit geschlitztem Gewand umherlaufen und glauben, ihrer Schönheit käm nichts auf Erden gleich! Toren, die ihr euch putzt wie die Gockel – Narren wie euch weist der Erzengel Gabriel mit flammendem Schwert von der Paradiespforte!«

Katharina bekam ein schlechtes Gewissen, hatte sie heute doch extra das schöne blaue Seidenband für die Haare genommen und eine neue Schürze mit feinen Stickereien umgebunden. Sie drehte sich um und rannte schnell weg, vorbei an dem Fladenbäcker, der warme Kümmelbrote im Bauchladen anbot, und an dem Fischverkäufer aus Trebgast mit seinem Eimer frisch gefangener Aale.

Das Mädchen prallte schmerzhaft gegen jemanden, fiel hin und rieb sich die Knie. Auch das noch! Als sie hochsah, erkannte sie den alten Rübsam, einen der Knechte ihres Vaters, der sich vor ihr aufgebaut hatte und schimpfte.

»Du weißt genau, dass du nicht allein auf den Markt gehen darfst, freches Ding. Seit einer Stund such ich dich schon, als ob ich nix anders zu tun hätt! Stehst jetzt gleich auf und gehst mit heim. Dein Vater will dich sehen, ist wohl was Wichtiges, na wart, der wird dir was erzählen.«

Er zog das Mädchen unsanft auf die Beine und hielt sie fest am Arm, während er sich, immer noch zeternd, mit ihr durch die Menge schob, auf das Fursfeh'sche Haus zu.

Heinrich Fursfeh saß an seinem Schreibisch im Arbeitszimmer und rechnete. Vor ihm lagen verschiedene Kerbhölzer, in die eingeschnitzt war, wie viele Sack Getreide im letzten Jahr zur Ochsenmast verbraucht worden waren. Wie immer sah der alte Wirt und Kaufmann Achtung gebietend aus in seiner reichen Bürgertracht aus feinsten Stoffen und mit der runden Kappe aus Samt. Eigentlich verstieß er mit dem üppig bestickten Seidenwams, den Spitzenbesätzen seiner Ärmel und der Pelzverbrämung seiner Mütze gegen die gültige Kleiderordnung, aber schließlich war er einer der reichsten Bürger der Stadt und konnte sich einiges erlauben.

Katharina war seine drittälteste Tochter, das einzige Kind, das ihm aus der zweiten Ehe mit der bald darauf im Kindbett gestorbenen Margareta Sporer geblieben war. Die beiden älteren Töchter waren bereits gut verheiratet, aber um die dreizehnjährige Katharina hatte er sich noch nicht viele Gedanken gemacht, blieb ihr doch noch ein bisschen Zeit bis zur Heiratsfähigkeit.

Heute hatte sich jedoch für seine Katharina etwas ganz anderes ergeben. Die Hauptmännin, die wegen des Marktes vom Schloss nach Kulmbach heruntergekommen war, hatte bei ihm hereingeschaut und ihr Anliegen vorgebracht: Sie habe Auftrag, für die Schwester des Markgrafen, die sich mindestens die nächsten Monate zu Plassenberg aufhalte, zwei Dienerinnen zu suchen, unbescholtene, gut erzogene und ledige Kulmbacher Töchter, die bei der Markgräfin im Schloss Wohnung nehmen und ihr aufwarten sollten. Nun sei es angemessen, die vornehmsten Bürger der Stadt nach weiblichen Familienmitgliedern zu fragen, die diese Bedingungen erfüllten.

Der alte Fursfeh frohlockte und schlug sofort seine Tochter Katharina vor. Eine seiner Töchter als markgräfliche Zofe, das war ein

Glücksfall, der nicht alle Tage vorkam. Und bei Hof taten sich womöglich gute Heiratschancen für die hübsche Käthe auf, ein Verwaltungsbeamter vielleicht oder gar einer vom niederen Adel …

Bevor Katharina die Schreibstube des Vaters betrat, spähte sie erst einmal vorsichtig durch die halb geöffnete Tür, um festzustellen, wie wütend er war. Als sie jedoch den großen Weinhumpen auf dem Schreibtisch zwischen den Kerbhölzern und Geschäftsbüchern sah, atmete sie auf. Wenn Heinrich Fursfeh sich Wein ins Kontor bringen ließ, war er auf jeden Fall gut gelaunt.

Das Mädchen strich sich die Röcke glatt und trat ins Zimmer.

»Herr Vater, Ihr wolltet mich sehen?«

Heinrich Fursfeh setzte seine Augengläser ab – ein Luxus, auf den er besonders stolz war – und winkte Katharina zu sich.

»Komm nur her, du Herumtreiberin, hast Glück, dass ich dir nicht den Hintern versohle. Es gibt Neuigkeiten. Die Hauptmännin war bei mir um deinetwillen.«

»Vater, ich hab bestimmt nichts angestellt, ich schwör's bei der heiligen Muttergottes!«

Katharina wurde himmelangst.

»So? Na, das will ich wohl hoffen. Die Hauptmännin sucht nämlich ein braves und hochanständiges Mädchen als Hofdienerin für die Markgräfin Barbara im Schloss. Und ich habe ihr gesagt, du seist genau die Richtige.«

Katharina glaubte, nicht recht verstanden zu haben.

»Ich soll ins Schloss als Zofe? Aber ich bin doch keine vom Adel.«

»Adel oder nicht Adel! Pah! Du bist eine wohlbescholtene Bürgerstochter aus guter Familie, vergiss das nicht! Und ich mein wohl, du kommst aus reicherem Haus als so manches adlige Frauenzimmer. Das gilt heutzutage viel, manchmal mehr als Stand und Herkunft, für die doch keiner kann! Deine Stiefmutter hat dich recht erzogen, du bist ein sauberes Ding und gescheit dazu. Eine wie du kann in jedem herrschaftlichen Haushalt bestehen. Und wenn du an den Hof gehst, ist das eine Ehre für die ganze Familie.«

Katharina schluckte. Wie immer, wenn sie aufgeregt war, bekam sie rote Flecken im Gesicht. Sie stieß einen kleinen Juchzer aus.

»Zofe der Markgräfin! Was werden die anderen Mädchen neidisch sein. Ganz Kulmbach wird Augen machen! Das muss ich gleich der Margareta und der Elisabeth erzählen, und …«

»Bleibst du da!«

Der alte Fursfeh musste seine Tochter bremsen.

»Die Hauptmännin kommt und holt dich nach dem Marktgang. Bis dahin pack dein Bündel und alles, was du brauchst. Sag deinen Geschwistern und deiner Stiefmutter Ade und wart, bis du gerufen wirst. Dass du mir ja rechtzeitig fertig bist!«

»Ja, Herr Vater!«

Katharina wirbelte herum und schoss aus dem Zimmer. Viel hatte sie nicht einzupacken: ein Paar gestrickte Strümpfe, ein Koller, einen Unter- und einen Überrock, ein Paar Lederschuhe, ein wollenes Umschlagtuch und zwei Haarbänder. Sie warf alles auf ein großes flächsernes Tuch, legte noch ihren Kamm aus Schildpatt – das Kostbarste, was sie besaß – dazu und schnürte das Bündel zusammen.

Der Abschied von der Stiefmutter war schnell vorüber – Katharina hatte nie ein besonderes Verhältnis zur dritten Frau ihres Vaters entwickelt. Schwerer fiel ihr die Trennung von den kleinen Brüdern, die sie mitten im Spiel mit Kreisel und Steckenpferd hinter dem Haus fand. Aber schon rief ihr Vater vom Fenster aus. Schnell nahm sie ihr Bündel auf und lief zum Hauseingang.

Vor der Tür stand bereits die Hauptmännin, eine groß gewachsene, eher unansehnliche Frau mit stechendem Blick und spitzer Nase, die aber vornehm gekleidet war. Neben ihr lümmelte sich der Plassenburger Einkäufer gegen die Wand, der sie mit seinem Esel begleitet hatte, um auf dem Markt seine Besorgungen zu machen. Hinter dem Grautier stand etwas verschüchtert die zweite frisch angeworbene Hofdame, Susanna Zehrer. Susanna war eine Enkelin des sagenhaft reichen Kulmbacher Fernhändlers Pankraz Gutteter und die Nichte des Kulmbacher Bürgermeisters. Sie lebte im Haushalt ihres Onkels, ein junges, reizloses Mädchen von neunzehn Jahren, etwas grobschlächtig und unbeholfen in ihren Bewegungen und nicht besonders vorteilhaft gekleidet. Bisher hatte sich noch kein Heiratskandidat eingefunden, der dem Bürgermeister recht gewesen wäre, und so hatte man auch für sie die Stellung als Zofe als eine glückliche Fügung erachtet.

Mit einem Nicken machte sich die Hauptmännin mit den beiden frisch bestallten Hofdienerinnen an den Aufstieg zur Burg.

Bestallung der Kathrine Fursfeh und der Susanna Zerer, angenommen zu Johanni anno 1545

Katharine Fursfeh und Susanna Zerer, Bürgerstöchter aus der Stadt Kulmbach, geloben und schwören, dem gnedigen Herrn Markgraf Albrechten, genannt der Alcibiades, getreu zu sein und wohl zu dienen. Item so wollen wir unserer gnedigen Herrin, der Markgräfin Barbara, mit Fleiß aufwarten und ihr an nichts fehlen lassen. Auch wollen wir kein Nachricht aus der Stadt zu ihr tragen, nichts Heimliches reden und keine unrecht Kunde aus dem Schloss gelangen lassen. Wir geloben, ohne Gestattung des Haubtmanns oder Hofmeisters nicht aus dem Schloß zu gehn oder jemands aus dem Schloss hinab zu schicken. Dafür erhalten wir selbander die Kost zu Hof und ein Hofgewandt, auch fünf Gulden zu Walpurgis und Michaelis.

Katharina Fursfeh, Susanna Zerer

Plassenburg, Juni 1545

»Ihr müsst wissen, dass die Markgräfin Barbara manchmal, wie soll ich sagen, in eine Traurigkeit verfällt und dann nicht isst und gar seltsames Benehmen zeigt. Das liegt daran, dass sie nicht freiwillig hier auf der Plassenburg lebt, sondern von unserm gnädigen Herrn Albrecht hierher geschickt wurde.«

Die Hofmeisterin ging den beiden Mädchen voraus zur Vogtei.

Katharina und Susanna, beide mit ihren Bündeln in der Hand, folgten ihr auf dem Fuß.

»Wieso ist sie denn hergeschickt worden, Frau Hofmeisterin?«

Katharina war die Neugierigere von beiden und traute sich zuerst zu fragen.

»Das geht euch zwar gar nichts an, aber ihr werdet's ja doch erfahren. Sie hat gegen den Willen ihrer Brüder ihre Scheidung vom König von Böhmen betrieben und sich auch noch einem gemeinen Mann anverlobt.«

Die Mädchen sahen sich viel sagend an, und Katharina flüsterte:

»Na, wenn ich mit dem König von Böhmen verheiratet wär, ich tät mich hüten, den zum Teufel zu jagen!«

Susanna kicherte und fing sich einen tadelnden Blick der Guttenbergin ein.

»Aber darüber braucht ihr euch gar keine Gedanken zu machen, davon versteht ihr überhaupt nichts. Ihr müsst nur für die Markgräfin sorgen, ihr aufwarten und sie ein bisschen aufheitern, wenn sie traurig wird. Das ist alles. Und wenn sie dann ihr Verlöbnis aufgesagt hat, geht ihr mit ihr nach Ansbach und führt ein lustiges Leben!«

Damit drehte sich die Hofmeisterin auf dem Absatz um und ließ die markgräflichen Zofen vor der Tür zur Schlossvogtei stehen.

Die beiden Mädchen warteten, bis der Wächter aufgesperrt hatte. Katharina fand es merkwürdig, dass die Markgräfin, der sie nunmehr dienen sollten, hinter verschlossenen Türen lebte und, so wie es die Hofmeisterin dargestellt hatte, nicht ganz richtig im Kopf war. Ihr war überhaupt nicht mehr wohl bei der Sache, und sie suchte vergeblich, einen Blick von Susanna Zehrer zu erhaschen, die neben ihr stand. Auch Susanna war unbehaglich zumute. Warum hatte man ihnen nicht früher von der offenbar misslichen Lage der Markgräfin erzählt? Hätte sie eher gewusst, auf was sie sich da einließ, sie wäre bestimmt nicht mit aufs Schloss gegangen. Zofe für eine eingesperrte Markgräfin! Was sollte das bloß werden!?

Schließlich schob der Wächter die beiden in die Vogtei hinein, und bevor sich die Mädchen umwenden konnten, war die Tür hinter ihnen zugefallen und der Schlüssel drehte sich wieder im Schloss.

Die Mädchen sahen sich im Zimmer um, entdeckten die Gitter vor den Fenstern und die eiserne Tür vor dem Abtrittserker. Alles war kostbar eingerichtet; an den Wänden hingen Teppiche und Vorhänge, der Boden war mit Stroh frisch geschüttet. Nichts regte sich.

Es war Susanna, die die Markgräfin als Erste entdeckte, als sie in einen der beiden Nebenräume hineinschaute. Barbara saß zusammengesunken, Schulter und Kopf gegen die Mauer gelehnt, auf einem Hocker neben dem Bett. Das Klöppelkissen hielt sie an die Brust gepresst, während ihre Finger gedankenlos mit den Fäden spielten. Sie starrte auf einen Fleck vor sich auf den Boden und schien gar nicht zu bemerken, was um sie herum vorging. Auch Katharina war jetzt in den Mauerbogen zum Schlafzimmer getreten. Susanna stieß sie vorsichtig mit dem Arm an und bedeutete ihr, still zu sein. Beide betrachteten die kauernde Gestalt im grünen Kleid ratlos.

»Was sollen wir denn jetzt machen?«, flüsterte Katharina.

Barbara hob den Kopf. Sie hatte die Hofmeisterin erwartet, stattdessen sah sie zwei halbwüchsige Mädchen, die sie ängstlich anstarrten. Ungläubig runzelte sie die Stirn.

»Wer seid ihr, und wie kommt ihr hier herein?«

Schließlich fasste sich die kleine Katharina ein Herz und ging einen Schritt auf die grün gekleidete Gestalt in der Ecke zu.

»Herrin, erlaubt, seid Ihr die Markgräfin Barbara, die uns als Dienerinnen angenommen hat?«

Barbara begann aus ihrer Erstarrung zu erwachen und schüttelte erstaunt den Kopf.

»Ist das ein Scherz? Wer seid ihr, und wer schickt euch?«

Auch Susanna kam nun näher und knickste unbeholfen.

»Ich bin Susanna Zehrer, zu Gefallen, und die da ist Kätha Fursfeh. Die Hauptmännin hat uns aus der Stadt geholt, um Euch als Zofen aufzuwarten, Herrin.«

»Ihr sollt mir aufwarten? Nach all der Zeit allein? Man hat mir nichts gesagt!«

»Mit Verlaub, Herrin, die Hofmeisterin hat uns hergebracht und der Türwächter hat uns eingelassen.« Susanna stockte. »Und, ich wollte sagen, es ist uns eine große Ehre, Euch zu dienen.«

Barbara stand auf. Sie sah die beiden Mädchen, die recht unbehaglich in ihren neuen Hofgewändern dastanden, forschend an.

»Ihr wisst, warum ich hier bin?«

»Ihr habt den König von Böhmen davongejagt und wollt statt seiner einen anderen heiraten, mit Verlaub!«, platzte Katharina heraus.

Susanna bedeutete der Freundin hastig, still zu sein. Barbara wehrte ab.

»Das ist schon richtig. Ich will's euch erzählen: Mein Bruder, der Markgraf Albrecht, Gott straf ihn, hat mich auf die Plassenburg bringen lassen, weil ich gegen meine Familie gehandelt habe. Ich habe heimlich die Scheidung meiner Ehe betrieben, die niemals wirklich eine Ehe war. Und ich habe mich unter meinem Stand einem anderen Mann versprochen, dem mich meine Brüder aus Missgunst und falsch verstandener Familienehre nicht geben wollen. Jetzt sperren sie mich ein, bis ich nachgebe und das Verlöbnis löse. Aber das kann ich nicht!«

Die beiden Mädchen sahen sich an. Die impulsive Katharina begriff mit einem Mal die ganze Tragweite der Situation. Man hatte sie als Zofen eingestellt, um gleichsam wie Gefangene einer Gefangenen zu dienen. Sie begann zu schluchzen.

»Ich will wieder heim. Hier bleib ich nicht. Ich will nicht eingesperrt sein.«

Barbara stand hilflos vor dem heulenden Kind. Sie konnte nicht verhindern, dass auch ihr die Tränen die Augen traten.

Susanna schaute von einer zur anderen und traf eine Entscheidung. Sie packte Katharina an den Schultern und schüttelte sie kräftig.

»Was greinst du, dumme Gans? Merkst du nicht, dass es ihr noch viel schlechter geht als uns? Schau doch, wie allein sie ist!«

Katharina schniefte und sah ihre neue Herrin von der Seite an.

»Und was willst du überhaupt sagen, wenn du wieder heimkommst, wo es sich inzwischen in ganz Kulmbach herumgesprochen hat, dass wir in den Hofdienst gehen. Was glaubst du, wie sich alle die Mäuler zerreißen, wenn du kleinlaut wieder geschlichen kommst?«

Kätha überlegte. Sie putzte sich die Nase ausgiebig mit dem Saum ihres neuen Dienstkleides und beschloss, sich zusammenzureißen.

Müde winkte Barbara ab.

»Ihr müsst nicht hier bleiben. Ich werde die Hofmeisterin rufen lassen und ihr sagen, dass ich eure Dienste nicht will.«

Das Angebot fiel ihr schwerer, als sie gedacht hatte. Die kurze Aussicht darauf, nicht mehr allein zu sein, hatte ein trügerisches Glücksgefühl in Barbara geweckt.

»Nein, Herrin.« Susanna stieß Katharina auffordernd in die Seite. »Wir bleiben hier. Es wäre nicht recht von uns, Euch wieder allein zu lassen. Wir sind zwar nur einfache Bürgerstöchter, aber dass Ihr jemanden braucht, das können wir schon sehen. Sag du auch was, Kätha!« Noch ein Stoß in die Seite.

»Ich bleib auch da.« Die kleine Fursfeh wirkte plötzlich entschlossen. »Jetzt sind wir drei, das ist nicht mehr so schlimm. Und Eure Brüder sind gemein. Jeder weiß, dass ein Verlöbnis nicht aufgelöst werden darf, es ist ein Eheversprechen vor Gott und den Heiligen. Es ist falsch, Euch zu zwingen, ein gegebenes Wort zurückzunehmen.«

Susanna nickte beipflichtend.

»Eure Brüder können Euch schließlich nicht ewig einsperren. Und wenn wir zusammenhalten, dann kommt es uns vielleicht nicht mehr so schlimm vor, dass man uns hier nicht herauslässt. Außerdem glaub ich sowieso nicht, dass man uns erlauben würde, wieder nach Kulmbach zurückzugehen.«

Barbara wusste nicht, was sie sagen sollte. Die Bereitschaft dieser beiden Mädchen, die sie nicht einmal kannten, ihr Schicksal zu teilen, erschien ihr wie ein Geschenk des Himmels. Ab jetzt würde sie nicht mehr verlassen sein. Vielleicht hatte sie nun doch noch Kraft genug, alles durchzustehen.

»Das vergess ich euch nicht. Und ich hoffe, dass ich's euch einmal vergelten kann.«

Sie räusperte sich und lächelte die Mädchen an.

Susanna Zehrer übte sich sofort in ihrer neu erworbenen Aufgabe als herrschaftliche Zofe. Sie ging zur Tür und klopfte energisch gegen das Fensterchen, bis es von außen geöffnet wurde.

»Wein für meine Herrin, Wächter, und zwar schnell, sie ist durstig! Und Brot und Käs!«

Der Kommandoton gelang ihr schon recht gut, und tatsächlich machte sich der draußen wartende Landsknecht auf den Weg, um das Gewünschte zu holen.

Bald darauf wurde die Türe aufgesperrt, und einige Hofknechte trugen zwei Spannbetten in die Vogtei, die sie umständlich im Schlafzimmer neben dem herrschaftlichen Bett der Markgräfin aufbauten. Ihnen folgte die Wäschefrau mit zwei Mägden, die die Betten mit Kissen, Deckbetten, Pfulmen und Leintüchern ausstatteten. Der Silberknecht brachte eine Röhrenlampe und einen Nachttopf, und schließlich erschien ein Kellerdiener mit einem Ratzen Wein, zwei Herrenbroten und einer Schüssel Quark. Barbara begann, hungrig zu essen.

Leben zog in die Vogtei ein.

Kulmbach, August 2002

Von der Landstraße aus Bayreuth bog ein ausrangierter Bundeswehr-Jeep Richtung Kulmbacher Altstadt ein. Am Steuer der scheppernden tarnfarbenen Rostbeule saß ein fröhlich pfeifender Thomas Fleischmann, neben sich auf dem Beifahrersitz eine ob der Sommerhitze etwas schlapp aussehende Topfpflanze. Das Radio dröhnte »Knockin' on heaven's door«, und Fleischmann sang lauthals und ziemlich falsch mit. Er navigierte geschickt durch die Innenstadt, die an diesem Sonntagnachmittag glücklicherweise ziemlich ausgestorben war, und fand sogar einen Parkplatz im Schatten.

Fleischmann griff sich die kümmerliche rosa Begonie mitsamt der gekräuselten Papiermanschette und stieg aus. Er lief zwanzig Meter den Gehweg entlang bis zu einem verblichen grün gestrichenen Fachwerkhaus mit der Hausnummer 15. Das Messingschild an der Haustür war auf Hochglanz poliert und hatte nur zwei Klingelknöpfe. Neben dem oberen war der Name »H. Zehrer« in schnörkeliger Kursivschrift eingraviert. Fleischmann schellte.

Im ersten Stock empfing ihn eine schlanke ältere Dame mit weißgrauem Bubikopf, grauer Hose und heller Sommerbluse.

»Sie sind der Herr Fleischmann, gell? Nur herein, junger Mann!«

»Grüß Gott, Frau Zehrer. Freut mich, dass Sie heute Zeit für mich haben.«

Fleischmann übergab sein Blumengeschenk, streifte sich demonstrativ wohlerzogen die Füße ab und trat in den Flur. Zufrieden erschnupperte er, dass es nach Kaffee roch.

»Schön haben Sie's hier! Und so eine riesige Porzellansammlung!« Komplimente gingen ihm – leider nur dann, wenn es sich bei den Empfängerinnen um Damen jenseits der sechzig handelte – gewöhnlich leicht von den Lippen. Dabei konnte er doch nicht umhin, beim Anblick der Hunderte von Nippes, die überall dicht an dicht in Glasschränken und auf Tischchen und Kommoden platziert waren, innerlich zu erschauern. Diese Wohnung war ein klassischer Fall von Horror vacui! Brrr!

Hildegard Zehrer nickte.

»Ach ja, meine Sammelleidenschaft! Alles platzt aus den Nähten. Aber setzen Sie sich doch. Sie trinken doch einen Kaffee mit mir? Dabei können wir dann schöner plaudern.«

Fleischmann bejahte dankbar, und die Gastgeberin erschien sogleich mit selbst gemachter Schwarzwälder Kirschtorte und einer altmodischen Kaffeekanne mit gehäkelter Wärmehaube und Schaumstoff-Tropfenfänger.

»Wissen Sie, ich freu mich immer so über Besuch«, erzählte sie, während sie Tassen und Teller aufdeckte. »Ich bin ja Witwe, und mein Mann und ich haben keine Kinder. Da ist es manchmal schon ein bisschen einsam, gerade an den Sonntagen.«

Wie viele reifere Damen vor ihr schmolz Hildegard Zehrer förmlich dahin angesichts dieses Fleisch gewordenen Traums einer jeden Schwiegermutter, der da auf ihrem Sofa saß. Fleischmann machte brav Konversation und verdrückte dabei, wie es von ihm erwartet wurde, zwei große Stücke von der Sahnetorte. Schließlich, nach einer Dreiviertelstunde, beschloss er, zum Thema zu kommen.

»Darf ich Ihnen vielleicht jetzt ein paar Fragen zu den Klöppelsachen stellen, die Sie ins Auktionshaus Boltz gegeben haben?«

»Aber freilich!« Hildegard Zehrer holte tief Luft. »Also, das war so. Mein Mann, der Willi, war ein noch schlimmerer Sammler als ich. Er hat praktisch nie was weggeschmissen. Und ganz wild war er auf alte Sachen, Antiquitäten, Bücher, Postkarten und so. Wir haben hier im ersten Stock gewohnt, und unten war alles voller Sammlerzeug. Aber in letzter Zeit hab ich angefangen, alles auszuräumen und herzuschenken.«

»Das war doch aber bestimmt viel wert«, warf Fleischmann ein.

»Eben. Das hat meine Freundin Betty auch gesagt. Die Nichte von der Betty arbeitet nämlich im Auktionshaus und weiß über so was gut Bescheid. Und deshalb hab ich dann einige von den alten Sachen dorthin gegeben. Es hat mir ja schon in der Seele Leid getan, wegen dem Willi, aber …«

»Ja, und die Klöppelsachen waren auch dabei …« Fleischmann beeilte sich, den Redefluss der alten Dame zu unterbrechen.

»Genau. Mit denen hat's eine besondere Bewandtnis, das sind ganz alte Erbstücke. Mein Mann stammt nämlich aus einer alteingesessenen Kulmbacher Familie. Sein verstorbener Bruder Heinrich hat das alles mal herausgefunden. Der war so was wie Hobby-Ahnenforscher und hat aus alten Kirchenbüchern und Urkunden einen Stammbaum zusammengetragen. Schauen Sie, da hat er ihn aufgemalt.«

Sie holte aus einer Schublade des Wohnzimmerschranks eine kleine Rolle, auf der fein säuberlich in deutscher Schrift ein ansehnlicher Stammbaum gezeichnet war, auf die klassische Art mit bunt ausgemalten Wurzeln, Zweigen und Blätterwerk.

»Die Familie Zehrer, das hat der Heinz immer erzählt, ist in Kulmbach schon seit Jahrhunderten ansässig. Er hat die Vorfahrenreihe zurückverfolgt bis zum Dreißigjährigen Krieg. Früher müssen das richtig reiche Leute gewesen sein, mit mehreren Häusern in der Stadt. Aber heute ist leider nichts mehr davon übrig – mein Willi hat immer gesagt, wie gewonnen, so zerronnen …«

»Aber die Klöppelsachen sind aus der Zeit vor dem Dreißigjährigen Krieg. Das steht zumindest auf dem Zettel, der dabei war.«

»Ja, ja, das stimmt. Aus dem sechzehnten Jahrhundert, soviel ich weiß. Also der Heinz hat damals gesagt, die Sachen gehören der Familie Zehrer. Und, das hat er allerdings nie beweisen können, dass ganz früher, als auf der Plassenburg noch die Markgrafen gehaust haben, eine Zehrer als Dienstmädchen im Schloss gelebt hat. Die soll später ins Kloster gegangen sein, und zwar zu den Zisterzienserschwestern nach Himmelkron. Angeblich stammen die Klöppelsachen aus dem Nachlass dieser Klosterfrau, so erzählte man sich es in der Familie. Ich denk, dass die Teile halt von der Nonne geklöppelt worden sind – was soll man schon machen, jahrelang im Kloster? Und weil die Zehrers einfach nie was weggeschmissen haben, sind die Sachen auf den Heinz gekommen.«

Fleischmann wischte sich mit der geblümten Papierserviette über den Schnauzer.

»Na, das klingt ja höchst interessant, Frau Zehrer. Also von einem Burgfräulein beziehungsweise einer späteren Ordensfrau stammen die Klöppeleien, sehr romantisch. Wissen Sie, wir wollen die Arbeiten sozusagen als Prunkstücke unserer Sammlung präsentieren. Es handelt sich nämlich um die ältesten Exemplare von Klöppelwerk, die wir besitzen.«

Hildegard Zehrer platzte schier vor Stolz.

»Ja, wer hätte das gedacht? Und ich hab immer zu meinem Willi gesagt, Willi, schmeiß den Krempel weg, an dem freuen sich bloß die Motten!« Sie seufzte und fegte nachdenklich einen Krümel von ihrer Bluse. »Vielleicht kann man noch mehr über das alles herausbekommen. Ich weiß, dass der Heinz immer im Stadtarchiv gesessen hat, manchmal tagelang, weswegen meine Schwägerin, die Gertraud, immer furchtbar geschimpft hat. Daheim tropfen die Wasserhähne, hat sie gejammert, und mein Heinrich durchforstet alte Urkunden! Sie hat schon was mitgemacht, die Arme! Gehen Sie doch mal ins Stadtarchiv, vielleicht finden Sie noch was.«

»Vielen Dank für den Tipp!« Fleischmann erhob sich. »Ich werd mich jetzt wohl auf den Heimweg machen. Vielen Dank für alles …«

Da allerdings hatte er die Rechnung ohne seine Gastgeberin gemacht. Hildegard Zehrer zog einen Flunsch, wie ihn ihr seliger Gatte zeitlebens gefürchtet hatte, und drückte Fleischmann mit der Bestimmtheit einer sieggewohnten Ehefrau aufs Sofa zurück. Ohne Widerspruch zu dulden, schaufelte sie ihm noch ein drittes Tortenstück auf den Teller.

Fleischmann seufzte. Er wusste, wann Widerstand sinnlos war, und verfluchte seine Wirkung auf ältere Damen. Wie aus weiter Ferne hörte er Hildegard Zehrers schmeichelnde Frage: »Sie trinken doch noch ein Likörchen mir mir, gell?«

Eine Gruppe Berittener näherte sich in gemächlichem Trab der kleinen Burg, die wehrhaft auf einem Hügel über dem Dorf lag. Wo der Trupp an Bauern vorbeikam, die auf dem Feld arbeiteten, hielten diese inne und verbeugten sich ehrerbietig. Man erkannte das Banner, das einer der Einrosser voraustrug, und fragte sich, was den mächtigen Landesherrn wohl in die unbedeutende Herrschaft Heideck führen mochte.

Die Zugbrücke war schon heruntergelassen, schließlich befand man sich im Frieden, und der Besuch weniger Reiter verhieß keine Gefahr. Das Burgtor schwang krachend und ächzend auf, und Georg von Brandenburg trabte mit seinen Begleitern hinein in den dunklen Innenhof der Burg.

Konrad von Heideck stand am offenen Bogenfenster der Kemenate und blickte mit zusammengekniffenen Augen auf die Ankömmlinge hinunter. Der Besuch des Markgrafen verhieß nichts Gutes, und Konrad hatte ihn schon lange erwartet. Seit seinem Verlöbnis mit Barbara von Brandenburg hatte ein Briefwechsel mit den Markgrafenbrüdern stattgefunden, der nicht gerade freundlich gehalten war. Sie hatten ihm vorgeworfen, absichtlich eine Notlage ihrer Schwester ausgenutzt zu haben, um weit über seinem Stand heiraten zu können. Er sei schließlich kein »fürstlicher Genoss«. Zuerst hatten sie ihn gebeten, von dem Versprechen Abstand zu nehmen, dann hatten sie ihm Geld geboten, dann mit kriegerischen Verwicklungen gedroht. Doch der Heidecker war standhaft geblieben. Zum einen war die böhmische Handsalbe von König Wladislaus, die ihm im Fall einer Heirat versprochen worden war, höher als die Bestechungsversuche der Markgrafen. Und zum anderen fühlte er sich trotz der Anrüchigkeit der ganzen Angelegenheit an seinen Schwur gebunden – er war schließlich kein unehrenhafter Mann, und ein Eheversprechen war ein Gelöbnis vor Gott. Außerdem hatte er an der schönen und klugen Markgräfin Gefallen gefunden, und die Vorstellung, sie in sein Ehebett zu holen, war eine der angenehmsten der letzten Jahre gewesen. Nun schien sich allerdings etwas anzubahnen, was Konrad nicht abschätzen konnte. Wenn Georg von Brandenburg-Ansbach höchstpersönlich den Weg nach Heideck auf sich genommen hatte, dann nicht ohne etwas gegen ihn in der Hand zu haben.

Konrad von Heideck strich Bart und Kragen glatt, klopfte sich ein paar Körnchen Staub vom Wams und machte sich auf den Weg in den Burghof, um den hohen Besuch zu empfangen.

Markgraf Georg schwang sich mit einer Behändigkeit aus dem Sattel seines Schimmels, die ihm angesichts seiner stetig wachsenden Leibesfülle kaum zuzutrauen war. Er ergriff mit breitem Lächeln den großen Zinnbecher voll Wein, den ihm sein Gastgeber zur Begrüßung darbot.

»Hochwerter Vetter von Heideck, ich sehe, Ihr seid ebenso erfreut über meinen Besuch wie ich selber.«

Beim Trinken rann ihm ein kleines Bächlein vom hellbraunen Bart bis in den Kragen. Er hielt erst inne, als er den Pokal geleert hatte.

»Ah, ein Schluck Wein nach einem kräftigen Ritt tut immer gut. Ist das Euer Hausgewächs? Nicht schlecht, reicht fast an einen Casteller Tropfen heran.«

Jovial legte er den Arm um den Ritter von Heideck, der gute Miene zum bösen Spiel machte und ihn in die Kemenate führte.

»Solch hohen Besuch hab ich selten in meiner bescheidenen Hofstube, Liebden, ich muss mich bemühen, Euch recht Bescheid zu tun. Wenn Ihr erlaubt, so habe ich die Küche angewiesen, ein Vesper vom Besten zu richten, was das Haus zu bieten hat. Und nachdem Euch mein Wein mundet, werde ich dem Kellner befehlen, mehr davon vom Fass zu zapfen.«

Die beiden unterhielten sich in freundlichem Plauderton, während sie die Treppen zu den privaten Gemächern des Burgherrn hinaufstiegen.

In der Wohnstube des Heideckers standen zwei Lehnstühle an einem großen geschnitzten Tisch aus Apfelholz. Zwei Diener waren soeben dabei, ein großes Tischtuch auszubreiten und Brot und Obst hinzustellen. Ein Küchenjunge flitzte herein und brachte ein Tablett mit Essen. Die beiden Herren setzten sich, und der Markgraf zog sofort sein Messer, um damit ein halbes Huhn aufzuspießen. Er riss einen Schenkel ab und biss genussvoll hinein. Konrad von Heideck nahm sich lediglich ein hartes Ei und pellte es umständlich. Die Mahlzeit verlief recht schweigsam.

»Aah, mein lieber Heideck, so ein gutes ländliches Vesper hab ich lang nicht mehr gehabt. Manchmal glaub ich, die raffinierten Speisen, die unsereins jeden Tag bekommt, setzen dem Magen eher zu, als dass sie ihn erquicken.«

Georg wischte sich mit dem Tischtuch den Mund sauber. Er suchte mit den Augen den Tisch nach einer Schale zum Händewaschen ab, sah aber keine.

Konrad von Heideck fand, der Höflichkeit sei Genüge getan, und stand auf.

»Liebden, wollt Ihr nun die Freundlichkeit haben, mir den Grund Eures Besuchs mitzuteilen? Denn grundlos seid Ihr sicherlich nicht hier.«

Georg ließ sich nicht aus der Ruhe bringen. Hingebungsvoll reinigte er seine Fingernägel, dann schenkte er Wein in die Gläser, stand auf und reichte eines davon dem von Heideck.

»Warum so ungeduldig, Vetter? Ein ausgezeichnetes Mahl, ein guter Tropfen Wein, was will man mehr? Aber da Ihr mich fragt – nun ja, natürlich bin ich nicht ohne Grund gekommen. Ihr könnt's Euch denken: Es geht um meine Schwester, die Markgräfin Barbara, die mich und meinen Bruder Albrecht, ja die ganze Familie, durch ihr unbedachtes Handeln mit Euch in schwierige Umstände gebracht hat. Wir haben ja schon über die Angelegenheit zur Genüge korrespondiert. Aber ich denke, wo alle Briefe zu nichts führen, hilft oft ein Gespräch von Mann zu Mann. Nein, nein, lasst mich weiterreden, Heideck. Frau Barbara wurde inzwischen auf die Plassenburg verbracht, wo wir hofften, sie zur Auflösung ihres Versprechens zu bewegen. Eigensinniges Weibsbild, das sie ist, weigert sie sich bis heute. Das wisst Ihr natürlich schon alles. Die Spione des Böhmenkönigs sind ja im Allgemeinen gut informiert.«

Konrad von Heideck versuchte sich zu verteidigen.

»Erspart Euch die Mühe, Heideck, ich weiß über alles Bescheid. Ein Vögelchen hat es mir gesungen, nicht ganz freiwillig zwar, aber nichtsdestotrotz … Euer Freund Eyb soll sich im Übrigen inzwischen wieder recht guter Gesundheit erfreuen, wurde mir gesagt … Kurzum, ich will die Sache jetzt endlich aus der Welt schaffen.

Nachdem meine Schwester sich allem guten Zureden verweigert, rechne ich auf Euch als Ritter und Ehrenmann. Ihr seid doch ein vernünftiger Mensch, Vetter! Sagt meiner Schwester ab, und es soll Euer Schaden nicht sein!«

»Es betrübt mich, Euch und die Familie meiner Braut durch unseren Verspruch so erzürnt zu haben, Liebden. Dennoch haben Eure Schwester und ich unser Verlöbnis nicht leichtfertig oder gar im Unrecht geschlossen, wie ich Euch bereits geschrieben habe. Die böhmische Ehe wurde nie vollzogen und hat deshalb nie bestanden. Demnach ist Eure Schwester Witwe, und als solche kann sie für sich selber handeln – Ihr habt keine Vormundschaft über sie. Wenn sie sich nun entschieden hat, mein bescheidenes Leben mit mir zu teilen, so ehrt und freut mich das. Ich sehe mich nicht imstande, das Versprechen, das wir vor Gott getan haben, zu brechen. Denn, wie Ihr schon sagtet, ich bin ein Ritter und Ehrenmann. Nehmt noch einen Schluck Wein.«

Er griff sich den Ratzen und goss dem Markgrafen nach.

Georg zog die Augenbrauen hoch, verzog den Mund und holte tief Luft. Gott sei Dank hatte er für den Fall, dass sich der von Heideck als widerspenstig erweisen sollte, vorgesorgt.

»Ihr besitzt so wenig Einsicht wie meine Schwester, Heideck. Dabei wärt Ihr gar nicht in der Lage, ihr das Leben zu bieten, das sie gewohnt ist. Wie mir berichtet wurde, habt Ihr mehr Schulden, als für Eure kleine Herrschaft gut sein kann, und habt sogar einen Teil Eurer Burg als Sicherheit für ein Darlehen verpfändet …«

»Ja, Verpflichtungen hab ich, so wie viele andere und Ihr auch, das ist wahr. Es handelt sich um langjährige Darlehen, die ich nach ein paar guten Ernten, so Gott will, ablösen kann.«

Georg schmunzelte.

»Mein lieber Heideck, Ihr werdet damit nicht bis nach den nächsten Ernten warten können.«

»Was wollt Ihr damit sagen, Liebden?«

»Nun, nichts anderes, als dass Eure Zahlungen mit dem heutigen Tag fällig sind.«

Konrad von Heideck zuckte zusammen. Er ahnte, was nun kommen würde, und hilfloser Zorn stieg in ihm auf. Georg hingegen genoss die Situation sichtlich.

»Mein lieber Heideck, ich habe mir erlaubt, Eure Schulden zur Gänze zu übernehmen. Und anders als Eure bisherigen Leihgeber sehe ich mich außerstande, länger auf eine Rückzahlung zu warten. Die finanzielle Lage des Markgraftums Ansbach ist – wie Ihr schon bemerktet – nicht so rosig, als dass ich aus Langmut auf größere Beträge verzichten könnte. Wenn Ihr also nicht Eurer Burg und der Herrschaft verlustig gehen wollt, Vetter, so müsst Ihr wohl oder übel bezahlen.«

Heideck lachte bitter und sah dem Markgrafen ins Gesicht.

»Aber natürlich gibt es da noch eine andere Möglichkeit ...«

»Ihr sagt es.« Georg ging gemächlich im Raum auf und ab.

»Gesetzt den Fall, Ihr könntet Euch doch noch entschließen, diese unselige Verbindung mit meiner Schwester zu beenden – nun, dann wäre ich vielleicht bereit, Euren Kredit zu verlängern. Allerdings müsstet Ihr Euch sofort entscheiden – ich könnte es mir sonst anders überlegen.«

Heideck nickte. »Ihr habt gewonnen, Markgraf.«

Er öffnete die Tür der Ritterstube und rief nach Schreibzeug.

Revers der Markgräfin Barbara von Brandenburg an den Reichsritter Konrad von Heideck, 8. September 1545

Gottes Gruß zuvor, Ritter Konrad von Heideck. Dieweiln Ihr schreibt, Ihr wollet unser Verlöbnis lösen, so soll es denn umb Gottes Willen geschehen. Wie Ihr es wohl wünscht, entbinde ich Euch von Eurem Eid und nehme den meinen zurück. Euer Wort zu halten, so wie ich meines, hätt Euch besser angestanden. Sehet Ihr nun zu, wie Ihr mit Eurem Herrgott und Eurem Gewissen rechtet. Wie viel Leids hätten wir erspart, hättet Ihr Euer Meinung vorbedacht. Den Schutz der Heiligen auf Eurem Weg trotz alledem. Jesus Maria Amen.

Gegeben zu Plassemberg zu Mariae Geburt anno 1545
Barbara etc.

Plassenburg, August 2002

Gregor Haubold stand vor dem Eingangstor zum Schönen Hof und winkte mit ausladenden Bewegungen. Der Gruß galt seiner Frau mit den beiden Töchtern, die gerade den voll beladenen Passat quer über das Rondell lenkte. Susanne hatte vor, mit der fünfjährigen Lina und der drei Jahre älteren Amelie für zwei Wochen die Großeltern im Badischen zu besuchen. Haubold sah zu, wie seine drei Frauen bergabwärts gen Kulmbach fuhren. Jetzt freute er sich auf eine ruhige Zeit allein.

Die ersten paar Tage verbrachte Haubold zufrieden am Schreibtisch und arbeitete an einem Vortrag. Alles lief wunderbar. Bis zu diesem vermaledeiten Freitagnachmittag, als Costa Tsimtsiliakos an seine Bürotür klopfte und den Kopf hereinsteckte. Tsimtsiliakos war einer der Maurer, die an dem Teil der Kasematten auf der Ostseite der Burg arbeiteten, der durch die sintflutartigen Regenfälle im letzten April unterspült worden und seitdem akut einsturzgefährdet war. Seit fünf Wochen war ein Trupp Arbeiter dabei, marode Steine auszutauschen, Mauerteile abzustützen und riesige Stahlzwingen einzusetzen.

»Herr Haubold, hätten Sie mal kurz Zeit?«

Haubold, der gerade dabei war, seine Bibliothek zu entrümpeln, stopfte sich das Hemd in die Hose und marschierte hinter dem Maurer her.

»Was gibt's denn, Costa?« Haubold mochte den jungen Griechen gern, er war der Flinkeste unter den Arbeitern und immer zu einem Späßchen aufgelegt. Außerdem war Tsimtsiliakos der Einzige unter den Bauarbeitern, der noch durchblickte, wenn die Statiker wieder von der Baustelle verschwunden waren. Und er sprach besser Deutsch als die meisten seiner einheimischen Kollegen.

»Wir sind da auf was Interessantes gestoßen, das wollte ich Ihnen zeigen, bevor wir mit der Mauer weitermachen. Eine Treppe oder so.« Tsimtsiliakos machte ein wichtiges Gesicht.

Haubold stutzte. »Was, da in der Mauer, wo ihr gerade arbeitet? Gibt's doch gar nicht. Das ist eine einfache Stützmauer!«

»Wenn ich's doch sage, eine Treppe, mittendrin. Wir haben die alten Steine rausgebrochen, und da war sie!«

Der junge Grieche hatte nicht zu viel versprochen. An der unterspülten Stelle waren etliche Quader gelockert worden, die vorher unterhalb des Bodenniveaus gelegen hatten. Bei der Bergung des zerstörten Materials hatte man den Zugang zu einem Hohlraum freigelegt, in dem unter dem entstandenen Abraum zwei, drei Stufen zum Vorschein gekommen waren. Die Maurer standen redend daneben und machten Zigarettenpause.

»Tatsächlich!« Haubold kletterte zwischen den Steinbrocken herum, was ihm einige Beschwernis bereitete. »Hast Recht gehabt, Costa, das sind Treppenstufen, ganz eindeutig. Da war offensichtlich eine Art Höhlung innerhalb der Mauer. Jetzt ist mir auch klar, warum gerade dieser Teil kurz vorm Einstürzen ist. Da muss innen ein Gang verlaufen sein. Könnt ihr mal vorsichtig die Brocken dort wegräumen? Vielleicht lässt sich dann mehr erkennen.«

Die fünf Bauarbeiter machten sich an die Arbeit und warfen Steine und Dreck auf eine Schubkarre. Das taten sie genau fünf Minuten, dann schmissen sie ihre Schaufeln hin und wandten sich zum Gehen.

»Feierabend, Meister!«

Haubold sah auf die Uhr, es war halb zwei. Er seufzte.

»Na, schön. Dann bis Montag. Ich überlege mir bis dahin, was zu tun ist. Schönes Wochenende!«

Die Maurer bestiegen ihren Pritschenwagen und rumpelten mit aufröhrendem Motor durch das Tor bergabwärts.

Gregor Haubold war keineswegs nach Feierabend zu Mute. Er stand vor dem halb freigeräumten Loch und kratzte sich nachdenklich die Backe. Langsam ließ er seinen Blick nach oben schweifen. Dort droben, vielleicht zwanzig Meter schräg links, lagen die Markgrafenzimmer im ersten Stock des Ostflügels …

Der Kastellan schwankte. Seine starke Abneigung gegen körperliche Arbeit und die Tatsache, dass er noch nicht zu Mittag gegessen hatte, rangen mit seinem Forschergeist. Schließlich siegte die Neugier. Haubold krempelte die Ärmel hoch, schnappte sich eine Schaufel und machte sich daran, die Treppenstufen ganz freizuräumen. Nach einer Viertelstunde lief ihm der Schweiß übers Gesicht. Er zog das Hemd aus und schuftete im Unterhemd weiter. Die Treppe nahm immer mehr Gestalt an. Sie war etwa anderthalb Meter breit, grob und unregelmäßig behauen. Als Haubold nach einer halben Stunde völlig ausgepumpt sein Werk besah, waren fünf Stufen zu erkennen, die ganz deutlich innerhalb der Stützmauer nach unten führten, und zwar bis unterhalb des Bodenniveaus. Was man von der Wand des Ganges unterhalb des Mauerniveaus erkennen konnte, war blanker Fels. Und wenn er sich durch den nun entstandenen Spalt zwängte? Vielleicht war der Gang ja weiter unten unversehrt?

Haubold hatte für den Augenblick genug. Ausgepumpt und verschwitzt, wie er war, ging er zurück in die Wohnung, um zu duschen und dann ein kurzes Nickerchen zu machen. Dann konnte man weitersehen.

Später auf dem Sofa versuchte der Kastellan seine Gedanken zu ordnen. Also: Ein Treppengang in einer Mauer unter den Markgrafenzimmern im Ostflügel, der direkt unter die Erde führte. Haubold wusste natürlich von den jahrhundertealten Gerüchten über Geheimgänge, die vom Hochschloss nach Kulmbach führen und, so munkelte man, in einem der unzähligen Bierkeller enden sollten, die die Stadtbewohner im Lauf der Jahrhunderte in den Schlossberg getrieben hatten. Aber solch ein Tunnel war in dem Gewirr der Kulmbacher Sommerkeller nie entdeckt worden. Nur ein einziges Mal fand sich in den einschlägigen Quellen ein Hinweis auf einen unterirdischen Fluchtweg, nämlich beim Wiederaufbau der Burg nach deren Zerstörung im Bundesständischen Krieg. Die Bauakten erwähnten Ende des sechzehnten Jahrhunderts die Säuberung und Renovierung des »verborgenen Gangs«, der vom Schlosshof in den südlichen Wallgraben ging. Das aber, so viel war dem Kastellan klar, konnte keinesfalls derselbe Gang sein, den sie gerade entdeckt hatten. War der nun gefundene Gang beim Wiederaufbau angelegt worden? Oder war er älter? Dafür sprach einiges, denn unterhalb des Ostflügels hatte sich auch ein guter Teil älterer Bausubstanz erhalten, die vielleicht vom Ausbau der Burg durch Albrecht Alkibiades stammte. Konnte es sich also wirklich um einen alten Fluchtgang handeln? Es gab nur einen Weg, das herauszufinden: Man musste einsteigen und den Tunnel weiterverfolgen.

Haubold holte sich aus der Süßigkeitenschublade eine Tafel Noisette-Schokolade. Jetzt, am Freitagnachmittag, hatte es keinen Sinn, bei der Bayerischen Schlösserverwaltung anzurufen und Instruktionen einzuholen, das ging erst wieder montags. Haubold hatte aber keineswegs vor, mit der Erforschung des Gangs so lange zu warten. Er brannte darauf, in das Loch einzusteigen. Natürlich, das war nicht ungefährlich – aber er war einfach zu gespannt. Ein Geheimgang auf »seiner« Burg! Was für eine Sensation! Schon als Kind, zu der Zeit, als er noch Schwabs »Schönste Sagen des klassischen Altertums« verschlungen hatte, war sein größter Wunsch gewesen, Archäologe zu werden. Und je länger der Kastellan auf seinem Sofa saß, desto aufgeregter wurde er, ja, er fieberte schließlich vor Neugier, Abenteuerlust und Forscherdrang. Jetzt hatte er seine Chance!

Zwanzig Minuten später marschierte der Kastellan mit Rucksack und schweren Schuhen die Auffahrt zum Hochschloss hinunter. Ihm war eingefallen, dass er immer noch den Nachlass seines Großonkels Franz im Keller hatte. Bis zu seinem plötzlichen Tod vor vier Jahren hatte er in einem winzigen Häuschen in Waischenfeld in der Fränkischen Schweiz gelebt. Von Beruf war er Schuster gewesen, aber seine lebenslange Leidenschaft war die Höhlenforschung. Er kannte jede auch noch so winzige Höhle in Oberfranken und hatte sich als Führer für alle möglichen Forschungsgruppen seit den fünfziger Jahren einen Namen gemacht. Haubold hatte ihn als Kind öfters besucht und war mit ihm voller Begeisterung in allerlei Tropfsteinhöhlen herumgeklettert. Daran hatte sich der Onkel offenbar erinnert und ihn testamentarisch bedacht – mit seiner kompletten Höhlenforscherausrüstung.

Besagte Ausrüstung bestand aus einem alten, fleckigen Leinenrucksack mit fachmännisch zusammengestelltem Inhalt: einer Karbidlampe mit mehreren Brennstoffrollen, einer Schachtel billiger gelber Kerzen, einem Zehnerpäckchen Streichhölzer, einem Armeefeuerzeug aus dem Zweiten Weltkrieg, einem offenen Verbandspäckchen, zwei Schuheinlegesohlen, einem Petroleumkocher und einer Bundeswehr-Notfallration aus dem Jahr 1972. Am Rucksack hingen ein kleiner Pickel, eine Klappschaufel und 20 Meter morsches Seil.

Als der Kastellan die Sachen aus der hintersten Ecke des Kellerschranks hervorgezerrt hatte, hielt ihn nichts mehr. Er warf die Notfallration, die Einlegesohlen und das Seil weg und packte stattdessen das Handy, drei Dosen Cola, eine Taschenlampe mit Ersatzbatterie und mehrere Schokoriegel ein, zog seine Bergschuhe an und machte sich auf den Weg.

Die erste Schwierigkeit ergab sich bereits an der Einstiegsstelle: Das Loch war zu schmal. Wie sich Haubold auch wand und quetschte, er brachte seine Leibesfülle nicht durch den Spalt. Doch wer wollte deshalb aufgeben! Der höhlenbewährte Pickel von Onkel Franz schaffte Abhilfe, und nach einer Viertelstunde war es Haubold möglich, sich unter gefährlich anmutenden Drehungen und Verrenkungen durch die Öffnung zu manövrieren.

Drinnen war es stockfinster. Der Kastellan schaltete seine Taschenlampe ein und versuchte, im Lichtstrahl zu erkennen, wie es weiterging. So viel er sehen konnte, war die Treppe ziemlich unversehrt und der Gang relativ frei. Ein echter Glücksfall! Der Tunnel war offenbar nur an der Stelle zerstört, wo die Mauer eingefallen und Haubold eingestiegen war. Oben und seitlich war nackter Fels. Haubold sah die jahrhundertealten Spuren, die das Schlageisen hinterlassen hatte: Lauter schräg nach unten verlaufende Riffel nebeneinander im Abstand von zwei, drei Zentimetern. Er tastete sich ganz langsam die Stufen nach unten. Dabei musste er immer wieder den Kopf einziehen und leicht gebückt gehen. Ihm wurde unangenehm bewusst, dass früher nun mal nicht für Menschen seiner Größe gebaut worden war.

Der Abstieg war mühsam. Haubold hielt die Taschenlampe in der linken Hand, mit der rechten stützte er sich an der buckligen Seitenwand ab. Er füllte beinahe den gesamten Gang in Höhe und Breite aus, was ihm ein gewisses Unbehagen bereitete. »Gott sei Dank leide ich nicht unter Platzangst«, dachte er. Irgendetwas kam ihm seltsam vor, er wusste nur nicht, was es war. Immer wieder blieb er stehen und leuchtete um sich. Der Stollen wirkte auf den ersten Blick nicht besonders verfallen oder brüchig. Im Lichtkegel sah er an manchen Stellen ein Gewirr von Wurzeln, die sich ihren Weg durch den Stein gebahnt hatten – daraus war zu schließen, dass der Tunnel relativ dicht unter der Oberfläche verlief. In regelmäßigen Abständen waren dicke Baumstämme mit Querbalken als Stützen eingezogen. Das Holz war nass und mit unzähligen Pelzchen weißen Schimmels übersät, erwies sich aber als ziemlich solide, als Haubold vorsichtig mit dem Fuß dagegenstieß. Die Wände waren feucht und glitschig und an vielen Stellen bemoost; von der Decke tropfte es. Es roch leicht modrig. Ab und zu entdeckte der Kastellan kleine schwarze Molche, die auf Boden und Wänden herumhuschten. Überall krabbelte und kroch undefinierbares Kleingetier. Haubold trat auf etwas Weiches und stieß unwillkürlich einen kleinen Schrei aus. Igitt! Er beschloss, lieber nicht nachzusehen, was das gewesen war.

Stetig ging es abwärts, und mehrmals wechselte der Gang die Richtung. Er musste demnach im Zickzack durch den Burgberg bis nach unten führen. Auch der Neigungswinkel der Treppe veränderte sich ständig. Der Kastellan versuchte sich vorzustellen, wie der Weg verlief, aber nach mehreren Richtungswechseln in unregelmäßigen Abständen hatte er die Orientierung verloren. Er entschied sich dafür, eine kleine Pause zu machen, und setzte sich auf einen Treppenstein. Wegen der Enge des Raumes konnte er den Rucksack nur mühsam abnehmen. Er öffnete eine Coladose und verspeiste den ersten seiner vier Schokoriegel. Während er kaute, ging ihm endlich ein Licht auf. Irgendetwas war ihm dauernd komisch vorgekommen; jetzt wusste er es: Die Treppe war wie neu! Normalerweise waren alte Stufen in der Mitte abgenutzt, sie wiesen Gebrauchsspuren auf, die Kanten waren gerundet und abgetreten. Diese Stufen hingegen sahen aus, als ob noch nie ein Mensch darüber gelaufen wäre. Die Theorie vom Geheimgang begann sich in Haubolds Kopf zu bestätigen. Vielleicht war er gar der Erste, der seinen Fuß hier hereingesetzt hatte! Er fühlte sich wie eine späte Reinkarnation aus Howard Carter und Heinrich Schliemann – das Grab Tutenchamuns und Troja waren zugegebenermaßen ein bisschen weltbewegendere Entdeckungen, aber ein »heimlicher Gang« auf der Plassenburg war schließlich auch nicht zu verachten und genügte Haubolds Ehrgeiz vollkommen! Stolz und glücklich grinste er vor sich hin.

Plassenburg, Frühjahr 1548

Es war ein herrlicher, eiskalter Aprilmorgen. Die Sonne schien noch ohne wärmende Kraft und ließ die bereiften Weinstöcke und Obstbäume am Schlossberg glitzern. Die Dächer der Stadt leuchteten weißsilbern, als die ersten Kanzleidiener und diejenigen vom Burggesinde, die in Kulmbach wohnten, sich an den steilen Anstieg zum Schloss hinauf machten. Sobald die Glocken zur siebten Stunde läuteten, würde droben das Tor aufgehen, um sie einzulassen. Heute hatte sich dem kleinen Zug noch der Hirte vom Kulmbacher Viehhof mit zwei Ochsen und einem Kälbchen angeschlossen, zusammen mit einem der Stadtmetzger, der jedes Mal zum Schlachttag mit aufs Schloss musste, um Würste und Presssack zu machen.

Als das Grüppchen den Äußeren Vorhof durchquerte, herrschte dort großes Getümmel. Vor zwei Wochen waren die italienischen Bauarbeiter eingetroffen, die am Ausbau der Buchbergbastei weiterarbeiten sollten. Die Bausaison hatte begonnen, sobald der Boden nicht mehr hart gefroren war. Jetzt hatten sich die Festungsbauspezialisten aus dem Süden wieder in ihren alten Unterkünften im Vorhof eingerichtet, und auch die deutschen Bauarbeiter und Tagelöhner hatten sich eingefunden. Alle traten gerade zur Morgenzählung an.

Auf einem hölzernen Podest stand der italienische Baumeister Guerini, ein winziges, beinahe zwergenhaftes Männlein, dürr und dünnbeinig. Was ihm an Größe und Umfang fehlte, machte er durch Prachtentfaltung wieder wett. Auf seinen exakt gescheitelten, langen schwarzen Haaren saß ein fellbesetztes braunes Barett, farblich passend zum Samtumhang, der mit Stickereiornamenten geschmückt und mit Otterfell verbrämt war. Seine Stiefel waren aus weichstem Kalbsleder und glänzend frisch gewienert. Er sah eher aus, als würde er sich zum Bankett begeben als auf eine Baustelle. Mit wogendem Schnurrbart blickte er sich zufrieden im Vorhof um, als würde die gesamte Burg ihm gehören. Nach einer Weile standen sämtliche deutschen Bauarbeiter sauber in Reih und Glied, während die Italiener noch fröhlich rufend und gestikulierend durcheinander liefen. Guerini schien das Durcheinander seiner Leute überhaupt nicht zu interessieren. Etwas ganz anderes hatte seine Aufmerksamkeit gefesselt. Seine Blicke galten einer grün gekleideten Frauengestalt, die an einem der oberen Schlossfenster aufgetaucht war und lächelnd das Treiben im Vorhof beobachtete. Guerini richtete sich zu seiner vollen Größe von einsfünfundvierzig auf, schwenkte elegant die Rolle mit seinen Architektenzeichnungen und machte mit ausgesuchter Höflichkeit einen Kratzfuß. Seine Lippen formten dabei lautlos das Wort »Bellissima«. Die Frau in Grün dankte für den Gruß mit einem kaum merklichen Neigen des Kopfes, dann verschwand sie zur nicht geringen Enttäuschung des Baumeisters vom Fenster. Guerini wandte sich notgedrungen wieder seiner Aufgabe zu, die italienischen Handwerker zu disziplinieren, und tatsächlich gelang es ihm nach einigen Minuten, seine Leute zur Aufstellung zu bringen und abzuzählen.

Barbara trat aus ihrer Fensternische zurück. Der italienische Baumeister brachte sie jeden Morgen zum Schmunzeln, wenn er sie mit solch fulminanter Grandezza begrüßte. Die Markgräfin war für den Frühgottesdienst gerichtet. Sie trug ein Kleid in ihrer Lieblingsfarbe mit modisch eng geschnittenem Mieder, das ab der Taille in großzügige Falten überging, die bis zum Boden flossen. Seit dem Ende ihrer Gefangenschaft in der Vogtei vor mehr als zwei Jahren hatte sie sich verändert: Ihr Gesicht und ihre Figur waren wieder voller geworden und die Blässe war einer gesunden Hautfarbe gewichen. Nach der Auflösung ihrer Verlobung mit Heideck war sie zum eigenen Erstaunen nicht vollends im Unglück versunken, sondern sie hatte schon bald zu einer stillen Ruhe gefunden, die sie als Erleichterung empfand. Der Kampf, den sie nicht hatte gewinnen können, war vorüber.

Sofort nach der Lösung des Verspruchs hatte man ihr freigestellt, die Vogtei zu verlassen. Sie hatte noch am selben Tag ihre wenigen Habseligkeiten gepackt und war mit den beiden Zofen von dort ausgezogen. Nachdem die alten Kemenaten gerade auf Albrechts Anordnung abgerissen worden waren, musste sich die Markgräfin ein anderes Domizil suchen. Sie entschied sich für drei größere Räume, die bis dahin als Gästezimmer für den gebirgischen Adel gedient hatten. Einer davon hatte eine großzügige Fensternische und ein wunderschön mit Ranken und Jagdszenen bemaltes Tonnengewölbe. Beherrscht wurde es von einem riesigen Kamin, in dem auf einer Seite Platz genug war, um im Winter einen Lehnstuhl hineinzustellen. Die anderen beiden Räume waren etwas kleiner und eigneten sich als Schlafgemächer. Barbara ließ die wenigen Möbel des alten Frauenzimmers herüberschaffen: ein herrschaftliches Himmelbett mit roten Samtvorhängen, zwei kleinere Betten für ihre Dienerinnen, etliche Truhen, Stühle, Schemel und einen Tisch. Aus der Wäschekammer kamen schwere Vorhänge für die Fenster und mehrere Wandteppiche sowie blau gestreiftes Bettzeug, drei rote Damastdecken und zwei grüngoldene Polster für die Sitze in der Fensternische. Die Silberkammer lieferte einen sechsflammigen Kandelaber und zwei Röhrenleuchter, von denen einer an der Wand befestigt wurde, mehrere gestanzte Becher und eine Weinkaraffe auf einem Tablett. Ein Vorrat an Talgkerzen und Kaminholz wurde gebracht, außerdem drei Nachttöpfe, weil die Zimmer kein »heimliches Gemach« hatten. Nachdem auch noch der Boden mit frischem Stroh und Spänen geschüttet war, zogen die drei Frauen ein.

Barbara genoss das Ende ihrer Gefangenschaft, wenn sich auch ein Wermutstropfen in ihre Freude mischte. Sie war inzwischen über dreißig, unverheiratet, hatte ihr Erbe verloren und war auf die Familie angewiesen, um ihren Lebensunterhalt zu bestreiten. Es gab nicht mehr die Herzogin von Groß-Glogau, nicht mehr die Königin von Böhmen. Es gab nur noch die Markgräfin von Brandenburg, die vom Wohlwollen ihrer Brüder leben und sich damit abfinden musste, nie mehr frei und unabhängig zu sein.

Die Plassenburg zu verlassen war ihr weiterhin untersagt. Am liebsten wäre sie mit ihren Zofen und dem Hündchen nach Ansbach gezogen. Doch ihr Bruder Georg lehnte dieses Ansinnen ab. Er hatte inzwischen geheiratet und war Vater eines kleinen Sohnes, und er wollte sich nicht durch den Zuzug Barbaras stören lassen.

So war nun ihr Platz auf dem Gebirg. Und inzwischen hatte sie hier auch eine Aufgabe zu erfüllen. Immer öfter kam das Burggesinde mit Anliegen zu ihr. Ob es einen Streit zu schlichten gab, ob ein Ratschlag vonnöten oder ein Problem zu lösen war, alle erhofften sich von der Markgräfin Hilfe und Unterstützung – schließlich war sie die Schwester des Landesherrn. Sie besaß natürliche Autorität, ohne hochmütig zu wirken, und sie hatte ein offenes Ohr für alle. Die Leute entwickelten schnell Vertrauen zu ihr, und sie wurden nicht enttäuscht. Ihre Klugheit und Weitsicht wurden bald überall gerühmt, und schließlich drängte sich ein stetiger Strom von Menschen zu ihr ins Frauenzimmer, denen sie eine fürsorgliche und erfolgreiche Ratgeberin war. Selbst hoch gestellte Kulmbacher Bürger erschienen, um ihre Meinung einzuholen oder Bittschreiben zu verfassen. Barbara hatte einen Wirkungskreis gefunden, der sie ausfüllte und ihrem Leben neuen Sinn gab.

Die Markgräfin trat vom Fenster zurück. Sie war unruhig – der heutige Tag versprach spannend zu werden. Der bisherige Hauptmann auf dem Gebirg, Wolf von Schaumberg, war von Albrecht Alkibiades abgelöst worden. Man munkelte von Unregelmäßigkeiten in der Kanzlei, fehlenden Geldbeträgen und Unstimmigkeiten bei der Jahresrechnung. Jedenfalls war Schaumberg mit seiner Familie und seiner persönlichen Dienerschaft bereits am Vortag in Richtung Bayreuth abgereist. Die Burg frohlockte, denn der Hauptmann und vor allem seine ständig übel gelaunte Frau waren nicht sehr beliebt gewesen. Heute nun sollte der neue Hauptmann auf der Plassenburg eintreffen, und bisher wusste noch keiner, nicht einmal die gebirgischen Räte, wen Albrecht für das zweithöchste Amt im Land auserwählt hatte. Man wartete gespannt auf das Trompetensignal, das gewöhnlich die Ankunft von hohen Gästen ankündigte, und darauf, dass sich das Haupttor öffnete und der neue Kommandant in den Sagarach einritt.

Doch erst kurz vor Sonnenuntergang, als alle in der großen Hofstube beim Abendessen waren, ertönte endlich die Trompete des Türmers. Die gesamte Dienerschaft, die zu je zehn Personen um lange Tische versammelt saß und Brot und Krautfleisch aß, rumpelte von den Bänken hoch wie ein Mann. Alles stürmte zu den großen Spitzbogenfenstern, um einen Blick auf den neuen Hauptmann zu erhaschen. Doch zur allgemeinen Enttäuschung gab es nicht viel zu sehen. Ein geschlossener Wagen fuhr in den Hof ein, gefolgt von vier berittenen Einrossern und Martin Förtsch, einem der gebirgischen Räte. Die Kutsche hielt dicht vor einem der Nebeneingänge in den Ostflügel, Förtsch öffnete den Schlag und der neue Hauptmann stieg aus und verschwand sofort in der Tür. Keiner vom Gesinde hatte erkennen können, wer es war.

Auch Barbara hatte die Trompete gehört. Aber nachdem ihre Fenster allesamt in den Vorhof hinausgingen, hatte sie nur die Kutsche vorbeifahren sehen.

»Jetzt werden wir bestimmt erst morgen erfahren, wen wir als neuen Hauptmann haben.« Susanna biss enttäuscht in ein gebratenes Rippchen und warf dem Hündchen einen Knorpel zu.

»Na, schlimmer kann's ja wohl nicht werden«, meinte Kätha. »Mir ist ganz gleich, wer der neue Hauptmann wird. Hauptsache, ich muss die alte Schaumbergin ihr Gesicht nicht mehr beim Frühgottesdienst sehen. Es heißt, sie soll furchtbar getobt haben!« Kichernd bestrich das Mädchen eine Scheibe Brot mit Schmalz. Beide Zofen aßen mit Barbara zusammen, obwohl dies der Etikette widersprach. Eigentlich hätten sie warten müssen, bis ihre Herrin das Mahl beendet hatte, und erst dann die Reste am »Nachtisch« aufessen dürfen. Aber die Markgräfin liebte die Mahlzeiten mit dem Geplapper der Mädchen, und sie sah keinen Sinn darin, alleine zu speisen und die beiden warten zu lassen, bis das Essen kalt war. Jetzt stocherte sie ungeduldig mit ihrem Messer im Hasenklein. Nur allzu gerne hätte sie gewusst, wer der neue Kommandant war. Sicherlich musste es einer vom Adel sein, und dann war es wahrscheinlich, dass sie ihn von früher her kannte. Nachdem für sie keine Aussicht bestand, die Burg in den nächsten Jahren zu verlassen, war der Hauptmann von großer Bedeutung für sie. Als Burgherr würde er über ihr Leben bis zu einem gewissen Grad mitbestimmen; er konnte ihr Freizügigkeiten gewähren oder entziehen, ihr Dienerschaft zuordnen oder auch nicht, über ihren Speisezettel bestimmen, kurz, er hatte es in der Hand, ob sie in Zukunft ihre Tage angenehm oder schlecht verbrachte. Ausgerechnet jetzt, da sie endlich zu einer Aufgabe gefunden hatte, die sie ausfüllte und ihrem Leben wieder Sinn gab, stand erneut alles auf dem Spiel. Würde der neue Hauptmann dulden, was sie da tat? Schließlich kamen die Menschen oft genug mit Anliegen zu ihr, die eigentlich auf seinen Schreibtisch gehörten und sein Urteil erforderten. Barbara befürchtete, dass der neue

Amtsträger ein enger Vertrauter oder zumindest ein verlässlicher Parteigänger ihres Bruders Albrecht sein würde, und das konnte nichts Gutes bedeuten. Deshalb hielt sich an diesem Abend der Appetit der Markgräfin in Grenzen.

Das Essen war noch nicht beendet, als es klopfte und der Türhüter einen Pagen hereinließ. »Gott grüß Euch, Herrin«, piepste der Kleine, »der Herr Hauptmann schickt mich und lässt Euch bitten, ihm nach dem Essen Eure Aufwartung zu machen.«

»Richt ihm aus, dass ich gleich komme. Da nimm!« Barbara richtete sich auf und reichte dem schüchternen Buben eine kandierte Pflaume. Der griff überrascht zu – derlei Nettigkeiten waren für Pagen nicht üblich – und flitzte zur Tür hinaus.

Die beiden Zofen sprangen auf. Kätha suchte in der großen Truhe nach dem geeigneten Kleid, Susanna brachte Bürste und Spiegel. Gemeinsam nestelten sie das einfache graublaue Werktagskleid, das die Markgräfin trug, am Rücken auf und halfen ihr heraus. Dann warfen sie ihr das Sonntagsgewand über, eine lindgrüne Samtrobe mit gepufften Ärmeln und quadratischem Ausschnitt. Während die Mädchen das Kleid hinten zuschnürten, band sich Barbara eine dicke, geflochtene Kordel um die Taille. Nachdem Kätha, die ein Talent für Frisuren hatte, die Haare ihrer Herrin sorgfältig gekämmt und mit Kämmen und Nadeln hochgesteckt hatte, war Barbara fertig für die Begegnung mit dem neuen Burgherrn. Sie warf sich eines ihrer geklöppelten Schultertücher um, schlüpfte in die bereitgestellten Schuhe und machte sich mit wogenden Röcken auf den Weg ins Hauptmannsgemach.

Die Gänge des Hochschlosses waren in flackerndes gelbes Licht getaucht – man hatte die Talglichter und Fackeln angezündet, die überall an den Wänden befestigt waren. Das war an normalen Abenden nicht üblich; wer im Dunkeln noch zu tun hatte, nahm sich einen Leuchter mit. Doch am Ankunftstag des neuen Hauptmanns hatte der Vogt angeordnet, die Burg ausnahmsweise zu beleuchten. Barbara durchquerte die leere Hofstube, wo die großen Tische schon abgedeckt waren und im Kamin nur noch die Reste eines Feuers glommen. Während sie die breite Steintreppe zum zweiten Stockwerk des

Westflügels hinaufging, fühlte sie die Anspannung in sich aufsteigen. Ihre Hände wurden feucht. Es war ihr bewusst, dass viel von ihrer ersten Begegnung mit dem Kommandanten abhing.

Vor der eisenbeschlagenen Doppeltür zu seiner Zimmerflucht hielt Barbara inne. Sie straffte sich, strich eine Locke aus dem Gesicht, glättete ihren Rock und atmete einmal tief durch. Dann klopfte sie und trat ein.

Der neue Hauptmann saß hinter einem riesigen Eichentisch und studierte im schwachen Licht eines Röhrenleuchters die Pläne des italienischen Architekten zur Erweiterung der Buchbergbastei. Etwas an dem Mann im Halbdunkel kam der Markgräfin bekannt vor. Sie ging einige Schritte auf den Schreibtisch zu, und der Hauptmann hob den Kopf. Barbaras Herz machte einen kleinen Hüpfer.

»Georg, bist du's wirklich?«

Ihr erster Impuls wäre gewesen, den Jugendfreund zu umarmen, seine Hände zu nehmen. Doch Georg von Leuchtenberg machte keinerlei Anstalten, von seinem Stuhl aufzustehen. Stattdessen hob er die Brauen und grinste.

»Ja, du siehst schon recht, Bärbel, ich bin's! Wie lang ist's her? Vier Jahre, fünf?«

»Sechs, Georg, sechs. Das Zählen der Tage hab ich hier gelernt.«

Georg deutete auf den Platz gegenüber. »Setz dich doch und trink einen Wein mit mir, Bärbel, auf die alte Freundschaft! Ich hab nie gern gesehen, wie Albrecht dich behandelt hat, aber du kennst ihn ja – er hört auf keinen.«

Die Markgräfin ließ sich im Lehnstuhl nieder und griff nach dem Glas, das Georg ihr eingeschenkt hatte. Die beiden tranken sich lächelnd zu. Jetzt, wo Barbara den Freund ihrer Jugendzeit aus der Nähe sah, erschrak sie fast. Georg schien ihr über die Jahre hinaus gealtert. Tiefe Furchen gruben sich in sein Gesicht, das dennoch die Züge jugendlicher Schönheit noch nicht verloren hatte. Seine Wangen waren schmal geworden und die Nase spitzer als früher; die Backenknochen traten hervor. Die Augen waren immer noch von strahlendem Blau, doch die Schatten darunter konnte Barbara selbst im Dämmerschein der Kerzen deutlich erkennen. Und in Georgs Blick meinte sie eine Melancholie, eine Traurigkeit zu erkennen, die der ihren glich. Sie fragte sich, was wohl schuld daran war.

Leuchtenberg bemerkte Barbaras Blick, und sie sah zur Seite, als ob sie bei etwas Unrechtem ertappt worden wäre. Aus Verlegenheit begann sie zu reden.

»Mein Bruder muss großes Vertrauen zu dir haben, dass er dich zu seinem Stellvertreter gemacht hat. Immerhin hast du die oberste Befehlsgewalt im ganzen Land, wenn er weg ist, und er ist ja ständig auf Kriegszügen für den Kaiser unterwegs.«

»O ja, Vertrauen, das hat er.« Georgs Antwort klang bitter. »Er weiß, dass ich ihn niemals hintergehen könnte und ihm unbedingt ergeben bin. Das war bei meinem Vorgänger nicht ganz der Fall. Eins ist allerdings nicht richtig, was du sagst: Albrecht kämpft nicht mehr für den Kaiser. Er will Karl den Dienst aufsagen.«

Barbara schüttelte den Kopf. »Das verstehe ich nicht. Er war doch immer ein felsenfester Verfechter der Habsburger Sache.«

»Weil ihn der Kaiser anfangs bezahlt hat, ja. Aber inzwischen schuldet Karl deinem Bruder für Kriegsdienste die Summe von sechzigtausend Gulden, und er macht keinerlei Anstalten zu zahlen. Seit drei Jahren ist Albrecht kaiserlicher Hauptmann, und solange ich dabei bin, habe ich nie erlebt, dass der Kaiser seine Seite der Verträge prompt und ohne Schwierigkeiten erfüllt hätte. Es hat jedes Mal einen Kampf ums Geld gegeben. Und jetzt hat dein Bruder die Nase voll.«

»Will er dann die Partei der protestantischen Fürsten ergreifen? Jetzt, wo er, wie man hört, im ganzen Markgraftum wieder den Katholizismus anordnen und gegen den Widerstand der Geistlichkeit durchsetzen will?«

Georg blickte seine Gesprächspartnerin erstaunt an und blinzelte. »Potzblitz, du bist gut informiert, meine Liebe. Wenig Frauen interessieren sich so für die Politik wie du. Nein, Albrecht will sich, so glaub ich, neutral halten. Er verhandelt gerade mit England – du weißt ja, immer noch der englisch-französische Krieg … Wenn alles gut geht, führt er bald sein Regiment statt für den Kaiser für England in die Schlacht. Oder für Frankreich – je nachdem, wer besser zahlt.«

»Das wird hier böses Blut geben, fürcht ich. Dreitausend Soldaten aus dem Oberland im Feld, und die meisten nicht freiwillig, sondern von Albrechts Hauptleuten gepresst! Das Volk hat schon gemurrt, als sie für den Kaiser kämpfen mussten. Was wird man erst sagen, wenn sie für ein fremdes Land in den Krieg ziehen sollen? Das werden auch die gebirgischen Räte nicht gutheißen.«

»Lass das nur Albrechts Sorge sein! Und bedenk – er hat keine Wahl. Sein Regiment hat er für teures Geld ausgerüstet und dafür Schulden gemacht. Die muss er zurückzahlen, und das gelingt ihm nur durch einen Sieg und die Subsidien seines Kriegsherrn.«

Georg schenkte sich sein viertes Glas Wein ein, während Barbara noch an ihrem ersten nippte. Die Markgräfin hatte den Eindruck, als ob seine Aussprache undeutlicher würde. Wahrscheinlich, so dachte sie, hat er vorher schon getrunken.

»Wieso hat Albrecht dich nicht bei sich behalten, wenn er so große Pläne hat? Er hätte doch genauso gut einen der gebirgischen Räte als Hauptmann auf die Plassenburg schicken können.«

Georg wischte sich ein Rinnsal Wein vom Kinn und grinste schief.

»Ach, du kennst mich doch – der Krieg ist nicht meine Sache. Ich verabscheue Blutvergießen. Zu viel Sterben um mich herum vertrag ich nicht. Und mit diesen Dreinhauern und Totschlägern, die Albrecht jetzt um sich hat, kann ich nichts anfangen. Außerdem …«

Barbara runzelte die Stirn. Sie hörte das leichte Schwanken in Georgs Stimme und ahnte, dass das noch nicht alles war.

»… hat er mich auch so fortgeschickt.« Leuchtenberg schloss die Augen und ließ sich zurück in den Sessel sinken. Jetzt war es heraus.

»Du meinst … er ist dir nicht mehr gut?«

»Schon lang nicht mehr. Das ist vorbei.« Es fiel Georg sichtlich schwer, darüber zu sprechen. »Er verachtet mich, hält mich für einen Schwächling und ein Weib! Vielleicht hat er ja Recht. Ich bin nun einmal kein Soldat. Aber Moritz von Sachsen, ja, das ist einer von echtem Schrot und Korn, der reitet und haut und sticht, dass es eine Pracht ist!« Leuchtenbergs Hände zitterten, als er sich erneut einschenkte.

»Albrecht hat dich also für den Herzog von Sachsen verlassen?«

»Die zwei passen doch gut zusammen, oder? Immerhin hat er mich noch so lange bei sich behalten, bis ihm eingefallen ist, wie er mich für die Zukunft gut versorgen kann – da ist es ihm gerade recht gekommen, dass der Schaumberger bei der Rechnungslegung betrogen hat. Jetzt muss er mir gegenüber kein schlechtes Gewissen mehr haben.«

»Warum hast du nicht deinen Stolz und gehst woanders hin? Georg würde dich in Ansbach bestimmt aufnehmen, und ein Amt bei Hof ließe sich sicherlich auch finden.«

Georg antwortete nicht.

»Du willst in seiner Nähe bleiben, nicht wahr? Du liebst ihn immer noch?«

Leuchtenberg nickte unglücklich. »Ich kann's nicht ändern, Bärbel, es ist einfach so. Ich bring's nicht fertig wegzugehen. Albrecht hat schon Recht, ich bin ein Weib. Aber früher oder später wird der Sachse ihm den Laufpass geben, das glaub ich felsenfest. Und vielleicht erinnert er sich dann daran, dass ich immer zu ihm gehalten hab.«

Barbara schüttelte den Kopf. »Du bist zu gut für ihn, Georg. Aber ich wünsch dir Glück. Mit der Zeit wird sich alles finden.«

Georg lächelte müde. »Dank dir, Bärbel, das wünsch ich dir auch.« Er blinzelte, gab sich einen Ruck und trank sein Glas aus. »Albrecht hat mir im Übrigen keine Instruktionen gegeben, was dich betrifft, außer dass du das Schloss nicht verlassen darfst und deine Briefe kontrolliert werden müssen. Du hast also, von mir aus, jede Freiheit. Und jetzt wollen wir schlafen gehen. Ich hab einen langen Tag hinter mir und freu mich auf ein ordentliches Bett.«

Barbara wartete einen Augenblick darauf, dass er aufstehen und sie zur Tür begleiten würde, aber nichts geschah. Schließlich erhob sie sich und wünschte ihm eine gute Nacht. Nachdenklich ging sie in Richtung Hofstube davon.

Nachdem die Markgräfin die Tür hinter sich zugezogen hatte, ordnete Leuchtenberg noch die Papiere auf seinem Schreibtisch, schloss den Deckel des Tintenfässchens und legte den Gänsekiel in die dafür vorgekerbte Rinne neben der Streusandbüchse. Der Kopf tat ihm weh, und er fühlte sich zerschlagen von der langen Reise. Ächzend langte er neben sich auf den Boden, hob die Krücken auf und lehnte sie links und rechts vom Stuhl gegen die Tischplatte. Dann stützte er sich mit beiden Händen von der Armlehne ab und erhob sich. Er nahm die Krücken unter die Achseln und stakte mit geübten Bewegungen zum Fenster. Dort, wo einmal sein linkes Bein gewesen war, baumelte knielang die leere Stoffröhre der Pluderhose.

Kulmbach, August 2002

Haubold hatte sein Päuschen beendet und lud sich unter Verrenkungen den Rucksack wieder auf. Dummerweise hatte er im Sitzen vergessen, wie niedrig der Gang an manchen Stellen war, und stieß beim Aufstehen mit dem Kopf hart gegen die bucklige Decke. Fluchend langte er mit der Hand an die schmerzende Stelle. Doch inzwischen konnte nichts mehr seine Hochstimmung trüben, und er arbeitete sich Schritt für Schritt in dem finsteren Tunnel vorwärts, jede Stufe zuerst mit der Taschenlampe ausleuchtend. Nach einer Weile hörte die Treppe auf und es ging nur noch leicht bergab. Der Gang weitete sich. Seitenwände und Decke bestanden nicht mehr nur aus reinem Felsen, sondern waren zum Teil aus groben, unbehauenen Steinbrocken aufgehäuft und gemauert. Der Boden war jetzt aus gestampfter Erde, versetzt mit größeren und kleineren Steinen, die den Kastellan mehrmals zum Stolpern brachten. Langsam ließ der Schein der Taschenlampe nach – die Batterie wurde leer, und Haubold machte Halt, um sie zu wechseln. Er sah auf die Uhr. Schon Viertel vor fünf. Knapp zwei Stunden befand er sich jetzt schon im Stollen. Auch wenn er noch so langsam vorwärts gekommen war, inzwischen musste doch Kulmbach erreicht sein. Dafür sprach auch, dass die Stufen aufgehört hatten – aller Wahrscheinlichkeit nach war er am Fuß des Schlossbergs angekommen. Das bedeutete, dass das Ende des Tunnels nicht mehr allzu weit sein konnte.

Alle bisher unbewiesenen Theorien über einen Geheimgang gingen davon aus, dass dieser in einem der vielen Kulmbacher Bierkeller enden musste, die in früheren Zeiten tief in den Berg hineingegraben worden waren. Haubold hielt das für plausibel. Er war davon überzeugt, sich irgendwo mitten unter der Altstadt zu befinden. Hier roch die Luft muffiger und abgestandener als oben. Vielleicht war der Abstieg durch den Schlossberg mit versteckten Kanälen oder Felsspalten zur Frischluftzufuhr ausgestattet, die irgendwo im Gelände mündeten, während unter der Stadt solche »Luftröhren« nicht mehr machbar gewesen waren.

Schnaufend bahnte sich Haubold weiter seinen Weg, jeden Moment darauf gefasst, ans Ende des Tunnels zu kommen. Doch plötzlich stieß er auf etwas Unerwartetes: Als er leicht ins Schwanken geriet und sich seitlich abstützen wollte, griff seine tastende Hand ins Leere. Er blieb stehen und leuchtete um sich. Beinahe wäre er vorbeigegangen, ohne es zu merken: Tatsächlich, da spaltete sich auf der rechten Seite ein zweiter Tunnel ab. Jetzt wohin, dachte der Kastellan. Und was hatte dieser zweite Tunnel für einen Sinn? Sollte er Verfolger unsicher machen? Oder gab es einen weiteren Ausgang für den Fall, dass der erste versperrt war? Da hatte wohl einer damals an alles gedacht!

Nach einigem Überlegen entschied sich Haubold, geradeaus weiterzugehen. Der Gang führte immer noch leicht abwärts. Innen wurde es zunehmend feuchter, der Boden wurde tief und schlammig, und der Kastellan trat fast mit jedem Schritt ins Wasser. Von oben tropfte es; Haubolds Haare waren schon ganz nass und klebten an seinem Schädel. Ein kleines Rinnsal bahnte sich kitzelnd den Weg über seine Wange, bis er es wegwischte.

Der Tunnel machte inzwischen keinen so sicheren Eindruck mehr wie im oberen Bereich. Die Holzstützen waren aufgeweicht und faserig, manche sogar bis zum Boden abgefault. An den Wänden waren immer wieder Steine ausgebrochen und auf den Boden gefallen, es zeigten sich breite, zackige Risse, und der Mörtel war an vielen Stellen weggebröckelt. Liegt an der Feuchtigkeit, dachte Haubold, im Winter friert es auf und sprengt die Steine ab. Als er schließlich auf eine Stelle stieß, wo die Seitenwand rund um einen der Stützpfosten auf zwei Meter Länge nach innen eingefallen war, dachte er daran umzukehren. Es wurde ihm langsam zu gefährlich. Ein kleines Stückchen nur noch, beschwichtigte er sich selber und zwängte sich seitlich an dem kleinen Berg aus Geröll und Erde vorbei. Dahinter sah der Gang wieder etwas besser aus, aber nach ungefähr hundert Metern war endgültig Schluss. Vor dem Kastellan lag eine unüberwindliche Mauer aus Schutt, Erde, Holzresten und Steinen. Da gab es kein Durchkommen mehr. Der Tunnel war zusammengebrochen.

Mist.

Haubold warf den Rucksack ab und hockte sich an einer trockenen Stelle mit dem Rücken gegen die Wand. Durstig öffnete er seine zweite Coladose und ließ das süße Getränk in sich hineingluckern. Also umkehren. In spätestens zwei Stunden, wahrscheinlich früher, würde er wieder am Ausstieg sein, und für morgen konnte er sich dann den zweiten Gang vornehmen. Hungrig verspeiste er die zweite und dritte seiner insgesamt vier Lila Pausen und ärgerte sich, dass er sich kein Vesperbrot mitgenommen hatte. Aber um so was kümmerte sich ja sonst auch seine Frau, und die war nicht da.

Während Haubold unter Tage den Geheimgang erforschte, bekam Wolfgang Kleinert im Kulmbacher Stadtarchiv Besuch von einem jungen Historiker. Die alte zweiflügelige Holztür knarzte und quietschte, als Thomas Fleischmann, bewaffnet mit Schirm und einem alten Schulranzen, das Gebäude des Kulmbacher Stadtarchivs betrat. Er schüttelte die Tropfen aus seinem schwarzen Knirps Automatik, putzte die nass gewordene Brille an seinem Pullunder sauber und sah sich dann um. Links über seinem Kopf entdeckte er ein Pappschild mit einem verblichenen roten Pfeil, auf dem in Frakturschrift »Heimatmuseum« zu lesen war; darunter den obligatorischen versteinerten Baumstumpf, der wohl die meisten derartigen Einrichtungen zierte. Ein Stück weiter vorne hing ein zweiter Wegweiser: »Stadtarchiv 1. Stock«. In freudiger Erwartung nahm der Historiker je zwei Stufen auf einmal und erreichte schwer atmend den übernächsten Treppenabsatz. Er klopfte und trat ein.

Drinnen kam ihm schwungvoll eine groß gewachsene junge Frau mit Brille und Prinz-Eisenherz-Frisur entgegen, fröhlich eine Gießkanne schwenkend. Es handelte sich um Geli Hufnagel, den guten Geist des Stadtarchivs.

»Grüß Gott!« Sie strahlte ihn mit einem reizenden Lächeln und wogendem Busen an. Fleischmann wurde es warm ums Herz, und eine plötzliche Schüchternheit bemächtigte sich seiner.

»Grüß Gott!« Pause. Fleischmann durchforstete krampfhaft seine innersten Gehirnwindungen auf der Suche nach einem flotten

Spruch. Doch all sein Charme und alle Beredsamkeit, an Generationen von älteren Damen erfolgreich erprobt, waren wieder einmal von einer Sekunde auf die andere verflogen.

»Ähem, ja, ich habe gestern kurz mit Herrn Kleinert telefoniert und mich für heute angemeldet …« Am liebsten hätte er sich selber gegen das Schienbein getreten. Nie, aber auch nie fiel ihm was ein, wenn's drauf ankam! Jedes Mal passiert mir das, haderte er mit sich selbst. Kaum gefällt mir mal eine, setzt mein Hirn aus.

Prinz Eisenherz musterte den Besucher freundlich von oben bis unten. Bei dem klingelten mittlerweile alle Glöckchen. Du meine Güte, bimmelte es, so eine Prachtfrau. Von so was hab ich immer geträumt, Typ Brünhilde in Liebenswert. Mein Gott, was sag ich nur, was sag ich nur? In seiner Verzweiflung blieb Fleischmann nur ein hilfloses Lächeln.

»Ach ja, Sie sind der Herr aus Abenberg, ich weiß schon!« Geli Hufnagel erinnerte sich. »Na, dann kommen Sie mal mit; der Herr Kleinert ist in seinem Büro.«

Die Archivarsgehilfin drehte sich um und ging vor Fleischmann her, der nicht umhin konnte, ihr quadratisch-voluminöses Hinterteil zu bemerken, das den knielangen Leinenrock zum Schwingen brachte. O Mann, ein echtes Klasseweib! Fleischmann war drauf und dran zu vergessen, wozu er überhaupt hergekommen war.

»Legen Sie doch ab«, meinte das Klasseweib freundlich und deutete mit dem Gießkännchen auf die Garderobenhaken vor der Bürotür. Fleischmann entledigte sich umständlich seines Mantels, lehnte den Schirm gegen die Wand und trat dann an der Frau seiner Träume vorbei in Kleinerts Zimmer. Uff.

Der Archivar schüttelte Fleischmann grinsend die Hand.

»Na, haben Sie hergefunden bei dem Mistwetter?«

Fleischmann lachte. »Mit knapper Not! Am Hienberg hat's geschüttet wie aus Eimern, und das Verdeck von meinem alten Jeep ist nicht mehr so ganz dicht.«

Kleinert ließ sich hinter seinem Schreibtisch nieder und machte eine einladende Handbewegung.

»Nehmen Sie doch Platz! Also, was führt Sie zu uns nach Kulmbach?«

Fleischmann öffnete den Schnappverschluss seiner Schulmappe und zog vorsichtig eine knittrige Plastiktüte heraus, der er einen geklöppelten Brusteinsatz entnahm.

»Das hier«, sagte er lapidar und breitete das Teil sorgsam vor Kleinert auf dem Schreibtisch aus.

Der Archivar begutachtete die Handarbeit etwas hilflos.

»Was soll denn das sein? Ein altes Häkeldeckchen? Frau Hufnagel, kommen Sie doch mal! Sie kennen sich da bestimmt besser aus als wir.«

Die Archivarsgehilfin trat hinzu, und alle drei beugten sich gemeinsam über die Handarbeit. Fleischmann begann sofort zu schwitzen, und Kleinert entging nicht, dass die Augen seines Besuchers weniger das Häkeldeckchen als vielmehr verstohlen den Ausschnitt seiner Mitarbeiterin begutachteten.

Geli Hufnagel rümpfte die Nase. »Tut mit Leid. Mit so langweiligem Häkelzeugs kann ich gar nichts anfangen«, meinte sie. »Ich repariere lieber an meinem Auto herum, als dass ich so tüddeligen Damenkram mache.«

Fleischmann war schwer beeindruckt von Gelis Handfestigkeit. »Da haben Sie vollkommen Recht. Aber – Spaß beiseite – das ist eine Klöppelarbeit aus dem sechzehnten Jahrhundert. Und sie stammt nach meinen Informationen aus Kulmbach.« Er erzählte die ganze Vorgeschichte, angefangen bei seiner Ersteigerung der Klöppelwaren in Bayreuth bis hin zu seinem Besuch bei Hildegard Zehrer vor einigen Wochen.

»Und jetzt wollen Sie versuchen nachzuweisen, ob die Klöppelsachen wirklich von einer Kulmbacherin stammen, die auf der Plassenburg gelebt hat und anschließend ins Kloster gegangen ist?« Kleinert lehnte sich in seinem Bürostuhl zurück und strich sich über den Bart.

»Genau.« Fleischmann blickte den Archivar erwartungsvoll an. Der machte mit den Lippen kleine schmatzende Geräusche und zog skeptisch die Augenbrauen hoch.

»Hm. Das dürfte schwierig werden. Wenn das Klöppelzeug wirklich aus dem sechzehnten Jahrhundert stammt, dann haben wir zunächst einmal ein Grundproblem. Wissen Sie, für diesen Zeitraum ist unsere Quellenlage ausgesprochen schlecht. Kulmbach wurde ja

Ende 1553 völlig zerstört, das heißt, das meiste, was bis dahin an schriftlicher Überlieferung, Ratsverlässen, Stadtrechnungen und so weiter existiert hat, ist größtenteils verloren gegangen. Die Überlieferung fängt erst mit dem Wiederaufbau der Stadt langsam wieder an. Und wenn Ihre Klöpplerin auf der Burg gearbeitet hat, dann fällt die ganze Geschichte vermutlich genau in diese quellenarme Zeit. Und das nächste Problem ist, in den wenigen Quellen eine konkrete Person herauszufinden. Ja, wenn es um die Namen von Räten, Bürgermeistern, Richtern ginge, also Personen, die ein öffentliches Amt bekleidet haben, dann hätten wir eine Chance. Wir wissen zum Beispiel, dass mehrere Zehrers im Kulmbacher Rat saßen. Die Zehrer sind als eine der einflussreichsten Bürgerfamilien bekannt. Aber über ihre Frauen ... ehrlich gesagt, ich wüsste nicht, wo ich in meinem Bestand suchen sollte. Frauen tauchen in den Quellen gewöhnlich sowieso kaum auf. Die führten halt meistens ein Dasein zwischen Herd, Kirche und Kindern, und das hat niemand für erwähnenswert gehalten. Gott sei Dank hat sich das ja inzwischen geändert, gell, Frau Hufnagel?«

Die Angesprochene nickte mit Nachdruck.

Fleischmann gab nicht so schnell auf. »Aber dieser Heinrich Zehrer hat hier im Archiv über den Familienstammbaum geforscht ...«

»Moment.« Geli Hufnagel holte einen dicken grauen Ordner aus einem Aktenschrank. »Das können wir nachprüfen. Jeder Benutzer füllt bei uns nämlich einen Leihschein für die Archivalien aus, mit denen er arbeitet – Sicherheitsmaßnahme sozusagen, denn wenn hinterher was fehlt, kann man genau feststellen, wer's geklaut hat. Sind ja zum Teil ganz kostbare Sachen, die wir da haben.« Sie blätterte ganz hinten im Ordner. »Da! Zehrer, Heinrich. Benutzungszweck: Familienforschung. Na, der war ja ziemlich oft hier.«

»Allerdings vor unserer Zeit«, versetzte Kleinert. »Schauen wir mal, was hat er sich denn ins Lesezimmer bringen lassen ..., hm. Das sind alles jüngere Sachen. Geht los vor dem Zweiten Weltkrieg und hört auf ungefähr Mitte des siebzehnten Jahrhunderts. Wollen Sie mal in die Originale reinschauen?«

Fleischmann wehrte ab. »Nicht nötig. Den Stammbaum bis zum Dreißigjährigen Krieg hat mir schon die Frau Zehrer kopiert. Offensichtlich hat ihr Schwager für die Zeit vorher nichts mehr finden können. Genau die Zeit eben, die mich interessiert.«

Kleinert stellte den Ordner wieder zurück. »Waren Sie denn schon mal im Staatsarchiv in Bamberg?«

Fleischmann verneinte.

»Da liegen sämtliche Archivalien, die die Plassenburg betreffen. Wenn die Frau wirklich auf der Burg gearbeitet hat, muss ja so etwas wie ein Arbeitsvertrag existiert haben, eine so genannte Bestallung. Da steht normalerweise drin, wie der Bedienstete heißt, was er für eine Funktion bei Hof hatte und wie viel er verdiente. Vielleicht findet sich in irgendwelchen Bestallungsbüchern der Name Zehrer.«

Fleischmanns Laune hellte sich wieder auf. »Da fahre ich dann wohl als Nächstes hin.«

»Und noch eine Möglichkeit: Fragen Sie doch mal im Kloster Himmelkron nach, ob es dort für die betreffende Zeit noch Unterlagen gibt. Aufnahmeregister, Sterbebücher oder Ähnliches. Da könnte auch was zu finden sein.«

»Ist das weit von hier, Himmelkron?«

»So zwanzig Kilometer, schätze ich.« Geli Hufnagel wusste Bescheid.

»Wenn Sie wollen, können wir uns nächste Woche dort treffen«, meinte der Archivar. »Ich muss dort ohnehin etwas überprüfen und würde Sie dann in der Klosterregistratur vorstellen.«

»Gerne, das wäre ganz prima.«

»Halt, mir fällt da noch was ein!« Der Archivar griff zum Telefon.

»Hallo und grüß Gott, Herr Kellermann, Kleinert hier. Oh, ja, danke, und selber? Freut mich, freut mich. Sagen Sie mal, die Kirchenbücher bei Ihnen im Dekanatsarchiv – die haben Sie doch in unserem Fall ›totes Kind‹ durchgesehen? Das heißt, die greifen bis ins sechzehnte Jahrhundert zurück? Ja? Na, wunderbar. Ich habe hier nämlich einen Benutzer, der gern mal einen Blick da hineinwerfen würde. Kann ich Ihnen den Herrn demnächst mal schicken? Alles klar. Bis dann, beim nächsten Stammtisch im ›Schiff‹! Wiederhören.«

Er wandte sich an Fleischmann. »Also. Die Kirchenbücher für das sechzehnte Jahrhundert liegen im Dekanatskeller. Wenn Sie sich die Arbeit machen wollen und die Eintragungen von Geburten, Taufen, Sterbefällen, Eheschließungen und so weiter durchforsten, müssten Sie mit Sicherheit auf die Familie Zehrer stoßen. Wenn Ihr Familienforscher, dieser Heinrich Zehrer, seinen Stammbaum mit dem Dreißigjährigen Krieg abreißen lässt, dann ist er vermutlich gar nicht auf die Idee gekommen, im Kirchenarchiv weiterzuforschen.«

»Oder er ist einfach nicht mehr dazu gekommen, weil er so plötzlich gestorben ist. Na, vielleicht finde ich was im Dekanat. Erklären Sie mir, wo das ist?«

Nachdem er sich von Kleinert verabschiedet hatte, fasste Geli Hufnagel ihn draußen am Arm. Sie roch angenehm nach einer Mischung aus Seife und Kaffee, was ausgezeichnet zu ihr passte, fand Fleischmann.

»Wenn Sie möchten, gehe ich nächste Woche mit Ihnen zu Pfarrer Kellermann. Das Dekanat ist ziemlich schwer zu finden.«

Fleischmann jubilierte. Die Sonne brach gerade durch die dunklen Wolken, als er das Stadtarchiv verließ. Er versuchte einen unbeholfenen Luftsprung, machte kleine Ausfallschritte und piekste übermütig mit seiner Schirmspitze Löcher in die regengeschwängerte Luft, als ob der schwarze Knirps ein Florett wäre – d'Artagnan auf dem Rückweg von seiner Angebeteten. Wie schön war doch die Welt!

Während Thomas Fleischmann frisch verliebt und glücklich auf der Autobahn Berlin-Nürnberg gen Heimat fuhr, befand sich der Kastellan auf dem Rückmarsch. Da er den Weg jetzt schon kannte und ihn außerdem der Hunger vorwärts trieb – die beiden Schokoriegel hatten ihm eher noch Appetit gemacht –, stapfte er zügig die buckligen Treppen hinauf, so schnell es seine Kondition erlaubte. Er war schon relativ weit gekommen, als er in der Ferne ein undefinierbares Geräusch hörte, ein Rascheln, Brechen oder Bröseln. Haubold blieb stehen und horchte, aber es war schon vorbei. Gerade als er den Kopf schüttelte und seinen Fuß hob, um weiterzugehen, kam ihm aus dem Tunnel eine Staubwolke entgegen, die ihn vorübergehend blind machte und ihm den Atem nahm. Er hustete, taumelte rückwärts gegen die Wand, ließ die Taschenlampe fallen und schlug schützend die Arme vors Gesicht. Um nicht den Staub einatmen zu müssen, zog er sein T-Shirt am Halsausschnitt hoch und drückte es vors Gesicht.

Nach einigen Minuten hatte sich die Staubwolke gelegt und Haubold konnte wieder etwas sehen. Die Taschenlampe lag am Boden und brannte wie durch ein Wunder immer noch; er hob sie auf und leuchtete nach oben. Sein Mund und seine Nase waren voller Staub; er spuckte aus und schnäuzte sich mit dem Stofftaschentuch, das er immer einstecken hatte. Um Gottes Willen, der Gang ist eingestürzt, schoss es ihm durch den Kopf. Ihm wurde gleichzeitig heiß und kalt. Panik ergriff ihn und raubte ihm für einen Moment jeden vernünftigen Gedanken. Raus hier, nur raus hier, war sein erster Impuls. Er war schon im Begriff, sich umzudrehen und wieder bergab zu stürmen, als ihm gerade noch einfiel, dass es dort unten ja auch nicht weiterging. Er merkte, dass seine Knie weich wurden, und setzte sich erst einmal auf die Treppe. Jetzt ruhig bleiben, ruhig bleiben und nachdenken. Haubold atmete ein paar Mal tief durch. Noch ist nichts verloren, dachte er, erst einmal nachschauen, was dort oben passiert ist. Als ihm nach zwei, drei Minuten seine Beine wieder gehorchten, machte er sich weiter an den Aufstieg.

Er ging vorsichtig und gab sich Mühe, so wenig Geräusche und Erschütterungen wie möglich hervorzurufen. Auf den ersten paar hundert Metern war nichts zu sehen. Auch auf den nächsten nicht. Erst als er in die Nähe seiner Einstiegsstelle unter der Ostwand des Hochschlosses kam, sah er die Risse überall. Und dann stand er vor einer Wand aus Geröll und Erde. Aus. Ende. Er war verschüttet.

Er wollte rufen, aber etwas schnürte ihm die Kehle zu, und er brachte nur einen leisen, gurrenden Piepser zustande, der unter anderen Umständen komisch geklungen hätte. Gleich darauf war er froh darüber, dass ihm die Stimme versagt hatte – wer wusste schon, wie instabil der Gang jetzt war. Vielleicht konnte schon ein lauter Ton zu weiteren Einstürzen führen. Eine Welle von Übelkeit stieg in ihm hoch, und ihn überkam ein dringendes Bedürfnis, Wasser zu lassen. Vorsichtig legte er den Rucksack ab und erleichterte sich ein paar Schritte weiter gegen die Tunnelwand. Schon als Kind Nervositätspinkler gewesen, dachte er und musste beinahe grinsen. Dann wurde er sich wieder des Ernstes seiner Lage bewusst. Er beschloss, sich hinzusetzen und erst einmal zu überlegen. Das Wichtigste war, nicht die Nerven zu verlieren.

Luft zum Atmen würde er genug haben, weil der Gang vermutlich Luftzufuhr von außen hatte. An Vorräten waren ihm eine Dose Cola und ein Schokoriegel geblieben. Verhungern würde er zwar nicht so schnell – schließlich hatte er wahrhaftig genügend Reserven, von denen er zehren konnte! Aber verdursten ... dann fiel ihm ein, dass weiter unten der Gang so feucht war, dass es von der Decke tropfte und auf dem Boden das Wasser in Pfützen stand. Zur Not würde ihm das eine Zeit lang reichen. Also weiterdenken! Licht. Er hatte noch die Taschenlampe, aber keine Batterie mehr. Dazu die Karbidlampe mit drei Brennstoffrollen und eine Schachtel mit fünf Kerzen. Außerdem einen Zehnerpack Streichhölzer und das Armeefeuerzeug. Er nahm eine der dünnen gelben Kerzen, klemmte sie zwischen zwei Steine und zündete sie an. Dann knipste er die Taschenlampe aus, um Batterie zu sparen.

Ich Idiot, haderte er mit sich selber, ich dämlicher Hornochse, warum bin ich hier bloß allein eingestiegen? Ich hätte es doch wissen müssen. Er begann, sich maßlos darüber zu ärgern, dass er niemandem über sein Vorhaben Bescheid gesagt hatte. Er sah auf die Uhr: schon fast sechs. Daheim würde ihn keiner vermissen – Susanne würde wie jeden Abend zwischen acht und neun Uhr anrufen und denken, er sei eben in der Kneipe oder bei Freunden. Die ersten, die bemerken würden, dass er nicht da war, würden die Bauarbeiter sein. Heute war Freitag. Am Montagmorgen sollten sie bei ihm Instruktionen abholen, wie es mit den Arbeiten weiterging. Aber die würden sich bestimmt keine Gedanken machen, wenn er nicht da wäre. Vielleicht Frau Baumann, die ab neun Uhr Kassendienst machte und der er immer aufsperrte. Blödsinn, Montag war ja Ruhetag auf der Burg. Haubold bemerkte, wie sich in seinem Hals ein dicker Kloß bildete. Jedenfalls, selbst wenn man feststellen sollte, dass er verschwunden war – niemand würde auf die völlig abwegige Idee kommen, dass er in einem Geheimgang unter der Burg festsaß. Seine einzige Chance war abzuwarten, bis die Arbeiter an der Stelle waren, wo er in den Gang gekrochen war. Wenn er Glück hatte, bemerkten sie, dass er sich einen Weg hinein gebahnt hatte. Costa war ein kluges Bürschchen, vielleicht sah er das Loch und zählte eins und eins zusammen. Aber vielleicht war ja alles so verschüttet, dass draußen überhaupt nichts mehr zu erkennen war. Haubolds Hoffnung sank auf den Nullpunkt. Keiner würde so bald nach ihm suchen, und wenn, dann wäre er schon längst nicht mehr am Leben. Er stierte in die brennende Kerze vor sich. Er fühlte sich so fix und fertig, als ob er hundert Jahre auf dem Buckel hätte. Am liebsten hätte er geheult wie ein Schlosshund.

Er blieb einfach sitzen und konnte eine Weile lang keinen klaren Gedanken mehr fassen. Jetzt erst wurde ihm bewusst, dass es kalt hier unten war. Er fror ein bisschen vor sich hin, unfähig, die Hand zu heben und das Baumwollhemd aus dem Rucksack zu kramen, das er vorsorglich eingepackt hatte. Schließlich riss er sich zusammen und zog den Reißverschluss auf. Und plötzlich durchzuckte es ihn: das Handy! Großer Gott, er hatte das Handy ganz vergessen. Er hatte es in eine der Seitentaschen gesteckt. Seine Finger zitterten, als er es hektisch herausfummelte. Zuerst die Tastensperre entsichern. Es piepste. Bitte geben Sie Ihre PIN-Nummer ein. In der Aufregung konnte er nicht klar denken. Welche PIN-Nummer, Menschenskind, wie ist wieder die PIN-Nummer? Jetzt ganz langsam. Er überlegte fieberhaft – der Geburtstag von Lina, ja genau. Zwölfter Mai 1994. Er tippte: 0594. Pieps. Die Tastaturbeleuchtung ging an. Haubold machte innerlich einen kleinen Freudensprung; sein Herz klopfte mit einer Frequenz jenseits der 200. Auf dem Display erschien in schillerndem Grün ein stilisierter Funkturm und blinkte: Netzsuche.

Der Kastellan schloss die Augen. Er hätte es wissen können. Natürlich hatte er hier unten keinen Empfang. Wie auch, metertief unter der Erde? Aus der Traum. Jetzt heulte Haubold wirklich, dass es ihn schüttelte. In der nächsten Stunde büßte er alle Sünden ab, die er bisher in seinem Leben begangen hatte, einschließlich etlicher, die er vielleicht noch in der Zukunft begehen könnte. Sofern er am Leben blieb.

Schließlich riss sich Haubold aus seiner Verzweiflung. Die Abzweigung war ihm wieder eingefallen. Neue Hoffnung flammte in ihm auf – da war noch eine Möglichkeit, durch eigene Initiative aus dem

Tunnel herauszukommen. Er hatte den zweiten Gang, der weiter unten vom Stollen abzweigte, noch nicht erforscht. Vielleicht ließ sich ja dort ein Ausstieg finden. Versuchen musste er es, solange sein Licht noch reichte. Er beschloss, die Taschenlampe nicht mehr zu benutzen, und zündete stattdessen mit einem Streichholz die Karbidlaterne an. Die gleißende Helligkeit, die von dem Metallreflektor hinter dem aufflammenden Karbidknäuel ausging, blendete ihn beinahe, und er konnte deutlicher sehen als vorher mit der Taschenlampe. Behutsam, um keine Erschütterungen auszulösen, schulterte er den Rucksack und machte sich wieder auf den Weg nach unten.

Er gelangte ohne Schwierigkeiten bis zu der Abzweigung und bog in den rechten Tunnel ein. Nach einigen Schritten bemerkte er seitlich einen fast mannshohen, engen Durchschlupf. Er bückte sich, steckte so weit er konnte Kopf und Oberkörper hindurch und leuchtete hinein. Was er sah, war ein Raum von vielleicht drei mal vier Metern, der ein aus Backsteinen gemauertes Tonnengewölbe hatte. Haubold suchte mit den Augen sorgfältig die Wände ab, um vielleicht einen Ausgang zu finden, als sein Blick sich in der hinteren Ecke förmlich festsaugte. Seine Nackenhärchen richteten sich auf, und etwas rieselte ihm kalt den Buckel herunter: Da lag ein Skelett – hingekauert, zusammengesackt zu einem staubigen, eingefallenen Knochenhaufen unter einem schräg geneigten Schädel, der seinem Entdecker wie hohnlachend die Zähne entgegenbleckte.

Dem Kastellan wurde ganz anders. Da ist schon vor mir jemand nicht mehr lebend hier rausgekommen, schoss es ihm durch den Kopf. Wer weiß, wie lange der da schon liegt? So wird's mir auch bald gehen. Er kämpfte gegen die wiederaufsteigende Panik an. Mein Gott, fiel ihm ein, das ist jetzt das zweite Skelett innerhalb eines Dreivierteljahres, das ich auf der Plassenburg finde! Das ist ja fast wie im Film, dachte Haubold, doch die Vorstellung, möglicherweise bald zum Schicksalsgenossen seines eigenen neuesten Leichenfundes zu werden, überdeckte schnell jegliche Anwandlung von Humor.

Nachdem Haubold nicht ohne größere Anstrengung ganz in den Raum hineingekommen wäre und außerdem keine Zeit verlieren wollte, riss er sich zusammen, ließ die Leiche fürs Erste Leiche sein und ging weiter den Gang entlang. Der verlief jetzt völlig eben, und Haubold kam gut vorwärts, auch wenn seine Schuhe inzwischen mit dem brackigen Wasser durchtränkt waren. Mit Befriedigung stellte er fest, dass die Karbidrolle äußerst sparsam im Verbrauch und erst zu knapp einem Viertel verbrannt war. Licht würde er also noch eine Weile haben. Er sah auf die Uhr. Stehen geblieben! Auch das noch! Das hatte er davon, dass er aus Pietät immer noch die alte Timex-Aufziehuhr seines Vaters trug. Er überlegte; es musste längst auf acht Uhr gehen. Sein Magen knurrte, und er hatte Durst.

Ziemlich erschöpft ging er weiter. Der Rücken tat ihm weh, weil er sich immer wieder bücken musste. Er hängte sich den Rucksack vor den Bauch, was ein bisschen half, weil es die Wirbelsäule entlastete. Schließlich bemerkte er, dass der Gang wieder leicht anstieg und Wände und Decke fast vollständig aus gemauerten Steinen bestanden. Und nach einer scharfen Biegung nach links sah er, was er nicht sehen wollte: Da war kein Ausgang, sondern eine Mauer.

Der Tunnel war zugemauert! Haubold ließ sich in die Ecke sinken und bedeckte das Gesicht mit den Händen. Er fühlte sich völlig am Ende, alles an ihm war irgendwie taub. Es kam ihm so vor, als ob alles in Zeitlupe abliefe, seine Bewegungen, seine Gedanken. Er empfand nicht einmal mehr Angst, sondern verfiel in eine Art stumpfe Lähmung. Er lehnte den Kopf gegen die Wand und schlief ein.

Schreiben des Markgrafen Albrecht Alkibiades an den Hauptmann auf dem Gebirg zu Plassenberg ob Kulmbach, 1. September 1548

Gottes Gruß zuvor und mehr Glück als uns jetzo beschieden ist, bester Freund und Hauptmann! Was du über Gerüchte längst gehört haben magst, ist wirklich eingetreten. Wir sind gefangen, und unser Regiment verloren. All unser Streben, dem glorreichen Herzog Moritzen zum Sieg über seinen Vetter Ernst von Braunschweig, den feigen Prätendenten auf den sächsischen Titel, zu verhelfen, ist kläglich gescheitert. Noch vor einigen Tagen haben wir die Festung Rochlitz mit großem Hauen und Stechen eingenommen und waren uns unserer Sache sicherer als der Teufel sich des Höllenfeuers! Siegesfeste haben wir schon gefeiert mit Tanzen, Springen und Saufen, wie sich's gehört! Derweil lag die kurfeindliche Streitmacht, deren schändliche Anführer bisher den Hasen im Busen getragen haben, drei Meilen entfernt bei Altenburg. Nur durch feige und hinterhältige Verschwörung ist es diesen unseren Feinden gelungen, die Stadt, die schon uns gehörte, im Morgengrauen anzugreifen. Ein mörderisches Streiten konnte die Ungunst der Lage für unsere Truppen nicht mehr wettmachen. Die Stadt war umstellt, die anderen uns an Zahl überlegen und unsere Sache verloren. Auch wir selber konnten uns nicht mehr erretten, und der Braunschweiger, mög er doch bald mit dem Arsch im Fegfeuer schmoren, hat uns schmählich gefangen gesetzt.

Item nun sitzen wir zu Rochlitz im Turm und haben Zeit, uns der Dinge in der Heimat anzunehmen, bis unsere Freilassung verhandelt ist. Längst wären wir auf freien Fuß gekommen, hätte nicht der Kaiser den Sinn eines Verräters und schmählichen Wichts! Am Vortag ist ein Kurier angekommen, der berichtet, dass der spanische Karl nicht Sinnes ist, für uns Lösegeld zu zahlen. Das ist die Treue der Habsburger! Für solch wortbrüchiges Gewürm haben wir jahrelang unsern Hals und Kopf und Kragen unserer Leute aufs Spiel gesetzt! Aber eins ist gewiss – der Tag der Abrechnung wird kommen!

Bis dahin ist es unser Wille und Befehl, die Plassenburg als unser wichtigste Landesfestung so schnell als möglich auszubauen und die Bastei gegen den Buchberg fertig stellen zu lassen. Dem italienischen Baumeister dafür als Voraus hundert Gulden aus der Kriegskasse! Er soll auch Wissen einholen um die Festungsbaukunst des Nürnberger Kupferstechers Albrecht Dürer, der hat, so hör ich, ein Büchlein darüber geschrieben, das gut und wichtig sein soll. Wie steht es mit dem Bau der markgräflichen Kemenate? Wenn wir, so Gott will, bald freikommen, so wollen wir auf der Plassenburg Wohnung nehmen können. Notabene ist von dir als meinem Hauptmann Sorge zu tragen, die fürstliche Wohnung so auszustatten, wie es unserem Anspruch genügt. So ist unser ernstlich Wunsch und Befehl, einen Künstler und Maler aufs Gebirg zu holen, der imstand und fähig ist, die Wänd und Decken unserer zukünftigen Gemächer mit lustigen Bildern zu bemalen, die unser Herz zerstreuen können, wenn draußen der Krieg tobt. Schreib deshalben an unsern Bruder Georgen zu Ansbach um Rat und Empfehlung.

Gehab dich wohl und mit Gott und schütz mir mein Land auf dem Gebirg, bis ich, so Gott will, aus dem elendiglichen Gefängnis heraus und wieder auf der Plassenburg bin.

Gegeben zu Rochlitz in Sachsen, am Tag Remigii anno 1548
Albrecht Markgraf zu Brandenburg-Kulmbach, genannt der teutsche Alcibiades, etc. pp.

DRITTES BUCH

Kulmbach, Frühjahr 1552

Auf der Altstraße, die entlang des Mains von Melkendorf nach Kulmbach führte, bewegte sich in der strahlenden Maisonne ein seltsames Gespann gemächlich auf die gebirgische Stadt zu. Es handelte sich um einen südländisch aussehenden jungen Mann auf einem mageren Grauschimmel, der einen noch magereren Esel im Schlepptau führte. Das Lasttier trug schweres Gepäck: zwei metallbeschlagene Holzkisten, einen Leinen- und einen Ledersack, mehrere in dickes Leder geschlagene Rollen sowie ein merkwürdiges Klappgestell aus dünnen Holzleisten, die mit Scharnieren und Flügelschrauben untereinander verbunden waren. Die pflügenden Bauern, an denen der Reisende vorüberzog, hätten – wären sie in Hörweite zur alten fränkischen Heeresstraße nach Bamberg gewesen – lauschen können, wie er fremdartige, wundersam klingende Melodien vor sich hin sang, in einer Sprache, die keiner von ihnen verstand. So aber zog der einsame Reiter unbehelligt seines Weges entlang des Flusses, bis er schließlich in der Ferne die Silhouette der Stadt ausmachen konnte.

»Madonna serpente, ecco là!«, murmelte der Fremde und spornte seine alte Stute an, die gottergeben in einen zotteligen Trab verfiel und den vergeblich sich sträubenden Esel hinterherzog. Am Kulmbacher Stadttor wurde er von einem pflichtbewussten Torwart aufgehalten, dem er wortlos seine Papiere präsentierte. Natürlich konnte der arme Tropf von Wächter nicht lesen, aber er erkannte sofort das markgräfliche Siegel, stand stramm und ließ den Ankömmling passieren. Die gleiche Prozedur wiederholte sich am Äußeren und am Mittleren Burgtor sowie am Inneren Tor zum Hochschloss.

Der junge Italiener lenkte sein Pferd zur Tränke neben dem Brunnenhäuschen, stieg ab und ließ die durstigen Tiere saufen. Derweil schaute er sich interessiert um. Er hatte eine dieser düsteren und beengten deutschen Burgen erwartet, wie er sie schon öfters im

Laufe seiner Reisen im Norden gesehen hatte, doch diese hier war viel größer und imposanter. Allein der Innenhof war trotz seiner Zweiteilung in einen tiefer und einen höher liegenden Bereich, die durch eine Stiege miteinander verbunden waren, riesig groß, sodass die Bauernkarren mit den Fronabgaben – runden Käselaiben, Eierkörben und lebenden Lämmern und Hühnern – darin kaum auffielen. Die steingepflasterte obere Ebene wirkte wie eine überdimensionale leere Bühne, während im unteren Hofteil, in dessen Nordostecke einige mächtige runde Säulen standen, Tiere durcheinander stoben und Burgbedienstete geschäftig umhereilten.

Eine Viertelstunde später klopfte der Fremde an die Tür zum Arbeitszimmer des Hauptmanns und trat ein. Drinnen saß hinter seinem wuchtigen Schreibtisch Georg von Leuchtenberg; wie immer hatte er einen Krug mit Wein und einen gefüllten Becher griffbereit vor sich. Neben ihm stand ein dürres, kleines, hochelegantes Männlein mit langen Haaren und schwarzem Schnurrbart, das nervös von einem Fuß auf den anderen zappelte. Der Fremde legte die Hand auf die Brust und machte eine tiefe Verbeugung.

»Sagt ihm, ich bin hocherfreut, dass er angekommen ist, und fragt ihn, wie die Reise war. Und bietet ihm einen Trunk an«, wandte sich der Hauptmann an seinen italienischen Baumeister, den er als Dolmetscher hatte rufen lassen. Guerini nickte und stieß mit erstaunlich tiefer Stimme einen Schwall italienischer Worte aus, wozu er ausgreifend gestikulierte. Der so angesprochene junge Mann lächelte und hob abwehrend die Hände. Dann antwortete er in flüssigem Deutsch, allerdings gut eingefärbt mit einem unzweifelhaft italienischen Akzent.

»Gott zum Gruß, Commandante. Mein Name ist Lorenzo Neri, zu Euren Diensten. Auch ich bin froh, endlich am Ziel zu sein, denn der Ritt von Bamberg hierher war lang. Und einen Schluck Wein trinke ich gern.«

Leuchtenbergs Miene hellte sich auf.

»Ihr sprecht unsere Sprache, das ist gut!« Er winkte den Baumeister hinaus, der sich ein wenig enttäuscht zum Gehen wandte und mit einem Kratzfuß verabschiedete. Leuchtenberg goss einen zweiten Becher ein und deutete auf den Stuhl vor seinem Schreibtisch.

»Setzt Euch, Messer Neri, und auf Euer Wohl! Markgraf Georg

von Ansbach, der Euch empfohlen hat, schreibt, dass Ihr aus Venedig kommt ...«

»Venezia ist meine Heimatstadt, Commandante. Dort bin ich großgeworden und habe mein Handwerk gelernt. Aber ich habe Italien vor drei Jahren verlassen und arbeite nun hier im Norden als Maler und Künstler.«

»Wie ich erfahren habe, wart Ihr schon bei mehreren fürstlichen Herren im Dienst und habt zu deren Zufriedenheit gearbeitet. Es heißt, Eure Wandmalereien und Altarbilder seien von schönem Ausdruck und hätten besonders strahlende Farben.«

Der junge Italiener errötete leicht. »Der Meister, bei dem ich gelernt habe, hat mir viel beigebracht, und ich stoße und mische alle meine Colori selber nach italienischer Art«, erwiderte er bescheiden.

»Es wird Euch dann sicherlich ein Leichtes sein, die neuen Kemenaten des Markgrafen mit Gemälden zu dekorieren. Er hat mir bereits Instruktionen geschickt, welcher Art die Bemalung sein soll.«

Leuchtenberg schob ein eng beschriebenes Pergament über den Tisch. »Wie Ihr nachlesen könnt – Ihr könnt doch lesen? –, wünscht mein Herr keine religiösen Themen. Er möchte stattdessen Jagdszenen und Bilder aus der alten Götterwelt, etwa Herkules beim Kampf, den Blitze schleudernden Zeus oder Ähnliches. Dann etwas Kriegerisches – wie Ihr sicherlich wisst, ist Albrecht Alkibiades hierzulande als großer Kriegsheld berühmt! Und auf der Wand des größten Zimmers, so ist sein Wunsch, sollt Ihr sein Porträt malen, wie er in Rüstung auf einem weißen Schlachtross reitet. Traut Ihr Euch das zu?«

Lorenzo Neri nickte mehrmals, wobei ihm eine schwarze Strähne in die Stirn fiel. Er lächelte.

»Certo, Commandante. Für das Porträt sollte ich den Markgrafen aber in persona sehen ...«

»... was schlecht möglich sein wird, da er fast die ganze Zeit im Feld ist. Aber es gibt ein recht naturgetreues Bild von ihm, das Ihr zum Vorbild nehmen könnt.«

»Va bene, das wird gehen.« Der junge Maler nahm einen kräftigen Schluck aus seinem Becher und verzog leicht das Gesicht. Madonna, diese deutschen Weine waren sauer wie Essig!

Georg taxierte sein Gegenüber aufmerksam. Der Venezianer

mochte ungefähr Mitte zwanzig sein, schätzte er. Er hatte eine schlanke Figur und war für einen Italiener recht groß gewachsen. Dunkle, halblange Haare und ein fein ausrasierter, filigraner Bart umrahmten ein Gesicht mit regelmäßigen Zügen und dem oliv getönten Teint des Südländers. Wenn er sprach, waren seine Hände ständig in Bewegung, und seine lebhaften braunen Augen blitzten. Insgesamt war der Venezianer eine angenehme Erscheinung, fand Georg. Er beschloss, ihn bei den Abendmahlzeiten zu sich an den Hauptmannstisch setzen zu lassen – das würde sicherlich interessante und abwechslungsreiche Gespräche im Plassenburger Alltagseinerlei geben.

»Außerdem habe ich für Euch vielleicht noch eine weitere Aufgabe, Messer Neri. Versteht Ihr Euch auch auf die Kunst des Vergoldens?«

Der Künstler nickte eifrig.

»Sehr gut sogar. Ich habe in den letzten beiden Jahren an mehreren Altären gearbeitet – dafür muss man das Belegen mit Blattgold gut beherrschen.«

»Schön. Der Markgraf wünscht nämlich, dass das gedrechselte Holzgeländer zur Fürstenempore in der Burgkapelle mit Gold überzogen wird, auf dass sein Platz beim Gottesdienst mit dem nötigen Prunk versehen sei.«

Lorenzo Neri legte den Kopf schief und breitete einladend die Arme aus.

»Es wird mir ein Vergnügen sein, seine markgräfliche Gnaden in allen Dingen zufrieden zu stellen, Commandante.«

»Dann dürft Ihr jetzt gehen, Meister Lorenzo. Einer der Jungen, die in der Hofstube warten, wird Euch Euer Zimmer zeigen. Wir sehen uns später beim Abendessen – Ihr müsst mir dann mehr von Euch erzählen.«

Georg entließ den Maler mit einem wohlwollenden Kopfnicken.

Lorenzo wanderte gemächlich zur Hofstube zurück. Er war zufrieden: Der Stellvertreter des Markgrafen schien ein umgänglicher Mensch zu sein, und die Arbeiten, die er ausführen sollte, boten keinerlei Schwierigkeiten und würden ihn für mindestens ein Jahr in Lohn und Brot setzen. Außerdem hatte er draußen im Schlosshof schon ein paar hübsche Mägde entdeckt, was seine Stimmung noch mehr hob. Frauen, Werben, Tändeleien, das bedeutete für ihn Inspiration. Er war von kaum einem Hof weitergezogen, ohne dort ein trauerndes Mädchen zurückzulassen, und manches Mal war auch ihm der Abschied schwer gefallen.

Schon von weitem hörte er Kinderstimmen aus der Hofstube dringen. Die Tür war nur angelehnt, und er trat geräuschlos ein. Drinnen standen sich zwei vielleicht zwölfjährige Buben mit hochroten Köpfen kampfbereit gegenüber.

»Und du hast die Speckwurst doch geklaut, gib's zu!«

»Stimmt ja gar nicht!« Der blonde, etwas kleinere Junge ballte die Fäuste.

»Ich hab aber gesehen, wie du aus der Speis gekommen bist!« Auch der zweite Bub nahm Kampfstellung ein.

»Hast du nicht!«

»Ich sag's dem Koch!«

Die beiden begannen verbissen zu raufen, während Lorenzo amüsiert zusah. Schließlich gewann der Große die Oberhand, packte den Blonden beim Kragen und schleuderte ihn mit Schwung von sich weg. Der schlitterte und taumelte in Richtung Tür, wo er direkt vor Lorenzos Füßen auf dem Hosenboden landete.

»Attenzione!«, schmunzelte der Maler und half dem Jungen beim Aufrappeln. »Hast du dir wehgetan?«

»Nö.«

Der Junge zog hörbar den Rotz durch die Nase hoch und rieb sich den schmerzenden Hintern. Dann begutachtete er den Italiener ausgiebig, während sein Gegenspieler sich unauffällig trollte.

»Du bist wohl der neue welsche Maler, oder? Dann soll ich dich zu deinem Zimmer führen. Komm mit!«

Er zog Lorenzo am Hemd und schritt mit wichtiger Miene voraus.

Lorenzo zog die Augenbrauen hoch. »Sag mir, hast du die Wurst gestohlen?«

Der Bursche grinste. »Na klar! Der alte Veit hält uns so kurz, und ich hab immer Hunger. Diesmal hab ich nicht aufgepasst, und der Konrad hat mich erwischt. Blöde Petze!«

Die beiden liefen durch die Gänge in den Westflügel des Hochschlosses.

»Übrigens, ich heiße Johannes Fursfeh. Meine Freunde sagen zu mir Hans. Und wie heißt du?«

»Lorenzo Neri, per piacere.« Der Maler deutete eine kleine Verbeugung an.

»Klingt schön! Kommst du aus Italien wie unsere Bauleute?«

»Ja, aus Venezia – ihr sagt Venedig. Das ist eine Stadt, die hat man auf Holzstämmen ins Wasser gebaut.«

»Gibt's ja gar nicht!« Hans staunte. »Eine ganze Stadt? Und das hält? Ist es schön da? Hier sind wir übrigens.« Der Junge blieb vor einer Tür stehen. »Wenn du willst, zeig ich dir mal die Burg. Ich kenne jeden Winkel, schließlich bin ich jetzt schon seit zwei Jahren hier Küchenjunge.«

Lorenzo mochte den blonden Lausbuben. »Volentieri, gern.«

»Na, dann bis bald.« Hans flitzte in Richtung Küche davon.

Lorenzo zog seine schmutzigen Reisekleider aus und ließ sich auf die einfache Bettstatt fallen, die unter dem einzigen Fenster des Raumes stand. Kaum hatte er die Augen geschlossen, war er auch schon eingeschlafen.

Gegen fünf Uhr nachmittags kündigte ein durchdringender Trompetenstoß vom Turm den baldigen Beginn des Abendessens an. Der Maler fuhr benommen aus seinem tiefen, traumlosen Schlaf auf und brauchte eine Weile, bis ihm wieder einfiel, wo er überhaupt war. Dann entdeckte er, dass man sein Reisegepäck in einer Ecke des Zimmers abgestellt hatte, und wühlte in einer der beiden Kisten, bis er ein rehbraunes Wams, Hemd und Hose gefunden hatte. Er schlüpfte in die Kleider und machte sich auf den Weg in die Hofstube.

Hier herrschte bereits geselliges Treiben, als Lorenzo eintrat. An sechs langen Tischen saßen ungefähr vierzig Schlossbedienstete vor ihren Schüsseln und Bierkrügen; Tischdiener rannten geschäftig umher und trugen Brot und Speisen auf. Über allem wachte, wie es seine Aufgabe war, der alte Vogt Melchior von Arnstein, der mit seinem langen Klopfstock mittendrin stand und immer wieder aufklopfend seine Anweisungen gab und für Ordnung sorgte. Er bemerkte den Neuankömmling als Erster und nahm ihn an der Tür in Empfang.

»Ah, der welsche Künstler! Ihr seid spät!«, tadelte er.

»Ich bin auf dem Weg von meinem Zimmer hierher verloren gegangen«, gab Lorenzo zu, »die vielen Gänge ...«

Der von Arnstein lachte heiser und winkte mit seinem knochigen Zeigefinger, an dem die Gelenke dick und gichtig hervortraten. »Na, dann folgt mir jetzt. Ich führe Euch an Euren Platz.«

Die beiden zwängten sich durch die Tische und Bänke, während der Vogt erläuterte: »Ihr habt Glück! Der Hauptmann hat Anweisung gegeben, Euch an seinen Tisch zu setzen. Das heißt, Ihr bekommt besseres Essen als das restliche Hofgesinde und als Euch gemäß der Hofordnung eigentlich gebührt. Na, mir kann's gleich sein, solang Ihr mir genug übrig lasst – mir stehen nämlich nach den Mahlzeiten, wenn meine Aufsichtspflicht vorbei ist, die Reste vom Herrentisch zu! Da, dort setzt Euch dazu!«

Er wies auf einen kleineren Tisch ganz hinten in der Hofstube, der im Gegensatz zu den anderen Tafeln mit einem lang herabhängenden weißen Tischtuch bedeckt war. Auch standen hier nicht die ledernen oder tönernen Ratzen für das Bier, sondern ein Zinnkrug mit Wein und sogar ein kleines Salzfass und ein Senftöpflein. An der Tafel saßen bereits der Hauptmann und ein finster dreinblickender weißhaariger Greis, der an seinem schwarzen Talar unschwer als der Burgkaplan zu identifizieren war. Lorenzo trat hinzu und entschuldigte sich für sein Zuspätkommen.

»Oh, das macht nichts, Messer Neri!« Georg freute sich sichtlich über den neuen Tischgenossen. »Setzt Euch. Ich darf Euch bekannt machen mit Vater Körber, unserem Schlossgeistlichen. Wenn Ihr morgen früh zum Gottesdienst erscheint, wird er Euch das Höllenfeuer heiß machen, nicht wahr, Ehrwürden?«

Körber überhörte die letzte Bemerkung und murmelte einen einsilbigen Willkommensgruß. Das kann ja eine fröhliche Runde werden, dachte der Italiener und setzte sich.

Seine Befürchtungen erfüllten sich Gott sei Dank nicht. Während Körber stumm daneben saß, verstanden sich die beiden anderen glänzend.

»Ihr müsst mir verraten«, erkundigte sich Georg, während der erste Gang aufgetragen wurde, »woher Ihr so gut Deutsch sprecht!«

Lorenzo erzählte bereitwillig seine Geschichte.

»Mein Vater hieß Michel Plechschmid und war Kanzlist bei einer Augsburger Kaufmannsfamilie. Als junger Mann sollte er in Venedig für drei Jahre die Niederlassung im Fondaco dei Tedeschi leiten. Aber, wie das Leben spielt, dann lernte er meine Mutter kennen und blieb in Italien. Vor fünf Jahren ist er am Fieber gestorben, bald danach ist ihm meine Mutter ins Grab gefolgt. Sie haben sich sehr geliebt.«

»Und dann habt Ihr Italien also verlassen?«

»Si, si. Als ich mit meiner Ausbildung als Maler fertig war, wollte ich nach Norden, um endlich das Land meines Vaters kennen zu lernen. Er hat viel von seiner Heimat erzählt.«

Georg nahm sich ein Stück Braten von der Vorlegeplatte und schnitt es mit dem Messer vor sich in kleine Stücke. »Dann müsstet Ihr eigentlich einen anderen Namen haben?«, hakte er nach.

Lorenzo lächelte verschmitzt. »Avete ragione, Commandante, da habt Ihr schon Recht. Aber ich dachte mir, in Deutschland gilt ein Maler mit italienischem Namen mehr, und deshalb habe ich den Familiennamen meiner Mutter angenommen. Lorenzo Neri klingt viel besser als Lorenzo Plechschmid, und – tra di noi – man kann mehr Geld verlangen. Ihr werdet mich doch dem Markgrafen nicht verraten, no?«

Georg lachte schallend und schüttelte den Kopf. Dann verschluckte er sich beinahe, als er sah, dass der Italiener aus seinem Wams ein kleines Etui zog und daraus ein längliches Ding mit zwei Zinken holte. Mit diesem Instrument stach er in ein Hühnerpastetchen und holte es sich auf die trockene Brotscheibe, die als Teller vor ihm lag. Er schnitt mit dem Messer ein Stück ab, spießte es zierlich und gekonnt auf das spitze Gerät und führte den Bissen tatsächlich damit zum Mund.

Der Schlosspfaffe war bass erstaunt. »Was ist denn das, Signor?«

Lorenzo hob verwundert die Augenbrauen und besah sich das Essgerät, als ob er es zum ersten Mal in der Hand hielte.

»Das? Oh, das ist eine Forchetta, wie sagt man? – Gabel? In Italien benutzt das jeder, außer die ganz einfachen Leute. Man macht sich damit die Finger beim Essen nicht so schmutzig!«

»Eitles Getändel!«, kommentierte der Kaplan grimmig und langte demonstrativ mit allen Fünfen in die Fleischschüssel. »Warum hätte uns Gott Finger gegeben, wenn wir nicht damit essen sollen?«

Der Hauptmann dagegen war beeindruckt. »Ich habe schon von dieser neuen Sitte gehört, und auch hin und wieder bei vornehmen Banketten eine solche Gabel gesehen. Eigentlich hält man es bei uns für, na ja, lächerlich, mit so einem Ding zu hantieren. Ihr denkt jetzt bestimmt, wir hier im Norden sind recht ungeschlachte Bauern.«

Lorenzo grinste unmerklich in sich hinein. Diese Deutschen hatten wahrhaftig noch grobianische Tischsitten! Erst an einem einzigen der fürstlichen Höfe, wo er bisher gearbeitet hatte, war er auf einen Edelmann mit einer weiteren Gabel gestoßen, und der kam aus Holland! Italien war eben, was gutes Benehmen betraf, die führende Macht der Welt!

»Andere Länder, andere Gewohnheiten«, meinte der Maler gutmütig, zuckte die Schultern und ließ den nächsten Bissen mittels Gabel in seinem Mund verschwinden.

Inzwischen war ein leichtes Raunen durch die Hofstube gegangen. Die Frauen und Männer an den sechs Tischen standen nacheinander auf und knicksten oder verbeugten sich. Durch die Mitte des Raumes kam eine hoch gewachsene Frau mit sicheren Schritten auf den Hauptmannstisch zu. Sie bewegte sich mit fließender Eleganz, lächelte und dankte nach links und nach rechts für die Grüße der Dienerschaft. Ihre in der Mitte gescheitelten dunklen Haare reichten, von einem tiefblauen Kopfschleier nur teilweise bedeckt, fast bis zur Taille. Das kirschfarbene Kleid, das über den vollen Brüsten einen üppigen Ausschnitt freigab und in großzügigem Faltenwurf zu Boden fiel, leuchtete im hereinfallenden Licht der untergehenden Sonne.

Der Italiener ließ hingerissen seine Gabel sinken.

»La Madonna!«, murmelte er. »Cosi perfetta!«

Da stand sie vor ihm, das Motiv seiner zahlreichen Altarbilder, die Fleisch gewordene Idealvorstellung der Gottesmutter. Zart und gleichzeitig üppig, dunkel, fraulich und doch jungfräulich, zeitlos schön mit glatter Haut, bogenförmigen schwarzen Brauen, hoher Stirn, hellen Augen und einem Mund, der einem Versprechen gleichkam.

Und sie sprach.

»Mein lieber Georg, du hast mir gar nicht gesagt, dass wir heute einen Neuankömmling zum Essen haben. Ich wollte schon in den Frauengemächern bleiben, da hat's mir die Susanna erzählt. Und da ließ ich mich von der Neugier hertreiben, du kennst mich ja! Willst du uns nicht miteinander bekannt machen?«

Mit diesen Worten setzte sich die Idealgestalt gut gelaunt neben den Hauptmann und ließ sich vom Tischdiener Wein einschenken.

Der Angesprochene beeilte sich, der Bitte nachzukommen.

»Liebden, ich darf Euch vorstellen den frisch angekommenen welschen Maler aus Venedig mit Namen Lorenzo Plech ..., äh, Neri!«

Lorenzo tupfte sich mit einem Zipfel des Tischtuchs den Mund ab, stand auf und machte die stümperhafteste Verbeugung seines Lebens.

»Und Euch, Messer Neri, darf ich sagen, dass Euch heute Abend die Markgräfin Barbara von Brandenburg-Ansbach höchstselbst mit ihrer Anwesenheit beehrt!«

Barbara nickte huldvoll und stieß Georg spielerisch mit dem Ellbogen in die Seite. Dann wandte sie sich an den jungen Maler.

»Seid willkommen auf der Plassenburg, Signor Neri! Ich hoffe, Ihr hattet eine gute Reise zu uns aufs Gebirg und seid nicht allzu müde. Ihr müsst uns viel von Eurem Land erzählen, Euren Sitten und Gebräuchen, die uns ja fremd sind. Stimmt es, dass Eure Stadt ins Meer gebaut und von Kanälen statt Straßen durchzogen ist? Habt Ihr schon einmal den Papst gesehen? Und was ist das für ein merkwürdiges Spießchen, das Ihr da in der Hand haltet?«

Der Italiener begann, mit großer Begeisterung von seiner Heimat zu erzählen. Die Hofstube hatte sich schon geleert und der Kaplan sich mit säuerlicher Miene zur Nacht verabschiedet, als er mit Georg und Barbara immer noch an der Tafel saß und auf tausend Fragen Antwort gab.

Als Haubold erwachte, war die Karbidlampe niedergebrannt und er hatte jedes Zeitgefühl verloren. Er tastete in der völligen Dunkelheit nach dem Rucksack, kramte mit klammen Fingern eine Kerze und die Streichhölzer heraus und machte sich erst einmal Licht. Dann befestigte er im Schein der Flamme die zweite Karbidrolle an der Laterne, zündete sie an und blies die Kerze wieder aus. Im hellen Karbidlicht untersuchte er die Mauer, die den Tunnel sauber im rechten Winkel durchschnitt. Sie bestand aus kleineren Steinen und sah stabil aus. Trotzdem beschloss Haubold, dass hier seine einzige Chance lag. Eine Mauer konnte man durchbrechen, vor allem, wenn es eine alte Mauer war. Und er hatte immer noch den Klappspaten und den Pickel von Onkel Franz, die seitlich am Rucksack festgeschnallt waren. Er musste einfach durch. Eine andere Möglichkeit gab es nicht.

Er stellte die Karbidlampe auf den Boden und schnallte Pickel und Spaten los. Dann begann er, abwechselnd mit der scharfen Schaufelkante und der Pickelspitze den Mörtel zwischen den Steinen herauszulösen. Es ging schlechter, als er gehofft hatte, aber immerhin kam er vorwärts. Nach einer halben Stunde hatte er zwar vier tiefe Rinnen rings um einen Stein freigelegt, aber dabei den Pickel abgebrochen. Trotz der Kälte im Tunnel lief ihm der Schweiß in kitzelnden Bächlein den Rücken hinunter. Er rüttelte keuchend an dem Stein und schlug mit dem Spaten dagegen – nichts zu machen. Also weiter. Er hieb, stieß, kratzte und schabte, bis er blutende Blasen an den Händen hatte. Und er betete, dass es sich nur um eine Trennmauer handelte, die nicht allzu dick war.

Nach schier endloser Zeit hatte der Kastellan um fünf Steine herum den Mörtel gelockert und herausgelöst, so tief es ging. Nichts bewegte sich. Er drehte den Spaten um und hieb mit aller Kraft den stählernen Griff gegen die Mauer, wieder und wieder. Etwas bröckelte und bröselte. Er holte Atem, dachte, um sich anzuspornen, an seine Kinder und versuchte es noch einmal. Da tat sich doch etwas im Mauerwerk! Noch ein paar Mal gezielt gegen den ersten Stein, der sich leicht verschoben hatte – es krachte, und Haubold taumelte mit voller Wucht gegen die Mauer.

Aus einer Schürfwunde an der Nase und einem Riss auf der Stirn lief das Blut, und er war mit dem Fuß umgeknickt. Aber er war durch! Der Griff und ein Teil des Spatenstiels waren durch die Mauer gebrochen und ragten auf der anderen Seite heraus. Drei der fünf gelockerten Steine lagen ebenfalls auf der anderen Seite. Haubold ließ sich an der Mauer entlang zu Boden rutschen. Er schnappte keuchend nach Luft, brach in ein heiseres, glucksendes Lachen aus und stellte fest, dass sein linker Knöchel zusehends dicker wurde.

Jetzt musste er erst einmal fünf Minuten verschnaufen. Sein Mund war völlig ausgetrocknet, die Zunge klebte ihm am Gaumen, aber er widerstand der Versuchung, die letzte Dose Cola aufzumachen. Er rappelte sich umständlich hoch und begann, weitere Steine aus der Mauer zu brechen. Es ging jetzt viel leichter, und nach einer halben Stunde – so kam es ihm zumindest vor – wäre ein Mensch von normaler Körperbreite und -größe schon durch das entstandene Loch durchgekommen. Nicht so der Kastellan, der in diesen Augenblicken bitter bereute, seine letzte Diät schon nach drei Tagen wieder abgebrochen zu haben. Lieber Gott, wenn ich jemals hier herauskomme, flehte er innerlich, mache ich eine Fastenkur und höre nicht eher auf, als bis ich die hundert Kilo erreicht habe! Zum gegenwärtigen Zeitpunkt jedoch war er von diesem Traumgewicht noch weit entfernt, und so musste die Maueröffnung noch um ein Erhebliches verbreitert werden, bis sie endlich groß genug war, um ihn in seiner gesamten Körperfülle durchzulassen. Haubold stellte zuerst die Karbidlampe auf die andere Seite der Öffnung und warf dann den Rucksack hinüber. Dann steckte er Kopf und Oberkörper durch das Loch, so weit es ging, stützte sich am Boden mit beiden Händen ab und quetschte, zog und drückte sich schließlich unter Baucheinziehen und Atemanhalten so weit durch, bis er seine Beine nachholen konnte. Schnaufend und prustend landete Haubold drüben auf allen vieren.

Hoffnungsvoll sah er sich um. Der Tunnel war hier wesentlich breiter, gute drei Meter schätzte er, und er war auch höher als vorher, sodass er bequem stehen konnte. Der Boden wies, anders als bisher, Abnutzungsspuren auf; der Kastellan glaubte sogar, im Dreck der Jahrhunderte Räderspuren von Schubkarren oder einem Leiterwagen zu erkennen. Dieser Teil des Gangs war ganz eindeutig von Menschen genutzt worden. In einer Ecke entdeckte Haubold einige völlig vergilbte, schwarz bedruckte Papierfetzen – offenbar Reste einer Zeitung. Im Licht der Karbidlampe suchte er nach einem Datum, fand aber keines. Irgendwo im noch lesbaren Bereich des Textes stachen ihm in einer Überschrift die Worte »Berlin«, »Bismarck« und »Kaiser« ins Auge. Also war die Zeitung, ganz grob geschätzt, vielleicht hundert bis hundertdreißig Jahre alt. So lange war hier vermutlich schon niemand mehr gewesen.

Haubold hinkte langsam und vorsichtig weiter, um seinen wehen Knöchel zu schonen. Seine Hoffnung stieg. Er bemerkte bräunliche Glassplitter auf dem Boden, dann einen abgebrochenen Flaschenboden, und schließlich stieß er auf einen völlig verrosteten Schnappverschluss, den er beinahe begrüßte wie einen Freund. Die Rettung schien in greifbarer Nähe! Es stimmte tatsächlich, der Gang mündete in einen der unzähligen Kulmbacher Bierkeller. Der Bereich, den er gerade durchschritt, war eindeutig in früherer Zeit als Lagerraum benutzt worden. Man hatte den Tunnel ab einer bestimmten Stelle abgemauert und danach verbreitert und höher gemacht, damit man Bier einlagern konnte. Und das Allerschönste an der Sache war: Ein Lagerraum musste selbstverständlich von außen begehbar sein. Das hieß, Haubold brauchte einfach nur weiterzulaufen und würde dann unweigerlich auf den Ausgang stoßen. Zur Feier dieser Erkenntnis beschloss der Kastellan, sich die letzte Dose Cola zu gönnen, ausgedörrt wie er war. Er hockte sich neben den abgebrochenen Griff einer alten Bierkiste und trank durstig. Danach verleibte er sich mit neu erwachtem Appetit den letzten Schokoriegel ein, seine eiserne Reserve. Seine Zuversicht war inzwischen riesengroß.

Frisch gestärkt ging es noch einmal so gut! Wäre nicht sein verletzter linker Fuß gewesen, Haubold hätte die nächsten hundert Meter beschwingten Schrittes hinter sich gebracht. So humpelte er lediglich etwas jämmerlich, aber mit neu gewonnenem Elan, weiter durch den aufgegebenen Bierkeller, und er wunderte sich nur mehr wenig, als er auf eine hölzerne Lattentür stieß. Wäre doch gelacht, wenn er hier nicht auch noch durchkäme! Zu seinem Leidwesen fiel ihm ein, dass er zwar aus Versehen den Klappspaten samt dem kaputten Pickel beim Mauerdurchbruch zurückgelassen hatte, aber was störte das einen Zwei-Meter-Mann mit Bärenkräften? Schließlich handelte es sich hier nur um eine schäbige, kleine, wurmzerfressene Holztür! Der Kastellan stellte die Laterne neben sich auf den Boden, holte in seinem grenzenlosen Überschwang aus und donnerte, wie er es schon des Öfteren bei Bud Spencer, Terence Hill und anderen Leinwandhelden gesehen hatte, mit der Schulter gegen die Holztür. Außer einem faustgroßen Bluterguss am Oberarm brachte ihm diese Methode nichts ein. »Dämliche Kino-Scheiße«, keuchte er und wartete, bis der Schmerz nachließ. Dann marschierte er zurück und holte den Spaten.

Babette Garhammer war eine rüstige alte Dame weit in den Achtzigern mit leichten Anflügen von Alzheimer. Fragte man sie nach ihrem Alter, so antwortete sie stets mit dem geflügelten Satz »Wenn ich des noch wüsst, wär ich jünger!« und kicherte wie ein Schulmädchen. Insgeheim schrieb sie ihr begnadetes Alter jedoch der Tatsache zu, dass ihr Mann bereits im Jahr 1957 auf der Heimfahrt von einer winterlichen Sauftour mitsamt seiner Zündapp, auf die er immer so stolz gewesen war, in einen Graben gefahren und erfroren war. Seitdem lebte sie von einer ausreichenden Witwenrente und in völliger Übereinstimmung mit sich selbst allein in ihrem kleinen Haus in der Fischergasse in der Kulmbacher Altstadt, nicht ahnend, dass dieses altersschwache Fachwerkhäuschen, das sie zusammen mit ihrem seligen Gatten nach dem Krieg billig gekauft hatte, in früheren Jahrhunderten einmal Teil eines der Kulmbacher Burggüter gewesen war. Und sie hatte auch keine Ahnung davon, dass ihr unscheinbares Heim außerdem zu den Erbbrauhäusern der Stadt zählte und seit dem 13. Jahrhundert die Braugerechtigkeit besaß. Letztere Tatsache hatte dazu geführt, dass bis zur Jahrhundertwende ausschließlich Bierbrauer mit ihren Familien hier ansässig gewesen waren. Einer dieser menschheitsbeglückenden Produzenten von schmackhaftem Kulmbacher Dunkelbier hatte irgendwann den Gang, der in den Keller des Anwesens mündete, erweitert, weil er mehr Lagerkapazität brauchte, und nach ein paar hundert Metern abgemauert. Und ein armes Bürstenbinderehepaar aus Bad Berneck, das nach der Wirtschaftskrise von 1929 das Haus auf verschlungenen Wegen geerbt hatte, hatte natürlich mit so viel Bierkeller nichts anzufangen gewusst und den genutzten Vorratskeller gegen die Lagerflucht mit einer soliden Holztür abgeriegelt. Vor dieser alten Tür stand seit dieser Zeit ein Regal, in dem die Damen des Hauses früher ihre Vorräte an Sauergemüsen und Eingemachtem aufbewahrt hatten und das jetzt eine ganze Batterie an leeren Einmachgläsern enthielt. Gleich daneben befand sich ein nie verrückter, wackliger alter Schrank mit ausgedientem Handwerkszeug, Schrauben und Nägeln. Dieser nun fiel durch Gregor Haubolds Bemühungen, das Licht des Tages wieder zu erblicken, scheppernd um.

Babette Garhammer, die schon immer einen leichten Schlaf gehabt hatte und außerdem trotz der allnächtlich applizierten Wattebäuschchen in ihren Ohren noch ganz gut hörte, schreckte aus ihren Kissen hoch. Im Keller rumpelte es! Sie schaltete das Nachttischlämpchen ein – ein himmelblaues Relikt aus den sechziger Jahren –, kniff die Augen zusammen und sah auf das Zifferblatt ihres Riesenweckers: halb zwei Uhr. Und wieder rumpelte es da drunten! Die alte Betty hievte sich mit einem lauten Ächzen zur Bettkante und angelte mit den Füßen nach den knöchelhohen, reißverschlussbewehrten Filzhausschuhen, die sie nicht nur drinnen, sondern auch meistens beim Einkaufen und Bordsteinfegen trug. Irgendetwas war da faul im Keller. Sie schob den noch leeren Nachttopf unters Bett, schlüpfte umständlich in ihren Morgenrock, ein fast bodenlanges Ungetüm aus fleischfarbenem, karogestepptem Nylon, schnappte sich ihren Stock, der am Bettgeländer hing, und schlurfte zur Kellertreppe. Ganz eindeutig, von dort unten kamen seltsame Geräusche. Und eines war klar: Sie würde sich von keinem unverschämten Dieb die Kartoffeln aus dem Keller stehlen lassen, nicht in diesen schlechten Zeiten, und wo der Russe vor der Tür stand!

Geräuschlos öffnete sie die Tür zum Kellerabgang und knipste mit dem Drehschalter die alte Glühbirne im ersten Vorratsraum an. Dann wankte sie, leise vor sich hin schimpfend, langsam abwärts. Drunten war nichts Außergewöhnliches zu entdecken. Wie immer standen hier Schränke mit Kleidungsstücken aus fünf Jahrzehnten, Farb- und Tapetenreste, ein alter Kühlschrank, ein leeres Krautfass sowie allerlei Trödel. Also würde sie auch den hinteren Keller inspizieren müssen. Da war es wieder: ein dumpfes Schlagen und Klopfen. Babette Garhammers Lippen schürzten sich über den zahnlosen Kiefern zu einer gefährlichen Grimasse, als sie drohend den Stock hob und die Tür zum hinteren Keller aufriss.

Gregor Haubold hatte sich bisher heldenhaft mit seinem Klappspaten bis zu der Holztür vorgekämpft, die den Bierkeller von den Garhammer'schen Vorratsräumen trennte. Der durch das stetige Hämmern zusammengebrochene Werkzeugschrank hatte ihn in seinen Bemühungen noch angefeuert, und er steigerte die Wucht seiner Schläge. Das Regal mit den ungefähr vierzig litergroßen Einmachgläsern begann zu vibrieren.

Just als Babette Garhammer den hinteren Keller betrat, bot sich ihr ein unheimliches Schauspiel: Die Bretter wackelten, es dröhnte und hämmerte, und wie von Geisterhand bewegt begann ein Einmachglas nach dem anderen wie in Zeitlupe zu kippen. Die alte Dame verfolgte fassungslos, wie die Weckgläser in schöner Reihenfolge zu Boden fielen und klirrend zerbarsten. Schließlich krachte es ohrenbetäubend, Holz splitterte und brach, und eine Staubwolke erfüllte den Kellerraum. Babette Garhammer überfiel die nackte Angst, sie stand stocksteif vor Schreck und riss Mund und Augen auf, so weit sie konnte.

Als sich der Nebel lichtete, wankte langsam durch das Loch in der Wand ein schwarzes, riesenhaftes, brüllendes Ungeheuer. Es fuchtelte mit beiden Armen und kam direkt auf sie zu. Babette Garhammer flüsterte noch ein ersticktes »Allmächtiger!« und sank dann in eine gnädige Ohmacht dahin.

Haubold, der endlich mit einem Schrei der Anstrengung durchgebrochen war, klopfte Staub und Holzsplitter von den Kleidern. Er wischte sich den Staub aus den Augen, sah sich um und erstarrte nun seinerseits: Vor ihm auf dem Boden lag reglos auf dem Rücken ein uraltes, zahnloses, verhutzeltes Weiblein, gekleidet in ein geblümtes Kopftuch samt Wollschal und Bademantel. Er kniff die Augen zusammen, schüttelte ungläubig den Kopf und sah noch einmal hin. Und dann entlud sich Haubolds ganze Spannung in einem irrwitzigen, wiehernden, nicht enden wollenden Gelächter.

Er war gerettet!

Brief Georgs von Leuchtenberg an Markgraf Albrecht Alkibiades von Brandenburg-Ansbach, 26. Juni 1552

Meinem durchleuchtigsten Herrn und edlen Freund Albrechten von Brandenburg, genannt der Alcibiades nach Speyer. Gottes Gruß und meinen willigen Dienst zuvor, bester Freund und Fürst. Mit großen Freuden habe ich vernommen, dass du durch Vertrag des Kaisers mit deinen üblen Feinden endlich aus der schendlichen Haft gekommen bist, Dank sei Gott und den Heiligen. Allüberall ist ein groß Aufathmen bei Unterthanen und Ritterschaft ob dem Gebirg, dass ihr geliebter Landesfürst wieder die langersehnte Freiheit genießen kann.

Item die Rüstungen auf deinem Schloss Plassenberg sind abgeschlossen, eben so wie du es gewünscht. Alle zu Nürnberg bestellten Geschütze sind eingetroffen, auch die beiden Landsknechte, welche du zu uns beordert hast. Auch habe ich zwölf neue Hakenbüchsen zu Nürnberg gekauft, da von den alten Rohren viele geborsten und aufgerissen waren. Tausend bleierne Kugeln sind frisch gegossen, zehn Fässer Pech in Vorrat gebracht. Der Zeugmeister läutert täglich Schwefel, sodass Pulvers genug gemacht werden kann. Der Bau an der Bastei gehet täglich weiter, auch wenn die italienischen und deutschen Maurer beständig im Streit liegen und keiner dem andern nicht Liebs thun will. Wenn es sein soll, wird deine Festung Tod und Teufel trotzen.

Dennoch verhoffen deine Unterthanen und die Räte auf dem Gebirg, dass du zu weiser Vernunft dem Land ein Unguts ersparn und es nicht mit Krieg überziehen mögest. Ich selbsten habe im Gewölb die Kriegskasse geöffnet und zu meinem Leidwesen ersehen müssen, dass von dem schwarzen Wolfshund, der auf dem Boden der Geldtruhe gemalt ist, schon Kopf und Schwanz zu erblicken sind. Wenn nicht der spanische Karl endlich an Bezahlung seiner Schulden denken möchte, sind wir bald ganz und gar auf den Hundt gekommen! Du hast ihm Schlachten geliefert wie ein Schuster Stiefel, und noch kaum einen Gulden gesehen. Derhalben ist deine Entscheidung billig, dem Kaiser nicht weiter zu dienen.

Dennoch mögest du, so meinen deine ehrenfesten Räte aus dem Adel, billigst bedenken, wie süß der Frieden schmeckt, und dass

*Handel und Handwerk nur dann blühen und gedeihen und hohe
Steuer erbringen, wenn die Schwerter ruhen.*

*Wir alle sind guthen Muts, dass du baldigst aufs Gebirg heim-
kehrst. Die neuen Fürstenzimmer sind gerichtet, und der welsche
Maler, der inzwischen angekommen ist, hat schon den dritten Theil
eines Gemachs gemacht mit Soldaten auf feurigen Rössern in der
Schlacht. Gib gnedigst Nachricht, wann du heimkehrst, damit für
deine Rückkehr alles vorbereitet werden kann.*

*Gegeben zu Plassenberg, den Sonntag Johanni und Pauli anno 1552
Georg von Leuchtenberg, Haubtmann auf dem Gebirg*

*Nachricht des Markgrafen Albrecht Alkibiades von Brandenburg-
Kulmbach an Hauptmann und Räte auf dem Gebirg, 15. Juli 1552*

*Fürstlichen Gruß euch, ihr Herren Räte und auch dir, Hauptmann
zu Plassenberg. Seid ihr zu Greinweibern geworden, dass ihr den
Frieden ersehnt? Hat Euch die Feigheit zu sabbernden Greisen gemacht, die kein Schwert mehr halten können? Soll der teutsche Alkibiades sich mit dem Arsch ans Herdfeuer hocken und Erbsen zählen? Wir wollen euer jämmerliches Ansuchen um Frieden einer eitlen
Laune zurechnen, sonst müssten wir uns, was Gott verhüten mög,
unsrer eignen Regierung schämen. Kein Wort mehr davon, sonst sollt
ihr alle unseren rechtmässigen Zorn zu schmecken bekommen.*

*Erfahret nunmehr billigst, wie wir es in Zukunft zu halten
gedenken: Um den wortbrüchigen Kaiser Karl in Schimpf und
Schande zu verderben, haben wir uns samt unserm Heere als unver-
pflichteter Hilfsgenosse den Protestanten angeschlossen. Das wird
wenigstens die Kulmbacher Pfaffen erfreuen, die das Lutherische ja
seit je auf ihr Panier gehoben haben. Zusammen mit dem Anführer
des protestantischen Bündnisses, welcher ist der siegreiche Moritz,
jetzo verdientermassen Kurfürst von Sachsen, wollen wir der katholischen Sache und damit den kaiserlichen Plänen für eine spanische
Vorherrschaft in Teutschland den Garaus machen.*

Deshalben, ihr Räte, ziehen wir wiederum ins Feldt anstatt wie ein geprügelter Hundt ohne Sieg und Geld heim aufs Gebirg zu schleichen. Wir setzen unser Glück auf den Krieg, und dabei sind wir uns Eurer Hilf und Unterstützung gäntzlich sicher. Also ist unser ernstlicher Befehl, im ganzen Land neue Söldner zu werben, und sei's mit Gewalt. Ausserdem werdet ihr eine sonderliche Abgabe verkünden: jede Herdstätte hat einen Viertelgulden zu entrichten, die Bauern können das ihrige auch in Korn geben. Dazu sollt ihr die Wegzölle verdoppeln und das Ungeld aufs Bier um zwei Pfennig erhöhen. Denen vom Adel erlegen wir auf, nach ihrem Vermögen Gold und Silber abzugeben, zum mindesten den zwanzigsten Teil. Zudem haben wir erzgebirgische Bergleute auf den Fichtelberg verordnet, zu sehen, ob etwa neue Silberadern gefunden werden können. Das alles dürfte unsere Kriegskasse wieder weidlich füllen und uns helfen, das neue Heer mit Waffen und anderm auszustatten. Dies ist meine Antwort, danach sollt Ihr Euch zu richten wissen.

Item meine Heimkehr aufs Gebirg betreffend kann ich noch nichts Sichers vermelden. Führt der nächste Feldtzug gen Süden, so hoff ich, einige Zeit auf Plassenberg verbringen und den Fortschritt von Rüstung und Gebäu selbsten besehen zu können.

Nun folget meinen Befehlen billigst, verschonet mich zukünfftig mit frommem Friedensgewäsch und gehabt Euch alle wohl.

Albrecht Alcibiades von Gotts Gnaden Markgraf von Brandenburg-Kulmbach
derzeit auf dem Wege nach dem protestantischen Hauptquartier zu Küstrin
gegeben am Tag divisio apostolorum im Jahr 1552

Kulmbach, August 2002

»Nur herein, nur herein.« Pfarrer Kellermann legte das Evangelische Sonntagsblatt beiseite und reichte den beiden Besuchern seine fleischige Pranke. »Ja, die Frau Hufnagel ist auch dabei! Lange nicht mehr gesehen. Wie geht's denn?«

In seinem Büro deutete er auf vier riesige ledergebundene Bücher, die neben ihm auf einem Tischchen lagen. »Ich habe Ihnen die Register aus dem sechzehnten Jahrhundert noch letzte Woche aus dem Keller holen lassen. Worum geht's denn eigentlich?«

Fleischmann erzählte bereitwillig die ganze Geschichte.

»Soso, eine Frau suchen Sie, die im sechzehnten Jahrhundert auf der Plassenburg gelebt hat. Ist ja interessant. Wir nämlich auch!«

Fleischmann hob erstaunt die Augenbrauen und legte den Kopf schief. »Ach ja? Und wer ist ›wir‹?«

»Hat Ihnen der Herr Kleinert vom Archiv nichts gesagt? Und Sie wissen auch von nichts, Frau Hufnagel? Wundert mich aber!« Kellermann erzählte vom Fund des Säuglingsskeletts und der Suche der ›Forschenden Vier‹. »Wer weiß«, schloss er, »vielleicht forschen wir ja nach derselben Frau?«

»Haben Sie denn schon etwas herausgefunden?« Geli sah ihn interessiert an.

»Nicht viel. Ein Bild mit einer dunkelhaarigen Schönheit, ein paar Hinweise aus den Quellen darauf, dass das Frauenzimmer damals bewohnt war. Vermutlich handelt es sich bei der Gesuchten um eine hoch gestellte Persönlichkeit – mehr wissen wir noch nicht. Sie haben ja wenigstens schon einen Namen, an den Sie sich halten können …«

Fleischmann nickte. »Zehrer, genau. Und ich habe noch etwas. Schauen Sie. Hier – erkennen Sie das Initial?«

Er legte Kellermann die mitgebrachte Klöppelarbeit vor. Der besah sich das vergilbte Gespinst mit seiner Leselupe. »Aha, ein ›B‹ mit einem Krönchen, tatsächlich.« Kellermann stutzte. Irgendetwas kam ihm bekannt vor. Was war es nur? Irritiert schüttelte er den Kopf und beschloss, später darüber nachzudenken.

»Also müssen Sie eine Zehrer finden, die mit Vornamen Brigitta, Babette oder Barbara oder so ähnlich heißt.«

»Nicht unbedingt. Vielleicht hat sie die Sachen ja für jemand anders gekllöppelt und dessen oder deren Initial eingewoben.«

»Auch wahr. Na ja, jedenfalls viel Spaß mit den dicken Schwarten. Wenn Sie mögen, können Sie sich da drüben hinsetzen. Ich mache jetzt ein Stündchen Mittag, aber der Hausmeister ist nebenan, wenn Sie was brauchen.«

Der Pfarrer erhob sich ächzend und ließ das knallrosa Ungetüm ein Stückchen zurückrollen, das ihm seit neuestem als Sitzplatz diente. Sein Bandscheibenvorfall machte ihm in letzter Zeit wieder schwer zu schaffen, und der orthopädische Gummiball, den ihm sein Hausarzt empfohlen hatte, sorgte wenigstens etwas für Linderung. Ein bisschen blöd kam sich Kellermann allerdings schon vor, wenn Besucher ins Büro kamen und er auf dem rosa Ding auf und ab wippte. Aber was tat man nicht alles auf Anraten der Ärzte!

Fleischmann und Geli schleppten die schweren Register zu einem Leseplatz vor dem Fenster und machten es sich dort nebeneinander bequem. Die Nähe seiner Angebeteten brachte den jungen Historiker schon von vornherein um alle Konzentration. Mit großer Anstrengung versuchte er, bei der Sache zu bleiben.

»Also, wonach suchen wir denn jetzt genau?« Gelis Frage riss ihn aus seinen Gedanken.

»Ganz einfach – nach einer Frau, die mit Nachnamen Zehrer heißt und im 16. Jahrhundert hier gelebt hat.«

»Kann ja nicht so schwer sein, oder?«

Es handelte sich um die gleichen Verzeichnisse aller Taufen, Heiraten und Sterbefälle, die schon Kellermann durchforstet hatte. Fleischmann fuhr mit dem Zeigefinger die Spalten der Tabelle abwärts auf der Suche nach dem Namen Zehrer, desgleichen Geli Hufnagel. Die Köpfe rauchten. Nach über zwei Stunden, von denen Fleischmann jede Sekunde genossen hatte, hatten die beiden im Zeitraum von 1504 bis 1600 die Taufeinträge von vierunddreißig Zehrers gefunden, neunzehn davon weiblich.

»Fassen wir mal zusammen«, sinnierte Geli Hufnagel. »Von diesen neunzehn Frauen sind laut Sterberegister sieben bereits im Kindesalter gestorben. Bleiben zwölf. Acht von ihnen haben Kulmbacher Bürger geheiratet; davon starben fünf im Alter von dreißig bis vierzig Jahren während der Schwangerschaft oder im Kindbett. Bleiben noch sieben Frauen übrig, drei verheiratete und vier unverheiratete.«

»Gut gemacht, Watson.« Beinahe hätte Fleischmann Geli anerkennend auf die Schulter geklopft, traute sich dann aber doch nicht.

Geli resümierte weiter. »Außerdem gibt es da noch elf Frauen, die einen männlichen Zehrer geheiratet haben und somit also auch Zehrer heißen. Das macht insgesamt achtzehn. Puh!«

Fleischmann trug die Namen in sein Notizbuch ein: sechs Elisabeths, vier Annas, zwei Katharinas, zwei Margarethes, eine Susanna, eine Arnhild, eine Ottilia und eine Sybilla. Hinter die Namen notierte er fein säuberlich die Geburts- und Sterbedaten sowie die Hochzeitstage und die neuen Familiennamen.

»Keine Babette, keine Brigitta, keine Barbara. Schade.« Fleischmann war vom Ergebnis etwas enttäuscht.

»Na, sind Sie vorangekommen?« Kellermann, der unbemerkt eingetreten war und die beiden schon längere Zeit von der Tür aus beobachtet hatte, schlug dem jungen Historiker jovial auf den Rücken. Er musste innerlich über seine beiden Besucher schmunzeln – die verstohlenen, schmachtenden Blicke, die Fleischmann seiner Helferin zugeworfen hatte, waren dem Pfarrer nicht entgangen. Der Gute hatte ja mehr nach nebenan geguckt als in die Folianten! Und auch die Archivsekretärin war offensichtlich nicht ganz uninteressiert an ihrem Nebenmann. Wie zufällig war sie ein paar Mal näher an ihn herangerückt, das hatte Kellermann genau registriert. Ganz eindeutig: Zwischen den beiden tat sich was. Ach, musste Liebe schön sein. Kellermann freute sich, wie er das immer tat, wenn Kinder seiner Gemeinde zueinander fanden. Schließlich waren Ehe und Kinderkriegen eine der schönsten menschlichen Bestimmungen.

»Achtzehn potenzielle Klöpplerinnen haben wir gefunden«, sagte Fleischmann. »Das bedeutet, ich muss nur noch in Bamberg und Himmelkron nachprüfen, welche davon die Richtige ist. Eine von denen muss es sein.«

Kellermann nickte. »Großartig, mein Lieber, großartig. Cherchez la femme, nicht wahr?« Er stieß Fleischmann verschwörerisch mit dem Ellbogen an und blinzelte ihm zu. Der junge Historiker sah ob dieser Vertraulichkeit etwas verständnislos drein, machte aber gute Miene, während Kellermann fortfuhr: »Lassen Sie mich wissen, wenn Sie was herauskriegen. Oder noch besser – wenn Sie Lust haben, kommen Sie doch mal zu unserem Forscher-Stammtisch. Jeden ersten Freitag im Monat treffen wir uns, diesmal um 18 Uhr im ›Schiff‹. Das Essen ist ausgezeichnet dort, und die anderen drei würden sich bestimmt freuen, Sie kennen zu lernen. Wenn man auf der Suche nach einer Frau ist, hat man schließlich was gemeinsam, oder?« Er kicherte vieldeutig, was ein bisschen klang, als ob ein Ziegenbock meckerte, und geleitete seine beiden Besucher zur Tür. Fleischmann, von Kellermanns Heiterkeit nun wirklich verblüfft, verabschiedete sich dankend. Im Hinausgehen meinte er zu Geli: »Netter Mensch, dieser Pfarrer Kellermann, was? Und so fröhlich!«

Plassenburg, August 1552

Die Nachricht des Markgrafen, wieder in den Krieg ziehen zu wollen, und seine rigorose Auferlegung neuer Steuern lösten unter den Räten blankes Entsetzen aus. Seit über zehn Jahren litt das Land schwer unter den Kriegslasten. Sonderabgaben beschwerten Bürger, Bauern, Adel und Städte gleichermaßen. Landwirtschaft, Handwerk und Gewerbe lagen brach, weil die Männer im Krieg waren. Viele Familien hatten Väter oder Söhne verloren; der Adel hatte mit der Ausrüstung seiner Kämpfer, der Anschaffung teurer Streitrosse und Rüstungen hohe Ausgaben gehabt, die seit der Niederlage des Markgrafen bei Rochlitz verloren waren. Nicht nur das niedere Volk murrte, auch in der Ritterschaft gärte es.

Die gebirgischen Räte – alles redliche Männer und vernünftige Politiker – sahen sich einer beinahe unlösbaren Aufgabe gegenüber. Setzten sie das Gebot des Markgrafen durch, steuerten sie das Land langsam, aber sicher in den Ruin. Eine Weigerung war beinahe undenkbar; schließlich hatten sie auf ihn als ihren Landesherrn einen heiligen Eid geschworen.

Auch Leuchtenberg war verzweifelt. Er sah ein, dass man dem Land neue Bürden nicht mehr würde auferlegen können. Dennoch durfte er als Stellvertreter des Landesherrn sich dessen Befehlen nicht verweigern. Er verbrachte schlaflose Nächte und fand keine Lösung. Eins jedoch wusste er im Innersten: Er war der Letzte, der Albrecht in den Rücken fallen durfte. Wenn es zum Äußersten käme, würde er sich immer für Albrecht entscheiden, seine Loyalität war und blieb bedingungslos. Er trank mehr denn je und begann, seine Pflichten und sich selbst zu vernachlässigen. Schließlich ersuchten ihn die gebirgischen Räte um eine Unterredung.

Georg Wolf von Kotzau war der Erste der gebirgischen Räte, der am Morgen des Bartholomäustags auf der Plassenburg ankam. Im Laufe des Vormittags trafen die anderen Räte Wolf und Christoph von Wirsberg, Hans von Feilitzsch, Georg Förtsch und der alte Groß von Trockau ein. Zu ihnen stießen die beiden Amtmänner von Hof und Bayreuth sowie als Vertreter der Geistlichkeit der als Reformator weithin bekannte Johann Eck, Pfarrer der Kulmbacher Petrikirche. Auch der Abt des Klosters Langheim hatte sein Kommen angesagt. Die Stimmung war gedrückt, als sich alle zur Hauptmannsstube begaben.

Diejenigen, die Georg von Leuchtenberg länger nicht gesehen hatten, erschraken bei seinem Anblick. Das Gesicht des Hauptmanns war teigig aufgedunsen und von ungesund gelblicher Farbe. Unter seinen Augen schwollen dicke Tränensäcke; das Haar fiel ihm wirr in die Stirn. Er saß wie immer in seinem Sessel hinter dem Schreibtisch, vor sich die unappetitlichen Reste einer Eierspeise und das unvermeidliche Weingedeck.

»Nur herein, Ihr edlen Herren«, Georg winkte übertrieben mit beiden Händen, »nehmt Platz; ich hab Stühle und Getränks genug bringen lassen.« Im Zimmer stank es schal nach Alkohol.

Die Männer setzten sich. Eine unbehagliche Stille machte sich breit. Schließlich begann Hans von Feilitzsch, der trotz seiner jungen Jahre bereits ein hoch angesehener Ritter war. Sein weißblonder Kinnbart zitterte leicht, als er sprach.

»Wir haben dies Treffen erbeten, mein Hauptmann und Landgraf, weil die letzterhaltenen Befehle unseres gnädigen Herrn Markgrafen Ritterschaft und Landstände in schwere Bedrängnis gebracht haben und das Land darüber größten Schaden nehmen und bitterlich verderben könnt. Unser Wunsch ist es, Euer Meinung zu hören und zu beratschlagen, was etwa zu tun wäre, um das Schlimmste zu verhindern.«

Die anderen nickten beifällig, und der alte Trockau schnäuzte sich geräuschvoll in seinen Ärmel.

»Verhindern, so, so … Ich verstehe also«, antwortete Georg von Leuchtenberg langsam und mit schwerer Zunge, »dass Ihr mit den, äh, von unserm Fürsten und Markgrafen geforderten Maßnahmen … wohl, nun ja, nicht einverstanden seid?«

Die Räte sahen sich stumm an; auf ihren Gesichtern spiegelte sich Überraschung: Kein Zweifel, der Hauptmann war völlig betrunken.

Der ältere der beiden Wirsberger hatte die allgemeine Verblüffung als Erster überwunden und ergriff das Wort.

»Unser Land darbt schon genug, Hauptmann, und das wisst auch Ihr besser, als Ihr zugeben wollt. Handel und Gewerbe liegen im Argen, die Bauern können kaum mehr das Nötigste bestellen. Nun begehrt auch noch die Ritterschaft auf, da sie den zwanzigsten Teil ihres Vermögens abgeben soll.« Wolf von Wirsberg fuchtelte zornig mit beiden Armen. »Weder ich noch die anderen Räte können die Forderungen des Markgrafen gegenüber den Untertanen und der Landschaft vertreten!«

Der Amtmann von Hof, ein vierschrötiger Mann mit einem Wust schwarzer Locken auf dem runden Schädel, hieb in die gleiche Kerbe.

»Euer Hochgeboren, unter den Bürgern rumort es. Ich als markgräflicher Beamter kann in Hof kaum noch über den Marktplatz gehen. Vor ein paar Monaten haben mir die Leute nur nachgezischt – jetzt beschimpfen sie mich auf offener Straße. Gestern warf mir einer einen Stein durchs Fenster. Die Lage ist nicht ersprießlich, und es wird täglich schlimmer.«

Georg von Leuchtenberg wirkte betroffen. Er runzelte die Stirn; automatisch suchte seine Hand nach dem Weinbecher.

»Aber, liebwerte Herren, Euer Eid auf den Landesherrn … Die Lage ist, äh, schwierig, ja, aber dennoch …« Er verlor endgültig den Faden und dachte angestrengt nach, »wir können doch nicht gegen den Willen unseres Fürsten … außerdem … habe ich die nötigen Befehle schon, äh, erteilt! Denn, regieren muss doch unser gnädiger Herr Albrecht, und nicht wir …«

Die Hand des Hauptmanns zitterte, als er den Becher zum Mund führte.

»Unser Fürst regiert uns nicht, er presst uns aus!«

Ulrich Groß von Trockau drosch mit seiner riesigen Faust auf den Tisch. Der rüstige Greis, graue Eminenz unter den gebirgischen Räten, konnte sich ein offenes Wort eher als alle anderen erlauben. »Wär er ein anständiger Landesherr, dieser Alkibiades, würde er sich um sein verlottertes Fürstentum kümmern. Stattdessen rennt er wie ein Heißsporn dem Feldherrnruhm hinterher!«

Der junge Wirsberg pflichtete ihm eifrig bei. »Leuchtenberg, Ihr könnt die Politik des Markgrafen nicht gutheißen.« Christoph von Wirsberg sprach in beschwörendem Tonfall. »Helft uns, dagegenzuhalten!«

Der Landgraf öffnete den Mund zur Antwort, brachte aber keinen Ton heraus und schüttelte nur hilflos den Kopf. Johann Eck, der Kulmbacher Pfarrer, half ihm aus der Verlegenheit.

»Haltet ein, Ihr Herren, um Gottes Willen! Was Ihr da sagt, muss unter uns bleiben, sonst setzen wir uns alle dem Vorwurf des Hochverrats aus!«

»Schon gut, Ehrwürden, schon gut.« Der alte Wirsberg beeilte sich, den Pfarrer zu beschwichtigen. »Was wir beredet haben, wird nicht aus diesen vier Wänden dringen. Leuchtenberg, gebt Ihr uns Euer Wort darauf?«

Der Hauptmann lächelte schief und breitete die Hände aus. Selbst im Sitzen schwankte er dabei.

»Es sei, Ihr besten Räte. Ich will die, äh, lästerlichen Reden über unsern Herrn und Fürsten nicht gehört haben. Lasst uns also … nun nicht weiter rechten – trinken wir lieber, ähem, auf einen guten Ausgang des neuen Feldzugs!« Er schenkte den anderen ein und hob seinen Becher.

Die Räte rührten sich nicht, während Georg seinen Wein in tiefen Schlucken hinunterkippte. Er rülpste leise und wischte sich den Mund mit dem Hemdsärmel ab.

Erneut ergriff der Kulmbacher Pfarrer das Wort.

»Was ist mit den Silbervorkommen im Fichtelberg?«

»Papperlapapp! Da gibt es seit den Zeiten meines seligen Großvaters kein Bröckchen Silber mehr. Wenn die neuen Bergleute dort auch nur Silber für zehn Gulden zusammenkratzen, dann fress ich einen Besen.« Der alte Trockau verlor langsam die Geduld mit dem Kulmbacher Geistlichen. »Uns ist schon verständlich, Eck, dass Ihr froh seid, wenn der Markgraf mit den Protestanten paktiert, aber

Land und Untertanen sollten Euch als christlichem Pfarrer auch nicht einerlei sein!«

Der Pfarrer schnaufte erbost, erwiderte aber nichts mehr. Während der Hauptmann den nächsten Becher leerte, stand Georg Förtsch von seinem Stuhl auf, sah die anderen schulterzuckend an, wie um zu fragen, ob es überhaupt noch Sinn hätte weiterzumachen. Dann faltete er ein Stück Pergament auf und legte es auf den Tisch.

»Hier, Hauptmann, habe ich eine Aufstellung sämtlicher Gelder und Steuern, die das Fürstentum Brandenburg-Kulmbach in den letzten fünf Jahren abgeworfen hat. Darunter die Ausgaben unseres Landesherrn für die Aufstellung seiner Regimenter. Nochmals darunter die Liste der Schulden zu Beginn seiner Herrschaftsübernahme und heute. Ihr könnt unschwer ersehen, dass wir seit dem letzten Jahr allein zur Bezahlung der Zinsen neue Schulden machen müssen. Das Land ist nicht mehr in der Lage, seinen Verpflichtungen nachzukommen!«

Förtsch atmete schwer; es fiel ihm nicht leicht, den Bankrott des Fürstentums zu vermelden.

Georg von Leuchtenberg stierte auf das Papier. Es gelang ihm nicht, seinen Blick auf die Zahlen zu fixieren. Mit einer fahrigen Geste fuhr er sich durchs Haar.

»Seid vernünftig, Leuchtenberg.« Zum ersten Mal mischte sich Georg Wolf von Kotzau ein. »So kann's nicht weitergehen. Wir müssen alle an einem Strang ziehen, wenn's um das Wohl des Fürstentums geht. Ich bin dafür, dass wir jetzt eine Schrift an den Markgrafen verfassen, in der wir uns gegen die neuen Steuern und Aushebungen erklären und seine sofortige Heimkehr erbitten.«

Die anderen Räte stimmten sofort zu, und der Kotzauer griff zum Schreibzeug.

»Das ist Aufruhr!« Der Hauptmann schrie es beinahe und stierte die Räte mit weit aufgerissenen Augen an. »Gesiegt haben wir, gesiegt ...« Leuchtenberg sprach wie zu sich selbst. »Jede Schlacht hab ich mit ihm gekämpft. Aufs Haupt geschlagen haben wir den Feind, und wofür?«

Der alte Wolf von Wirsberg, der in seiner Jugend selber etliche Schlachten bestritten und Narben genug davongetragen hatte, versuchte zu beschwichtigen.

»Ja, es ist schwer, Hauptmann, einsehen zu müssen, dass man umsonst gefochten und an die falsche Sache geglaubt hat ...«

Leuchtenberg sah den Rat ungläubig an. Er begann plötzlich zu kichern wie über einen guten Witz. »Alles umsonst, sagt Ihr? Umsonst? Der Kaiser – hätt er bezahlt, wär alles anders ...«

Der alte Wirsberg schüttelte den Kopf. Seine tief liegenden hellen Augen blickten traurig.

»Hauptmann, Ihr denkt in die falsche Richtung. Es hilft uns nicht, dem spanischen Karl allein die Schuld zu geben. Tatsache ist doch, dass alle Kämpfe und Siege nichts eingebracht haben. Es war sinnlos, und es ist noch sinnloser, so weiterzumachen.«

»Sinnlos? Nichts eingebracht?« Georg schrie seinen trunkenen Zorn mit überschnappender Stimme heraus. Er grapschte nach seinen Krücken, bekam aber nur eine zu fassen und stemmte sich damit mühsam schwankend am Tisch hoch. Unter Gepolter fiel sein Stuhl um. Leuchtenberg schwang seinen Beinstumpf nach oben und ließ ihn schwer auf die Tischplatte fallen. »Und das hier?« Trockene Schluchzer begannen ihn zu schütteln. Immer wieder schlug er mit der geballten Faust hart auf seinen Oberschenkel. »Das hat auch nichts eingebracht, wie? Umsonst! Sinnlos! Befehlsverweigerer seid Ihr, Feiglinge, allesamt! Ich hab mein Bein geopfert für Land und Fürst, und Ihr, was habt Ihr gegeben?«

Auch Ulrich von Trockau hielt es jetzt nicht mehr auf seinem Platz; er fuhr hoch und brüllte mit heiserer Greisenstimme; Speicheltröpfchen sprühten von seinen Lippen: »Ja, sinnlos war alles, so sinnlos wie der Tod meines Sohnes. Den hat er auch auf dem Gewissen, genau wie Euer Bein, Leuchtenberg. Und wisst Ihr was, es ist ihm gleich, unserm liebwerten Landesherrn. Der geht über Leichen. Der schert sich bloß um sich selbst.«

Der Bayreuther Amtmann neben ihm versuchte ihn wieder auf den Stuhl zu ziehen und klopfte ihm beschwichtigend den Arm. Da verlor Georg von Leuchtenberg, der immer noch halb über dem Schreibtisch hing, das Gleichgewicht, schwankte, ruderte mit beiden Armen Halt suchend in der Luft, rutschte mit der Krücke ab, taumelte weiter und stürzte mit lautem Poltern zu Boden.

Trockau machte ein paar Schritte um den Tisch herum. Verächtlich sah er auf den am Boden liegenden Betrunkenen hinab und sprach mit mühsam beherrschter Stimme weiter auf den Hauptmann ein.

»Seid froh, dass Ihr noch am Leben seid! Mein Kind hab ich hergeben müssen, und glaubt mir, ich hätte lieber zwei Beine verloren. Der Feilitzsch dort hat keinen Bruder mehr – der ist vor Rochlitz geblieben. Hier, des Ritters von Kotzau jüngster Schwiegersohn, tot. Zu viele Opfer, wenn Ihr mich fragt. Ihr widert mich an, Leuchtenberg, mit Eurem Selbstmitleid und Eurem jämmerlichen Geheule. Damals habt Ihr den Tod meines Sohnes nicht verhindert, Gott straf Euch dafür, und jetzt könnt Ihr vor lauter Saufen nicht mehr denken! Pfui Teufel!« Der alte Mann spuckte aus.

»Ihr Herren! Hier ist kein Weiterkommen.« Hans von Feilitzsch, der die ganze Zeit still zugehört hatte, ermahnte die Räte zur Mäßigung. »Mir fällt jetzt nur noch eines ein: Alldieweil unser Hauptmann in keinem vernünftigen Zustand mehr ist, schlage ich vor, die Markgräfin Barbara zurate zu ziehen. Immerhin ist sie die Schwester des Markgrafen, und man hört, sie habe Urteilsvermögen und klaren Verstand. Wenn Ihr einverstanden seid? Kammerdiener!« Hans von Feilitzsch riss die Tür auf und gab entsprechende Order.

Barbara war mit zwei, drei schnellen Schritten bei Georg. Gemeinsam mit dem Diener half sie ihm auf und stützte ihn bis ins angrenzende Schlafzimmer. Kaum lag der Hauptmann auf dem Bett, begann er auch schon zu schnarchen.

»Armer Georg. Er kann es nicht verwinden, dass er durch den Krieg zum Krüppel geworden ist.« Entschuldigend wandte sich Barbara an die Räte. »Der Wein wird ihn noch umbringen. Was ist denn vorgekommen?«

Georg Wolf von Kotzau kratzte sich verlegen den Kopf.

»Unsern untertänigsten Gruß zunächst, Euer markgräfliche Gnaden. Es betrübt uns sehr, dass der Hauptmann in so übler Verfassung ist, gerade jetzt wo das Land dringend eine starke Hand nötig hätte.«

Der alte Trockau, der Barbara noch von ihren Kindertagen her kannte, mischte sich ein.

»Gestattet ein offenes Wort, Liebden. Zuallererst, es freut uns,

Euch gesund und ohne Übel wiederzusehen. Euer Bruder, dessen Wesen gerade Ihr wohl zur Genüge kennen gelernt habt, richtet das Land mit neuen Kriegssteuern und Aushebungen von Söldnern zugrunde. Wir haben dem Hauptmann nahe gelegt, gemeinsam mit uns die Befolgung der letzten markgräflichen Weisungen zu verweigern, zum Besten des Fürstentums. Das und der übermäßige Trunk haben den Landgrafen die Fassung verlieren lassen.«

Barbara war wie vor den Kopf gestoßen. »Albrecht will einen neuen Krieg? Das hat mir der Hauptmann nicht gesagt.« Normalerweise besprach Georg schon seit langer Zeit sämtliche politischen Angelegenheiten mit ihr.

»Ja, und zwar dieses Mal auf Seiten der Protestanten gegen den Kaiser!«

»Heilige Muttergottes, nur das nicht!«

Die Markgräfin erkannte sofort die Tragweite dieser Entscheidung. Sie schlug die Hände vor den Mund, ließ sich langsam auf einem freien Stuhl nieder und tat einen tiefen Atemzug. »Er richtet alles zugrunde, der Tor. Das Land wird keinen neuen Krieg überstehen. Wenn ich nur helfen könnte!«

Die Räte sahen sich bedeutungsvoll an. Hier endlich war eine, die begriff, worauf es ankam, und die auf ihrer Seite stand. Christoph von Wirsberg trat auf die Markgräfin zu.

»Seht Ihr eine Möglichkeit, die Pläne Eures Bruders noch zu verhindern, Liebden?«

Barbara dachte einige Zeit angestrengt nach, während die Räte sich nacheinander wieder auf ihren Plätzen niederließen. Schließlich hob sie den Kopf.

»Es ist zu gefährlich, Ihr Herren, Albrecht den Gehorsam zu verweigern. Es würde Euch alle Kopf und Kragen kosten, und damit wäre dem Land als Allerletztes gedient.« Sie überlegte weiter. »Wir könnten stattdessen versuchen, die Dinge möglichst lange zu verzögern. Schreibt Albrecht, seine Befehle würden befolgt, und erfindet dann Gründe, warum alles länger dauert als geplant. Derweil werde ich meinen Bruder Georg in Ansbach und unsere Verwandtschaft in der Mark um Hilfe anschreiben. Georg ist der Einzige, auf den er vielleicht noch hört. Und wenn Ihr noch einen Rat von mir annehmen wollt, Ihr Herren: Bietet meinem Bruder an, statt der Steuern und des Ungelds die Kirchenkleinodien einzuziehen. Dazu braucht's vorher eine Visitation, die längere Zeit dauert. Und das Fürstentum selber würde dadurch nicht belastet.«

Johann Eck begann laut zu protestieren, doch Barbara hob die Hand.

»Sind Euch Gold und Silber wichtiger als Land und Menschenleben? Lasst Euch den eitlen Tand nicht zu lieb sein, Ehrwürden – auch unser Herr Jesus war arm, und die Bibel sagt, eher geht ein Kamel durchs Nadelöhr als ein Reicher ins Himmelreich ein! Und, hochwürdiger Eck, Euch als lutherischem Reformator müssen die katholischen Monstranzen und Kelche in ihrer sündigen Üppigkeit doch ohnehin ein Dorn im Auge sein!«

Der Geistliche schluckte und schwieg, während Barbara sich wieder an die Räte wandte.

»Wenn Ihr mit meinen Vorschlägen einverstanden seid, dann verfasst einen Brief an meinen Bruder. Ich will dafür sorgen, dass der Hauptmann ihn unterschreibt.«

Die Räte beeilten sich, der Markgräfin zuzustimmen. Hans von Feilitzsch erhob sich; ein kurzer Blick genügte ihm, die Meinung seiner Mitstreiter zu erfassen.

»Wir werden Euren Rat befolgen, Liebden. Man erzählt nicht umsonst überall von Eurer Klugheit und Weitsicht. Und wir hoffen, Ihr habt nichts dagegen, wenn wir uns in Zukunft mit Regierungssachen erst an Euch als die Schwester des Landesherrn wenden, bevor wir den Hauptmann behelligen.«

Die anderen nickten beifällig.

Barbara erkannte die Tragweite dieses Angebots. Das Land und seine Menschen lagen ihr am Herzen, aber sie war sich auch der Gefahr bewusst, in die sie sich begab. Albrecht würde ein Handeln gegen seine Interessen nicht verzeihen. Aber hier standen Männer, die ihre Hoffnung in sie setzten. Und Georg von Leuchtenberg war ganz offensichtlich nicht mehr in der Lage, Sinnvolles zu tun. Sie schwankte.

»Ich weiß nicht, ob das gut ist, Feilitzsch. Wenn Albrecht das erfährt, bringt er mich um, und Euch dazu.«

Der alte Trockau nickte bedächtig. »Das glaub ich wohl, Liebden. Aber die schweren Zeiten, die angebrochen sind, erfordern von uns allen mehr Mut. Und wir können das Land weiß Gott nicht mit Hilfe eines Trunkenbolds regieren.«

Die Markgräfin nickte ernst. Ihr war nur zu klar, dass der greise Rat Recht hatte. »Es sei. Vielleicht können wir das Schlimmste verhindern.«

Schließlich war alles beredet.

Als die Räte sich verabschiedet hatten, hörte Barbara, wie Wolf von Wirsberg im Hinausgehen zum alten Trockau sagte: »Die hat Herz und Verstand am rechten Fleck. Ewig schade, dass sie bloß ein Weib ist.«

Von diesem Zeitpunkt an lag die Regierung des Fürstentums mit in Barbaras Händen.

Kulmbach, September 2002

»... ja, und dann hab ich für die alte Dame noch den Notarzt kommen lassen und bin mit dem Taxi heimgefahren. Ihr könnt euch vorstellen – so fix und fertig war ich in meinem Leben noch nie. Nicht einmal mehr Hunger hab ich gehabt.« Haubold grinste, prostete den Mitgliedern der »Forschenden Vier« mit seinem Maßkrug zu und nahm einen tiefen Schluck. Sie saßen auf Kleinerts Terrasse und hatten zur Feier der Entdeckung des Geheimgangs ein Fässchen aufgemacht.

»Am nächsten Tag hab ich mich dann mit einer Schachtel Pralinen bei der Frau Garhammer für den Schreck entschuldigt! Die war schon wieder putzmunter und hat mich gleich dazu verdonnert, ihren Keller wieder aufzuräumen. Schließlich sei ja ich derjenige gewesen, der dort drunten alles kaputtgemacht hat. Und, na ja, wo sie Recht hat ... Zwei Stunden hab ich geschuftet!«

Kleinert verzog wie im Schmerz das Gesicht. Kellermann sog hörbar die Luft ein und wedelte mit der Hand, als hätte er sich verbrannt. Von Götz kam ein mitfühlendes »Ojojojoj«.

Kleinerts Frau brachte ein Körbchen mit Brezeln, Käsewürfel und eine Schüssel Wurstsalat. »Die arme alte Frau! Muss ja halb wahnsinnig vor Schreck gewesen sein!« Typisch Frau, dachte Haubold, immer nur Mitleid mit ihresgleichen!

Haubold angelte sich glücklich eine Butterbrezel, drehte sie wählerisch hin und her und biss genau in die dicke Mitte. Mit vollen Backen sprach er weiter.

»Jedenfalls geben sich die von der Presse seit ein paar Tagen bei mir die Klinke in die Hand. Gestern musste ich ein Interview für ›Radio Plassenburg‹ geben, heute früh waren die von der ›Bayerischen Rundschau‹ da, und morgen hab ich sogar einen Termin mit dem ›Bayerischen Rundfunk‹. Schließlich, haben die gesagt, entdeckt nicht jeden Tag jemand einen Geheimgang. Na, und außerdem ist ja noch Sommerloch …«

»Was passiert denn nun mit dem Gang?«, wollte Kellermann wissen.

»Den erforschen jetzt zwei Experten von der Schlösserverwaltung. Der obere Teil ist wieder freigelegt worden und man baut gerade irgendwelche Abstützvorrichtungen ein. Eins ist jedenfalls nicht mehr festzustellen, nämlich wohin der Gang im Schloss selber geführt hat. Er lässt sich zwar noch ein Stück nach oben weiterverfolgen, endet aber dort, wo nach der Zerstörung von 1554 der Neubau des Ostflügels beginnt. Deshalb kann man annehmen, dass der Geheimgang aus der Zeit davor stammt.«

»Und dein Leichenfund? Du scheinst ja langsam Übung darin zu bekommen, Skelette zu entdecken, hmmpph!« Kleinert kicherte; seine dunklen Maulwurfsäuglein glänzten dabei verräterisch – er hatte den Inhalt des Fässchens natürlich schon getestet, bevor die anderen drei gekommen waren.

»Ja, das ist ganz interessant. Wegen der akuten Einsturzgefahr haben sie das Skelett sofort gesichert und nach Erlangen in die Gerichtsmedizin gebracht. Ich hab darum gebeten, mich als Finder über die Ergebnisse zu benachrichtigen. Gestern ist vom Institut eine Kopie des Gutachtens gekommen; ich hab's euch extra mitgebracht.«

Wie immer, wenn es etwas vorzulesen gab, ließ man dies den Pfarrer Kellermann tun. Der beeilte sich, seinen Mund voll Wurstsalat hinunterzuschlucken, räusperte sich und begann dann mit voll tönender Stimme.

»*Prof. Dr. Walter Habermas*
Lehrstuhl für Gerichtsmedizin an der Universität Erlangen

Gutachten

Bei dem von mir am 26. 8. 2002 untersuchten Kulmbacher Skelett-
fund handelt es sich um das Knochengerüst einer männlichen Leiche.

Größe 1,77 m; Schädelumfang 54,6 cm.

Alter zum Zeitpunkt des Todes ca. 30–40 Jahre, wie nach dem Be-
fund des Gebisses erschließbar (Zähne bis auf einen vollständig; Ge-
biss intakt, nicht kariös; Abnutzungsgrad mittel).

Gesundheitszustand: Keine erkennbaren Krankheiten; an den Fin-
gergelenken beginnende Gicht. Offenbar fachmännisch ausgeführte
Amputation des linken Unterschenkels 6 cm über dem Knie mit aus-
geprägter Kallusbildung – die Operation wurde mindestens um 1–2
Jahre überlebt.

Todesursache: Stichwunden. Am linken Schlüsselbein sowie an meh-
reren Rippen auf der linken Brustseite ließen sich röntgenologisch
Einkerbungen bzw. Abschabungen feststellen, die vermutlich durch
Stiche mit einem scharfen Gegenstand hervorgerufen wurden. Zahl
der Einkerbungen: 8. Keine Kallusbildung. Ort und Lage der Einsti-
che deuten darauf hin, dass der Tod durch Verletzung der Lunge,
evtl. auch des Herzens eingetreten sein dürfte. Ähnliche Einkerbun-
gen fanden sich ebenfalls an den Fingerknochen von Mittel-, Zeige-
und Ringfinger der linken Hand und am linken Unterarmknochen.

Ein natürlicher Tod ist nach diesem Befund auszuschließen.

Das unter dem Skelett aufgefundene Metallteil ließ sich nach Ent-
fernen des Flugrostes ohne Schwierigkeiten in mehrere der Knochen-
einkerbungen einfügen. Es handelt sich dabei vermutlich um die
abgebrochene Spitze eines mittelgroßen Messers, das somit als Mord-
instrument identifizierbar ist.

Der am rechten Mittelfinger getragene Ring wurde nach Entfernen gröberer Beläge und Verschmutzungen ohne weitere Bearbeitung an die Landesstelle für Nichtstaatliche Museen in München zur Untersuchung gesandt. An ihm ließen sich keinerlei gerichtsmedizinisch relevante Besonderheiten feststellen.

Alter des Skelettfundes gemäß Knochenanalyse: ca. 400–500 Jahre.

Erlangen, 27. 8. 2002   *gez. Habermas*

Anlagen: 38 Röntgenaufnahmen, chem. Knochenanalyse, Vermessungsdaten«

Götz, Kleinert und Kellermann saßen sprachlos da.

»Na, da bleibt euch die Spucke weg, was? Morgen steht's in allen Zeitungen.« Haubold blickte triumphierend in die Runde.

Götz fasste sich als Erster wieder. Sein Bärtchen zitterte, wie immer, wenn er aufgeregt war.

»Mein lieber Herr Gesangverein, das ist ja ein Ding! Ein Mord im Geheimgang der Plassenburg! An einem Einbeinigen! Hitchcock lässt grüßen.« Er schüttelte ungläubig den Kopf. »Und gleich acht Einstiche – da muss jemand eine ziemliche Wut gehabt haben! Das schaut ja direkt nach einem – wie sagt man? – ›Mord im Affekt‹ aus.«

»Haubold, Sie werden noch berühmt.« Pfarrer Kellermann schlug dem Kastellan mit seiner Riesenpranke auf die Schulter. »Erst der eingemauerte Säugling, und jetzt stoßen Sie noch auf einen waschechten Kriminalfall – fehlt bloß noch, dass es da irgendwie einen Zusammenhang gibt!«

»Langsam, langsam, Herr Pfarrer, bis jetzt kennen wir ja weder die Identität des Kindes noch die des Mordopfers. Allerdings – die Dinge könnten sich zeitlich nahe beieinander abgespielt haben …«

»Genau!« Kleinert hob den Zeigefinger. »Das Kind haben wir ja schon ins 16. Jahrhundert eingeordnet, und zwar vermutlich vor den Fall der Plassenburg 1554. Und wenn der Gang aus der Zeit vor dem Neuaufbau der Festung stammt, dann muss der Mann – wenn das Skelett tatsächlich vier- bis fünfhundert Jahre alt ist – ungefähr um die gleiche Zeit umgebracht worden sein.«

»Somit, meine Herren«, resümierte Götz und legte dabei die gespreizten Fingerspitzen links und rechts neben seinem Bierglas auf die Tischplatte, »suchen wir nicht mehr nur nach einer Frau und einem Kind auf der Burg, sondern auch noch nach einem Einbeinigen und seinem Mörder. Hm, langsam wird's ein bisschen viel …«

Später gingen Kleinert und Kellermann nach Hause.

»Sie haben mir ja letzte Woche ein goldiges Pärchen geschickt«, flachste der Pfarrer. »Muss Verliebtheit schön sein.«

Kleinert lachte. »Ist mir auch schon aufgefallen. Der Junge himmelt meine Frau Hufnagel an, dass es richtig Spaß macht zuzuschauen. Aber ich glaube, er traut sich nicht recht. Ist halt ein schüchterner Typ.«

»Hm«, machte Kellermann. »Schade. Die zwei würden gut zusammenpassen, finde ich. Kann man da nicht ein wenig nachhelfen?«

Der Archivar überlegte schmunzelnd. »Sie meinen, wir sollen ein bisschen Schicksal spielen? Hm, ich wüsste da schon was … Am Donnerstag treffe ich mich mit Fleischmann in Himmelkron …«

»Sehr gut, sehr gut«, freute sich der Pfarrer. »Lassen Sie sich was einfallen. Wenn wir ›Forschenden Vier‹ schon nicht so schnell an unsere gesuchte Frau herankommen, dann soll wenigstens unser junger Mann seine Angebetete kriegen. Oder?«

Kleinert nickte belustigt. »Na, lassen Sie mich nur machen …« Den Heiratsvermittler hatte er noch nie gespielt, aber der Gedanke hatte seinen Reiz.

Schreiben der Markgräfin Emilia von Brandenburg-Ansbach an ihre Schwägerin Barbara von Brandenburg-Ansbach, Ansbach, 25. August 1552

Gottes Gruß zuvor, freuntliche liebe Schwester, und Trost und einen festen Glauben dartzu, um die schlimme Botschafft zu ertragen, die ich Euch bringen muss. Euer Schreiben, in dem Ihr meinen Gemahl um Rat wegen seines Bruders Albrecht bittet, kann nur ich selber beantworten. Denn höret, dass mein edler guter Gemahl seit gestern

Nacht nicht mehr unter den Lebenden weilt. Vor der Zeit musst er nach Gottes Ratschluss Land, Weib und Kind verlassen. Vor nunmehr zwei Tagen stürtzte er beim Jagen so unglücklich vom Pferdt, dass man ihn auf der Trage heimbrachte. Zunächst konnte der Leibartzt nichts Schlimmres entdecken als einen verdrehten Fuß, einige Beulen und Schürfwunden, und mein Gemahl aß, trank und scherzte wie immer. Doch dann in der Nacht quoll sein Leib auf und wurde hart wie Stein. Fieber und große Pein befielen ihn. Die besten Ärtzte standen neben seinem Lager, konnten nicht lindern noch helffen und haben ihn schließlich aufgegeben. Sechzehn Stunden hat er noch gelebt, und starb endlich, nachdem er die Sakramente empfangen, unter großen Qualen und schreiend vor Schmertzen. Mich lässt er als untröstliche Wittwe zurück und unser unmündigs Söhnchen Georg Friedrich, noch nicht dem Frauenzimmer entwachsen, ohne Vater. Gott mög's erbarmen.

Was Euch angeht, liebwerte Schwester, war sein Wunsch, Euch nach seinem Tod ein Deputat von jährlich fünfzig Gulden zu verordnen. Ich will das vor den Räten, die für meinen Sohn die Regierung übernehmen, vertreten. Mein Gemahl hat in seinen letzten Stunden recht gelitten unter der Unbill, die Euch auch von ihm zugefügt worden ist, und darüber Gott um Vergebung gebeten. Auch ich bitt Euch im Namen Eures Bruders darum, dem Toten nichts nachzutragen. Wenn es Euch gestattet wäre, die Plassenburg zu verlassen, würde ich Euch mit Freuden zur Todtenfeier und zum Leichenbegängnis hier zu Ansbach begrüßen. Ich weiß, es wäre auch Georgs Wunsch gewesen. So aber fürcht ich, müssen wir uns darein finden, uns zu andrer, bessrer Zeit von Angesicht zu Angesicht kennen zu lernen. Vielleicht aber können wir zum wenigsten vertraut miteinander werden, indem wir uns schreiben, das wäre mir eine Freud und mein Begehr an Euch.

Seid versichert meiner schwesterlichen Lieb und Treu, und betet für Euren Bruder, seine unglückliche Wittwe und sein traurigs Söhnchen. Jesus Maria Amen.

Gegeben zu Ansbach am Tag nach Bartholomei
Emilia nach Gottes Rathschluss Markgräfinwittwe von Brandenburg-Ansbach

Nachricht des Markgrafen Albrecht Alkibiades von Brandenburg-Kulmbach an Hauptmann und Räte auf dem Gebirg, 1. September 1552

Gottes Gruß zuvor, ehrnfeste Räte und getreuster Hauptmann aufm Gebirg. Item dass Geld und Landsknechte aus meinem Fürstentum so gar spärlich kommen, erzürnt uns über die Maßen. Wir haben dennoch mit der Belagerung von Nürnberg, Würzburg und Bamberg begonnen und die Sache steht gut. Unser Heer hat jetzt 47 Fähnlein ohne Reiterei, da werden wir den Krieg wohl zu Ende bringen können. Die Nürnberger Pfeffersäcke und der fette Bischof Weigand zu Bamberg mögen zahlen, bis sie schwartz werden, damit wir ihre feinen Städte verschonen. Melchior von Würzburg hat schon unterschrieben, achtzigtausend Gulden zu berappen, die anderen kommen nach, das schwörn wir bei unserm Bart, und der ist lang! Von den Nürnbergern haben wir zweihunderttausend Gulden gefordert, das wird den reichen Wänsten ein Leichtes sein. Der feiste Bamberger soll uns zwanzig Ämter abtreten. Sonst machen wir alles mit Vergnügen dem Erdboden gleich!

Ihr derweil habt die Visitation der Kirchen stricte durchzuführen. Es ist strenge Achtung darauf zu halten, dass alle Messen gut protestantisch gehalten werden. Unsere Stellung im lutherischen Fürstenbund hängt davon ab, dass dem Neuen Glauben daheim ordentlich gefrönt wird! Dem welschen Maler so er, wie du berichtest, ein schön Abbild von uns auf dem Streitroß malt und alsbald beendet hat, eine Handsalbe von zehn Gulden. Und dann mit Gott.

Gegeben im Feldt am Tag Egidi anno 1552
Albrecht Alkibiades etc.

Plassenburg, November 1552

Jakob Tiefenthaler hatte eine Decke gegen den Regen übergeworfen und kämpfte sich gegen den Wind und die ersten dicken Tropfen bergan. Der Anstieg zur Plassenburg hinauf war steil, und er war schon nach der Hälfte des Wegs völlig durchnässt. Es wurde empfindlich kalt, und der junge Geistliche bereute, dass er unbedingt noch an diesem Tag seinen Dienst als Burgkaplan hatte antreten wollen.

Seit zwei Jahren war Jakob Tiefenthaler, studierter Magister der Theologie, zweiter Pfarrer an der Kulmbacher Petrikirche. Johann Eck, der Kulmbacher Reformator, hatte an der Universität in Wittenberg um Unterstützung durch einen weiteren Pfarrer nachgefragt. Er war inzwischen bald sechzig Jahre alt; seine Beine machten nicht mehr recht mit, und die Betreuung seiner zweitausend Seelen starken Gemeinde in Kulmbach wurde ihm langsam zu viel. Ein junger Mann hatte es sein sollen, fest im neuen Glauben, fähig zu mitreißenden Predigten und klug genug, die Reformation im Fürstentum weiter zu festigen. Einer, dem Eck getrost als Nachfolger sein Vermächtnis anvertrauen konnte.

Wittenberg hatte mit Jakob Tiefenthaler einen der begabtesten Studenten der letzten Jahre geschickt, und zu Ecks Zufriedenheit entpuppte sich der junge Geistliche als guter Griff. Als er in Kulmbach ankam, staunte die ganze Gemeinde über seine Jugend, und alle, einschließlich Eck, waren verblüfft über die Tiefe seines Wissens, seine Milde und Freundlichkeit und die schlafwandlerische Sicherheit, mit der er für jeden das rechte Wort fand. Es dauerte nicht lang, und die Menschen kamen zu ihm und nicht mehr zu Eck, wenn sie Beistand brauchten; er wurde gerufen, wenn einer auf dem Totenbett lag. Auf der Kanzel besaß er ein unvergleichliches Charisma; er konnte die Menschen mit seinen Predigten zum Lachen oder zum Weinen bringen, und die Gemeinde lauschte in andächtiger Stille seiner sanften, fast etwas zu hohen Stimme mit dem weichen unterfränkischen Dialekt. Viele meinten, er habe das Zeug zum Heiligen, anspruchslos und milde, wie er war, und manche gar erinnerte er an den Herrn Jesus selbst, mit seinen dunkelblonden, dicht gelockten, schulterlangen Haaren, den sanft blickenden bernsteinfarbenen Augen und dem gestutzten Bart. Vor allem die Frauen und Mädchen der Gemeinde fühlten sich zu ihm hingezogen, und es gab nicht wenige, die sich vor dem Kirchgang besonders hübsch machten. Sie brachten ihm mit roten Köpfen Eier oder Schmalz ins Pfarrhaus, fanden tausend Vorwände, um ihn um Rat oder Hilfe zu bitten. Nachts wälzte sich so manche von ihnen schlaflos auf ihrem Lager und hegte derart unkeusche Gedanken, dass sie eigentlich hätte beichten müssen, wenn sie noch katholisch gewesen wäre. Aber schließlich durfte ein protestantischer Pfarrer ja eine Frau haben – die Vorstellung war zwar immer noch arg ungewöhnlich, aber der Herr Martinus Luther hatte es mit seiner Hausfrau Katharina von Bora ja aller Welt vorgelebt!

Johann Eck sah den Erfolg und die Popularität seines Schützlings mit Freude, aber auch mit gewissen Befürchtungen und mit leisem Neid. Er selber war nie sehr beliebt, eher respektiert, ja gefürchtet gewesen. Was ihm am meisten Sorgen machte, waren die unverhohlenen Liebesbezeugungen, die manche weiblichen Gemeindeglieder dem jungen Pfarrer entgegenbrachten. Eck hatte damals zu denjenigen gehört, die Luthers Heirat für einen Skandal hielten, und er stand auch heute noch zu seiner Meinung, dass der Zölibat für einen Geistlichen unabdingbar sei. Nun, die Zeiten hatten sich geändert! Trotzdem, eine Liebesgeschichte in so jungen Jahren würde den hoffnungsvollen Kollegen von seiner Berufung ablenken. Eine Frau würde ihm unweigerlich das Feuer rauben, mit dem er sich für den neuen Glauben einsetzte, würde ihn zu einem braven Stubenhocker und Kindsvater machen, und dafür war der begabte Tiefenthaler einfach zu schade. Der lutherische Glaube brauchte jetzt mehr denn je Männer, die ihre ganze Leidenschaft in den Dienst der Sache stellten und nicht im Bett eines Weibes auslebten. Deshalb war Eck die Nachricht vom Tode des alten Burgkaplans Körber gerade recht gekommen. Er sprach sich für einen guten Bekannten, den soliden Pfarrer Georg Thiel aus Joachimsthal, als Körbers Nachfolger aus, wohl wissend, dass dieser erst in einigen Monaten von dort abkömmlich sein würde. Derweil empfahl er seinen jungen Kollegen als kommissarischen Schlosskaplan. Eine längere Zeit der Abwesenheit Tiefenthalers aus der Stadt würde das Mütchen der jungen Weiber schon kühlen, und dann würde man weitersehen.

So kam es, dass Jakob Tiefenthaler an diesem verregneten Novembertag seinen Dienst auf der Plassenburg antrat. Die Hintergedanken, die Eck bei dieser Regelung gehegt hatte, waren ihm verborgen geblieben. Er hatte die Zuneigung, die manche Kulmbacherinnen ihm offen entgegenbrachten, überhaupt nicht registriert, ihre Blicke nie bemerkt, und der Gedanke daran, irgendwann einmal eine Bindung einzugehen, so wie es Luther vorgemacht hatte, war ihm noch nie gekommen. Ja im Gegenteil, noch im letzten Jahr seiner Priesterausbildung hatte er, erfüllt von Begeisterung und Gottesglauben, das Gelöbnis getan, sich der körperlichen Liebe lebenslang zu enthalten. Letztendlich war Tiefenthaler nur an einem interessiert: dem neuen Glauben so gut wie möglich zu dienen. Er wollte all seine Kraft in seine erste Pfarrstelle einbringen und seine Aufgabe mit den Möglichkeiten, die er hatte, gut erfüllen.

»Da wären wir, Hochwürden.« Der Burgvogt, der Tiefenthaler schon am unteren Burgtor in Empfang genommen hatte, schloss die Tür der Kaplanswohnung in der Nordostecke des Schlosshofes auf. Diese lag im ersten Stock des so genannten Pfaffenhauses und war über eine Außentreppe erreichbar.

Nachdem der Vogt gegangen war, warf Tiefenthaler seine Regendecke über einen wackligen Stuhl und zog seine triefenden Kleider aus. Von dem Holzgestell, das neben der mit glühenden Kohlen gefüllten Gusseisenpfanne stand, holte er sich ein gestreiftes Leintuch und rubbelte sich damit am ganzen Körper ab, bis sich die Haut rötete und ihm wieder warm wurde. Gerade wollte er zu einer der Decken greifen, um sich darin einzuwickeln, bis seine Kleider trocken waren, als es klopfte und die Tür mit Schwung aufging. Es war Hans, der Küchenjunge, der ein Tablett mit Wein und Brot brachte. Wie vom Donner gerührt blieb er unter dem Türstock stehen und schaute mit weit aufgerissenen Augen auf den neuen Kaplan, der dastand, wie Gott ihn geschaffen hatte. Hans lief puterrot an und brachte kein Wort heraus. Tiefenthaler musste an sich halten, um nicht laut herauszulachen, und grinste den Essensträger aufmunternd an, während er sich die Decke umschlug.

»Na, mein Junge, komm nur herein, oder hast du noch nie ein nacktes Mannsbild gesehen?«

»Das schon, Hochwürden, aber noch nie einen nackten Schlosspfaffen!«

Hans hatte sich schnell wieder gefasst und war, wie immer, um Worte nicht verlegen. »Die Markgräfin Barbara schickt mich. Ich soll Euch herzlich willkommen heißen.«

»Oh, die Markgräfin.« Tiefenthaler nahm dankbar einen Schluck Wein. »Sie soll klug und schön sein, sagen die Leute.«

»Klug bestimmt. Meine Schwester – die ist schon lange ihre Hofjungfer – hat mir erzählt, dass sie oft den ganzen Tag in Büchern liest, stellt Euch vor! Aber schön?« Hans zuckte mit den Schultern. »Mir wär sie zu alt!«

Ein Pfiff schrillte durchdringend über den Burghof, und Hans zog merklich den Kopf ein.

»Au weh, das ist mein Meister. Jetzt muss ich mich aber sputen. Heute ist nämlich Einmachtag, da hab ich eine Menge zu tun.«

Tiefenthaler entließ den Jungen mit einem Augenzwinkern. »Geh nur. Und morgen sehe ich dich pünktlich bei der Frühmesse!«

Hans rollte die Augen zum Himmel und gab Fersengeld. Pfaffen!

Eine Stunde später stieg Tiefenthaler die Treppe zum Hof hinunter und machte sich auf den Weg zur Burgkapelle. Diese befand sich im Ostteil des Hochschlosses nicht weit vom Pfaffenhaus; zu ihr gehörten noch eine Kapellstube, in der die Geistlichen die Messe vorbereiten konnten, und eine kleinere Kammer, in der man Bücher, Altartücher, Kerzen und dergleichen aufbewahrte.

Der neue Kaplan betrat die Kapelle und bekreuzigte sich. Er setzte sich in die hinterste Bank, die unterhalb der Fürstenempore stand, schaute sich um und ließ den Raum auf sich wirken. Zwölf dunkle Holzbänke mit geschnitzten Seitenteilen standen in einer Reihe auf den glänzend ausgetretenen Steinplatten des Fußbodens und boten Platz für die Gläubigen. Die Wände waren mit einfachen sakralen Malereien bedeckt; etwas verblichen durch die Feuchtigkeit zeigten sie verschiedene Szenen aus dem Neuen Testament. Durch die quadratischen Glasfenster drang nur wenig grünlich gefärbtes Licht nach innen, sodass die Kapelle in ein angenehmes, fast mystisches Halbdunkel getaucht war. Der Altar, ein kleines Triptychon, zeigte das Kreuzigungsmotiv in der Mitte, die Auferstehung auf dem linken und das Jüngste Gericht auf dem rechten Flügel, insgesamt ein eher bescheidenes Kunstwerk von geringem Rang. Dennoch, zu viel Prunk war der Feind jedes aufrichtigen Glaubens, und gerade die Einfachheit der Kapelle rührte Tiefenthaler an. Er spürte, wie Ruhe in ihm einkehrte. Jakob Tiefenthaler war am Ort seiner Bestimmung angekommen.

Ein Geräusch riss ihn aus seinen Gedanken, und er sah nach oben. Von der Empore aus drang ein schwacher Lichtschein in den Raum. Tiefenthaler suchte nach dem Treppenaufgang, raffte die Röcke und stieg langsam hinauf. Droben flackerte das unstete Licht einer Talglampe. Es wurde vervielfältigt durch eine einfache wassergefüllte Schusterkugel, die darüber aufgehängt war, und beleuchtete ein ungewöhnliches Arrangement. Ganz vorn am Geländer saß auf einem dreibeinigen Hocker ein junger Mann, feingliedrig und dunkel, die Ärmel hochgekrempelt, mit einem Pinsel in der einen und einem kleinen Lederkissen in der anderen Hand. Neben ihm standen etliche Utensilien: ein Topf mit einer Mischung aus fein geriebener Bologneser Kreide und Hasenhautleim, ein Gefäß mit Bienenwachs und Terpentin, das über einem brennenden Öllämpchen auf einem Dreifuß stand, außerdem ein Haufen weiche Tücher und etliche Werkzeuge.

Tiefenthaler räusperte sich leise und riss damit den Künstler aus seiner Konzentration. Lorenzo Neri sprang auf, nur um sofort wieder in die Knie zu sinken und den Saum des Priestergewands an seine Lippen zu drücken.

»Salve, Padre – segnet mich und mein unwürdiges Werk, Vater.«

Tiefenthaler machte lächelnd das Zeichen des Kreuzes. »Ich bin Vater Jakob Tiefenthaler, der neue Schlosskaplan. Wer seid Ihr, und was macht Ihr da?«

Der Italiener nahm Pinsel und Kissen wieder auf, stellte sich vor und begann zu erklären.

»Lorenzo Neri ist mein Name, und ich bin Maler aus Italien. Ich vergolde das gedrechselte Geländer der Fürstenempore, Padre.«

»Damit der Markgraf Albrecht und seine Schwester so recht

prächtig dastehen vor dem lieben Gott.« Tiefenthaler konnte sich die zynische Bemerkung nicht verkneifen.

»Ma no, Padre, da tut Ihr der Markgräfin Unrecht. Ihr Bruder ist ein schlechter Mensch, das stimmt, aber sie – sie ist ein Engel. Alle reden nur Gutes von ihr. Ich habe sie selber schon kennen gelernt: eine gescheite und wunderbare Frau.«

»Nun, wir werden sehen.« Tiefenthaler wandte sich zum Gehen. »Ich will Euch nicht länger von Eurer Arbeit abhalten, mein Freund. Und nichts für ungut für meine Bemerkung vorhin. Die Kunst hat ihre ganz eigene Berechtigung. Sie spricht den Menschen dort an, wo die Worte enden.«

»Davvero, Padre, das ist schön gesagt.«

Tiefenthaler verabschiedete sich. Er wollte sich noch in Ruhe Gedanken über seinen ersten Gottesdienst in der Burgkapelle machen und ließ sich das Abendessen ins Pfaffenhaus bringen. Noch spät abends, als der Vogt seinen letzten Rundgang durch den Schlosshof machte, brannte dort das Licht.

Am nächsten Morgen erwachte Tiefenthaler schon vor Sonnenaufgang aus einem unruhigen, von wirren Träumen durchsetzten Schlaf. Er zog das dunkle Priestergewand an, aß die Reste seines Abendessens und ging mit der ersten Dämmerung in die Kapelle. Die Strahlen der Morgensonne wurden durch die grünlichen Glasscheiben gebrochen. Sie flimmerten goldgrün und fielen schräg auf die Kirchenbänke; im Licht tanzten Millionen Staubkörnchen. Einer der Sonnenstrahlen traf auf eine kleine geschnitzte Madonna mitten an der Längswand, die ihm am Tag zuvor noch nicht aufgefallen war. Er ging hin und hängte sie ab – wie alle Protestanten war er kein Freund der Marienverehrung, die die katholische Kirche pflegte.

Langsam trafen die Ersten von der Schlossdienerschaft ein. Tiefenthaler nickte Hans, dem Küchenbuben, zu und grüßte Lorenzo Neri, den Maler. Die Kapelle füllte sich. Zum Schluss erschien Melchior von Arnstein, der Vogt, und hinter ihm ein noch junger blonder Mann, dem zwei Krücken ein fehlendes Bein ersetzten. Das musste der Hauptmann sein, folgerte Tiefenthaler. Man hatte in der Stadt schon von seiner Kriegsverletzung erfahren. Georg von

Leuchtenberg setzte sich in die erste Reihe, während der Vogt noch stehen blieb, um die Leute abzuzählen.

Dann begann die Messe. Tiefenthaler fing an zu sprechen, leise, aber mit angenehmer, klingender Stimme.

»Beim aufgehenden Morgenlicht preisen wir dich, o Herr unser Gott. Schenke uns in deiner Barmherzigkeit einen Tag, erfüllt mit Frieden und Liebe. Lass unsere Hoffnungen nicht scheitern. Trage uns und lass nicht ab von uns in diesen unruhigen Zeiten. Zeige uns den richtigen Weg und hilf uns, wo wir schwach sind. Lass uns auch an diesem neuen Tag wachsen und reich werden in der Liebe zu dir und zu allen Menschen.«

Es dauerte nicht lange, und die Schlossdiener hingen an Tiefenthalers Lippen. Auch sie, wie die Gemeinde in der Stadt, waren berührt von der Ausstrahlung des jungen Pfarrers, die immer dann besonders stark war, wenn er predigte.

Tiefenthaler hatte – der Ruf seines grimmigen Vorgängers war ihm wohl bekannt – beschlossen, die Liebe zum Thema seiner ersten Predigt zu machen. Er wollte seiner neuen Gemeinde ein Zeichen setzen – sie sollte erfahren, dass der Weg zu Gott bei ihm nicht über Zwang und Drohungen führte.

»Wer liebt, ist Gott nahe. Gott ist die Liebe und die Gerechtigkeit. Er liebt uns Menschen selbst dann, wenn wir sündigen. Er spürt, was wir brauchen, und nimmt uns an, wie wir sind. In der Bibel steht: ›Wer nicht liebt, hat Gott nicht erkannt.‹ Aber nicht nur Gott sollen wir lieben, sondern auch alle Menschen. Die Liebe gehört zur Schöpfung wie Geburt, Leben und Tod.«

Tiefenthaler schaute längst nicht mehr auf seine Notizen, sondern sprach, wie es seine Gewohnheit war, frei heraus. Sein Blick schweifte über die Gemeinde und hoch zur Empore, wo er am Tag zuvor den jungen Italiener getroffen hatte. Dort droben, mit der Hand am Geländer, stand reglos und hoch erhobenen Hauptes eine Frau, dunkel, mit eigentümlich hellen Augen, die Tiefenthaler ernst, fast erstaunt fixierten. Ihre Blicke trafen sich für den Bruchteil einer Sekunde.

Der junge Kaplan verlor mitten in der Predigt den Faden und stand einfach nur da. Das musste sie sein, die Markgräfin. Die Gemeinde wartete; man räusperte sich, hustete. Schließlich riss sich Tiefenthaler zusammen und sprach weiter.

»Natürlich gibt es verschiedene Arten von Liebe: die Liebe zu Gott, die Liebe zu Freunden, Eltern, Kindern, die Liebe zwischen Mann und Frau. Jede hat ihre Berechtigung und ist von Gott geheiligt. Liebe beginnt mit dem Leben und hört mit dem Tod nicht auf ...«

Tiefenthaler zwang sich, den Rest der Messe über nicht mehr nach oben auf die Empore zu schauen.

Kulmbach, September 2002

Zwei Tage nach der bierseligen Feier zur Entdeckung des Geheimgangs hockte Kellermann spätnachmittags auf seinem rosa Ungetüm und wiegte sich in den nicht vorhandenen Hüften. Dann stützte er beide Ellbogen auf den Schreibtisch und machte mit dem Becken rotierende Bewegungen. Das tat gut nach einem langen Arbeitstag! Sein Blick fiel auf die vier von Fleischmann und seiner Begleiterin benutzten Folianten, die immer noch auf dem Tisch am Fenster lagen. Hätte die Kriegbaum schon längst aufräumen können, ärgerte er sich. Dabei kam ihm das Initial auf der Klöppelarbeit wieder in den Sinn. »Ein ›B‹ mit einem Krönchen, ein ›B‹ mit einem Krönchen«, murmelte er vor sich hin, »wo kenn ich das bloß her?«

Als er auch nach einer halben Stunde zu keinem Ergebnis kam, beschloss er, nach Hause zu gehen. Er nahm seine Allwetterjacke vom Haken und trat auf die Straße hinaus. Sein Blick fiel auf die Plakatwand gegenüber, auf der ein blondbezopftes Model mit tiefem Dirndl-Ausschnitt ein großes Glas Rotwein in der Hand hielt und einem dümmlich grinsenden jungen Mann zuprostete. »Weine aus der Pfalz« stand in großen Lettern darunter. Kellermann blieb ruckartig stehen und schlug sich mit der flachen Hand auf die Stirn.

»Heilig's Blechle! Da fällt's mir wieder ein!«

Jetzt wusste er, wo er das Initial schon einmal gesehen hatte. Er machte auf dem Absatz kehrt und ging wieder ins Dekanat hinein.

»Herr Buchner!«, schrie er schon im Gang. »Herr Buchner, wissen Sie, wo der Schlüssel zum Safe liegt?«

Der Messner steckte seinen runden Kopf durch die Türöffnung zum Abstellraum. In seinem Mund steckten drei Nägel.

»Natürlich weif ich daf, Herr Pfarrer«, nuschelte er, »wiefo?«

»Sperren Sie mir den doch mal auf, bitte. Ich suche da was!«

Die beiden Männer betraten das Sekretariat, wo in einer Ecke ein mehr als hundertjähriger Tresor stand, der als Aufbewahrungsort für wichtige Dokumente, aber auch andere Preziosen diente. Buchner steckte einen altmodischen Schlüssel mit doppeltem Bart in das winzige Schloss und schwang die Tür auf. Kellermann ging mühsam auf die Knie und wühlte in dem Safe herum. Er holte zwei Abendmahlskelche, eine Hostienschale mit Deckel und eine Monstranz heraus und stellte alles vor sich auf den Boden. Dann drehte und wendete er die goldenen Gefäße und besah sie sich von allen Seiten, während der Messner, immer noch mit den Nägeln im Mund, neugierig daneben stand.

»Nichts! Und ich war so sicher ...«

Kellermann stellte die Pokale wieder zurück und erhob sich ächzend. Er zog einen Flunsch, als ob ihn jemand beleidigt hätte.

Buchner nahm endlich die Nägel aus dem Mund.

»Was suchen Sie denn, Herr Pfarrer? Vielleicht kann ich Ihnen helfen?«

»Ich bilde mir ein, wir hätten früher mal einen Pokal gehabt, auf dem ein großes ›B‹ eingraviert ist, mit einer Krone darüber. Der Abendmahlskelch in der Petrikirche ist es aber nicht, den kenn ich schließlich vom Gottesdienst. Ich dachte, vielleicht ist der Pokal hier drin im Safe ...«

Buchner kratzte sich nachdenklich am Ohr.

»Den Kelch von der Spitalkirche hab ich erst letzte Woche geputzt – Sie wissen schon, das moderne, hässliche Ding aus den fünfziger Jahren. Der hat kein ›B‹.«

Der Messner konnte unglaublich traurig dreinblicken, wobei alles an seinem Gesicht – Brauen, Augenlider, Backen, Nasenflügel und Mund – nach unten sackte. Selbst sein kugeliges Bäuchlein schien irgendwie tiefer zu hängen.

»Und in St. Nikolai haben wir keinen Messkelch. Tja, dann muss ich mich wohl getäuscht haben.« Kellermann wendete sich enttäuscht zum Gehen, als ihn Buchner aufhielt.

»In der Friedhofskirche? Doch, freilich gibt's da einen Pokal. Halt bloß einen ganz kleinen, und den hat auch, glaube ich, seit ewigen Zeiten keiner mehr benutzt. Deswegen steht der auch ganz hinten in der Sakristei in dem alten Holzschränkchen. Soll ich's Ihnen zeigen? Mein Auto parkt gleich vor der Tür!«

Zehn Minuten später standen die beiden Männer in der kleinen Sakristei der Friedhofskirche. Buchner sperrte das Hängeschränkchen auf und holte einen kleinen Pokal heraus, den er vorsichtig auf das Seitentischchen stellte. Der Kelch war dunkel angelaufen, und Kellermann versuchte, mit seinem Hemdsärmel daran herumzupolieren, als ihm Buchner das Teil mit einem mitleidigen Blick aus der Hand nahm.

»So geht das nicht, Herr Pfarrer. Schauen Sie, für so was nimmt man ein Silberputztuch – das ist ein Tipp von meiner Frau. Ich hab immer eines einstecken, für die Ministrantenglöckchen in der katholischen Kirche. Die Saububen haben ja meistens furchtbar dreckige Finger.«

Er zog ein flauschiges blaues Tuch aus der hinteren Hosentasche und begann, den Pokal mit Hingabe zu wienern. Langsam begann eine Gravierung sichtbar zu werden.

Kellermann trat aufgeregt von einem Bein auf das andere.

»Und? Zeigen Sie doch mal!«

Der Messner beendete sein Werk und reichte Kellerman den Kelch.

»Ich hab's gewusst! Na, da sagen Sie nix mehr, gell? Eindeutig, ein ›B‹ mit Krönchen. Fast genauso wie auf dem Klöppeldeckchen! Und auf der anderen Seite steht: Gloria Dei. Das andere kann ich nicht lesen, bloß hier: Glogau oder so ähnlich. Und eine Gravierung – sieht so aus wie eine Männerfigur mit einem langen Stock, hm. Und drumherum so was wie Löcher. Vermutlich Fassungen für Steine, die man herausgebrochen hat. Vielleicht kann man mit einer Lupe noch mehr erkennen.«

Kellermann freute sich wie ein kleines Kind. Er wickelte den kleinen Pokal in das Silberputztuch.

»Herr Buchner, den nehmen wir mit! Den muss ich unbedingt noch näher untersuchen, und das kann ich am besten daheim.«

Buchner nickte zustimmend und versperrte das Hängeschränkchen wieder sorgfältig.

»Aber das Silberputztuch krieg ich wieder zurück, gell?«

Plassenburg, November 1552

»Ihr habt die Madonna in der Kapelle abhängen lassen!«

Empörung schwang in Barbaras Stimme. Sie hatte Tiefenthaler sofort nach der Messe zu sich rufen lassen. Mit blitzenden Augen stand sie vor dem brennenden Kamin in ihrer Kemenate und funkelte den jungen Pfarrer an, der unsicher dastand und den Katechismus ein wenig verkrampft in der Hand hielt. So hatte er sich seinen Einstandsbesuch bei der Markgräfin nicht vorgestellt.

»Ihr habt Recht, Herrin, das habe ich selber getan! Vermutlich hat der alte Kaplan Körber es einfach vergessen. Ihr wisst doch, dass der Neue Glaube die Marienanbetung genauso ablehnt wie die der Heiligen. Sämtliche Festtage zu Ehren der Maria sind in der lutherischen Kirche abgeschafft und nur da beibehalten, wo sie gleichzeitig auch Christusfeste sind.« Tiefenthaler wunderte sich etwas über Barbaras Aufregung. »Natürlich gebührt der Maria Ehre als Mutter unseres Herrn Jesus; dennoch gilt sie uns als Mensch, der genau wie alle anderen der Erlösung bedürftig ist. Wir glauben nicht an die Muttergottes als Gnadenvermittlerin. Und was die katholische These von der Jungfräulichkeit betrifft ...« Der junge Geistliche errötete leicht bei seinen letzten Worten.

Die Markgräfin beherrschte sich mühsam und begann, im Raum auf und ab zu gehen. Ihr dunkelgrüner Surkot, den sie über dem ungefärbten wollenen Unterkleid trug, raschelte mit jedem Schritt. »Euere theologischen Spitzfindigkeiten sind mir gleichgültig, Vater Tiefenthaler«, sie legte eine deutliche Betonung auf das Wort »Vater«, »und ich will auch gar nicht darüber richten, welche Religion nun die rechte Ansicht über die Muttergottes pflegt. Ich weiß nur eines: Diese Marienfigur hängt seit sehr langer Zeit in unserer Kapelle, und niemand hat deswegen in seinem Glauben Schaden genommen. Im Gegenteil, gerade die Frauen des Haushalts hängen an der Mutter Maria – auch sie ist ein Weib und versteht, so glauben viele, die Nöte und Sorgen der Frauen am allerbesten.«

Tiefenthaler beobachtete die streitbare Markgräfin, fasziniert von der zornigen Schönheit, die sie ausstrahlte. Ihre Wangen waren gerötet, und eine dunkle Haarsträhne hatte sich unter ihrer Netzhaube gelöst und fiel ihr in die Halsbeuge. Er bemerkte, dass ihre Hände leicht zitterten. Von ihren schmalen Handgelenken zipfelten lange Trompetenärmel fast bis zum Boden.

»Verzeiht, Liebden, aber dennoch kann ich als protestantischer Pfarrer in der momentanen Lage, selbst wenn es mir ein Anliegen wäre, nicht eine geschnitzte Madonna in meiner Kirche dulden, die ja förmlich zur Anbetung auffordert. Gerade jetzt, wo der Markgraf ins protestantische Lager übergegangen ist und streng darüber wachen lässt, dass im ganzen Land der lutherische Glaube genau nach den Vorschriften praktiziert wird. Erfährt Euer Bruder davon, dass in seiner eigenen Stammburg dem Marienkult Vorschub geleistet wird – nicht auszudenken … Ist es Euch denn so wichtig?«

Barbara stand nun direkt vor Tiefenthaler und sah ihn mit ernsten Augen an. Sie war einen halben Kopf kleiner als er und musste nach oben schauen, um seinem Blick zu begegnen.

»Ja, Herr Kaplan, das ist es. Diese Madonna ist für mich kein totes Stück Holz, und sie verdient nicht, dass man sie so behandelt.«

Tiefenthaler konnte ihrem Blick nicht ausweichen. Seine Augen saugten sich für einen Moment an ihren fest, und er musste sich zusammennehmen, um weiterzudenken.

»Euer markgräfliche Gnaden, vielleicht steht es mir nicht zu, aber ich habe das Gefühl, Ihr selber hegt eine ganz besondere Liebe zu dieser Figur. Wollt Ihr mir nicht erzählen, warum?«

Barbara zögerte. Sie kannte diesen Mann doch gar nicht, wie sollte sie ihm da ihr Innerstes offenbaren? Und dennoch, hier vor ihr stand einer, von dessen Sanftheit und Freundlichkeit sie angezogen wurde. War er es wert, ihre Geschichte zu erfahren? Eine Geschichte des Verachtetwerdens, der Demütigungen, der Verzweiflung? Sie schämte sich, ihm zu erzählen, dass ihr Ehemann sie nicht hatte haben wollen, scheute sich zuzugeben, dass sie ein verschmähtes Weib war. Der Gedanke, dass er in ihr eine späte Jungfer sehen könnte, alt und verwelkt, war ihr plötzlich unerträglich.

»Vielleicht ein anderes Mal, Vater Tiefenthaler. Kann Euch nicht meine Bitte genügen?«

Der Kaplan schüttelte nachdenklich den Kopf. »Ihr verlangt nicht wenig, Liebden. Aber ich verspreche Euch, über die Madonna nachzudenken. Bestimmt findet sich eine Lösung, mit Gottes Hilfe.«

Tiefenthaler kehrte nachdenklich ins Pfaffenhaus zurück. Die Markgräfin hatte einen tiefen Eindruck auf ihn gemacht. Sie war eine starke Persönlichkeit, so schien es ihm, aber er ahnte auch etwas von ihrer Verletzlichkeit, ihrer Unsicherheit. Was ist sie nur für ein Mensch, fragte er sich. Eine hoch gestellte Frau, gewohnt zu befehlen, aufgewachsen in Luxus und Überfluss? Und doch, da war etwas an ihr, was nicht passte. Ihre Hände hatten gezittert. Wovor hatte sie Angst? Warum hing sie so an der Madonnenfigur? Der junge Pfarrer grübelte. Er würde ihrer Bitte nicht nachkommen können – allein schon aus politischen Gründen war dies nicht möglich. Und dennoch hatte das Gespräch mit dieser Frau etwas in ihm angerührt. Sie hatte ihm nichts befohlen, hatte nur an ihn appelliert, setzte Vertrauen in ihn. Er sah ihre blitzenden grauen Augen vor sich, in denen er Zorn, aber auch Schwermut erkannt hatte, Augen, die sich in seine versenkten, tief und ernst. Er sah ihren Mund, ihr Haar, ihren Hals, ihre Hände. Wie es wohl war, wenn sie lächelte?

Noch spät in der Nacht fand Tiefenthaler keine Ruhe. Die Markgräfin geisterte durch seine Gedanken und Träume. Irgendwann wachte er auf, der Mond schien hell auf sein Kissen und den Betstuhl in der Ecke neben seinem Lager. Und plötzlich war ihm klar, dass es nicht die Markgräfin war, die ihn so in Unruhe versetzte – sondern die Frau. So viele hatte er gekannt, junge, alte, hübsche, hässliche – keine hatte ihn je angezogen. Und jetzt – er stellte sich Barbaras Körper vor, reif und fest, ihren Nacken, ihre Brüste, ihre Scham, schwarz wie das dichte lange Haar. Seine Fingerspitzen glitten langsam über das Leintuch, als liebkosten sie ihre Haut.

Der Schlag der Turmuhr riss ihn aus seiner Versunkenheit. Er stand auf, erstaunt und fast ein wenig zornig auf sich selber. Mit einer unwilligen Handbewegung wischte er seine Gedanken weg.

Ich habe mich von einer Stimmung hinreißen lassen, dachte er. Vielleicht ist der Mond schuld oder der Wintersturm draußen. Der neue Tag, der sich durch einen lichten Streifen am östlichen Horizont ankündigte, würde ihn schon wieder nüchtern werden lassen. Er kniete sich auf den Betstuhl und begann Versenkungsübungen zu machen, indem er halblaut lateinische Verse rezitierte. Doch irgendetwas in ihm blieb in Aufruhr.

Als Barbara zur nächsten Frühmesse ihren Platz auf der Fürstenempore einnahm, hing die geschnitzte Muttergottes wieder an ihrem alten Platz.

Himmelkron, September 2002

Thomas Fleischmann navigierte den beigen BMW seines Vaters vorsichtig in die Parklücke. Das Duftbäumchen Note Frühlingsbrise wackelte, als die Reifen über das Kopfsteinpflaster rollten. Fleischmann hatte auf das väterliche Gefährt zurückgreifen müssen, weil ausgerechnet heute früh die Lichtmaschine seines Jeeps den Geist aufgegeben hatte. Der junge Historiker stieg aus und sah von seinem Parkplatz aus hoch zur Klosterkirche, die direkt über ihm auf einem kleinen Hügel mitten im Ort thronte. Fleischmann hatte sich vorsichtshalber fein gemacht: Er trug niegelnagelneue schwarze Jeans, ein hellgraues Flanellhemd und darüber seine geliebte braune Wildlederjacke. Schuhe und Brille waren frisch geputzt, die Haare lässig in die Stirn geföhnt und der Schnurrbart erst heute Morgen gestutzt. Schließlich besuchte er zum ersten Mal in seinem Leben ein Nonnenkloster! Er überquerte die Straße und stieg dann mit langen Schritten zur Kirche hinauf. Das Hauptportal war der Treffpunkt, den er mit Kleinert vereinbart hatte.

Als er um die Ecke bog, stoppte er für einen Moment mitten im Lauf, und sein Herz machte einen kleinen Hüpfer. Denn vor der Kirchentür stand nicht, wie erwartet, der Kulmbacher Archivar, sondern der Gegenstand seiner Träume der letzten Tage und Nächte: Geli Hufnagel, das Klasseweib, angetan mit roten Karottenhosen und Birkenstock-Schuhen. Sie winkte ihm fröhlich entgegen.

»Hallo! Haben Sie's gleich gefunden?«

»Natürlich. War ganz einfach.« Pause. Das alte Leiden.

Aber Geli Hufnagel überbrückte souverän seine Verlegenheit. »Mein Chef musste heute kurzfristig auf eine dringende Sitzung und hat stattdessen mich geschickt. Ich hoffe, es macht Ihnen nichts aus.« Fleischmann schüttelte heftig den Kopf. »G... ganz im Gegenteil.« Er hatte sich immer noch nicht von dem freudigen Schreck erholt.

Geli plauderte munter weiter. »Wissen Sie, eigentlich bin ich ja ganz froh, dass der Herr Kleinert verhindert ist. Meine Patentante arbeitet nämlich hier in der Verwaltung, als Sekretärin und Mädchen für alles. Als Kind habe ich oft bei ihr die Ferien verbracht und im Klostergarten gespielt. Für mich war das wie im Märchenschloss. Ich komme immer wieder gern her.« Sie hakte sich ganz selbstverständlich bei ihm unter. »Kommen Sie, wir gehen hinein. Sie werden staunen, es ist wirklich schön.«

Fleischmann folgte ihr in die Klosterkirche. Gelis Anblick wärmte ihm das Herz. Schon immer hatte er gefunden, dass dünne Frauen irgendwie lustfeindlich wirkten. Er liebte eher das Kompakte, Mollige. Während seine Schulfreunde früher für Madonna oder Kim Basinger geschwärmt hatten, stand er auf große und vollschlanke Typen wie Chaka Khan und Marianne Sägebrecht. »Griffsympathisch müssen sie sein!« – das hatte schon sein seliger Opa über die Frauen gesagt, und Fleischmann teilte diese Meinung. Und wie Geli Hufnagel so vor ihm ging, sah sie enorm griffsympathisch aus. Nicht dass sie dick gewesen wäre, Gott behüte. Nein, sie war einfach, wie sollte er sagen – stattlich, muskulös, üppig, germanisch. Fleischmann schmachtete.

Sie schlenderten gemeinsam durch die Klosterkirche, vorbei an den Orlamündergrabmälern und schließlich hinaus in den Kreuzgang. Der junge Historiker war tatsächlich beeindruckt. Über ihren Köpfen schwebte eine ganze Armada winziger Engelchen. Jedes einzelne von ihnen hielt ein mittelalterliches Musikinstrument in der Hand.

»Harfe, Flöte, Laute, Trommel, Leierkasten«, murmelte Fleischmann vor sich hin, den Kopf in den Nacken gelegt.

»Unter Musikwissenschaftlern ist unser Kreuzgang berühmt«, erklärte Geli Hufnagel, »hier waren schon Forscher aus aller Welt, weil dort droben Instrumente abgebildet sind, die es heute gar nicht mehr gibt und die längst vergessen sind. Schön, gell?«

Sie hakte sich wieder unter und führte ihn langsam weiter. Fleischmann genoss jeden Schritt. Wie immer, wenn er sich wirklich wohl fühlte, bekam er einen selig verschleierten Blick und blinzelte hinter seinen Brillengläsern wie eine Katze in der Sonne. Vom Kreuzgang aus betraten sie die Krypta mit ihrer wunderschönen Gewölbedecke. Sie standen unter einem strahlend blau gemalten Sternenhimmel und schauten andächtig hinauf.

»Das erinnert mich an San Francesco in Assisi«, flüsterte Fleischmann ergriffen, »da war ich mal mit der Volkshochschule.«

Einige Zeit später stiegen die beiden die Treppe zum Verwaltungstrakt hoch. Inzwischen waren sie beim »du« angelangt, und Fleischmann hatte es sogar einmal gewagt, seiner Begleiterin kurz, aber zutraulich den Arm um die Schulter zu legen.

»Hier im Kloster ist schon lange ein Behindertenheim der Diakonie untergebracht«, erklärte Geli Hufnagel. »Hier im Mittelbau sind die Küche, der Speisesaal und die Verwaltungsräume. Ich habe uns schon bei Tante Waltraud angekündigt, und sie weiß auch, was du suchst. Komm rein.« Mit diesen Worten schob sie Fleischmann durch eine offene Tür, über der ein Kruzifix hing.

Drinnen sah es aus wie im Urwald. Über zwei Schreibtischen, ein paar Aktenschränken und einer Garderobe mit Hutablage schwebten an kreuz und quer gespannten Garnfäden die Ranken einer grandiosen Efeutute, die mindestens seit zwanzig Jahren versucht haben musste, den Raum völlig zu überwuchern, und die jetzt kurz vor dem finalen Erfolg stand. Mitten in dem grünen Chaos saß eine rundliche ältere Dame und strahlte übers ganze Gesicht.

»Da seid ihr ja endlich, Kinderchen, ich hab mich schon gewundert, wo ihr bleibt. Kommt und setzt euch! Kaffee ist schon fertig, und ihr mögt doch bestimmt ein paar selber gebackene Küchle, oder?«

316

»Hallo, Tante Waltraud. Wir haben uns erst das Kloster angeschaut, deshalb sind wir später dran. Darf ich vorstellen, das ist der Thomas Fleischmann aus Abenberg.«

»Sie können ruhig Tante Waltraud zu mir sagen, junger Mann.« Händeschütteln, Augenzwinkern – Fleischmann fühlte sich schon fast in den Schoß der Familie aufgenommen.

Schließlich gingen sie einen Stock tiefer in die Klosterbibliothek, einen verstaubten, muffig riechenden Raum ohne Fenster, dessen Wände bis zur Decke mit Bücherregalen verstellt waren.

»Hier ist alles recht ungeordnet, leider!« Tante Waltraud knipste das Licht an. »Um die alte Bibliothek hat sich seit dem Krieg keiner mehr gekümmert. Ab und zu wird mal rausgeputzt, aber das ist auch schon alles. Ganz früher, ja, da hat eine von den Nonnen hier auf Ordnung geschaut und ein Verzeichnis geschrieben. In dem hab ich nachgeschaut und euch die Bücher hergerichtet, die aus dem sechzehnten Jahrhundert stammen. Da liegen sie.« Sie zeigte auf einen Stapel aus schweinsledernen Folianten, die auf einem Tisch in der Mitte des Raumes lagen. »Ich lass euch jetzt allein. Wenn ihr was braucht – ihr wisst ja, wo ich bin.«

Fleischmann war zunächst etwas verlegen. Er und sie allein in einem Kellerraum … Ein anderer, dachte er, würde jetzt bestimmt die Situation ausnützen. Bloß ich Idiot trau mich nicht. Na, wenigstens fiel ihm ein, was er sagen sollte.

»Nette Tante hast du da. Und erstklassige Küchle kann sie backen.« Fleischmann ließ sich auf einem Stuhl nieder. Und um die Situation gar nicht erst peinlich werden zu lassen, widmete er sich sofort den Büchern. »Na, dann schau'n wir mal.«

Bei den ersten Bänden, die er aufschlug, handelte es sich um Rechnungsbücher und Klosterverwaltungsakten. Geli klappte derweil ein riesiges Register auf und las den Titel auf der ersten Innenseite.

»Ein Urbar- und Salbuch nützt dir nichts, oder?«

»Denke nicht. Da sind vermutlich nur die Besitzungen und die Steuerdaten des Klosters eingetragen.«

Die nächste Kladde befasste sich mit kirchlichen Festen und gab eine Aufstellung verschiedener Gebete und Messzeremonien; ein weiteres Buch enthielt Wetteraufzeichnungen und Kalendereintragungen.

»Ha! Das könnte was sein!« Fleischmann hatte einen dicken, rot verblichenen Lederband aufgeschlagen. »›Nonnen, so zum Closter gehören, Aufnahmen und Sterbefell‹.«

Geli rückte ihren Stuhl dicht an Fleischmann heran, und die beiden steckten die Köpfe zusammen.

»Schau, hier ist die Liste mit den achtzehn Namen, die wir im Dekanatsarchiv herausgefunden haben.« Er schlug sein Notizbuch auf und legte es in die Mitte des Tisches. »Aber denk dran – ein paar von denen haben geheiratet und damit einen anderen Nachnamen. Sie könnten als Witwen ins Kloster gegangen sein. Wir müssen uns alle Namen angucken und dann vergleichen.«

Das Buch begann mit einem Sterberegister, das die Jahre 1514 bis 1592 umfasste. Fleischmann fuhr mit dem Finger die Tabellen entlang, Seite für Seite. Die Schrift war anfangs schwer zu entziffern, aber dann, ab 1530, hatte eine andere Schreiberin übernommen, die die Buchstaben klar und deutlich gesetzt hatte. Die dritte Schreiberin, nach Geli Hufnagels Worten ein »echter Schmierfink« mit fast nicht entzifferbarem Duktus, fand sich ab 1569, die vierte, die beinahe malte wie ein Kind, ab 1577.

Nach einer Stunde hatten die beiden immer noch keinen Namen entdeckt, der mit Fleischmanns Liste übereingestimmt hätte. Doch plötzlich zuckte Geli leicht zusammen; ihr Zeigefinger schoss vor und deutete auf eine Eintragung aus dem Jahr 1581.

»Hier! Das muss sie sein! Schau, da steht's: Schwester Immaculata, geborn als Susanna Zerer zu Culmbach. Dahingangen mit Gott am Tag vor … kann ich nicht lesen … anno 81 im 55ten Jar. Unser Schwester im Herrn Immaculata hat die Kleider-Cammer versehn und auch in Küchen und Keller geholffen. Item auch sie ward mit der schlimmen Seuchen, die jetzo im Closter mit dem Gescheiß, fliegender Hitz und Auswurf wütet, geschlagen. Und ist nach zehn Tagen böser Kranckheit versehn mit den hl. Sacramenten von uns gangen. Begraben wie die andern uffm Kirchhof unter der hohen Linden. RIP – Requiescat in pace.«

»Wir haben sie, wir haben sie!« Fleischmann frohlockte. Er und Geli sahen sich triumphierend an. Jetzt ganz cool bleiben, dachte

Fleischmann. In den Arm nehmen, Küsschen auf die Wange – aber halt, vorher Brille weg. Oder doch nicht? Bevor Fleischmann mit seiner Strategieplanung weiter fortgeschritten war, ging der Augenblick vorüber und Geli stand zu seiner grenzenlosen Enttäuschung auf. Verpasst!

Später fuhren sie hinaus und spazierten nebeneinander über die spätsommerlichen Felder. Als die Sonne unterging, setzten sie sich unter einen knorrigen alten Birnbaum und redeten. Ach, hätte Fleischmann gewusst, dass Geli Hufnagel nur darauf wartete, endlich von ihm geküsst zu werden! Was für eine Nacht hätte dies werden können! So aber verging der romantische Abend, ohne dass er einen Vorstoß gewagt hätte, und die beiden fuhren getrennt und gleichermaßen frustriert nach Hause.

Plassenburg, Dezember 1552

Auf Barbara hatte die Begegnung mit Tiefenthaler eine besondere Wirkung ausgeübt. Und dass er die Madonna wieder an ihren alten Platz gehängt hatte und dadurch ihretwegen das Wagnis einging, den Zorn ihres Bruders auf sich zu ziehen, beeindruckte sie zutiefst. Sie hatte in den letzten Jahren nicht viel derartige Freundlichkeit erfahren.

Während der Predigt sah er einige Male zu ihr hoch. Diesmal sprach er über das bevorstehende Weihnachtsfest, über die Freude und die Gewissheit auf Errettung der Seelen, die durch die Geburt des Jesuskinds in die Welt gekommen waren. Wie alle aus der kleinen Gemeinde lauschte sie fasziniert seinen Worten. Sein Tonfall, seine Haltung, seine Stimme, alles an ihm nahm sie in überdeutlicher Intensität wahr. Mitten in der Messe ertappte sie sich dabei, dass ihre Gedanken abschweiften. Wie alt er wohl war? Fast zu jung für einen Pfarrer. Beinahe mädchenhaft sah er aus, wenn er beim Reden in die Gemeinde lächelte. Ihr fielen seine feingliedrigen Hände auf, die Art, wie er sich die blonden Strähnen hinter die Ohren strich, wenn sie ihm in die Stirn fielen. Irgendwann riss sie sich zusammen und konzentrierte sich in der restlichen Zeit auf die Liturgie und auf ihre Gebete.

Am Nachmittag begann es zu schneien. Feine weiße Flocken schwebten übers Land und bedeckten Felder und Wälder mit einem dünnen, silbrigen Schleier. Immer dichter wurde das Gestöber, und bald konnte man von der Mauer aus nicht einmal mehr die Stadt Kulmbach erkennen. Im Kamin des Frauenzimmers knisterte und flackerte ein helles Feuer und verbreitete angenehme Wärme. Durch das grünlich verglaste Fenster zum Hof beobachtete Barbara, wie Tiefenthaler das Pfaffenhaus verließ und mit schnellen, kraftvollen Schritten über den Sagarach zum Eingang des Ostflügels ging, den Umhang fest um die Schultern gezogen. Sie hatte den Kaplan zu sich bestellt, um ihm zu danken.

Als er klopfte, öffnete sie ihm selbst und ließ ihn eintreten. Er legte seinen Mantel ab und schüttelte sich die Schneeflocken aus den Haaren, die ihm danach in feuchten Strähnen über die Stirn fielen. An seinen Wimpernspitzen glitzerten winzige Tropfen.

»Wie Ihr seht, ist der Winter gekommen, Herrin«, lächelte er und blies sich die Handflächen warm. »Hier bin ich und stehe zu Eurer Verfügung.«

Die Markgräfin lächelte zurück. »Schön, dass Ihr da seid, Vater Tiefenthaler. Kommt heran zum Kamin und wärmt Euch auf.« Sie machte eine einladende Handbewegung und trat mit ihm ans offene Feuer.

»Ich habe Euch zu mir gebeten, Vater, weil ich Euch danken möchte. Ihr habt meine Bitte erfüllt und die Madonna wieder zurückgehängt. Das werde ich Euch nicht vergessen.«

Tiefenthaler nickte ernst. »Es war Euch so wichtig, und da konnte ich mich Eurem Wunsch nicht verschließen. In meiner Kirche soll jeder das finden, was ihm Glauben gibt.«

»Das ist ein schöner Wahlspruch, Kaplan. Euer Vorgänger hatte ganz andere Grundsätze.« Verlegenheit bemächtigte sich ihrer, und sie suchte nach den richtigen Worten. »Ich muss gestehen, Ihr habt mich beschämt – nein, lasst mich nur reden –, ich habe mich gescheut, Euch den Grund für meine Bitte zu nennen. Ich kannte Euch nicht und wollte nichts von mir preisgeben. Ihr dagegen habt etwas für mich getan, ohne nach dem Grund zu fragen. Ihr hattet Vertrauen. Und deshalb … kommt, setzt Euch. Wenn Ihr meine Geschichte hören wollt, so werde ich Euch jetzt erzählen, warum mir die Madonna so lieb ist. Kätha!«

Die Gerufene eilte aus dem Nebenzimmer, wo sie mit Susanna Zehrer beim Sticken saß. »Herrin?«

»Bring uns einen Krug heißen Würzwein, meine Liebe, und vielleicht ein bisschen Konfekt? Ich glaube, gestern ist eine neue Lieferung vom Bayreuther Apotheker angekommen.« Kätha nickte und verschwand.

Die beiden ließen sich auf den gepolsterten Sesseln vor dem Kamin nieder, und Barbara begann mit leiser Stimme zu erzählen. Sie sprach von ihrer Verheiratung nach Glogau, schilderte den Tod des Herzogs, ihre Rückkehr zur Familie und die neuerliche Hochzeit mit Wladislaus von Böhmen, der sie nie angenommen hatte. Tiefenthaler hörte die ganze Zeit schweigend zu. Seine Augen hingen an den Lippen der Markgräfin, die, den Blick in die Ferne – oder eher nach innen – gerichtet, ihre Erinnerungen vor ihm ausbreitete. Das Ersuchen an den Papst um Ehescheidung, die Verlobung mit Konrad von Heideck, schließlich ihre Verbringung auf die Plassenburg und die Zeit ihrer Haft in der Vogtei. Sie schilderte ihre anfängliche Wut und dann die schreckliche Hoffnungslosigkeit, die Einsamkeit und auch ihre Todessehnsucht.

»Wenn Ihr die Predigten Eures Vorgängers je gehört hättet, Kaplan, dann hättet Ihr vielleicht verstanden, dass ich damals nicht einmal in der Kirche Trost gefunden habe. Ich zweifelte am Glauben und fragte mich, warum Gott es zulässt, dass mein Bruder mich so straft. Eine Zeit lang habe ich mich sogar geweigert, die Messe zu hören. Aber dann war da die Madonna. Ihretwegen bin ich wieder in die Kapelle gegangen. Immer dann, wenn der alte Körber Feuer und Schwefel auf die Gemeinde herabregnen ließ, habe ich die Muttergottes angeschaut, und sie hat mich getröstet. Bei ihrem Anblick habe ich wieder daran geglaubt, dass es ein Himmelreich und einen gütigen Gott gibt. Wenn sie nicht gewesen wäre – ich hätte meine Religion verloren. Deshalb, Vater Tiefenthaler, liebe ich diese Madonna. Sie hat mir in einer schlimmen Zeit Halt gegeben.«

Tiefenthaler war betroffen von dieser Bitte für die Muttergottes und auch von der Geschichte der Markgräfin. »Ihr habt schwere Zeiten durchgemacht, Euer Gnaden, und Ihr seid eine bewundernswerte Frau. Alle sprechen mit Respekt und Hochachtung von Euch, und jetzt verstehe ich auch, warum.«

Katharina brachte endlich den Wein und die Süßigkeiten und baute alles auf einem Tischchen vor den beiden auf. Ihr Haar war in Unordnung, und sie hatte rote Flecken auf Wangen und Hals.

»Tut mir furchtbar Leid, dass ich so spät komme, aber der Keller war versperrt, und ich hab den Kellerknecht nicht gefunden. Und dann waren in der Küche keine Nelken mehr da, für den Gewürzwein. Der Koch hat dafür mehr Honig hineingetan, lässt er ausrichten.« Das lebhafte Ding plapperte in einem fort und wirkte aufgekratzt wie nie. Sie hatte die Gabe, mit ihrer Fröhlichkeit auch den mürrischsten Griesgram anzustecken, und auch jetzt war die ernste Stimmung im Raum wie weggewischt. Barbara und Tiefenthaler begannen, über angenehmere Dinge zu plaudern, während sich Kätha wieder ins Nebenzimmer zurückzog.

»Wo steckst du denn die ganze Zeit?« Susanna sah von ihrer Stickerei auf. »Du kannst doch unmöglich so lange gebraucht haben, um Wein zu holen?«

Kätha breitete die Arme aus und ließ sich rückwärts aufs Bett plumpsen, dass ihre blonden Zöpfe flogen. Sie tat einen tiefen Seufzer.

»Ich habe ihn getroffen!«

Susanna riss die Augen auf, ließ das Stickzeug fallen und setzte sich mit gerafften Röcken neben die Freundin. »Den welschen Maler? Erzähl!«

»Er wollte gerade in die Küche zum Farbenmischen, als ich mit meinem Wein herausgekommen bin. Wir wären fast zusammengestoßen.«

»Und – was hat er gesprochen?«

»Na, Süßholz hat er geraspelt. Und das Tablett hat er mir getragen bis kurz vor die Hofstube. Und dann …«

Susanna platzte vor Neugier. »Und dann …«

»Dann hat er mich geküsst!« Ein seliges Lächeln umspielte Käthas Lippen.

Susanna stöhnte auf. »Du Glückspilz!«

Kätha setzte sich wieder auf. »Bist du am Ende eifersüchtig?«

Susanna lachte. »Ach wo! Glaubst du, einer wie der könnte sich in ein so hässliches Ding wie mich vergucken? Außerdem hab ich doch meinen Konrad in der Stadt, der langt mir schon.«

»Gott sei Dank.« Katharina schaute träumerisch auf den Wandteppich, der die Kälte der Außenwand abfangen sollte. »Weißt du, wie er mich nennt? Anschelina – das heißt Engelchen.« Sie gluckste. »Er sagt, ich sehe mit meinen hellen Haaren genau wie ein Engel aus.«

»Benehmen tust du dich aber nicht wie einer, wenn du dich in aller Öffentlichkeit von ihm küssen lässt!«

»Es hat ja keiner gesehen. Du, Susanna, wenn du zu irgendjemandem ein Sterbenswörtchen sagst ...«

»Spinnst du? Ich werde schweigen wie ein Grab.« Susanna hob die Schwurfinger.

Kätha rollte sich aus dem Bett und strich ihre Röcke glatt. »Was bereden die zwei da drinnen denn so lange?«

»Weiß ich's? Scheinen sich ja gut zu verstehen, und das, obwohl sie vorhin wegen der Muttergottes gestritten haben.« Susanna äugte durch die spaltbreit geöffnete Tür. »Meiner Seel«, flüsterte sie, »komm schnell her, Kätha, wie der neue Pfarrer die Herrin anschaut! Der macht Augen wie ein angestochenes Kalb!«

»Was du wieder siehst! So einer wie der denkt doch den ganzen Tag nur ans Beten!«

»Das meinst auch bloß du! Und was ist mit den Kulmbacher Pfaffenhuren? Sogar der alte Eck hat sich früher die Hübschlerinnen nachts aus dem Frauenhaus kommen lassen, sagt meine Tante, und dass seine Bälger die halbe Stadt bevölkern! Die Männer sind alle gleich – dass einer nichts von dir will, kannst du erst glauben, wenn er kastriert ist wie ein Ochs! Oder wenn's der Hauptmann ist!«

Katharina fing an zu prusten, und die beiden kicherten so laut, dass es Barbara und der Kaplan nebenan hörten. Vom Uhrturm schlug es die fünfte Stunde. Tiefenthaler wurde bewusst, dass er schon viel zu lange im Frauenzimmer geblieben war.

»Verzeiht, Liebden, aber ich denke, ich habe Euch viel zu lange von Euren Aufgaben abgehalten. Aber ich würde mich freuen ...«, er druckste verlegen herum wie ein Schuljunge, »ich meine, wenn es Euch beliebt, könnten wir unser Gespräch vielleicht bald einmal fortsetzen. Es war sehr schön …«

Die Markgräfin neigte den Kopf. »Auch mir hat die Unterhaltung mit Euch Freude gemacht, Vater. Wenn Ihr möchtet … manchmal besucht der welsche Maler mich und meine Zofen. Er singt so schön zur Laute und kann Geschichten erzählen. Wir sitzen in der letzten Zeit oft beieinander und verbringen ein oder zwei vergnügliche Stunden. Kommt doch beim nächsten Mal dazu, wenn es Eure Pflichten erlauben. Ich werde Euch zur rechten Zeit Bescheid geben lassen.«

Nachdem der Kaplan gegangen war, ließ sich Barbara nachdenklich wieder auf den Polstern nieder, spielte mit ihrem Weinbecher und schaute lange ins Feuer. Sie wunderte sich über sich selbst, aber sie fühlte sich zum ersten Mal seit vielen Jahren erleichtert und froh. Tiefenthaler hingegen verließ das Frauenzimmer in einem Zustand der Spannung und Aufgewühltheit, der ihn zutiefst beunruhigte.

Tagebucheintrag von Jakob Tiefenthaler,
Montag den 4. Dezember 1552

Montag Barbare nach dem ersten Advent anno 1552
O lieber Herr mein gnädiger Gott hilf, ein Wunderliches und Seltzams geschieht mit mir. Item ich habe zum ersten Mal in meinem Leben ein Weib angesehen. Ein frommer, treuer Priester bin ich gewesen Jahr und Tag, hab streng auf meinen Glauben gehalten auf dass ich in den Himmel kommen wollt. Gelobt hab ich dir, mein Jesus, rein zu bleiben von fleischlicher Sünde wie ein Mönch sein muss. Verstiegen hab ich mich zur Hoffart, ein bessrer Gottesmann zu sein als andre, die in ehelicher Zucht leben. Für schwach und unvollkommen hab ich solche befunden, die wie weiland unser Doctor Luther ein Weib genommen. Es war mir leicht, denn ich hab nie viel Begierde und Anfechtung gespürt. Pollutionen hatte ich aus leiblicher Nötigung. Die Weiber schaute ich nicht einmal an, wenn sie beichteten,

ihre Gesichter und Körper waren mir nichts. Und nun sehe ich die eine, und alle Reinheit meines Denkens ist dahin. Mein Wollen und Streben geht seithero nur zu ihr hin, die ich doch nie erreichen kann. So ist es doch wahr, dass das Weib die Sünde und die Versuchung in die Welt gebracht! Gibt es ein schwerers Joch als das eines Priesters, der nicht mehr Herr über seinen eigenen Körper ist? O guter Herr Jesus, heile mich von meinen unkeuschen Gedanken!

Plassenburg, Dezember 1552

»Und der Doge von Venezia ist wirklich ins Wasser gefallen? Mit allen Kleidern?« Susanna prustete.

»Ma naturalmente, cara mia, oder glaubt Ihr, ich erzähle Lügengeschichten?« Lorenzo Neri riss die Augen mit dem treuherzigsten Unschuldsblick auf, den er je zustande gebracht hatte. »Seine Kammerdiener haben ihn mit einem Seil aus dem Canal Grande gezogen, nass wie ein Fisch, und er hat geflucht, wie ich noch nie einen Menschen habe fluchen hören. Madonna!«

In diesem Moment klopfte es. Kätha, zu deren Füßen der Maler hockte, sprang auf und öffnete flink. Sie war erstaunt, den Kaplan vor der Tür zu sehen. Er machte einen verlegenen Eindruck, und das Mädchen sah ihn fragend an.

»Guten Abend, Jungfer Katharina. Ich hoffe, ich störe nicht?«

Barbara, die seine Stimme von drinnen gehört hatte, fühlte sofort eine aufgeregte Freude in sich hochsteigen. Sie war sich nicht sicher gewesen, ob er ihrer Einladung Folge leisten würde. »Tretet ein, Vater Tiefenthaler.« Ihre Stimme klang herzlich. »Ich freue mich, dass Ihr uns Gesellschaft leisten wollt. Kommt, setzt Euch zu uns – wir lauschen gerade den unglaublichen Erzählungen unseres Messer Neri. Kätha, bring noch einen Becher und eine Decke für die Knie!«

Der Kaplan nahm auf dem freien Stuhl neben der Markgräfin Platz, während die Mädchen und der Maler lebhaft durcheinander redeten. Das Kaminfeuer und die Kerzen, die in den Wandhaltern flackerten, tauchten die Gesichter in ein warmes, rötliches Licht und warfen vielfältige Schatten an die Wand. Im Zimmer war es mollig warm, sodass Tiefenthaler seine Kutte ablegte und die oberen Knöpfe seiner Soutane öffnete.

»Vater Kaplan, erzählt uns doch auch eine Geschichte«, bat Susanna, die vom Wein schon recht beschwingt war. »Etwas Lustiges, wenn's beliebt!«

»Also, wenn Ihr meint ...« Tiefenthaler schmunzelte und ließ sich nicht lange bitten. Aus seiner Zeit in Wittenberg waren ihm noch etliche Episoden im Gedächtnis – er und seine Mitstudenten der Theologie waren keine Kinder von Traurigkeit gewesen und hatten oft genug auf Kosten ihrer Lehrer oder Wirtsleute Schabernack getrieben. Während er plauderte, fiel die anfängliche Scheu von ihm ab, und er genoss das fröhliche Zusammensein zusehends.

»... und heute ist der üble Vielfraß Kanonikus zu Würzburg«, schloss er seine Anekdote. »Ab und zu schreibe ich ihm und erinnere ihn daran, wie wir die ganze Nacht eingesperrt in der eiskalten Speisekammer seiner Hauswirtin zugebracht haben. Ich glaube, er hat seitdem kein gebratenes Hühnchen mehr angerührt.«

Barbara legte den Kopf in den Nacken und lachte lauthals. Er sah sie von der Seite an, und das Herz ging ihm über – wie schön sie doch war, wenn ihre Augen vor Freude sprühten. Eine nie gekannte Zärtlichkeit überkam ihn, und er begann zu wünschen, dass dieser Abend nie zu Ende gehen möge.

Käthas Stimme holte ihn aus seiner Versunkenheit. »Herrin, Ihr habt doch versprochen, uns von dem bösen König Heinrich zu erzählen – Ihr wisst schon, der mit den vielen Ehefrauen, die er alle umbringen hat lassen!«

»Nicht alle, Kätha, nur drei davon. Nun gut, wenn ihr die traurige Geschichte hören wollt ...«

Alle stimmten zu.

»Ich erzähle euch also von Heinrich Tudor, König von England, der grausam seine Frauen verstoßen, eingekerkert und hingerichtet hat ...«

Ihre vier Zuhörer lauschten fasziniert, litten mit Katharina von Aragon, die dem König keinen Sohn schenken konnte, seufzten über die Hinrichtung von Anna Boleyn, die ihren Mann betrogen hatte, und trauerten um Katharine Howard, die unschuldig, nur wegen des Verdachts der Untreue, im Londoner Tower enthauptet wurde.

»Fast nicht zu glauben, dass ein so gnadenloser Mann wie Heinrich der Achte eines der schönsten höfischen Liebeslieder unserer Zeit geschrieben hat«, meinte Tiefenthaler.

»Welches denn?« Susanna war neugierig.

»Kennt Ihr nicht das Lied von der Dame mit den grünen Ärmeln, die ihren Liebhaber so stolz und hartherzig behandelt?«

Allgemeines Kopfschütteln. Der Kaplan räusperte sich und begann mit angenehmer, leicht rauchiger Stimme zu singen:

»Ach Lieb, wie Unrecht tust du mir,
du stößt mich fort so kalt und hart.
Mein Herz brennt lang schon aus Lieb' zu dir,
ich sehn mich nach deiner Gegenwart.«

Lorenzo Neri griff nach seiner Laute und schlug ein paar Akkorde an. Schnell konnte er den Refrain mitspielen: »Sie nur war all mein Glück – die Frau mit den grünen Ärmeln.«

»Ihr habt Recht, das ist ein wunderschönes Lied.« Barbara hatte sich von Tiefenthalers Stimme und der zarten Melodie verzaubern lassen.

»Nicht wahr?« Tiefenthaler sah sie lächelnd an. »Ich hab es von einem Freund gelernt, einem Engländer, der in Wittenberg Vorlesungen gehört hat. Er hat mir die Worte übersetzt.«

Sie hielt ihm einen Becher hin. »Nehmt und trinkt mit uns auf den schönen Abend.«

Er griff zu. Ihre Hände berührten sich, und ein Funke sprang über. Ein köstliches, nie gekanntes Vibrieren ergriff Fingerspitzen, durchschoss Adern wie ein prickelnder Strom, setzte sich fort in den Tiefen zweier Körper. Keiner wagte, den anderen anzusehen, aus Angst, sich mit Blicken zu verraten. Barbara konnte ihre Finger nicht von den seinen lösen, es war, als sei sie magnetisch mit ihm verbunden. Alles Spüren, alles Fühlen, alle Intensität, zu der zwei Menschen fähig waren, lag in diesem Moment.

Schließlich zwang sich Tiefenthaler, seine Hand von der ihren zu lösen und ihr den Becher abzunehmen.

Die anderen hatten offensichtlich nichts bemerkt. Susanna und Lorenzo plauderten lebhaft weiter, und Kätha schluckte eine kandierte Kirsche hinunter. »Ich kenne auch ein Liebeslied«, meinte sie, »meine Amme hat es mir früher immer vorgesungen. Es ist uralt und stammt von einem berühmten Minnesänger, den Namen hab ich vergessen. Aber das Lied kann ich noch.« Sie setzte sich in Positur und begann.

Unter der Linden an der Heide,
da unser zweier Bette was,
da möget ihr finden schöne beide
gebrochen Blumen und auch Gras.
Vor dem Walde in einem Tal,
tandaradei,
schön sang die Nachtigall.

Ich kam gegangen zu der Aue,
da war mein Friedel kommen eh.
Da ward ich empfangen hehre Fraue
dass ich bin selig immer meh'.
Küsst er mich? Wohl tausend Stund!
tandaradei,
seht wie rot mir ist der Mund.

Dass er bei mir läge, wüsst es jemand
ach Gott verhüt, so schäm ich mich.
Was er mit mir pflege sag ich niemand,
es gehet an nur ihn und mich.
Und ein kleines Vögelein,
tandaradei,
das mag wohl verschwiegen sein.

Die eigenartige Melodie mit den uralten Worten zog alle in ihren Bann. Lorenzo küsste hingerissen Käthas Hand, und selbst Susanna seufzte. »Ach, mit meinem Konrad, da ist das alles ganz anders«, meinte sie mit einem schicksalsergebenen Achselzucken. »Aber ich bin trotzdem ganz froh, dass ich ihn hab.«

Tiefenthaler und Barbara sprachen an diesem Abend nicht mehr viel. Die Mädchen und Lorenzo Neri bestritten die Unterhaltung, bis das Feuer im Kamin heruntergebrannt war. Schließlich verabschiedete sich der Kaplan und ging über den dunklen Schlosshof zum Pfaffenhaus zurück. Er zog sich aus und schlüpfte zwischen die kalten Laken. Was zwischen ihm und der Markgräfin geschehen war, ging ihm nicht aus dem Kopf. Ich muss völlig verrückt sein, schalt er sich selbst. Sie ist die Markgräfin von Brandenburg-Ansbach. Und ich bin ein kleiner Pfaff, der vor Gott gelobt hat, keusch zu bleiben. Es darf nichts sein, und es wird nichts sein!

Doch in dieser Nacht gab er sich zum ersten Mal in seinem Leben der Sünde des Onan hin. Danach lief er im Morgengrauen in die Schlosskapelle und legte sich mit kreuzförmig ausgebreiteten Armen bäuchlings auf den nackten Steinboden vor dem Altar. So blieb er, bis die Morgenmesse begann.

Auf Tiefenthalers ersten Abend im Frauenzimmer folgten ab da noch viele. Es wurde Karten oder Würfel gespielt, gesungen, erzählt und gelacht. An Weihnachten brachte Tiefenthaler ihnen Luthers Weihnachtslieder bei, und zu Neujahr versuchten sie, beim Bleigießen ihre Zukunft zu deuten. Auch Georg von Leuchtenberg schloss sich ihnen manchmal an, und selbst Hansi, Käthas Bruder, durfte manchmal dabei sein und gab mit seinen altklugen Sprüchen viel Anlass zur Fröhlichkeit. Barbara und Tiefenthaler vermieden beide eine allzu große Nähe, als spürten sie, dass das fein gesponnene Gewebe, das sie trennend zwischen sich aufgerichtet hatten, nur allzu schnell reißen könnte. Und dann würde etwas geschehen, was nicht mehr aufzuhalten war. Es war ein Tanz zwischen dünnen Fäden.

Plassenburg, Februar 1553

In der Schreibstube des Hauptmanns hatten sich die Räte zur monatlichen Beratung zusammengefunden. Georg von Leuchtenberg, ausnahmsweise einmal nüchtern, saß auf einer Seite des großen

Schreibtischs, ein paar Rollen Pergament, Papiere und Schreibzeug vor sich. Neben ihm hatte Barbara auf einem Scherenstuhl Platz genommen. Wer sie gut kannte, hatte bemerkt, dass in den letzten Wochen eine Veränderung mit ihr vorgegangen war. In ihren hellen Augen lag neuerdings ein merkwürdiger Schimmer, Wangen und Lippen glänzten, ihr Gang war beschwingt und ihre Haltung königlich wie nie. Sie achtete mehr als vorher auf ihr Äußeres. Heute trug sie nicht das übliche wollene Unterkleid und darüber den etwas altmodischen Surkot, der den Körper züchtig verdeckte, sondern ein neues, figurbetontes Kleid mit eckigem Ausschnitt, dessen tiefblaugrünen Damast sie kürzlich beim Kulmbacher Tuchhändler gekauft hatte. Die langen Haare ließ sie in letzter Zeit meist offen oder hatte sie nur lose zusammengefasst, wie es die jungen Mädchen taten, die noch nicht »unter der Haube« waren. Sie sieht jünger und schöner aus, dachte Georg, dem diese Dinge nicht entgangen waren, und er ahnte auch den Grund dafür. Des Öfteren war er bei den fröhlichen Abenden im Frauenzimmer dabei gewesen, und er hatte beobachtet, dass es zwischen Barbara und dem neuen Schlosskaplan knisterte. Nur ein Blinder hätte übersehen können, dass sich die beiden mehr zu sagen hatten als nur Worte.

Georg und Barbara gegenüber saßen Hans von Feilitzsch, der Ritter von Kotzau, die beiden Wirsberg, der alte Groß von Trockau und Sigmund von Lüchau. Die sechs Räte wirkten entspannt und aufgeräumt, wusste man doch im ganzen Fürstentum, dass die Dinge gut standen wie lange nicht mehr. Barbara und der Hauptmann jedoch machten ernste Gesichter. Georg strich sich das Haar aus der Stirn, beugte sich leicht nach vorn und begann.

»Ihr Herren, wenn's Euch recht ist, beginnen wir jetzt. Wie Ihr vermutlich alle schon wisst, haben inzwischen nicht nur Würzburg, sondern auch Bamberg und Nürnberg die Verträge unterschrieben, die unser Markgraf Albrecht von ihnen gefordert hat …«

»Ja, ein wilder Hund ist er schon, unser Albrecht!«, warf gut gelaunt Sigmund von Lüchau ein und rieb sich die fleischigen Hände. »Wer hätte das gedacht, dass er noch so ein Paradestück zustande bringt und die drei großen fränkischen Städte miteinander in die Knie zwingt. Jetzt geht's aufwärts, meine Herren!«

Die anderen nickten grinsend, nur Ulrich Groß von Trockau hatte Bedenken.

»Bis jetzt ist noch kein Heller von den zugesagten Ablösegeldern bezahlt, bester Herr Sigmund. Ich möchte zuerst die Geldsäcke drunten im Gewölb stehen sehen, bevor ich wirklich dran glaub!«

»Ihr seid ein Schwarzmaler, Trockau!« Der gutmütige Lüchau, ein rundlicher Lebemann mit Glatze und Apfelbäckchen, dem seit dem ungemütlichen Zusammentreffen auf der Jagd mit einem Bären ein Ohr und Teile des Oberarms fehlten, winkte mit beiden Händen ab. »Jetzt wird Albrecht erst einmal dem Passauer Friedensvertrag beitreten, der zwischen dem Kaiser und dem protestantischen Fürstenbund abgeschlossen ist, und dann haben wir endlich Ruhe im Land! Und wenn dann noch das Geld kommt, sind alle Sorgen vergessen.«

Leuchtenberg atmete tief durch und schüttelte langsam den Kopf.

»Euer Wort in Gottes Ohr, Lüchau, aber ich fürchte, wir alle haben uns zu früh gefreut. Gestern ist Nachricht gekommen, dass Albrecht es endgültig abgelehnt hat, den Passauer Vertrag zu unterzeichnen. Es heißt, er ziehe plündernd und brandschatzend an Rhein und Mosel auf und ab. Die vom Fürstenbund haben ihn offen zum Feind erklärt, weil er den allgemeinen Frieden bedroht.«

»Herrgottsakrament!« Der junge Wirsberg drosch mit der geballten Faust auf den Tisch. »Ist er jetzt vollkommen übergeschnappt? Da hat er alles in der Hand und setzt es ohne Not aufs Spiel! Ich begreif's nicht.«

»Keiner begreift's mehr, Junge.« Georg Wolf von Kotzau kratzte sich niedergeschlagen am Hinterkopf.

»Es kann nur sein Hass auf den Kaiser sein, der ihn so blind macht«, meinte der vierschrötige Georg Förtsch.

»Jetzt steht mein Bruder allein gegen Kaiser und Fürstenbund zusammen.« Barbara wirkte müde. »Da macht er sein Fürstentum protestantisch, aber dass Luther den Krieg gegen die Obrigkeit verdammt hat, stört ihn nicht.«

»Du kennst deinen Luther in letzter Zeit recht gut, meine Liebe.« Georg schaute Barbara prüfend aus dem Augenwinkel heraus an. Die Markgräfin ordnete die Falten ihres Umschlagtuchs und überbrückte ihre Verlegenheit mit Schweigen.

»Albrecht hat sich noch nie um die Religion geschissen, mit Verlaub«, ließ sich der alte Wirsberg vernehmen. »Katholisch oder protestantisch, das ist ihm alles gleich. Er tut nur, was er selber für richtig hält.« Die Räte nickten zustimmend.

Der Hauptmann hob die Hand. »Aber damit noch nicht genug, meine Herren. Der Kaiser hat per Dekret die Pressverträge mit Nürnberg, Würzburg und Bamberg für null und nichtig erklärt. Und er hat die Städte ermächtigt, den erlittenen Schaden wenn nötig mit Gewalt wieder wettzumachen. Man hört, dass die Nürnberger schon rüsten und Söldner werben.«

Fassungslosigkeit spiegelte sich in den Gesichtern.

»Jetzt trägt's uns den Krieg ins eigne Land.« Lüchau war das Lachen vergangen. Er war weiß um die Nase.

»Ja, das wird uns treffen.« Georg Wolf von Kotzau stand auf, legte die Hände auf dem Rücken zusammen und begann, ruhelos im Raum umherzuwandern.

»Es heißt, er habe beim Abbruch der Verhandlungen mit dem Habsburger gesagt: ›Verlier ich mein Land, so muss ich halt einem andern seins wieder nehmen.‹« Georg sah die Räte an. »Was können wir tun?«

Der Ritter von Kotzau warf die Arme in die Luft. »Nichts! Das ist es ja! Wir können abwarten, wie lange sich unser sauberer Landesherr im Krieg halten kann. Das ist lediglich eine Frage der Zeit, bis sie ihn auf sein eigenes Fürstentum zurückwerfen. Verflucht nochmal, und dann müssen wir verteidigen, was unser ist, ob wir wollen oder nicht. Und ich sag euch eins: Wir werden verlieren!«

Die Räte redeten tumultartig durcheinander, während Georg von Leuchtenberg vergeblich suchte, die Aufregung zu beschwichtigen.

Schließlich erhob sich Barbara. »Ihr Herren, ich fürchte, für heute gibt es nichts mehr zu beschließen. Wir müssen, da habt Ihr Recht, Kotzau, abwarten, was passiert. Wenn Ihr gleich auf Eure Güter abreiten und Vorsorge für den Kriegsfall treffen wollt, so nehmt vorher noch ein Mittagsvesper in der Hofstube. Ich werde derweil ein Schreiben an Emilia, die Witwe meines Bruders Georg, richten. Sie übt in Ansbach die Regentschaft für ihren unmündigen Sohn aus – vielleicht weiß sie oder kann in Erfahrung bringen, was der Fürstenbund gegen Albrecht plant. Gott möge dieses Land beschützen.«

Das Treffen war beendet.

Zur gleichen Zeit arbeitete Lorenzo Neri einige Gänge weiter im ersten Markgrafenzimmer konzentriert an seinem Schlachtengemälde. Gerade hatte er dem Hintergrund, einem blauen, wolkigen Himmel, einigen Hügeln und Wäldern und vor allem der Burg auf der linken Seite, den letzten Schliff verliehen. Lorenzo stand prüfend ein paar Meter entfernt und kaute nachdenklich an seinem Pinsel, als Katharina lautlos durch die geöffnete Tür schlich, sich hinter dem Maler auf die Zehenspitzen stellte und ihm die Augen zuhielt.

»Angelina, carissima!« Lorenzo fasste ihre Hände, drehte sich auf dem Absatz um und küsste sie stürmisch. Kätha wurden die Knie ganz weich. Der dicke Stupfpinsel fiel hinter ihr auf den Boden und machte einen großen grauen Klecks.

Nach einiger Zeit befreite sich Katharina etwas atemlos. Ihre Zöpfe waren in ziemlicher Unordnung. »Ich wollte einmal sehen, was du so malst, Renzo.« Sie begutachtete die Wandmalerei, während Lorenzo ihr von hinten zart ins Ohrläppchen biss. »Hast du schon einmal so eine Schlacht selber gesehen?« Sie tippte mit dem Finger auf eine rote Fahne, um zu prüfen, ob die Farbe abging.

»Dio, no! Gott behüte! Das ist nur fantasia, carina. Im Kämpfen bin ich nicht gut, nur im Malen – und in der Liebe.« Er legte beide Hände auf ihre Brüste und küsste ihre Halsbeuge.

Kätha nahm energisch seine Hände und schob sie wieder auf ihre Taille. »Gib bloß nicht so an, mein Lieber!« Ihre Augen wanderten weiter über das Gemälde. »Hast du aber viele Wolken gemalt. Warum nicht einfach blauen Himmel?«

»Weil Blau teuer ist, molto caro. Man macht es aus Lapislazuli, einem kostbaren Edelstein aus einem Land ganz weit im Osten, den man dafür zerreibt. Der Markgraf hat Anweisung gegeben, dass ich nicht so viel davon verwenden darf.« Seine Hände wanderten wieder vorsichtig nach oben.

»Fürs Kämpfen hat er Geld, der Albrecht, aber nicht für die

Kunst. Dabei malst du so schön!« Sie lehnte den Kopf gegen seine Brust und schob seine vorwitzigen Finger wieder nach unten. »Warum haben die Menschen alle keine Gesichter?«

Lorenzo seufzte und gab es auf. »Weil ich das Inkarnat für die Fleischfarbe heute Morgen erst gemischt habe. Guardi!«

Lorenzo mischte Inkarnat mit einer Spur Karmesinrot, nahm etwas davon auf den Pinsel und legte damit die Stirnkontur eines Landsknechts an. Da stand sie, noch feucht glänzend und gelungen. »Jeder Maler hat sein segreto – wie sagt man? – Geheimnis, wie er das Inkarnat mischt. Meistens nimmt man als Zutaten für die dunkleren Männergesichter eine Mixtura aus braunroter Terra di Pozzuoli verschnitten mit ganz wenig violettstichigem Caput mortuum, das alles in Bleiweiß mit Leinöl gerührt. Das gibt einen lebendigen Fleischton, wie in natura. Ich habe auch mein eigenes Rezept für die Bindung – das falsche Bindemittel kann eine Farbe glanzlos und stumpf machen.«

Während er erklärte, entstanden vor Katharinas Augen nach und nach die verzerrten Züge eines sterbenden Soldaten. Zum Schluss malte Lorenzo mit einer Mischung aus gebrannter Umbra und Rebenschwarz Bart und Augenbrauen und tupfte in Zinnober die zum Schrei geöffneten Lippen auf.

Katharina war beeindruckt. »Er sieht so echt aus – als ob er gleich aus der Wand springen wollt. Ich kann ihn fast schreien hören, den Armen! Aber sag, Renzo, wer ist denn die Frau mit dem grünen Kleid auf der Burg da hinten?«

»Das Gesicht muss ich erst noch malen, dann erkennst du sie, Caterina. Es soll die schöne Marchesa sein, die von der Plassenburg aus die Geschicke des Landes lenkt, solange ihr Bruder im Krieg ist. Aspetti!«

Er mischte Farben auf seiner Palette, tupfte und pinselte, trat zurück, korrigierte, zog eine feine Nasenlinie, nahm eine Mischung aus Beinschwarz und Bleiweiß für die Augen und reines Karmin für den Mund, das er immer noch schöner fand als die neumodischen roten Insektensekrete, die in letzter Zeit auf den Markt gekommen waren. Schließlich setzte er noch ein paar Glanzlichter auf Kinn, Stirn und Nase. Katharina beobachtete ihn dabei mit zusammengekniffenen Augen.

»Du gibst dir ja besonders viel Mühe für die Markgräfin«, meinte sie spitz. Er nahm sie in die Arme und drückte ihr einen Kuss auf die Nase.

»Ja, amore, sie ist die wunderbarste Frau, die ich je gesehen habe. So dunkel wie die Madonna selber und so königlich.«

»Dann findest du sie also schöner als mich?«

Lorenzo schwante Übles. »Senti, bellina, das kann man nicht vergleichen. Du bist doch nicht eifersüchtig, no?«

Kätha machte sich aus seiner Umarmung frei. »Natürlich bin ich eifersüchtig! Ihr Männer seid alle gleich: Die, die ihr nicht haben könnt, bewundert ihr, aber die anderen versucht ihr rumzukriegen!«

»Aber Angelina, ascolti …«

Kätha war nicht mehr zu bremsen. Auf ihren Wangen erschienen rote Flecken, und ihre blauen Augen blitzten gefährlich. »Na, wenn sie dir so gut gefällt, dann kann ich ja gehen! Wenn du das nächste Mal an einen Busen grapschen willst, dann nicht bei mir, mein Lieber!« Sie fuchtelte mit erhobenem Zeigefinger vor Lorenzos Nase herum. Der verlor langsam die Geduld.

»Mamma mia, du schreist wie ein altes venezianisches Fischweib. Ich habe überhaupt nichts getan, niente, capisci? Hör auf zu streiten!«

»Ach ja, Fischweib? Von dir lass ich mich noch lang nicht beleidigen, du aufgeblasener Pinsel! Ich geh!«

»Ja, fort mit dir, vai, vai, vai!« Lorenzo wedelte mit beiden Händen, als ob er eine Katze fortscheuchen wollte. Kätha rauschte mit fliegenden Röcken hinaus und knallte die Tür hinter sich zu.

Lorenzo hockte sich wütend auf seinen Malerschemel. In dem Maße, wie sein Ärger verrauchte, nahm seine Miene langsam einen verklärten Ausdruck an. Per bacco, was für ein Weib! Ein Temperament wie eine Italienerin, und dazu ein Gesicht wie ein Engel! Nicht zu fassen, dachte er, ich glaube, ich habe mich verliebt …

Draußen stand Katharina mit geballten Fäusten an der nächsten Ecke und war den Tränen nah. Aber je länger sie überlegte, desto mehr hatte sie das Gefühl, Lorenzo vielleicht Unrecht getan zu haben. Wenn nur nicht das Fischweib gewesen wäre. Aber schließlich hatte sie wirklich gezetert wie eine Marktfrau. Sie hob den Saum ihres Rocks und putzte sich damit die Nase. Nein, so konnte es nicht ausgehen! Kätha drehte sich auf dem Absatz um und lief zurück. Gerade als sie die Hand an die Türklinke des Markgrafenzimmers legte, wurde die Tür von innen aufgerissen. Die zwei Streithähne fielen sich wortlos in die Arme, und Lorenzo bedeckte Katharinas Gesicht mit Küssen.

Eine ganze Weile später, als sie nach vielen gemurmelten Entschuldigungen und Liebesbezeugungen wieder zu Atem kamen, saßen sie eng umschlungen auf einem hölzernen Wandbrett.

»Du, Renzo, weißt du, was an der Markgräfin nicht stimmt?«

Der Maler sah Kätha erstaunt an. »Was stimmt nicht?«

»Na, sie stützt doch auf deinem Bild die linke Hand auf die Mauer.«

»Ja, und?«

»Ist dir noch nie aufgefallen, dass sie einen verkrüppelten kleinen Finger hat? Schau, so!«

Lorenzo runzelte die Stirn. »Davvero? Dann muss ich es ausbessern, carina.« Er nahm einen dünnen Pinsel, übermalte den Fehler zunächst ganz fein mit dem Grau der Mauer, und einige Zeit später entstand auf dem fast trockenen Grund ein neuer, verdrehter und abgeknickter kleiner Finger.

»Genauso sieht er aus«, sagte Kätha ernst. »Und jetzt fehlt nur noch der Ring, den sie immer am Mittelfinger trägt. Den legt sie nämlich nie ab. Sie hat ihn als Kind von ihrem ersten Mann bekommen, dem Herzog von Glogau. Er ist golden und hat ein kleines Kreuz aus Rubinen.«

Folgsam malte Lorenzo auch den Ring. Kätha seufzte und schmiegte sich an ihn. »Jetzt ist es gut«, meinte sie im Brustton der Überzeugung. »So lassen wir's!«

Nach dem Nachtessen, das Barbara mit ihren Zofen im Frauenzimmer eingenommen hatte, ließ sie sich Schreibzeug kommen. Sie schickte die Mädchen zu Bett, setzte sich an das kleine Tischchen, das beim Fenster stand, und zündete den Röhrenleuchter an. Dann ergriff sie die Feder.

An Emilia, Markgräfinwittwe zu Brandenburg-Ansbach

Gottes Gruß und Lieb zuvor, beste Schwester und Freundin, und Dank für deinen Brief, der mich vor kurzem erreicht hat. Du schreibst mir, gute Schwester, dass du, seit mein Bruder dein Gemahl uns mit Tod abgangen ist, im Ansbacher Schloss traurig und allein seist, und gar oft weinst und verzweifelst. Fürwahr, du weißt ja, dass auch ich lange Zeit gar schlimme Einsamkeit und Leid erduldet hab. Darumb versteh ich dein Leid und Sorgen wohl. Aber mir zweifelt nit, dass alles Schlimme auch einmal ein Ende haben mag, wie sich auch bei mir erwiesen hat. Auch für dich möchte bestimmt bald eine bessre Zeit anheben, du musst nur fest bleiben und dein Vertraun in Gott setzen. Item denk auch immer an deinen kleinen Schatz, den du lieben und bewahren sollst. Schon darum bist du nicht allein.

Hier zu Plassenberg hat sich vieles verändert. Die Festung ist voller Bauleute und Soldaten, sodass überall in den Höfen Bretterbuden als Unterkünfte stehen, Lagerfeuer brennen und es vor Menschen und Tieren wimmelt. Die neu gegrabnen Aborte im Zwinger reichen nicht, und so stinkt und muffelt es draußen, dass es ein Graus ist. Aber es hilft nicht, die Bastei zum Buchberg hin muss fertig werden, und die Verteidigung der Burg hat Vorrang vor allem Schönsinn. Mein Bruder Albrecht, Gott straf ihn, treibt das Land in den Krieg, und der Herr allein weiß, wie's ausgehn mag.

Obschon auf der Burg derohalben die Angst umgeht, sind unsre Tage dennoch froher denn je. Seit der venezianische Maler hier ist, herrscht Lachen und Gesang an den Abenden im Frauenzimmer, und die Kerzen brennen offt bis in die Nacht. Dieser Lorenzo, so ist sein Name, kann wundersam schöne Geschichten erzählen, von Feen, Riesen und Kobolden, Seeleuten, Rittern und Damen, und er spielt leidlich die Laute und singt fremdartige Lieder aus seiner Heimat. Er und eine meiner Hofdamen sind sich hertzlich zugethan; sie turteln wie die Täubchen, aber gehn zwischendrin auch aufeinander los wie die schlimmsten Streithähn. Sie nennen das Temprament! Fürwahr, auf ein solches könnt ich gern verzichten. Meine Lieb wär eher still und beständig!

Zu unserm Kreis gesellt sich auch oft der Hauptmann Georg. Es geht ihm wohler, seit ihm der Kulmbacher Drechsler ein künstlich Bein aus Holz gefertigt, das er auf seinen Beinstumpf und um die

Hüfthen schnallt. Damit läufft er den gantzen Tag auf der Burg herumb, auch wenn sein vernarbter Stumpf derohalben schmertzt und nass und wund ist, und nimmt wieder Antheil am Leben. Zwar ist er immer noch ziemblich dem Trunk ergeben, doch ist es jetzo Gott sei Dank besser worden, und er empfängt auch wieder die Räthe.

Item noch einer verbringt so manchen Abend bei uns im Frauenzimmer. Von ihm muss ich dir berichten, edle günstige Schwester, und doch weiß ich nicht recht, wie. Es ist der neue Schlosskaplan mit Namen Jacobus Tiefenthaler, der seit einigen Monaten unsern Gottesdienst versieht, ein frommer und sanfter junger Pfaff, der bei der Predigt den Heiligen Geist wahrlich auf uns niederregnen lässt. Er ist, so sagen die Burgweiber, ein schöner Kirchenmensch so recht nach Christi Vorbild, mit langem Haar und Augen in der Farbe dunklen Honigs.

Die Markgräfin hielt inne. Sie sah Jakob Tiefenthaler vor sich, sein Gesicht mit den regelmäßigen Zügen, seine breiten Schultern, die Art, wie er redete und lachte. Der Gänsekiel senkte sich, als Barbaras Gedanken abschweiften. Sie träumte von ihm, beinahe jede Nacht. Von seinen Händen, die ihre Haut streichelten, seinen Lippen, die sie dort berührten, wo noch nie ein Mann sie berührt hatte. Von seinem jungen, straffen, kraftvollen Körper, der sie begehrte. Nimm mich, flüsterte sie in diesen Träumen, sei zärtlich, wild, langsam, heftig. Tu mit mir, was du dir wünschst, was ich mir wünsche, ich bin dein Weib. Die Feder glitt wie von selbst über das Pergament und formte Buchstaben und Worte ...

Die Wege des Herrn sind seltsam, und ich weiß nicht, ob ihn Himmel oder Hölle hergeführt haben. Eins weiß ich aber: Ich bin eine Wittwe, ein geschiedens Eheweib und eine verlassene Verlobte, und doch hab ich die Liebe nicht gekannt, bis ich diesen Mann gesehn. Item mir ist nach Jubeln und Weinen zugleich, denn dieses ist wie ein Wunder und doch gegen alles Herkommen und jede Regel. Er ist nur ein kleiner Pfaff und ich von hohem Adel und unter der Fuchtel meines schlimmen Bruders, was soll das werden? Und doch, es ist mir, als sei er mein einzig Streben. Wenn wir zusammen sind, versinkt die Welt. Ich will ihn berühren und zittre doch davor. Mein Körper, meine Seele sehnt sich nach ihm, dass es wohl und wehe tut zugleich. Ich will seine Hände in meinen spüren, will hören, wie er

meinen Namen flüstert, o Herr Jesus hilff! Liebwerte Schwester und
Freundin, du schreibst du hast deinen Gatten geliebt und bist mit
Wonne bei ihm gelegen, das muss ein Glück sein! Mir ist's nicht ver-
gönnt und doch vergeh ich danach. Ich will wissen …

Barbara brach ab – jetzt erst wurde ihr klar, was sie da geschrieben hatte. Sie las die letzten Sätze und erschrak über sich selber. Sie hatte sich hinreißen lassen. Mit entschlossenem Griff nahm sie den Brief, zerknüllte ihn und warf ihn ins Feuer. Die züngelnden Flammen erfassten das Pergament, schwärzten es zuerst an den Ecken und Rändern, bis das Blatt schließlich hell aufloderte und verbrannte. Die Markgräfin wartete, bis es zu Asche zerfallen war. Dann atmete sie tief durch und begann das Schreiben neu.

Brief der Markgräfin Barbara von Brandenburg-Ansbach an ihre
Schwägerin Emilia von Sachsen, Witwe des verstorbenen Markgra-
fen Georg von Brandenburg-Ansbach, Plassenburg, 29. Februar
1553

Liebwerte Schwester, meinen freundtlichen Gruß und Gottes Lieb
auf allen Wegen. Es freut mein Hertz, in deinem letzten Brief zu hö-
ren, dass der kleine Georg Friedrich wohlauf und munter ist. Beste
Freundin, der Grund für dieses mein Schreiben ist die grosse Sorge,
die ich und auch die ehrnfesten gebirgischen Räte um unser Landt
tragen. Es steht zu befürchten, dass Kaiser und Fürstenbund nach
dem Passau'schen Vertrag uns mit Krieg überziehn. Albrecht ist, wir
müssens wohl zugeben, der Todtengräber seines eignen Lands ge-
worden. Ich bitt dich nun recht, mir bald und schnellstens Nachricht
zu geben, was du über die Plän und Vorhaben des Fürstenbunds in
Erfahrung bringen kannst. Wir müssen uns zu richten wissen, damit
unser Fürstenthum und seine Unterthanen ohne Schaden davon
kommen. Hilff du dazu – und bedenck dabei gut: Wenn Albrecht,
was bestimmt nicht mehr zu wenden ist, dereinst stürzen und sein
Landt verlieren sollt, dann ist dein Söhnchen der Erbe beider frän-
kischen Lande.

Gehab dich wohl und drück meinen kleinen Neffen fest für mich.

Ich schick ihm mit diesem Schreiben ein hölzern Hündlein mit hin-
ab nach Ansbach, nicht größer als eine Faust. Unser welscher Maler
hat's nach dem Vorbild meines lieben Max geschnitzt, der jetzo schon
alt und recht launisch geworden und öfter schnappt und beißt. Es ist
gar niedlich anzusehn, als möcht es gleich aufspringen und bellen.
Dir selber send ich ein Paar Handschuch, die ich selbst geklöppelt
und verfertigt. Ich hab dafür das feinste dunkle Garn genommen,
das es zu Culmbach zu kaufen gab.

Die heilige Mutter Maria wach über euch beide und beschütz
euch auf allen Wegen.

Datum mit unsrer eigen Hand zu Plassenberg am Mittwoch nach
Palmarum anno 1553
Barbara geborne Markgräfin zu Brandenburg

Kulmbach, Ende Oktober 2002

Das »Schiff« war an diesem ungemütlich vernieselten Oktober-
abend gerammelt voll; in der Gaststube stand eine Mischung aus
verführerischen Essensdüften und Zigarettenqualm. Fünf Männer
saßen mit gespannten Mienen um den Stammtisch, den Blick auf ein
Stoffsäckchen gerichtet, das in der Mitte stand, wo sonst immer der
riesige schmiedeeiserne Aschenbecher zu finden war.

»Machen Sie's nicht so spannend, Herr Pfarrer! Wenn wir noch
lang so auf das Ding starren, fängt es an, sich in die Luft zu erheben
und hin und her zu tanzen. Dann heißt es womöglich noch, Sie hätten hier eine spiritistische Sitzung abgehalten.« Haubold feixte und
stieß Kellermann mit dem Ellbogen in die Seite. Er platzte schier vor
Neugier, seit der Pfarrer angekündigt hatte, es gäbe eine neue Ent-
wicklung im Fall »totes Kind«.

»Na, solch üble Nachrede wollen wir doch vermeiden.« Kellermann, der einen selbst für Geistliche besonders ausgeprägten Sinn
für Zeremonien hatte, strich sich theatralisch über den lockigen
Haarkranz, schob die Ärmel seines Strickpullovers zurück und lös-

te dann mit langsamen, getragenen Bewegungen das Band, mit dem das Säckchen oben zusammengehalten wurde. Bedächtig schälte er den kleinen Pokal erst aus dem Rest eines alten Schlafanzugoberteils und danach aus dem blauen Silberputztuch. Dann stellte er das kostbare Teil, das inzwischen auf Hochglanz poliert war, wieder zurück auf die Tischplatte.

»Was ist denn das?« Ulrich Götz beugte sich nach vorn, die Nase ganz dicht am Pokal. »Ein kleiner Abendmahlskelch, oder? Mit einer Darstellung des Heiligen Christophorus, wie er das Jesuskind trägt, schön, schön.«

Haubold griff sich vorsichtig den Pokal, drehte und wendete ihn. »Gloria Dei in Eternitate. Barbara von Gots Gnaden Herzogin zu Groß-Glogau. Versteh ich nicht. Was hat das mit unserem toten Kind zu tun? Ah, hier, das ist wohl dieses ›B‹!«

Auch Fleischmann besah sich nun das Initial genau.

Kellermann setzte sich in Positur. »Also, ich erklär's euch jetzt. Kürzlich kam der Herr Fleischmann – ihr habt euch ja vorhin schon bekannt gemacht – zu mir ins Dekanat und suchte … ach, das können Sie ja selber erzählen, mein Lieber.«

Fleischmann, der vor einigen Minuten erst eingetroffen war, berichtete von seiner Suche nach der Nonne aus der Familie Zehrer.

Kellermann fuhr fort. »Ja, und ich habe derweil dann weiter überlegt. Mir ist nämlich dieses ›B‹ mit dem Krönchen, das in die Klöppelsachen eingearbeitet wurde, nicht mehr aus dem Kopf gegangen. Schließlich fiel mir ein, wo ich das schon mal gesehen hatte, nämlich auf dem Kelch hier. Er stammt aus der Nikolaikirche und ist schon sehr lange nicht mehr benutzt worden.«

»Sie meinen, dass diejenige, auf die sich das ›B‹ bezieht, auch die Besitzerin des Pokals war und vielleicht die Mutter unseres Kindes ist?« Götz war skeptisch.

»Immer langsam.«

Die gestresste Bedienung hatte inzwischen höchst verdrießlich vier Bier auf den Tisch geknallt, und Kellermann trank genüsslich den Schaum ab. »Also. Ich habe natürlich noch mehr getan als nur den Kelch zu polieren. Ich habe im Buch der Kirchenvisitation von 1553 nach dem Pokal gesucht. Da steht er nicht drin, war also noch nicht im Besitz der Kirche. Aber in einem späteren Kleinodienverzeichnis hab ich ihn gefunden. Da heißt es«, er fummelte in seiner Aktentasche und zog einen Zettel heraus, den er umständlich entfaltete, »anno 1571. Item ein klein Pokällein mit dem Heiligen Christophorus samt Kindlein, so im letzten Jar einkommen als Bußgabe von Els Bucklerin, Taglöhnerswittfrau zu Culmbach.«

Haubold runzelte die Stirn. »Wie kommt eine einfache Witwe zu so einem wertvollen Stück?«

Kellermann hob die Schultern. »Ja, das frage ich mich auch.«

Unruhe entstand.

»Vielleicht hat sie ihn geklaut?«, mutmaßte Götz und schaute Hilfe suchend auf sein Schnitzel. »Ich meine, könnte doch sein, oder?«

Haubold schüttelte den Kopf. »Das führt jetzt aber zu weit, finde ich.«

Götz sah ein, dass seine Vermutung nirgendwohin führte. »Hast schon Recht. Aber jedenfalls muss diese Elisabeth Buckler irgendwie in den Besitz des Pokals gekommen sein, und zwar vor 1570. Und das alles muss nun in Zusammenhang mit dieser Zehrer stehen, die in Himmelkron Klosterfrau war.«

»Und auch mit dieser ›Barbara Herzogin von Groß-Glogau‹«, ergänzte Haubold stirnrunzelnd. »Die Sache wird immer komplizierter.«

Kleinert nickte beifällig. »Genau. Wisst ihr, was ich glaube, ist Folgendes: Diese Zehrer war irgendwann einmal Hofdame auf der Burg. Und so eine Hofdame dient ja für gewöhnlich irgendeiner höher gestellten Frau. Vielleicht war diese Frau die Herzogin von Groß-Glogau, und sie ist unsere gesuchte Kindsmutter. Auch wenn ich keine Ahnung habe, was die bei uns auf der Plassenburg gemacht haben soll. Etwas passt hier noch nicht zusammen.«

»Tja.« Alle begannen schweigend und nachdenklich zu essen.

Inzwischen bahnte sich eine weibliche Gestalt suchend einen Weg zwischen Tischen, Stühlen und wartenden Gästen. Es war Geli Hufnagel, mit beschlagener Brille und tropfnassem Schirm. Kleinert bemerkte sie und winkte ihr fröhlich zu, während er unter dem Tisch Pfarrer Kellermann mit dem Fuß anstieß. Die beiden tauschten einen verschwörerischen Kupplerblick.

»Ihr kennt doch alle die Frau Hufnagel, meine Mitarbeiterin?«, erkundigte sich der Archivar. Eifriges Nicken allerseits und von Fleischmann ein zunächst überraschtes, dann begeistertes Grinsen. »Ich habe sie für heute Abend eingeladen, weil sie schließlich zusammen mit dem Herrn Fleischmann auch an unserer Suche beteiligt ist.«

»Selbstverständlich«, meinte Haubold, »herzlich willkommen in unserer Runde. Setzen Sie sich doch.«

Götz räumte seine Aktentasche zur Seite, um zwischen sich und Haubold einen Platz frei zu machen, entnahm aber einem schmerzhaften Rippenstoß und einem überdeutlichen Augenzwinkern Kellermanns, dies bleiben zu lassen. Stattdessen rutschte Kleinert umständlich auf der Eckbank herum, um Geli neben Fleischmann zu platzieren.

Haubold und Götz ging ein Licht auf.

»Wir, also Frau Hufnagel und ich, waren ja inzwischen im Kloster Himmelkron, um etwas über unsere Klöpplerin herauszubekommen«, berichtete Fleischmann nun. »Und tatsächlich hat Geli«, ein liebevoller Blick in ihre Richtung, »sie gefunden! Sie hieß Susanna Zehrer und ist 1581 im Alter von 54 Jahren im Kloster gestorben, offenbar an einer zu der Zeit grassierenden ansteckenden Krankheit mit Fieber und Brechdurchfall.«

Haubold schob seinen leer gegessenen Teller von sich und wischte sich mit einer Serviette den Mund ab. »Na, Gratulation zu diesem Ergebnis. Eine der Gesuchten wäre damit gefunden, immerhin! Also, resümieren wir mal: drei Frauen, eine davon Susanna Zehrer, die andere Elisabeth Buckler, die dritte Barbara von Groß-Glogau. Hmm. Klar dürfte sein, dass das Initial von Kelch und Klöppelarbeit sich auf Letztere bezieht. Deshalb tippe ich auf sie als Kindsmutter.«

Geli Hufnagel überlegte. »Aber genauso gut könnte es auch die Zehrer gewesen sein. Vielleicht ist sie ja wegen des Todes ihres Kindes ins Kloster gegangen. Vielleicht war der Vater eine höher gestellte Persönlichkeit, womöglich verheiratet, und das Kind musste deshalb verschwinden!«

Die anderen nickten zustimmend. »Könnte alles möglich sein.«

»Aber das erklärt noch nicht, wie eigentlich diese Tagelöhnerswitwe an den Kelch gekommen ist.« Fleischmann rieb sich den Schnurrbart.

»Na, vielleicht hat sie ihn einfach geschenkt bekommen?«, warf Götz vorsichtig ein.

Kellermann seufzte. »Jetzt wird's aber abenteuerlich. Ich glaube, auf solche blanken Mutmaßungen sollten wir verzichten. Das hilft uns nicht weiter.«

»Jedenfalls«, Haubold griff zu seinem Glas und prostete den anderen zu, »trinken wir jetzt erst mal auf unseren Erfolg! Erst sind wir lange auf überhaupt keine Frau gestoßen, die als Mutter unseres Kindes in der Mauer infrage gekommen wäre, und jetzt haben wir immerhin drei potenzielle Kandidatinnen. Das ist doch was!«

Fleischmann war entzückt, geholfen zu haben. Er schmiss eine Runde Bier für alle. Die Stimmung stieg, und eine lebhafte Diskussion entwickelte sich. Dann sah sich Kellermann an der Reihe, einen auszugeben. Götz fühlte sich irgendwann für die stetige Versorgung mit dem berüchtigten Hausbrand zuständig, während Haubold zu vorgerückter Stunde noch Nüssli und garnierte Brote mit Bratwurstgehäck und Zwiebelchen bestellte.

Um Viertel vor eins nötigte der Wirt die ganze Runde zum Zahlen, indem er mit gezücktem Block neben dem Stammtisch auftauchte und »Feierabend« brummte.

Kleinert stand etwas unsicher auf, während Geli ihn am Ellbogen stützte.

»Liebe Frau Hufnagel«, seine Aussprache hatte einen leichten Zungenschlag, »Sie vertragen aber einen ganz schönen Stiefel! Hätt ich Ihnen gar nicht zugetraut. Und Ihre neue Eroberung hier säuft auch wie ein Bürstenbinder!«

Fleischmann begann zu kichern und bekam einen Schluckauf. Der Dekan neigte sich zu ihm und machte ein großzügiges Angebot: »Sie können ja jetzt nicht mehr heimfahren, mein Lieber. Wenn Sie wollen, kann ich Ihnen mein Gästebett anbieten.«

»Der Thomas kann auch bei mir übernachten«, mischte sich Geli Hufnagel ein. »Das ist einfacher – ich wohne ja gleich in der Nähe.«

»War nur ein Angebot.« Kellermann bemühte sich um ein ernstes Gesicht, während Kleinert über beide Backen feixte.

Die beiden jungen Leute verabschiedeten sich schnell und gingen nebeneinander die schmale Gasse entlang. Noch bevor sie um die nächste Ecke bogen, beobachteten Kleinert und Kellermann gemeinsam, wie Fleischmann, beflügelt von drei Bieren und einem Schnaps, seinen Arm um Geli legte und diese ihren Kopf an seine Schulter schmiegte. Kleinert reckte dem Pfarrer triumphierend seine Faust mit dem Daumen nach oben entgegen, und Kellermann machte mit zwei Fingern das Siegeszeichen. Dann hakten sich beide unter und gingen nach Hause.

Auch Haubold machte sich auf den Heimweg. Nach dem vielen Alkohol tat ihm die frische Luft gut, und er genoss den langen Weg hinauf zur Burg. Er hatte das Gefühl, der Lösung seines Kriminalfalls ein ganzes Stück näher zu sein.

Plassenburg, März 1553

»Ich soll was?« Jakob Tiefenthaler fuhr vom Altar der Schlosskapelle herum wie von der Tarantel gestochen. Mit weit aufgerissenen Augen sah er die beiden gebirgischen Räte an, die mit angespannten Gesichtern vor ihm standen. Hatte er richtig gehört? Er mochte seinen Ohren nicht trauen.

»Das ist Blasphemie, Ihr Herren, gotteslästerliche Blasphemie!« Seine Stimme bebte vor mühsam beherrschter Empörung.

»Ihr seid der Einzige, der es machen kann, Vater Tiefenthaler. Wir waren schon bei Eurem Kollegen Eck zu Kulmbach, aber er hat uns hinausgeworfen. Fuchsteufelswild ist er geworden.« Ulrich Groß von Trockau wusste, wovon er sprach; er hatte Ecks Tintenfass an den Kopf bekommen.

»Geht nach Langheim zum Abt«, empfahl Tiefenthaler brüsk, »mit mir könnt Ihr nicht rechnen.« Er wandte sich wieder dem Altar zu, wo er die Utensilien für den nächsten Gottesdienst herrichtete.

»Da waren wir schon.« Wolf von Wirsberg spuckte verächtlich aus. »Ein feiger Tropf, fett und verweichlicht. Er meinte, die Prozedur habe bestimmt Erfolg, das zeigten viele Beispiele zur Genüge, aber er selber könne sein Seelenheil nicht dabei aufs Spiel setzen. Dabei hat er gezittert wie ein Lämmerschwanz, pah. Vater«, er machte einen Schritt auf Tiefenthaler zu und packte ihn am Ärmel, »Ihr seid unsere letzte Hoffnung. Die feindlichen Armeen marschieren auf Kulmbach zu. Das Land um Neustadt an der Aisch ist bereits verwüstet, vierzehn Dörfer gibt es nicht mehr, alles tot. Wir stehen am Abgrund. Und Albrecht will immer noch nicht nachgeben. Er muss weg, das ist der einzige Weg!«

»Warum habt Ihr noch niemanden zu ihm geschickt, der ihn meuchelt, wenn's denn sein muss?«

»Glaubt Ihr, das hätten wir nicht schon versucht? Einer von Lüchaus Männern hat ihm vor zwei Monaten ein Schriftstück überreicht und dabei versucht, ihn zu erdolchen. Leider hat der Stümper nur die Schulter getroffen. Seitdem lässt Albrecht keinen mehr an sich heran außer seinem Leibdiener. Er hat sofort eine Strafexpedition auf den Weg geschickt. Lüchau wurde gefoltert. Sie wollten die Namen seiner Mitverschwörer, aber der tapfere Kerl hat uns nicht verraten. Daraufhin haben sie ihn geviertelt und die Leichenteile ans Burgtor genagelt. Da hängen sie heute noch.«

»Schrecklich.« Tiefenthaler schauderte.

»Das Mortbeten ist ein letztes Mittel, Vater. Glaubt mir, wenn wir noch andere Möglichkeiten hätten, wir würden sie nützen. Aber solange Albrecht weit weg ist, können wir ihn nicht auf andere Weise packen. Alle gebirgischen Räte stehen hinter uns.« Der alte Trockau raufte sich die weißen Haare. »Helft uns, um Gottes Willen. Vielleicht können wir so noch unser Land retten. Und wer weiß wie viele Menschenleben.«

Tiefenthaler verbarg das Gesicht minutenlang hinter den Händen. Man sah, dass er einen Kampf mit sich ausfocht. Dann schüttelte er den Kopf.

»Ich kann nicht. Es ist schwarze Magie, die schlimmste und lästerlichste von allen, Schadenszauber im Gewand eines Gottesdiensts. Als Pfarrer bin ich dazu da, Seelen zu retten, nicht zu vernichten. Allein die Vorstellung eines Mortbetens ist so ungeheuerlich … Nein, Ihr Herren, ich kann Euch nicht helfen, bei Gott und allen Heiligen.« Tiefenthaler bekreuzigte sich. »Verlasst jetzt die Kapelle. Ihr wart heute nicht bei mir, und wir haben nie miteinander gesprochen. Ich werde für einen glücklichen Ausgang beten.«

Trockau schwang wütend seinen Umhang um und zurrte ihn fest.

»Ihr seid genauso feig wie die andern, Tiefenthaler. Schade, ich hätt Euch anders eingeschätzt.«

Er wandte sich auf dem Absatz um und ging durch den Mittelgang hinaus. Der alte Wirsberg folgte ihm.

Tiefenthaler setzte sich in die erste Bankreihe. In seinem Kopf schwirrte es. Ein Mortbeten! Er hatte schon von solchen Dingen gehört, war aber selber noch nie damit in Berührung gekommen. In früheren Zeiten, als der alte römische Glaube noch alleingültig war, hatte man dieses teuflische Ritual wohl praktiziert: eine Totenmesse für einen Lebenden, eine Schwarze Messe, die unweigerlich dazu führte, dass derjenige, dem sie galt, sterben musste. Natürlich war das Mortbeten nur dann wirksam, wenn die Messe von einem echten Geistlichen zelebriert wurde. Und dass es wirken würde, daran hatte Tiefenthaler, genau wie die Räte, keinen Zweifel. Er sprach ein stilles Gebet und verließ die Kapelle.

Er fand Barbara in der weißen Stube neben der Silberkammer, wo sie die Aufstellung des Silberknechts über das vorhandene Tafelgeschirr und andere Haushaltsutensilien kontrollierte. Sie saß mit gerunzelter Stirn an einem Tischchen, vor sich die Liste und ein Tintenfass, und kaute nachdenklich auf ihrem Gänsekiel. Tiefenthaler klopfte an die offene Tür und trat ein.

»Darf ich stören, Euer Gnaden?«

Die Markgräfin nahm die Feder aus dem Mund und lächelte. »Gern, Vater. Schön, dass Ihr hereinschaut, ich komm sowieso grade nicht weiter.« Sie seufzte. »Ich glaube, irgendeiner von den Tischdienern stibitzt silberne Senftöpfchen. Vor einem Jahr waren es sechs, jetzt haben wir nur noch zwei! Die Kerzenleuchter werden immer weniger. Und Nachtscherben verschwinden auch auf rätselhafte Weise.« Sie bemerkte den Ernst in Tiefenthalers Gesicht. »Stimmt etwas nicht?«

Der junge Pfarrer zog die Tür hinter sich zu. »Ich muss mit Euch sprechen, Herrin. Es ist wichtig.«

Barbara sah ihn mit ihren hellgrauen Augen prüfend an. Die prickelnde Spannung, die sie bei den seltenen Gelegenheiten empfand, an denen sie allein mit ihm war, verflüchtigte sich. Hier ging es um etwas Bedeutsames. »Sprecht, Kaplan!«

Tiefenthaler ließ mit einer hilflosen Geste die Arme fallen und rang um die richtigen Worte.

»Ich weiß nicht, wie ich anfangen soll. Heute bin ich um etwas gebeten worden, was so ungeheuerlich ist, dass man es kaum aussprechen kann.«

Er begann, im Zimmer auf und ab zu gehen. Barbara wartete. Schließlich blieb er dicht vor ihr stehen und rang sich die nächsten Worte ab.

»Ein Mortbeten.«

Sie hob die dunkel geschwungenen Brauen und sah fragend zu ihm hoch.

»Ein Mortbeten. Versteht Ihr nicht? Ich soll eine schwarze Totenmesse abhalten, soll jemanden in den Tod hineinpredigen ...«

Sie sagte nur ein einziges Wort: »Wen?«

»Euren Bruder Albrecht!« Er schrie es fast.

»Schschscht! Wenn uns jemand hört!« Die Markgräfin sprang auf und überzeugte sich, dass die Tür geschlossen war. Sie zog ihr lindgrünes Umschlagtuch enger um die Schultern, als fröre sie an diesem milden Junitag. »Heilige Maria Muttergottes! Und wer will Albrecht umbringen? Nein, sagt nichts, ich kann's mir denken. Deshalb waren sie vor einiger Zeit bei mir – der Förtsch und der junge Wirsberg. Haben gefragt, ob ich, falls Albrecht etwas zustoßen würde, bereit sei, die Regierung interimsmäßig zu übernehmen.«

»Es ist eine Verschwörung aller gebirgischen Räte, und ich soll zu ihrem Helfershelfer werden. Aber das kann ich nicht, Liebden. Ich weiß, dass er schlecht ist, aber soll ich deshalb zu seinem Mörder werden? Ich kann keinen Bund mit dem Teufel schließen. Ich habe abgelehnt.«

Barbara ging zum Fenster und sah auf Kulmbach hinab. Die krummen Dächer der Stadt glänzten noch nass vom morgendlichen Platzregen; die Stadtschweine mit ihren Ferkeln suhlten sich in den vielen Schlammpfützen. Ein paar Kinder spielten mit Steckenpferd und Tonfiguren, während Erwachsene geschäftig an ihnen vorbeieilten. Wenn der Krieg so weiterging, würde es mit dieser Idylle bald vorbei sein.

»Verdient hätt er es!« Barbara drehte sich wieder zu Tiefenthaler um. »Er stürzt das Land ins Unglück. Seinetwegen ist schon so viel

Leid geschehen und wird noch kommen. Aber Ihr habt ja Recht, Vater Jakob, es wäre Mord. Andererseits könnte man damit vielleicht Tausende von Menschenleben retten, und das Fürstentum dazu! Vielleicht könnte das sogar einen solch ketzerischen Akt wie ein Mortbeten rechtfertigen ...«

Tiefenthaler rang die Hände. »Genau das geht mir die ganze Zeit durch den Kopf. Man sagt, der Zweck heiligt die Mittel – aber solch ein Verbrechen gegen Gott und den Glauben? Ich weiß nicht, was ich tun soll. Ihr seid die Einzige, mit der ich reden kann – aber er ist Euer Bruder ...«

Sie schüttelte trotzig den Kopf und machte eine abwehrende Geste. »Nein, Vater, das war er einmal. Jetzt ist er nur noch mein Kerkermeister. Er hat mir zu viel angetan, und er hasst mich. Ohne ihn wär ich frei. Sein Tod würde die Welt von einem Ungeheuer befreien. Durch seine Kriege hat er schon Tausende von Toten auf dem Gewissen. So viel Unglück! Ich glaube, es gibt auf der ganzen Welt nur einen einzigen Menschen, der ihn liebt ...«

»Ich hab es munkeln hören. Georg von Leuchtenberg?«

Sie nickte. »Deswegen trinkt er. Es ist nicht nur sein Bein. Er wird nicht damit fertig, dass mein Bruder ihn verlassen hat.«

»Vielleicht ist das die Strafe Gottes für eine widernatürliche, unzüchtige Neigung?«

Barbara schaute den Kaplan prüfend an.

»Das ist ein hartes Wort, mein Freund. Könnt Ihr bestimmen, wo Eure Liebe hinfällt?« Tiefenthaler schoss die Röte ins Gesicht. Er spürte einen Impuls, auf sie zuzugehen, sie in die Arme zu nehmen, und konnte sich doch nicht vom Fleck rühren. Sie sprach weiter, mehr zu sich selbst als zu ihm.

»Wer kann schon für seine Gefühle? Ist Gott so streng, so unerbittlich, dass er uns für das straft, was sein Werk ist? Er hat uns Menschen fähig zur Liebe geschaffen, und er hat auch zugelassen, dass es Georgs und Albrechts Art von Liebe gibt. All das ist ein Teil der Schöpfung.«

»Aber die Kirche lehnt solche Art von Geschlechtlichkeit als abnorm ab. Schließlich dient sie, anders als die Liebe zwischen Mann und Frau, nicht der Zeugung, sondern nur der niedersten Lust.« Er widersprach halbherzig.

»Kaplan, ich habe Euch einmal von der Liebe predigen hören. Da klangt Ihr nicht so erbarmungslos. Aber vielleicht ist Euch als Mann Gottes die Liebe zwischen den Menschen doch fremd?«

Sie stand fast provozierend vor ihm, mit ihren dunklen Haaren bis zur Hüfte und diesen Augen, die ihm die Ruhe raubten. Sie war die Versuchung selbst. Wusste sie, wie es um ihn stand? Tiefenthaler schluckte trocken. In ihm kämpfte der Verstand einen aussichtslosen Kampf gegen die Gefühle, die er für diese Frau empfand. Da stand sie, nur einen Wimpernschlag entfernt, und plötzlich fiel alle Selbstbeherrschung, die er seit Monaten nur mühsam bewahrte, von ihm ab. Barbara sah den Ausdruck in seinem Gesicht und erkannte schlagartig, was sie angerichtet hatte. Bevor sie es verhindern konnte, war er schon bei ihr. Er vergrub seine Finger in ihrem Haar, küsste ihre Stirn, ihre Schläfen, die Augen. Sie spürte, wie sich seine Lippen auf ihre pressten, seine Zunge in ihren Mund drängte. Einen winzigen köstlichen Augenblick lang war sie versucht, sich gehen zu lassen, dann straffte sich ihr Körper. Es durfte nicht geschehen! Sie stemmte die Fäuste gegen seine Brust und machte sich frei. Schwer atmend standen sie sich gegenüber. Sie sah seinen Blick, verzweifelt, voll Liebe, und schlug ihn ins Gesicht.

Seine Hand fuhr zum Mundwinkel, wo sie ihn getroffen hatte. Ein kleiner Blutstropfen wurde sichtbar. Dann drehte er sich um und rannte aus dem Zimmer wie von Furien gejagt. Barbara lehnte sich gegen die Wand und presste die Stirn an die Mauer.

Er erschien nicht zum Nachtessen in der Hofstube. Die Markgräfin brachte keinen Bissen hinunter, ihr Hals war wie zugeschnürt. Sie trank zwei Becher Casteller Wein und entschuldigte sich früh.

Im Frauenzimmer stand ein Kohlebecken, das wohlige Wärme abstrahlte. Barbara zog den Sessel mit dem Klöppelkissen neben die Glut und ließ wie unter Zwang die gedrechselten Holzklöppel tanzen, bis es dunkel wurde. In ihr war alles in Aufruhr. Immer noch spürte sie seine Hände, seine Lippen. Sie haderte mit sich, schalt sich ein dummes kleines Ding. Sie war weiß Gott ohnehin schon zu alt für die Ehe, für die Liebe. Und doch, sie litt um diesen Tiefenthaler, ihre Gedanken kreisten um den Kuss und die Ohrfeige, und sie hatte Angst, den Mann zu verlieren. Susanna und Kätha kamen und halfen ihr, sich für die Nacht fertig zu machen. Die beiden warfen sich fragende Blicke zu, während sich Barbara wortlos und abwesend alles gefallen ließ. Ausziehen, Haarebürsten, Hinlegen. Sie fand keinen Schlaf. Ein Holzwurm tickte, und sie beobachtete, wie sich eine kleine Spinne im Mondlicht vom Rand ihres Baldachins abseilte. Nach einer Stunde stand sie geräuschlos auf, um die Mädchen nicht zu wecken. Sie warf sich den wollenen Nachtmantel um und setzte sich im Nebenraum ans Fenster. Es war eine milde Frühlingsnacht; ein blasser Mond stand als dünne Sichel am Himmel. Irgendwo schrie ein Käuzchen.

Ein Licht wanderte auf Barbara zu. Es war Susanna, die mit einer Kerze in der Hand aus dem Schlafraum kam.

»Könnt Ihr nicht schlafen, Herrin? Was ist mit Euch? Den ganzen Abend wart Ihr seltsam.«

Barbara wandte den Kopf. »Riechst du das, Susanna? Es riecht nach Frühling, unten im Zwinger blühen schon die Schneeglöckchen.« Tränen liefen ihr übers Gesicht. »Ach Susanna, ich hab ihn geschlagen!«

Die Zofe stand einen Moment lang stumm da. Sie war ein praktisch veranlagter, unromantischer Mensch. Von Kindheit an hatte sie ihren jetzigen Verlobten gekannt – was sie mit ihm verband, waren Freundschaft und Vertrauen. An Liebe hatte sie nie viele Gedanken verschwendet, und jetzt sah sie nicht ein, warum man so darunter leiden sollte. Und wenn doch, dann musste man so schnell wie möglich etwas dagegen tun. Sie mochte den Pfarrer gern, und die Markgräfin hatte wahrlich ein bisschen Glück verdient. Sie zog Barbara resolut von der Fensterbank hoch, drückte ihr die Kerze in die Hand und packte sie dann an beiden Schultern.

»Geht zu ihm, Herrin.«

Jakob Tiefenthaler hatte seine Sachen gepackt. Es schien ihm als der einzige Ausweg. Morgen bei Sonnenaufgang, sobald sich die Tore öffneten, würde er die Burg und Kulmbach verlassen. Wohl hundertmal hatte sich die Szene in der Silberkammer in seinem Kopf abgespielt, und er fand keine Entschuldigung für sich. Er hatte sich gehen lassen, auf die schlimmsterdenkliche Weise. Niedrigste Triebe hatten ihn in einem kurzen, unbedachten Moment überrumpelt, ihn, für den Enthaltsamkeit nie eine Last gewesen war – bis er diese Frau getroffen hatte. In der letzten Zeit hatte er sich oft eingeredet, er sähe die gleiche Leidenschaft auch in ihren Augen. Törichte Eitelkeit! Sie hatte ihn geschlagen, hatte sich beschmutzt gefühlt von seinem Übergriff.

Er hatte sich einen Zuber und etliche Eimer mit eiskaltem Wasser bringen lassen. Das war es schließlich, was man einem Mann der Kirche als Mittel gegen zu starke Erregung empfahl – kalte Güsse, nötigenfalls die Selbstgeißelung. Zunächst begoss er sich verbissen mit dem Wasser, bis er am ganzen Körper zitterte.

Als die Zeit des Abendessens kam, warf er sich aufs Bett und starrte die Decke an. Er hätte es nicht ertragen, bei Tisch die Verachtung in ihren Augen zu sehen. Schlafen konnte er nicht, und so beschloss er, die Nacht mit Beten zu verbringen. Er zündete zwei Kerzen an, setzte sich an den Tisch vorm Fenster und schlug den Katechismus auf. Er konnte sich schlecht konzentrieren, und die Zeit verrann schmerzhaft langsam. Einmal, als er hochsah, glaubte er auf dem Schlosshof im flackernden Licht der Feuerpfanne eine verhüllte Gestalt zu erkennen, die lautlos am Brunnenhäuschen vorbeiging.

Barbara sah das Licht im Fenster des Pfaffenhauses, als sie unten vor der Treppe stand. Er war also noch wach. Langsam stieg sie Stufe für Stufe hinauf – von hier würde kein Weg mehr zurückführen. Sie schützte das kleine Flämmchen ihrer Talgkerze mit der hohlen Hand vor dem Luftzug, bis sie vor der Tür stand. Sie wartete. Drinnen war alles still. Vielleicht schlief er doch schon. Aller Mut wich von ihr. Sie wandte sich schon zum Gehen, als sie ein leises Geräusch aus der Pfaffenwohnung hörte. Es war das Murmeln eines Gebets. Ohne weiter zu überlegen, klopfte sie Hals über Kopf an.

Die Tür öffnete sich, und Barbara ließ das Tuch, mit dem sie ihr Gesicht verborgen hatte, sinken. Sekundenlang sahen sich die Liebenden an. Jakob begriff, nahm langsam, beinah furchtsam ihre Hand und zog sie ins Zimmer. Dann lagen sie sich in den Armen.

Sie wussten beide nichts über die Liebe, doch alles fand sich wie von selbst. Seine Hände glitten sacht über ihren nackten Leib, streichelten sie, liebkosten ihre Haut, wühlten in ihrem Haar. Er küsste ihren Mund, ihren Hals, die Innenseite ihrer Ellbogen, sah sie an, während ihre Hände seine glatte Brust, die behaarten Oberschenkel, die festen Hinterbacken erforschten. Seine Zunge umspielte ihre Brustwarzen, nippte einen Schweißtropfen aus ihrem Nabel. Tief sog sie den Duft seines Haars ein wie kostbares Parfüm. Sie berührten sich gegenseitig an den empfindsamsten Stellen, erkundeten mit staunender Langsamkeit den Körper des anderen, bis sich ihr Verlangen fast ins Unerträgliche steigerte.

Als er in sie eindrang, spürte sie einen kurzen, reißenden Schmerz, der in Lust überging, während sie ihren gemeinsamen Rhythmus fanden. Sie bewegten sich zögernd, beinahe vorsichtig, bis sich ihre Leidenschaft steigerte und ihre Bewegungen wilder, unkontrollierter wurden. Vibrationen verstärkten sich, überschwemmten sie, deckten alles andere zu, bis sie nur noch aus dieser unglaublich köstlichen Lust bestand, die er in ihr erzeugte. Sie hörte Jakob stöhnen, und gleichzeitig grub sie die Finger in sein Fleisch, als sich ihre Spannung in Wogen entlud. Sie schrie und merkte es nicht.

Tagebuch des Jakob Tiefenthaler, 4. März 1553

Die Nacht auf Oculi anno 1553
O mein Herr Jesus, vergib mir. Mein Fleisch und mein Geist waren schwach und so hab ich mein Gelübde gebrochen. Eine solch theure Nacht war nie, und wenn ich alles dafür hingeben muss, so soll's mir recht und billig sein. Lieber Herrgott, erschrickst du über deinen Diener? Meine Seligkeit, meine Ruhe ist fort, aber was ich erfahren hab, macht mich auf andre Weise reich. Item sie ist mein Weib, wenn nicht vor der Welt, die nichts wissen darf, dann vor Gott. Was wir getan haben, hat seinen eignen Segen, das sagt sie, und ich hoff und heb meine Augen auf zu dir mein Jesus, dass du uns gnädig bist. Und wenn es denn eine Sünde ist, o Heiland, dann bitt ich dich, nicht sie dafür zu strafen, sondern allein mich. Und doch mein Gott hast du den Menschen als Mann und Frau geschaffen. Sie sind geistig und

auch leiblich einer des andern Ergänzung. Mein Herr und Gott, wisse, was heute Nacht geschehn nimmt nichts weg von meiner Liebe zu dir sondern hat mir einen Blick ins Paradies und das größte Wunder deiner Schöpfung gezeigt. Doch ab heute bete ich an zwei Altären.

Schreiben des Markgrafen Albrecht Alkibiades von Brandenburg-Kulmbach an den Hauptmann auf dem Gebirg, 12. August 1553

Albrecht von Gots Gnaden Markgraf zu Brandenburg-Culmbach an seinen ehrnfesten Haubtmann zu Plassenberg. Gruß zuvor, freuntlicher, lieber Bruder und Gesundheit und festen Mut. Wir haben schlechte Kunde für dich und das gantze Land. Item am sechsten Sonntag nach Trinitatis hat uns das Unglück ereilt und vor Sievershausen bös geschlagen. Unsre Regimenter haben gefochten und gekämpft wie die Löwin, die ihr Junges verteidigt, und lang haben wir vermeint, der Sieg sei unser. Not halber mussten wir aber nach einer Stunde schweren Kampfes doch der großen Übermacht des Fürstenbunds weichen und haben in Bausch und Bogen alles verlorn, Söldner, Waffen, alles. Die Toten gehen an die sechstausend! Jetzt stehn wir nackt und bloss da. Doch schlimmer als die Niederlage schmertzt mich der Verrath, denn Befehlshaber des Feindes war niemand Geringers als unser alter Waffenbruder Hertzog Moritzen von Sachsen. Dass sich der Hundsfott gegen uns stellt, wo wir ihm geholffen, sein Hertzogtum zu gewinnen, ist die lästerlichste Schand, die jemals erhört worden. Gemeinsam haben wir für den Kaiser im Feldt gestanden, haben uns in allem Liebs gethan – und der wortbrüchige Schelm führt sein Heer gegen uns! Der hintherfotzige, stinkende Scheißhauffen, der widerliche Abschaum, der unfläthige Teuffel hat sich mit den Protestanten und dem Kaiser gegen uns verschworn! Aber die himmlische Gerechtigkeit hat ihn auf dem Fuss ereilt und er ist gar jämmerlich in der Schlacht verreckt und todt heimgeführt worden. Stracks zur Hölle soll er fahrn, amen! Ich aber lebe noch und länger, so Gott will, als allen Pfaffen recht ist. Dennoch ist der Wagen scheußlich im Dreck. Jetzt, wo ich meiner Regimenter verlu-

stig bin, muss ich wohl das Verhandeln lernen und hab auch schon einen Anfang gemacht. Mit einem der hoch gestellten Herrn im Fürstenbund hab ich schwer gehandelt, um einen Keil zwischen die Protestanten und die Kaiserlichen zu treiben, und es möchte vielleicht gelingen. Dieser Fürst, nemlich der von Braunschweig, verlangt für seine Vermittlung und als Sicherheit ein Pfand, das ich in höchstem Mass willig bin, zu geben. Nemlich ich hab ihm meine Schwester angeboten, dieweil der Arme verwittwet ist und sich das Alter wohl mit einem hüpschen Weib versüssen möcht. Er wünscht aber mein Schwester vorher zu sehn, was, wie du billigst begreifen wirst, unmöglich ist. Die Matz würd ihm wohl schön die Augen auskratzen! Da trifft sich's, dass der welsche Maler grad allda zu Plassenberg ist – er soll ein Abbild von ihr verfertigen. Du wirst ihm also Auftrag erteilen, ohne zu sagen, wofür das Bild gut ist. Wenn der Welsche das Bildnis fertig gemacht, mögest du mir gleich Nachricht schicken. Und dass mir das Weib ja schön gemalt ist und jünger aussieht als sie ist!
Mit Gott!

Albrecht Alcibiades, von Gots Gnaden Mkf. zu Brandenburg-Culmbach
Gegeben bei Braunschweig am Sonntag nach Laurentii anno 1553

Plassenburg, 20. November 1553

»Monna Barbara, prego, noch ein bisschen stillstehen. Und den linken Arm etwas höher. Ja, so, brava!«

Lorenzo bröselte seufzend ein Häuflein Grünpigmente auf seine Reibeplatte, tat wenig Marmorstaub, Kreide und zerstoßene Eierschalen hinzu, goss vorsichtig einige Tropfen Leinöl, einen winzigen Spritzer Nelkenöl und gelöstes Harz darüber und begann, mit seinem Spatel zu reiben, bis eine steife Masse entstand.

»Meister Lorenzo, gönnt mir eine kleine Pause!« Barbara stand nun schon seit anderthalb Stunden, ohne sich zu rühren. Das schwere dunkelgrüne Samtkleid, das Susanna extra für das Porträt mit Perlen und Juwelen aus dem Plassenburger Kleinodienschatz hatte besticken dürfen, zog an Schultern und Hüften, und sie sehnte sich nach einem Stuhl. Die Nadeln, mit denen ihre Haare kunstvoll über den Ohren hochgesteckt waren, kratzten und piekten. »Wenn ich gewusst hätte, was das für eine Tortur ist, Messer Neri, hätte ich nie meine Einwilligung zu diesem Bild gegeben.«

Und wenn du wüsstest, warum dieses Bild wirklich gemalt wird, erst recht nicht, dachte bedrückt Georg von Leuchtenberg, der in diesem Augenblick das Atelier betrat. Er hatte nichts über Albrechts Pläne erzählt, als er bei einer fröhlichen Runde vorgeschlagen hatte, die Markgräfin zu porträtieren.

Georg schaute dem Maler über die Schulter. »Ein wunderbares Bildnis, Maestro, das kann man jetzt schon deutlich erkennen. Dieser fließende Faltenwurf des Gewands, das Blitzen der Edelsteine, ganz herrlich. Und die Ähnlichkeit der Züge, verblüffend. Wie lange, glaubt Ihr, werdet Ihr noch brauchen?«

»Oh, drei, vier Sitzungen vielleicht. Dann das Trocknen, der Schlussfirnis – wenn alles gut geht, drei Wochen. Vorausgesetzt, die Marchesa hält noch so lange still!« Er warf einen schelmischen Blick zu Barbara hinüber, die es sich inzwischen auf einem Sessel bequem gemacht hatte.

»Mein lieber Georg, du bist schuld, dass ich hier jeden Tag stehen und leiden muss. Ich hoffe, du kommst, um Wiedergutmachung zu leisten und mich ein bisschen zu unterhalten, während der Meister mich malt.« Sie lachte, langte zu der Platte mit Süßigkeiten, die auf dem Fenstersims stand, und steckte sich eine kandierte Ingwerkirsche in den Mund. »Ich sterbe vor Langeweile.«

Georg ließ sich auf einem Schemel vor dem Fenster nieder und atmete tief durch. Barbara stellte an seiner Ausdünstung und seiner verlangsamten Aussprache fest, dass er wieder getrunken hatte. »Die Unterhaltung, die ich dir bringe, Barbara, wird dich nicht freuen.«

»Was ist passiert?«

Die Markgräfin rechnete ohnehin mit schlimmen Neuigkeiten. Seit einigen Wochen schon standen feindliche Truppen im Land; bereits ganz zu Anfang hatten sie in einem Überraschungsangriff die

Stadt Hof erobert. Es war nur noch eine Frage der Zeit, wann Kulmbach und die Plassenburg angegriffen würden.

»Bayreuth ist gefallen. Es heißt, die Stadt brennt.«

Ein erstickter Laut drang aus dem Nebenzimmer. Barbara wusste, dass Kätha Verwandte in Bayreuth hatte.

»Das ist der Anfang vom Ende.« Die Markgräfin sprach laut aus, was alle dachten.

»Mein Gott, dass Albrecht auch noch diese Niederlage durchmachen muss ...« Der Hauptmann sprach mit erstickter Stimme.

Barbara fuhr von ihrem Sessel hoch und packte den Landgrafen mit beiden Händen am Kragen. »Im ganzen Land sterben die Menschen, brennen die Dörfer, hungern die Kinder, und du bemitleidest meinen Bruder, der das alles über uns gebracht hat? Mach die Augen auf, Georg! Begreif, dass er schuld ist an allem Unglück! Seine Verbrechen, seine Blutrunst kommen über uns. Bald wird Kulmbach fallen, und dann die Plassenburg. Was willst du tun?«

Georg zuckte die Schultern und grinste großspurig. »Die Burg ist bis an die Zähne bewaffnet. Wir haben jetzt sieben Fähnlein Landsknechte zur Verteidigung und noch zwei weitere in Kulmbach. Die Vorräte reichen für mindestens sechs Monate. Wir warten, bis sie angreifen, und schlagen sie dann in die Flucht. Das ist alles.« Er lachte glucksend.

»Du bist betrunken.« Barbara verzog angewidert das Gesicht.

Leuchtenberg hörte auf zu kichern und ließ den Kopf hängen. »Du hast Recht, Bärbel, wie immer. Ich bin betrunken, was sonst? Ein Stützpunkt nach dem andern geht verloren, zerschossen, verbrannt, es geht Schlag auf Schlag. Und ich soll mit einem letzten Aufgebot das Land gegen eine Übermacht nicht bloß verteidigen, sondern auch noch zurückerobern. Kannst du mir sagen, wie?«

Es klopfte. Hansi, dem der ganze Streit peinlich war, rannte zur Tür und ließ Jakob Tiefenthaler herein. Ein weiterer Geistlicher folgte ihm auf dem Fuß.

»Stören wir, Euer Liebden?« Tiefenthaler spürte sofort, dass die Stimmung gespannt war. »Wir können auch später ...«

»Nein, nein, es ist schon gut.« Barbara lächelte dem Kaplan zu und winkte die beiden näher. »Wir haben nur gerade die Nachricht vom Fall Bayreuths erhalten.«

357

Tiefenthaler bekreuzigte sich. »Das Unglück nimmt seinen Lauf. Es war nur eine Frage der Zeit, nicht wahr? Gott sei den armen Seelen gnädig.«

»Amen.« Barbara und die anderen bekreuzigten sich ebenfalls. »Wen habt Ihr da mitgebracht, Vater?«

Der Besucher trat einen Schritt nach vorn und verbeugte sich tief. »Georg Thiel, zu Gefallen, berufener Hofprediger zu Plassenburg. Wie befohlen, habe ich mich nach Beendigung meiner Amtsgeschäfte in Joachimsthal hierher auf den Weg gemacht. Es hat leider länger gedauert als zunächst ausgemacht, das bitt ich zu entschuldigen. Aber der Krieg zwingt einen dazu, manche Pläne zu ändern.«

Alle im Raum waren überrascht. Barbara warf einen beunruhigten Blick zu Tiefenthaler hinüber, der ihn mit der gleichen Anspannung erwiderte.

»Ihr meint, Ihr seid trotz der Kriegslage ins Land gekommen?«, fragte Georg ungläubig. Alle musterten verblüfft den unscheinbaren, dicklichen Mann mit der Halbglatze, der immer noch in einer leichten Verbeugung verharrte. Er sah weiß Gott nicht so aus, als ob er den Mut gehabt hätte, unter Lebensgefahr durchs Land zu ziehen, nur um eine Stellung anzutreten. Doch Georg Thiel war ein pflichtbewusster Mensch. Natürlich war ihm bekannt gewesen, dass feindliche Truppen das Land auf dem Gebirg verwüsteten, aber ihm wäre nie in den Sinn gekommen, deshalb seiner neuen Berufung fernzubleiben. Schließlich lag alles in Gottes Hand. Jetzt überlegte er, ob er nicht einen Fehler gemacht hatte, denn ihm waren die Blicke, die zwischen Tiefenthaler und der Markgräfin hin- und herschossen, nicht entgangen. Er fühlte sich unbehaglich, ein Störenfried. Unsicher räusperte er sich.

»Selbstverständlich bin ich gekommen, wenn auch spät, Euer Gnaden. Es war ja meine Pflicht! Der Herrgott hat mir meinen Platz hier auf der Burg zugewiesen, und dieses Schicksal muss ich wohl annehmen, ob im Krieg oder im Frieden.«

Nachdem Barbara stumm blieb, war es an Georg, den neuen Burgkaplan willkommen zu heißen. Danach entstand eine verlegene Pause, in die der neugierige Hansi mit der Frage platzte, die von Anfang an jedem im Raum auf den Lippen gelegen hatte.

»Vater Jakob, müsst Ihr jetzt wieder nach Kulmbach zurück?«

Schließlich sprach Tiefenthaler, was ihm sichtlich schwer fiel. Sein Gesicht war blass, und seine Kiefer mahlten, als er sich an die Markgräfin wandte. »Euer Gnaden – ich werde heute noch meine Sachen packen und wieder meine alte Stelle in der Stadt übernehmen. Wenn Ihr gestattet, komme ich später noch einmal, um mich zu verabschieden.«

Thiel sah, wie auch Barbara blass wurde, und reagierte prompt. Er legte Tiefenthaler sanft und beschwichtigend seine weiche, frauenhaft zarte Hand auf den Arm.

»Lieber Bruder in Christo, so schnell will ich Euch gar nicht vertreiben. Wollt Ihr nicht wenigstens noch ein paar Tage bleiben, mir die Burg zeigen und mich in meine Aufgabe einführen? Ich wäre Euch wirklich dankbar.« Er nickte dem Kollegen aufmunternd zu.

In diesem Moment drang ein durchdringender Trompetenton vom Turm der Petrikirche herauf; danach ein zweiter, hellerer Klang, der vom höchsten Wachturm der Burg herüberschallte. Die Fanfaren durchschnitten die Stille des Vormittags wie ein Messer, und wer sie hörte, ob auf der Burg oder in der Stadt, wurde von Angst gepackt. Die Kulmbacher strömten in Panik auf die Straßen, und was auf der Burg Beine hatte, kletterte auf die Verteidigungsgänge der Mauern oder rannte an die Fenster, um den Grund des Alarms herauszufinden. Burg- und Stadttore wurden in fieberhafter Eile verrammelt. Währenddessen hielten die beiden Türmer kaum inne, um Luft zu holen, sie bliesen, was ihre Lungen hergaben. Erst als der Glöckner der Stadtkirche begann, Sturm zu läuten, setzten sie ihre Trompeten ab.

Alle im Frauenzimmer stürzten zu den Fensterbögen und öffneten die schmalen Flügel mit den Butzenscheiben. Auf den ersten Blick sah alles friedlich wie immer aus. Am Abend zuvor hatte ein feines Nieseln eingesetzt, das über Nacht langsam in Schnee übergegangen war. Die Dächer der Stadt und die ganze umliegende Landschaft waren weiß bepudert. Die Krähen flogen in Scharen über die Felder; ihre heiseren Schreie wurden durch das leichte Schneegestöber gedämpft und gingen jetzt fast im Glockengeläut unter.

Hansi, der sich ganz nach vorne gedrängelt hatte, sah sie zuerst. »Da!«

Der Junge deutete mit ausgestrecktem Arm auf die Kalte Marter, ein Stück freies Gelände, das außerhalb der Stadtmauern lag. Die Büsche und Sträucher schienen sich zu bewegen. Nein, wenn man genauer hinsah, begannen sich Gestalten vor dem schwarzweiß gesprenkelten Hintergrund abzuzeichnen, Wagen, Pferde, marschierende Männer, Lafetten mit Kanonen, es wimmelte von ihnen.

»Sie greifen die Stadt an!« Georg war mit einem Schlag völlig nüchtern.

Kätha und Susanna, die aus dem Nebenzimmer gekommen waren, fielen auf die Knie und begannen zu beten. Ein Bankriese stürmte herein.

»Hauptmann, der Feind bezieht Stellung auf dem Rehberg und hinter den Buchbergbastionen!«

Sie wollten also Stadt und Burg von drei Positionen aus angreifen. Georgs Schultern strafften sich. »Ruhe behalten, Mann. Alle Fähnleinführer und Rottenhauptleute zu mir in die Schreibstube. Und trommel das gesamte Burggesinde im Hof zusammen. Ich will mit den Leuten sprechen.« Er stakte energisch zusammen mit dem Bankriesen zur Tür hinaus. Das laute Tok-tok seines Holzbeins hallte durch die kalten Gänge.

Kaum hatte der Hauptmann das Frauenzimmer verlassen, redeten alle durcheinander. Lorenzo Neri versuchte, die völlig aufgelöste Kätha zu beruhigen, und verließ mit ihr zusammen den Raum. Sie wollten vom Lidwachturm aus zuschauen, was in der Stadt passierte. Barbara wies Susanna an, sich zusammen mit dem neuen Schlosskaplan um dessen Quartier zu kümmern. Hansi war plötzlich verschwunden. Am Ende waren Barbara und Tiefenthaler allein und standen Hand in Hand vor einem der Fenster.

»Mein Gott, Jakob, was wird aus uns allen?« Barbara fröstelte. Sie fühlte sich in ihrem juwelengeschmückten Prunkkleid völlig fehl am Platz. Tiefenthaler nahm sie in den Arm und schaute über ihren Kopf hinweg auf Kulmbach. Zweitausend Menschen oder mehr leben dort drunten, dachte er, Männer, Frauen und Kinder, und alle sind sie dem Untergang geweiht. Tränen der Wut stiegen ihm in die Augen.

»Vielleicht hätte ich es verhindern können ...«

Barbara machte sich los und schaute ihn verständnislos an. »Was meinst du?«

Er sprach wie zu sich selbst. »Das Mortbeten. Albrechts Tod hätte die Katastrophe verhindern können. Wenn ich nur den Mut gehabt hätte ...«

Die beiden schwiegen minutenlang. Barbara malte sich aus, was passieren würde, wenn die feindlichen Truppen Kulmbach einnehmen, die Plassenburg stürmen würden. Sie hörte die Schreie der Getöteten und der geschändeten Frauen, sah aufgeschlitzte Kehlen, verbrannte Körper, verstümmelte Leichen. Ihr war, als schmecke sie Blut auf der Zunge. Die Worte kamen ihr schwer über die Lippen.

»Vielleicht ist es noch nicht zu spät?«

Tiefenthaler zog ungläubig die Brauen hoch und sah ihr forschend in die Augen. »Weißt du, was du da sagst?«

Sie nahm sein Gesicht in beide Hände. »Die vielen Menschen dort draußen ... ihr Opfer wäre sinnlos. Und vielleicht ist es auch für uns beide die einzige Möglichkeit. Ich liebe dich, Jakob. Ich will mit dir leben. Wenn Albrecht nicht mehr da wäre ...« Sie lehnte ihre Stirn gegen seine.

Als Jakob Tiefenthaler das Frauenzimmer verließ, läuteten die Glocken der Petrikirche immer noch Sturm. Er lief auf direktem Weg zu einem der Stallburschen im unteren Hof.

»Nickel, geh durch die Schlupfpforte hinaus und renn so schnell du kannst in die Stadt. Im Wirtshaus am Markt halten sich derzeit die Räte Ulrich von Trockau und der von Wirsberg für Beratungen bereit. Gib ihnen – aber nur ihnen selber, hörst du? – diesen Zettel.«

Der junge Pferdeknecht, ein Neffe von Barbaras Zofe Susanna, sputete sich.

Kulmbach, Anfang November 2002

Es gibt Tage, da sollte man gar nicht erst aufstehen, und so einer ist heute, dachte der Archivar und schimpfte leise in seinen Bart hinein. Wolfgang Kleinert hatte schlechte, wenn nicht gar übelste Laune. Schon beim Frühstück war es losgegangen: Ganz freundlich hatte er seinem sauberen Herrn Sohn demonstriert, wie man sein Pausenbrot ordentlich in der Büchertasche verstaut, und sich prompt dafür von dem Rotzlöffel anmotzen lassen müssen. Danach hatte sich seine Frau beschwert, dass er noch immer nicht die Winterreifen auf ihr Auto montiert habe. Auf dem Weg ins Archiv hatte er zu allem Überfluss ein abbiegendes Auto übersehen und wäre beinahe unter die Räder gekommen. Der Fahrer hatte ihm einen Vogel gezeigt. Und jetzt kam auch noch diese Schülerin zu spät, mit der er um halb elf einen Termin für eine Benutzerbetreuung ausgemacht hatte.

Kleinert schnaubte und machte sich daran, die Papiere auf seinem Schreibtisch in kleinen Stapeln zu ordnen. Um zehn vor elf schließlich klopfte es und die Tür ging auf. Herein kam ein schwarz gekleidetes Wesen mit zinnoberrot gefärbten Haaren, in der einen Hand einen Motorradhelm, in der anderen eine uralte Aktentasche.

Kleinert runzelte missbilligend die Stirn und sah demonstrativ auf seine Armbanduhr. »Hatten wir nicht halb elf vereinbart, Fräulein, äh, Böhm?«

Tanja Böhm schmiss ihre Sachen mit Schwung auf einen Stuhl und schaute ihn mit unschuldigem Blick an. »Ja, schon, aber ich musste noch was Dringendes erledigen.«

»Ach so!« Kleinert beherrschte sich. »Na, dann grüß Gott, nehmen Sie mal Platz. Wie kann ich Ihnen helfen?«

Das Mädchen fläzte sich in den Besuchersessel, fuhr sich mit allen zehn Fingern durch die Strubbelfrisur und begann zu erklären. »Also, ich bin in der Kollegstufe und habe die Leistungskurse Geschichte und Wirtschaft/Recht. Ich muss jetzt langsam anfangen, meine Facharbeit zu schreiben, und habe mir das Thema ›Die Todesstrafe im Mittelalter am Beispiel Kulmbach‹ ausgesucht.«

Kleinert zog spöttisch eine Augenbraue hoch »Wie kommen Sie denn auf so was Düsteres?«

»Ganz einfach: Mein Vater ist Richter am Amtsgericht, ich bin aktiv bei Amnesty International und will später mal Jura oder Rechtsgeschichte studieren. Das Thema interessiert mich einfach.«

»Hm.« Kleinert überlegte. »Ich fürchte, da muss ich Sie enttäuschen. Meines Wissens existieren keine konkreten Quellen über

Strafprozesse und Urteile des Kulmbacher Halsgerichts für die Zeit vor 1553. Ist vermutlich alles im Bundesständischen Krieg verbrannt.« Er hob entschuldigend die Hände.

»Ach so.« Die Rothaarige schob schmollend die Unterlippe vor. »Ja, so ein Mist, was mach ich denn dann?«

»Langsam, langsam. Was ich allerdings für Sie hätte, wäre das ›Ordre-Buch für Scharfrichter 1555 bis 1603‹. Eine feine Sache, genau das, was Sie suchen, allerdings eben für eine spätere Periode. Können Sie nicht Ihre Arbeit über die Todesstrafe in der Frühen Neuzeit schreiben?«

Tanja Böhms Gesicht hellte sich wieder auf.»Das geht auch. Ich muss halt meinem Lehrer Bescheid sagen, aber der hat sicher nix dagegen, der ist in Ordnung.«

»Na, dann hole ich Ihnen mal das Buch. Sie können derweil nebenan im Benutzerzimmer Platz nehmen.«

Kleinert öffnete einen der beiden modernen Temperierschränke, die er erst im letzten Jahr hatte anschaffen dürfen, und zog mit sicherem Griff einen kleinen, unscheinbar in Schwarz gebundenen Band mit der Kennzeichnung »Rep. 213, Nr. 57« heraus. Seine Laune hatte sich noch immer nicht maßgeblich gebessert, aber immerhin freute er sich schon auf das dumme Gesicht der Rothaarigen, wenn sie versuchen würde, die Schrift des sechzehnten Jahrhunderts zu lesen. Mit Archivbenutzern, die zum ersten Mal kamen, war es immer das Gleiche. Sie kamen alle in der fröhlichen Überzeugung, schnell mal etwas nachlesen zu können. Erst waren sie zutiefst verblüfft, wenn sie die Schrift aus früheren Zeiten sahen, und dann völlig frustriert, weil sie absolut nichts entziffern konnten.

»So, bitte schön, das ›Ordre-Buch für Scharfrichter‹. Schauen Sie sich's in Ruhe durch. Wenn Sie eine Frage haben, ich bin nebenan im Büro.«

Im Hinausgehen drehte er sich noch einmal um. Das Mädchen hatte die erste Seite aufgeschlagen und machte ein Gesicht, als ob sie gerade fürchterliche Zahnschmerzen bekommen hätte. Kleinert hörte ein deutlich und mit Inbrunst geflüstertes »O Scheiße!«

Innerlich kichernd wartete der Archivar eine geschlagene Viertelstunde, bevor er wieder ins Benutzerzimmer ging. Die Schülerin hockte mit ziemlich unglücklicher Miene über dem aufgeschlagenen Buch, den Kopf in beide Hände gestützt.

»Na, wie geht's voran?«, fragte Kleinert voller Häme.

Sie sah ihn an wie ein waidwundes Reh. »Ich glaub, ich lass das wieder sein, Herr Kleinert. Ich hab das halbe Buch durchgeblättert und kein Wort entziffern können. Das kann doch kein vernünftiger Mensch lesen, oder?«

»Och«, der Archivar zuckte mit den Schultern, »bloß so Leute wie ich.«

Er setzte sich mit einem gottergebenen Schnaufer auf den freien Stuhl neben dem Mädchen und zog das Buch in die Mitte. »Also, fangen wir mal an. Hier stehen nacheinander die Einträge über die einzelnen Kriminalfälle, drüber immer das Datum. Das Nette ist, der Schreiber hat am Ende des Eintrags, wo das Urteil steht, oft eine kleine Zeichnung gemacht, die die Strafe versinnbildlicht. Bei Diebstahl hat er eine mehrschwänzige Rute gemalt und daneben eine Hand mit einem Blutstropfen. Ausstäupen und Handabhacken also. Bei Mord – sehen Sie hier – ist fein säuberlich ein Schwert gezeichnet.«

»Muss ja ein frohgemuter Mensch gewesen sein, dieser Schreiber, dass er zu diesen drakonischen Strafen auch noch so putzige Bildchen gemalt hat!« Tanja Böhm blickte angewidert auf die detailgetreu gezeichneten Bildchen und schauderte.

Kleinert lachte. »Ja, die Menschen hatten damals eine ganz andere Vorstellung von Gerechtigkeit. Für unseren Schreiber hier waren Strafen, die uns heute unvorstellbar erscheinen, etwas völlig Normales: Ohrenabschneiden, Abhacken von Gliedmaßen, Hängen, Vierteilen, Backendurchbrennen, Brandmarken ...«

Das Mädchen schluckte und schüttelte sich, und Kleinert schmunzelte. »Soll ich Ihnen noch weiter beim Lesen helfen, oder sind Sie doch zu zart besaitet für das Thema?«

»Doch, doch, das halt ich schon aus.« Das Mädchen deutete mit dem Finger auf die nächste Eintragung. »Worum geht's denn da?«

Kleinert fing die Sache an Spaß zu machen. Er las vor und erläuterte, zeigte dem Mädchen, wie man die Datierungen nach dem Heiligenkalender in die aktuelle Zeitrechnung übertrug, half ihr beim Entziffern der schwierigen Worte und brachte ihr bei, wie die wichtigsten Kürzel und Abkürzungen aussahen. So gelangten sie bis zum Jahr 1570. Tanja begann, stockend zu lesen.

»... soll der Henker verordent werden, die allda in ...«

Kleinert ergänzte »... verhaft liegende ...«

»Unholdin ziemblich ...«

»... ziemblich peinlichen anzugreiffen, alls da Els Bucklerin geheissen.«

»Was soll denn jetzt das wieder heißen? Herr Kleinert?«

Der Archivar saß wie vom Donner gerührt. Die Frau, die der Kirche den Goldpokal gestiftet hatte! Das muss sie sein, dachte er, und jetzt ahnte er auch den Grund für die ominöse Schenkung.

»Is' was?«

Tanja Böhm sah Kleinert ganz komisch an. Der schreckte aus seinen Gedanken hoch. »Äh, nein, nein, Fräulein Böhm. Nichts Wichtiges. Ich hab nur gerade was herausgefunden. Sagen Sie, hätten Sie etwas dagegen, wenn wir für heute Schluss machen würden? Es ist ja schon Mittag.«

Kleinert setzte sich mit dem Ordre-Buch an seinen Schreibtisch und begann aufgeregt, den Text noch einmal zu lesen. Unholdin – das bedeutete so viel wie Hexe. Es ging demnach um einen Fall von Hexerei. Der Henker hatte Befehl erhalten, Elisabeth Buckler »peinlich anzugreifen«, also zu foltern. Als Datum hierfür war der siebente August 1570 angesetzt. Mehr war dem kurzen Eintrag nicht zu entnehmen. Kleinert ging die anschließenden Einträge für die nächsten drei Jahre genau durch, fand aber nichts, was auf eine Hinrichtung oder die Verhängung einer Leibstrafe hingewiesen hätte. Das konnte bedeuten, dass man die Bucklerin nach der Folter wieder freigelassen hatte.

Der Archivar holte sich eine Tasse Kaffee. Das Mittagessen hatte er völlig vergessen, obwohl ihm schon vor einer Stunde der Magen geknurrt hatte. Eine Freilassung also. Das ließ sich herausfinden. Wer damals im Gefängnis gesessen hatte, kam nicht heraus, bevor er nicht eine Erklärung unterschrieben hatte, in der er sich verpflichtete, sich bei niemandem für die erlittenen Unbilden zu rächen. Solche Erklärungen, »Urfehden« genannt, waren in Kulmbach in einem eigenen Band gesammelt worden. Wenn also diese Elisabeth

Buckler aus dem Gefängnis freigekommen war, musste sich die von ihr unterschriebene Urfehde finden lassen.

Kleinert stellte das Ordre-Buch für Scharfrichter in den Temperierschrank zurück und griff sich einen großen braunen Folianten, der zwei Regale höher stand. Schon im Gehen fing er an zu blättern, und als er wieder vor seinem Schreibtisch stand, hatte er die betreffende Urfehde gefunden. Sie stammte vom 28. September 1570, und vor Begeisterung las er sie sich selber laut vor.

«Ich Elspeth Bucklerin von Culmbach Hebamm schwör vor Marthin Utzlein Stadtrichter und den zwen Burgermeistern zu got und den heiligen einen gelerten ayd, das ich solche gefencknus gegen unsern gnedigen Herrn Markgrafen noch nyemands anders nit ahnden noch rechen soll und will. Ohn alles geferde.»

Der Archivar stieß einen kleinen Juchzer aus. Was für ein erfolgreicher Tag! Pfeifend ging er zu Geli Hufnagel ins Sekretariat, um ihr die freudige Nachricht zu überbringen.

Plassenburg, 21. November 1553

Georg von Leuchtenberg erwachte mitten in der Nacht schweißgebadet. In seinem linken Bein stach es wie tausend Nadeln. Er kannte diesen Schmerz gut. Meistens kam er nachts oder beim Morgengrauen, begann mit einem leichten Kribbeln und steigerte sich dann zu fast unerträglicher Intensität. Beim ersten Mal hatte er geglaubt, er sei verrückt geworden. Das Bein war amputiert, es war unmöglich, da etwas zu spüren, wo einmal sein Knie, seine Waden, sein Fuß gewesen waren. Inzwischen hatte er sich an das seltsame Phänomen gewöhnt, das sich in regelmäßigen Abständen einstellte. Er hatte gelernt, dass der Schmerz nicht besser wurde, wenn er im Bett liegen blieb, dass er aufstehen und eine Zeit lang herumlaufen musste. Durch die Bewegung ließ das Stechen und Brennen für gewöhnlich nach und hörte nach einer Weile ganz auf. Erst dann konnte er wieder weiterschlafen.

Leuchtenberg stieß einen lautlosen Fluch aus, schlug die Laken und Decken zurück und setzte sich an der Bettkante auf. Vermaledeites Bein. Er zündete die dicke Wachskerze an, die er für solche Fälle in einer Wandnische neben seinem Bett stehen hatte, und schlüpfte in ein wollenes Hemd und eine lockere Pluderhose. Sein Holzbein ließ er an der Wand lehnen und griff sich stattdessen die beiden Krücken, deren untere Enden er extra für seine nächtlichen Ausflüge dick mit Lumpen umwickelt hatte. Schließlich wollte er niemanden stören, wenn er nachts damit durch das schlafende Hochschloss stakte. Er warf sich noch einen schweren Umhang aus Wolfsfellen um, denn es war bitterkalt. Dann öffnete er lautlos die Tür seiner Schlafkemenate und trat in den dunklen Gang hinaus.

Die Nacht war hell, denn die Schneewolken hatten sich verzogen, und ein fast voller zunehmender Mond tauchte den Schlosshof in ein fahles Licht. Leuchtenberg sah den Wächter, der im flackernden Schein einer Pechfackel neben dem Oberen Tor Posten bezogen hatte und vor Kälte von einem Fuß auf den anderen hüpfte. Drüben auf dem Rehberg, wo die bundesständischen Truppen ihr Feldlager aufgeschlagen hatten, brannten mehrere große Feuer. Hoffentlich machte die Kälte dem Feind recht zu schaffen! Der Hauptmann schwang seinen Beinstumpf grimmig ein paar Mal vor und zurück. Dann machte er sich auf seine gewohnte Runde.

Nach einer halben Stunde waren die Nervenschmerzen in seinem Bein schon besser geworden und in ein kaum mehr spürbares Kribbeln übergegangen. In dem Maße, wie seine Beschwerden nachließen, wuchs seine Müdigkeit, und als Leuchtenberg kurz vor der Burgkapelle angelangt war, beschloss er, wieder umzukehren.

Plötzlich hörte er etwas Seltsames. Er lauschte angespannt. Da war es wieder. Kein Zweifel, eine Männerstimme, die einen eigenartigen Singsang von sich gab. Und sie schien direkt aus der Kapelle zu kommen. Leuchtenberg ging leise zu der kleinen Holztür, die auf die Empore hinausführte, und öffnete sie geräuschlos.

»Requiem aeternam dona eis, Domine, et lux perpetua luceat eis …«
Die Kapelle war von Kerzenlicht hell erleuchtet. Kerzen flacker-

ten an den Wänden, entlang den Bankreihen, auf dem Altar, auf dem hängenden Kronleuchter.

Was ging hier vor? Georg von Leuchtenberg drückte sich an die dunkle Hinterwand der Empore, um nicht gesehen zu werden. Ihm war mulmig, und er atmete flach, um nur ja kein Geräusch zu machen. Er sah den Schlosskaplan, ganz in schwarzem Ornat und mit einem Predigtbuch in der Hand. Tiefenthaler war blass, auf seiner Stirn glänzte es wie von Schweißtropfen, aber er rezitierte mit fester Stimme.

»Absolve, Domine, animas omnium fidelium defunctorum ab omni vinculo delictorum ...«

Georg von Leuchtenberg ließ seinen Blick weiter durch die Kapelle schweifen. In den ersten Bankreihen saßen fünf in Kapuzenmäntel gehüllte Gestalten, die ab und zu in den Singsang des Pfarrers einfielen, wie es die Liturgie verlangte. Georg konnte die Gesichter nicht sehen, aber an Haltung und Figur glaubte er zumindest eine von ihnen zu erkennen, die abseits von den anderen Platz genommen hatte: die Markgräfin. Als sich eine der anderen Gestalten zur Seite drehte, konnte Georg anhand der weißen Haare, die unter der Kapuze vorlugten, den alten Groß von Trockau ausmachen.

»Gott ist der Herr über Leben und Tod; ihn beten wir an. Nahe ist uns der Herr: Nur ein Hauch trennt Zeit von Ewigkeit. Bedenket den Tod und sträubet euch nicht, Leib und Leben preiszugeben. Aus der Tiefe rufen wir, Herr, zu dir.«

»Aus der Tiefe rufen wir, Herr, zu dir«, wiederholte die Gemeinde murmelnd.

»Die Nacht des Todes ist allen dunkel, wenn du, Herr, sie nicht erlösest. Des Menschen Tage sind wie Gras, er blüht wie die Blume des Feldes. Fährt der Wind darüber, ist sie dahin.«

»Herr, dein Wille geschehe.« Eine der Gestalten hustete leise. Die Gemeinde rezitierte: »Lamm Gottes, du nimmst hinweg die Sünden der Welt ...«

Georg schauderte. Eine Totenmesse, ging es ihm durch den Kopf, sie halten eine heimliche Totenmesse ab. Aber für wen? Auf der Burg war in letzter Zeit niemand gestorben. Der Hauptmann lehnte sich so fest wie möglich gegen die Wand, um nicht den Halt zu verlieren, und lauschte weiter.

»Befreie, o Herr, die Seelen aller Gläubigen von jeder Fessel der Schuld. Deine Gnade komme ihnen zu Hilfe, auf dass sie entrinnen dem Rachegerichte. Lass sie genießen die ewige Glückseligkeit.«

Die wenigen Besucher der Messe stimmten das Kyrie an. Es hallte leise und unheimlich durch die leere Kirche. Irgendwo auf der Empore knackte es, und Georg zuckte zusammen. Seine Nerven waren zum Zerreißen gespannt, und zusammen mit der Kälte der Nacht kroch die Angst in ihm hoch: Hier fand etwas Ungeheuerliches statt. Er spürte, wie sich seine Nackenhaare aufstellten.

Tiefenthaler stockte einen Moment lang. Er suchte Barbaras Blick, und die Markgräfin nickte ihm zu. Ihre Lippen formten ein lautloses »Weiter«. Der Kaplan holte tief Luft und fuhr mit dem entscheidenden Teil des gespenstischen Rituals fort.

»Herr Jesus Christus, dir ist allzeit Erbarmen und Schonung zu Eigen, daher flehen wir in Demut zu dir: Nimm auf die Seele dieses deines Dieners Markgraf Albrecht von Brandenburg-Kulmbach und übergib sie nicht den Händen deines Feindes. Lass sie nicht die Qualen der Hölle erleiden, sondern die ewigen Freuden genießen. Gib deinem dahingegangenen Diener die ewige Ruhe.«

Georg von Leuchtenberg hatte das Gefühl, als ob man ihm den Boden unter den Füßen wegzöge. Es traf ihn wie ein Schlag: Albrecht! Sie wollten Albrechts Tod. Sein erster Impuls war, nach vorne ans Geländer zu stürzen, aber er war wie gelähmt vor Entsetzen und schaffte es nicht, sich vom Fleck zu rühren. Atemlos hörte er mit an, wie Tiefenthaler den Gottesdienst zu Ende brachte. Endlose Minuten vergingen, in denen der Hauptmann unfähig war, irgendetwas zu tun.

»Nimm hin, o Herr, deinen Diener Albrecht. In memoria aeterna erit justus; ab auditione mala non timebit. Suscipe famulum tuum cum sanctis tuis in aeternum, quia pius es.«

»Amen.« Die Gemeinde sang das Schlussrequiem. Georg meinte, teuflischen Triumph aus ihren verhaltenen Stimmen herauszuhören. Hass keimte in ihm auf. So leise wie möglich bewegte er sich zur Tür und verließ die Kapelle lautlos, wie er gekommen war.

Er verfluchte die Tatsache, dass er nicht rennen konnte. Mit wilden Bewegungen hastete er durch die Gänge zurück in sein Zimmer.

Nachricht Georgs von Leuchtenberg an Markgraf Albrecht von Brandenburg-Kulmbach, geschrieben in der Nacht vom 21. auf den 22. November 1553

Mein willig Dienst zuvor, günstiger durchleuchtiger Freund und Herr, ich send Euch dies Schreiben mit dem schnellsten Einrosser, der zu finden ist. Ein Schrecklichs ist geschehn, das noch niemals erhört worden. Heute Nacht war ich Zeuge einer unsäglichen Schand, ja des Hochverrats! Schwarze Magie ist gerichtet worden gegen Euer Leib und Leben, dass sich mir die Feder sträubt, das Wort zu schreiben: ein Mortbeten war. Es gehen Dinge vor, die der Teufel selber bewerkstelligt durch die Hand des heimtückischen Schlosskaplans und seiner bösen Kumpane. Schützt Euer Leben, Freund, oder Ihr seid verloren! Die Sach ist ungeheurlich. Ich selbst will nichts unternehmen ohne Euren allerhöchsten Befehl. Ich ersuch Euch und fleh Euch an: Kommt schnellstens herbei und verhindert selber die schlimmen Folgen der Verschwörung. Der Zauber richtet sich auf Euer Wohl und Wehe, ja Euer Leben ist in hoher Gefahr. Eilt!

In höchster Sorge Georg von Leuchtenberg Haubtmann zu Plassenberg, in der Nacht auf Cäcilien anno 1553

Schreiben des Markgrafen Albrecht Alkibiades von Brandenburg-Kulmbach an den Hauptmann auf dem Gebirg, 24. November 1553

Meinen Dank und Gottes Gruß zuvor, treuer Freund und Haubtmann. Item du schreibst, ein Zauber sei gegen uns gerichtet, das ängstigt uns über die Maßen. Dennoch können wir noch nicht von Hohenlandsberg abkommen, wo wir seit zweien Wochen die Verteidigung der Festung gegen den belagernden Feind in allen Dingen ordnen. Die Festung ist noch abgeriegelt, und wir sitzen derhalben auf unsern Erschen fest, bis ein Ausbruch gelingt. Du, Haubtmann, sollst derweilen nichts unternehmen, bis wir, so Gott will, selbst auf Plassenberg sind. Wieg die hundsföttischen Verschwörer in Sicherheit, sie dürfen keineswegs Verdacht schöpfen. Der Kaplan darf die

Burg nicht verlassen, er soll aber auch die Messe nicht mehr lesen. Du selber, Freund, mögest in den neuen Markgrafengemächern deine Wohnung aufschlagen, wir haben unsre Gründe die wirst du noch billigst erfahren. Item wir haben auch Nachricht, dass Kulmbach und die Burg vom Feind umlagert sind. Befehlshaber soll der von Braunschweig sein, ein harter Gesell und alter Haudegen, der das Kriegshandwerk weidlich versteht. Derhalben ist mit dem schlimmsten zu rechnen. So ist mein ernstlich Befehl, Plassenberg unbedingt und ohn Rücksicht zu halten und die Stadt notfalls aufzugeben. Mit Gottes Hilf werden wir bald zum Entsatz anrücken.

Gegeben zu Hohenlandsberg am Tag vor Katharine anno 1553 Albrecht etc.

Plassenburg, 26. November 1553, Konraditag

Seit Tagen donnerten die schweren Geschütze, die Herzog Heinrich von Braunschweig auf der Kalten Marter hatte in Stellung bringen lassen. Ihr tiefes, dumpfes Grollen hing wie ein Omen über der Stadt. Gott sei Dank traf nicht jeder Schuss, und die Stadtmauer hatte sich bisher noch als stabil erwiesen. In der Nacht stopften die Kulmbacher fieberhaft die Löcher, die am Tag hineingeschossen worden waren. Dennoch war es nur eine Frage der Zeit, wann der Bering nachgeben würde.

Die Truppe Landsknechte, zweihundert an der Zahl, die man zur Verteidigung der Stadt von der Burg hinuntergeschickt hatte, versuchte am dritten Tag der Belagerung einen Ausfall, der ihnen nichts einbrachte außer sechzehn Toten und der nur dazu führte, dass die feindlichen Kanonen nun noch häufiger schossen. Das Stadtvolk war verzweifelt. Viele verließen die Kirche nicht mehr, wo der alte Pfarrer Eck das Menschenmögliche versuchte, um ihnen Mut zu machen und Trost zu spenden. Er hatte Tiefenthaler, der in einem Schreiben angekündigt hatte, wieder in die Stadt zurückzukehren, eine wütende Nachricht geschickt, in der er diesen in dürren Worten als Schafskopf beschimpfte. Er solle gefälligst bleiben, wo er sei, und nicht ohne Not sein Leben riskieren. In Kürze würden die Kulmbacher Bürger ohnehin auf die Burg flüchten, und dann hätten sie dort droben Beistand bitter nötig. So war Tiefenthaler schließlich geblieben.

Am Abend vor Konradi breitete sich das Gerücht aus, die Söldner wollten die Stadt kampflos übergeben. Die Kulmbacher begannen, ihre Schätze und Habseligkeiten zu vergraben und in den Kellern zu verstecken. Die Mutlosigkeit wuchs, aber noch hatten die Menschen keine Todesangst. Da war schließlich die Burg – dorthin konnte man fliehen, bevor der Feind in die Stadt kam. Und die Plassenburg war noch nie erobert worden. Sie war die stärkste Festung, die es in ganz Deutschland gab. Dort war man in Sicherheit. So packten die Menschen ihre bewegliche Habe auf Karren und in Rucksäcke, schnürten das Wichtigste in Bündel und schnallten es auf Tragekiepen. Hühner wurden in Holzkäfige gesteckt, Schweine und Kühe, Ziegen und was man sonst noch hatte marschfertig gehalten. Die Nacht über tat kaum jemand ein Auge zu.

Der Tag Konradi war ein Sonntag. Aber selbst am Tag des Herrn hörten die Bundesständischen nicht auf, die Stadt zu beschießen. Schon bei Sonnenaufgang feuerten sie aus allen Rohren, und wenn eine kurze Atempause eintrat, fingen die Söldnerweiber mit ihren Kindern an zu trommeln. Jeder Schlag klang den Kulmbachern düster und Unglück verheißend in den Ohren. Und endlich begann an einer schwachen Stelle die Mauer zu bröckeln, und ein Loch tat sich auf. Noch am Vormittag hatte ein Kugelregen die Lücke so weit vergrößert, dass ein Mann durchpasste. Kulmbach war sturmreif geschossen. Es war nur noch eine Frage von Stunden, bis der Feind in der Stadt stand.

Für diesen Fall hatte der Kommandant der Kulmbacher Söldnertruppe seine Instruktionen direkt vom Markgrafen. Er befahl seinen Männern den sofortigen Rückzug auf die Plassenburg und ließ die Stadt an drei Stellen gleichzeitig anzünden. Nichts sollte dem Feind in die Hände fallen.

Das Feuer machte alle Fluchtvorbereitungen der Stadtbewohner zunichte. Es breitete sich mit unglaublicher Geschwindigkeit aus, fraß sich durch Dachstühle und Scheunen, Fachwerk und Holzdecken. Die Bürger glaubten, der Feind sei bereits innerhalb der Mauern. Sie ließen in wilder Panik alles stehen und liegen und rannten kopflos hinter den abziehenden Landsknechtstruppen den Schlossberg hinauf. Alte, Kranke, Kinder, Schwangere und Wöchnerinnen blieben zurück, versteckten sich verzweifelt in Bierkellern und Taubenschlägen oder suchten in der Kirche Zuflucht. Feuer loderten in der ganzen Stadt, als die bundesständischen Landsknechte schließlich plündernd, raubend, vergewaltigend und mordend in Kulmbach einfielen.

»Die Tore auf!«

Die Stimme des Hauptmanns gellte über den Schlosshof, und sein Befehl wurde von den Hauptleuten seiner Söldner bis zum Unteren Haupttor weitergegeben. Männer sprangen bei, um den beiden Torwarten zu helfen, die Rammbalken zu entfernen. Kaum waren die schweren, eisenbeschlagenen Flügel, die außen mit dem Zollernadler verziert waren, schwerfällig nach innen geschwungen, als auch schon die ersten Verteidiger der Stadt eilig in den äußeren Vorhof hineindrängten. Hinter den Landsknechten bewegte sich eine Flut von schreienden und jammernden Flüchtlingen auf den Eingang zur Burg zu, Männer, Weiber, Kinder, manche mit Sack und Pack, andere mit nichts als dem, was sie auf dem Leib trugen. Und wieder gellte der Befehl des Hauptmanns: »Tore schließen!«

Die Markgräfin hatte den Fall der Stadt von einem der Turmfenster aus beobachtet. Sie stand reglos und nur von einer Decke gegen die klirrende Kälte geschützt da; der Wind trug schwarzen Rauch, Funken und Rußpartikel bis zu ihr hoch. Sie hätte nicht sagen können, ob die Tränen in ihren Augen vom beißenden Rauch kamen oder ob sie vor Kummer und Entsetzen weinte. Barbara sah, wie die fliehenden Stadtbürger auf die Burg zuliefen wie ein wimmelnder Ameisenzug, sie hörte ihre Schreie und die derjenigen, die noch in der Stadt waren und entweder den Flammen oder den wütenden Soldaten zum Opfer fielen. Als sich das Untere Tor wieder zu schließen begann, glaubte Barbara ihren Augen nicht zu trauen. Die Torwarte kämpften gegen die anstürmende Menge, die in grenzenloser Angst sich gegen die Flügel stemmte, und wichen zurück. Diejenigen Flüchtlinge, die sich nach vorne gekämpft hatten, hatten das Glück, noch ins Innere der Burg zu gelangen; es waren vielleicht zwei- oder dreihundert. Dann aber kamen den Torwarten Landsknechte zu Hilfe und drückten mit vereinten Kräften das Tor zu. Die dagegen ankämpfende Menge kreischte und heulte in Todesangst; Verzweifelte trommelten mit den Fäusten gegen das Tor, andere brachen weinend auf dem Weg zusammen und flehten um Einlass.

Barbara rannte. Mit flatternden Gewändern überquerte sie den Schlosshof. Überall lief das Gesinde aufgeregt durcheinander. Die meisten von ihnen hatten Familie in der Stadt, ihre Eltern, Frauen und Kinder. Ein alter Knecht stand mit hängenden Armen neben dem Brunnenhaus, die Tränen liefen ihm übers Gesicht. Die Markgräfin packte den Kommandeur der Bankriesen, einen breitschultrigen, narbengesichtigen Kulmbacher, am Arm.

»Bernhard, wieso sind die Tore zu?« Ihr Atem ging schwer.

Der hartgesottene Kämpfer biss sich auf die Lippen. »Befehl des Hauptmanns, Euer Gnaden.«

»Aber die Leute müssen doch herein!«

»Herrin, meine alte Mutter ist irgendwo da draußen, und ich gäb meinen rechten Arm dafür, sie hereinzuholen. Ihr könnt mir glauben, dass das die schlimmste Stunde meines Lebens ist.«

»Dann befehlt Euren Bankriesen zu öffnen!« Barbara schrie ihn fast an.

»Es hat keinen Sinn.« Der Kommandeur schüttelte müde den Kopf. »Hunderte von Landsknechten stehen hinter den Toren. Die werden zu verhindern wissen, dass noch mehr Menschen aufs Schloss kommen. Dagegen können meine Leute nicht an.«

»Wo ist der Hauptmann?«

Der Bankriese spuckte aus und deutete nach oben auf das oberste Stockwerk des Nordflügels. »Droben in einem der Wachräume für die Türmer. Von dort hat er freien Blick auf die Stadt und den Burgberg. Da kann er am besten beobachten, wie die Leute rund ums Schloss verrecken.«

Barbara fand Georg von Leuchtenberg mit einer Weinflasche in der Hand am Fenster der Türmerstube. Vor ihm auf dem Sims stand eine Platte mit geräucherten Neunaugen und Erbsenmus. Der

Hauptmann sah die Markgräfin kommen und machte eine einladende Bewegung.

»Ah, meine Liebe, möchtest du auch die schöne Aussicht genießen? Nur heran, hier ist Platz für uns beide.«

»Lass sofort die Tore aufmachen!«

Die Markgräfin trat zu ihm und roch den Weindunst. Sie ballte die Fäuste.

»Bärbel, wie stellst du dir das vor? Sollen wir ganz Kulmbach hereinlassen? Zweitausend Köpfe mehr auf der Burg, zusätzlich zu den siebenhundert Landsknechten mit ihren Weibern und der restlichen Besatzung?« Georg nahm einen tiefen Schluck aus der Zinnflasche. »Unsere Vorräte sind begrenzt. Wenn wir eine Belagerung durchstehen wollen, können wir nicht auch noch das Stadtvolk durchfüttern.«

»Aber sie sterben da draußen! Wenn die Bundesständischen sie nicht niedermachen, dann erfrieren und verhungern sie im Wald. Es ist Winter, und sie können nirgends hin! Frauen und Kinder, Georg!«

Der Hauptmann verzerrte das Gesicht zu einer Hilfe heischenden Grimasse.

»Ich weiß, Bärbel. Glaubst du, ich hab ein Herz aus Stein? Der Krieg ist grausam, das ist nichts für eine Frau wie dich. Aber du musst einfach verstehen. Wir haben gerade genug Vorräte, um tausend Menschen drei Monate lang zu ernähren. Und wir sind schon ohne die Kulmbacher weit über tausend.«

Barbara packte ihn bei den Schultern und drehte ihn um, sodass er aus dem Fenster sehen konnte. Sie zeigte mit ausgestrecktem Arm auf die Menschen vor dem Unteren Burgtor. Die Ersten hatten schon aufgegeben und waren in die Wein- und Obstgärten geflüchtet, die um die Burg am Schlossberg lagen. Andere liefen auf die Wolfskehle zu, die tiefe und enge Schlucht, die den Schlossberg vom gegenüberliegenden Rehberg trennte. Einige völlig Verzweifelte ließen sich schicksalsergeben vor dem verrammelten Burgtor nieder. Von der Stadt aus kam ein kleiner Trupp Reiter Lanzen und Schwerter schwingend den Weg hochgaloppiert: Die ersten Bundesständischen hatten in der lodernden Stadt genug geplündert und suchten nun weitere Opfer. Sie erreichten ein Trüppchen Flüchtlinge, und der grausige Totentanz begann. Zwei Minuten später lagen elf blutige Leichen mit aufgeschlitzten Bäuchen und durchschnittenen Kehlen auf dem Schlossweg. Die Landsknechte stürmten weiter bergauf.

»Da! Schau genau hin, Georg, schau hin! Was jetzt passiert, ist dein Werk! Ich fleh dich an, lass aufmachen, bevor es zu spät ist!«

»Es tut mir Leid. Befehl des Markgrafen. Und Notwendigkeit. Es geht auch um unser Überleben, Bärbel. Weiß Gott, dass mir das keinen Spaß macht. Schau, ich sauf schon wieder.« Er setzte die Flasche an und leerte sie mit ein paar Schlucken.

»Dann sauf dich doch tot!« Die Stimme der Markgräfin überschlug sich. »Es wär kein Schaden, und auf einen mehr oder weniger kommt's heut nicht an!«

Mit einem Fluch warf der Hauptmann die leere Flasche aus dem Fenster. Seine Stimme wurde leise, und seine Augen blitzten böse.

»Hüte dich, was du sagst, Bärbel. Hier im Schloss gehen Dinge vor ... Noch schütz ich dich. Aber ich kann auch anders. Geh jetzt ins Frauenzimmer und find dich ab. Du wirst die Sache nicht ändern.«

Barbara zuckte zusammen. Was wusste Georg? Was meinte er damit, dass er sie schützte? Plötzlich stieg Furcht in ihr hoch, in ihrem Hals ballte sich ein Kloß. Sie raffte die Decke über ihren Kleidern zusammen und verließ hastig die Türmerstube. Schnellen Schrittes lief sie zum Pfaffenhaus. Sie hätte den Weg inzwischen blind gehen können, so oft hatte sie sich im Schutz der Dunkelheit hierher getastet und war noch vor Tagesanbruch wieder zurück in ihre Kemenate gehuscht. Jetzt öffnete auf ihr Klopfen allerdings nicht Jakob Tiefenthaler, sondern Georg Thiel. Er war offensichtlich in Eile, prallte verdutzt zurück ob des unerwarteten Besuchs und blies erschrocken die Backen auf.

»Oh, ich bitte um Vergebung, Euer markgräfliche Gnaden ...«

»Ich suche den Kaplan Tiefenthaler, Vater.«

Thiel schüttelte bedauernd den Kopf. »Er ist vorhin in den Äußeren Hof hinuntergegangen, um den Flüchtlingen Beistand zu leisten, Liebden. Ich bin auch grade dorthin unterwegs, ich habe nur noch das Psalmenbuch geholt. Was für ein Unglück! Der Herr steh uns bei. Entschuldigt Ihr mich?« Er rannte mit flatternder Soutane die Treppe hinunter und aufs Innere Tor zu.

Barbara beschloss zu warten und blieb allein in der Pfaffenwohnung zurück. Sie setzte sich auf die strohgefüllte Matratze des einzigen Betts im Raum und strich gedankenverloren die blau gestreiften Barchentlaken glatt. Sobald Jakob zurückkam, würde sie ihn vor Georg warnen. In welche Gefahr hatte er sich bloß begeben! Und sie hatte ihn selber dazu gebracht. Sie machte sich bitterste Vorwürfe. Falls die Verschwörung aufgedeckt würde, war ihr aller Schicksal besiegelt. Die Markgräfin ließ ihren Blick ziellos in dem kargen Raum schweifen. Die Angst schnürte ihr die Kehle zu. Um wieder ruhig zu werden, ging sie zum Betstuhl in der Ecke, über dem ein einfaches Kruzifix hing, kniete sich hin und sprach ein lautloses Vaterunser. Brandgeruch wehte durchs Fenster herein und drang ihr widerlich in die Nase. Sie glaubte, verbranntes Fleisch zu riechen. Übelkeit stieg in ihr auf. Ihr Magen revoltierte, und sie erbrach sich würgend.

Später streckte sie sich auf dem Bett aus, schloss die Augen und versuchte, tief und gleichmäßig zu atmen. Ihre Brüste schmerzten, als würden sie geschlagen. Seit Wochen hatte sie keine Blutung mehr gehabt. Sie legte beide Hände auf ihren Unterleib. Barmherzige Jungfrau, sie war schwanger.

Kulmbach brannte drei Tage lang. Droben von der Burg aus sahen die Überlebenden verzweifelt zu, wie alles zu Asche wurde, was sie einmal besessen hatten. Am Ende stand nichts mehr unversehrt außer dem Tor zur Langen Gasse. Von Kulmbach war nurmehr eine Ruinenlandschaft geblieben. Selbst die Kirche war ein Raub der Flammen geworden. Außer denen, die das Glück hatten, auf der Burg Einlass zu finden, war nur manchen die rechtzeitige Flucht in umliegende Dörfer und Gehöfte gelungen. Die meisten anderen überlebten den Konraditag nicht – später fanden vom Schloss ausgeschickte Stoßtrupps die Toten in den Weingärten und Wäldern, erfroren und verhungert. Die Chroniken berichteten Schreckliches: »Und hat das arme Volk mitten im Winter aus der Stadt fliehen müssen, dabei dann sehr wehe geschehen denen Schwangeren und Säugerinnen, den armen Wöchnerinnen und kranken Leuten. Man hat ihrer in Kindsnöten aus den Gewölbern und Hütten gestoßen, ihnen Speis und Trank und alles was sie gehabt genommen, die Hütten über ihnen angezündet. Hernach hat man um Kulmbach viel Menschen, da erfroren und hungers gestorben, tot gefunden. Darunter ein armes Weib, mit einem säugenden Kindlein und Hündlein, so sich auf das ganz verstorbene Weib geschmieget, in einem alten Gemäuer in der Wolfskehle tot aufgefunden ...«

Die Bundesständischen konzentrierten sich nun ganz auf die Belagerung der Plassenburg, der letzten Bastion des Markgrafen Albrecht Alkibiades im Land auf dem Gebirg.

Kulmbach, 26. November 2002

Kleinert stoppte seinen weißen Volvo an der Schranke des Äußeren Tores, die den Zugang zur Plassenburg abriegelte. Er kurbelte das Fenster herunter und drückte auf den Sprechknopf. Haubolds Stimme erklang: »Ja?«

»Wir sind's, mach auf!«

Im Hintergrund trällerte Kellermanns Bariton: »Ja, ja, der Chiantiwein ...« Der Pfarrer war ausgesprochen gut gelaunt, wie jedes Mal beim Konradi-Abend. Der sechsundzwanzigste November war seit einigen Jahren ein fester Termin im Kalender der »Forschenden Vier«. An diesem denkwürdigen Tag trafen sich die vier Herren regelmäßig, um der Zerstörung Kulmbachs im Jahr 1553 zu gedenken. Das Gedächtnistreffen wurde allerdings dadurch aufgelockert und seiner naturgegebenen Tristesse nahezu beraubt, dass Haubold zu diesem Anlass jedes Mal etliche Flaschen besten italienischen Rotwein köpfte und dazu üppige Käse- und Schinkenplatten servierte. Seine Frau Susanne und die Kinder verbrachten diese Abende üblicherweise bei Freunden, um dem Gelage zu entgehen.

Die Schranke ging hoch, und Kleinert lenkte seinen Wagen hinauf zum Rondell, wo er direkt neben dem Eingangstor zum Hochschloss parkte. Der Archivar, Pfarrer Kellermann und Lehrer Götz stiegen aus, zuletzt noch Thomas Fleischmann und Geli Hufnagel, die seit der letzten Sitzung im »Schiff« gnädig in den Kreis der »Forschenden Vier« aufgenommen waren.

Gregor Haubold öffnete mit dem Korkenzieher in der Hand. »Nur herein, nur herein!« Der Kastellan machte die Tür weit auf. »Ihr seid zu früh dran; ich bin noch beim Dekantieren.« Er goss den 96er Brunello di Montalcino in eine Karaffe und verteilte die Gläser.

Alle sechs nahmen um den runden Esstisch Platz und setzten feierliche Mienen auf. Dann erhob sich Kellermann. Er zog seinen gestrickten Pullunder zurecht, klopfte mit dem Messerrand an sein Weinglas und schlug über der Tischrunde das Zeichen des Kreuzes. Anschließend begann er, die rituellen einführenden Worte zu sprechen.

»Liebe Freunde, wir sind heute zusammengekommen im Angesicht des Herrn, um des Schrecklichen zu gedenken, das geschehen ist im Jahr fünfzehnhundertdreiundfünfzig nach Christi Geburt. Wir trauern um die Zerstörung unserer Heimatstadt und beklagen den Tod so vieler Unschuldiger. Herr, gib ihnen den ewigen Frieden und lass sie schauen dein Himmelreich. Und wir bitten dich, wende ab zukünftiges Unglück von deiner Stadt Kulmbach und allen ihren Bewohnern, auf dass sie dich preisen und dir danken in Ewigkeit. Amen.«

»Amen.«

Damit war der ernste Teil des Abends glücklich erledigt.

»Auf die ›Forschenden Sechs‹!« Der Kastellan hob sein Glas. Fleischmann blinzelte gerührt und errötete vor Freude. Er fasste unter dem Tisch nach Gelis Hand und küsste sie mit gespitzten Lippen auf den Hals.

»Auf uns!«, entgegnete Kellermann mit Pathos in der Stimme. »Mögen noch viele Abende wie dieser vor uns liegen.«

»Gibt's denn inzwischen was Neues in punkto ›totes Kind‹?« Fleischmann lehnte sich zurück und tupfte sich mit seiner Blümchenserviette den Wein aus dem Schnurrbart.

Alle bis auf Kleinert schüttelten den Kopf. Der Archivar schob sein Glas in Richtung Tischmitte. Dann begann er zu erzählen.

»Also, rein aus Zufall habe ich etwas wirklich Interessantes herausgefunden. Es geht um diese Elisabeth Buckler – erinnert ihr euch? –, die der Kirche im Jahr 1570 den kleinen Pokal geschenkt hat. Ihr wisst schon, den mit dem Initial und der Inschrift ›Barbara Herzogin von Groß-Glogau‹ und so weiter.«

Haubold stand auf und machte sich am Kühlschrank zu schaffen. »Lasst euch nicht stören«, meinte er, »ich hole nur den Käse.«

Kleinert sprach weiter. »Passt auf, jetzt kommt's: Ich habe den Namen der Frau im Kulmbacher Ordre-Buch für Scharfrichter wieder gefunden. Sie wurde darin als Hexe bezeichnet. Zwecks Ablegung eines Geständnisses wurde sie vom Kulmbacher Henker gefoltert.«

»Gute Güte!« Götz machte ein angewidertes Gesicht und schüttelte den Kopf. »Das wird ja immer dramatischer.«

»Lasst mich nur weitererzählen. Offenbar hat die alte Bucklerin der Folter widerstanden; jedenfalls findet sich ihre Urfehde ebenfalls bei mir im Archiv. Das heißt, sie wurde wieder aus dem Gefängnis entlassen.«

»Darf ich mal gerade?« Haubold stellte die Käseplatte auf den Tisch und verteilte die Teller, während der Archivar fortfuhr.

»Also, um es kurz zu machen: Ihr wisst vielleicht auch, dass in der Regierungszeit des damaligen Markgrafen Georg Friedrich, des Nachfolgers von Albrecht Alkibiades, etliche Hexenprozesse gelaufen sind, vor allem im Ansbacher Land in den fünfzehnhundertneunziger Jahren. Damals gab Georg Friedrich in Auftrag, sämtliche Fälle von Hexerei zusammenzutragen, die bis dahin in seinem Territorium vorgekommen waren. Er wollte offenbar Präzedenzfälle sammeln, um eine stimmige Verfahrensweise in den Prozessen vorgeben zu können. Diese ausführlichen Fallstudien liegen im Nürnberger Staatsarchiv. Ich habe also meinen Kumpel Herbert Pfister angerufen – wir waren zusammen in der Archivschule – und ihn gebeten nachzuschauen, ob unter diesen Fällen auch unsere Elisabeth Buckler ist. Und tatsächlich hat er sie gefunden.«

Kleinert räusperte sich und spann den Faden weiter. »Folgendes hat sich danach eruieren lassen: Im Jahr 1570 ist das neugeborene Kind eines Kulmbacher Ratsherrn bald nach der Geburt krank geworden und gestorben. Offenbar waren ähnliche Fälle in der Zeit vorher schon mehrfach aufgetreten. Jetzt beschuldigte man eine alte Frau namens Elisabeth Buckler, die dem Kind als Hebamme auf die Welt geholfen hatte, den Säugling verhext zu haben. Angeblich hätte sie ihm sofort nach der Geburt heimlich eine Hexensalbe auf den Kopf geschmiert, was nach gängigem Aberglauben unweigerlich zum Tod führen musste. Andere Beschuldigungen der Hexerei kamen dazu – Schadenszauber am Vieh, Geschosszauber an einem der Stadtbüttel und so weiter – und die Alte wurde verhaftet. Bei ihrer Befragung durch den Stadtrichter und zwei abgeordnete Räte stritt sie alle Vorwürfe ab, sodass ein ›peinliches Angreifen‹ angesetzt wurde. Auch da hat die Frau nicht gestanden, obwohl laut Kopialbuch sowohl Beinschrauben als auch das Aufziehen angewendet wurden. Die Stimmung in Kulmbach war ziemlich aufgeheizt, und man verlangte, die Alte wegen ›Druderei‹ hinzurichten. Der damalige Superintendent und Pfarrer der Petrikirche, Georg Thiel, der anscheinend ein äußerst vernünftiger Mann und sehr angesehen war, hat sich daraufhin von der Kanzel aus für die Frau verwendet und dafür gesorgt, dass es nicht zu weiteren Folterungen kam. Als die Sachlage sich nach einiger Zeit entspannte, ließ man die Alte, der man schließlich nichts hatte nachweisen können, wieder frei. Sie leistete Urfehde und verließ die Stadt; keiner weiß, was aus ihr geworden ist.«

»Tragisch, ts ts. Furchtbare Sache, dieser Hexenwahn, ganz furchtbar.« Götz starrte betrübt auf seinen Teller.

»Eine Hebamme also. Ist ja interessant«, meinte Fleischmann, der angestrengt mitgedacht hatte. »Das heißt, wir können schließen«, damit blickte er die anderen reihum an, »dass diese Elisabeth Buckler vermutlich zum Dank für ihre Errettung durch das Eingreifen des Pfarrers den Pokal der Kirche gestiftet hat, bevor sie aus der Stadt verschwand.«

»So könnte es gewesen sein.« Kleinert nickte.

Jetzt wandte sich Kellermann kauend in die Runde. »Wir haben uns beim letzten Treffen schon mal die Frage gestellt: Wie kam die alte Frau bloß an so einen wertvollen Pokal?«

Fleischmann, ebenfalls kauend, nickte eifrig. »Da ergibt sich jetzt meiner Meinung nach ein wichtiger neuer Aspekt: Sie war Hebamme. Das heißt, sie könnte ihn als Bezahlung für ihre Dienste erhalten haben, sprich: für ihre Hilfe bei einer Geburt.«

Kleinert hatte seine Portion Camembert hungrig vertilgt und lehnte sich jetzt mit einem erleichterten Schnaufer zurück.

»Mit Letzterem hätten wir die Verbindung zu einem Kind«, folgerte Geli.

»Richtig!« Haubold trug jetzt den Schinken auf. »Wunderbar würzig«, schwärmte Kellermann begeistert, während Kleinert wieder zum Thema kam.

»Lasst uns doch nochmal über die Hebamme und den Pokal nachdenken. Wenn die Buckler den Pokal für eine Entbindung bekommen hat, dann ja wohl von der Besitzerin, eben dieser Barbara von Groß-Glogau.«

»Von der wir vermuten, dass sie damals auf der Plassenburg gelebt hat«, ergänzte Götz.

»Dann ist sie die Mutter unseres toten Kindes!« Haubold klatschte in die Hände. »Freunde, wir haben sie! Soll ich ein Fläschchen Sekt aufmachen?«

Kellermann schüttelte den Kopf. »Nicht so hastig, mein Lieber. Wir können das absolut nicht beweisen. Wir nehmen ja bisher nur an, dass diese Barbara auf der Burg war. Selbst wenn das zutreffen sollte, besteht auch noch die Möglichkeit, dass deren Hofdame Susanna Zehrer ein Kind bekommen hat. Von ihrer Existenz wissen wir ja nun hundertprozentig. Könnte ja sein, dass die Herzogin für ihre Zofe bezahlt hat oder dass die Zehrer das Teil gestohlen hat, um es der Hebamme zu geben. Also, klar ist hier noch gar nichts.«

»Na, aber hört mal, immerhin haben wir zwei Frauen, die vermutlich auf der Plassenburg waren und als Kindsmütter infrage kommen, und wir haben eine Hebamme mit fürstlicher Belohnung, was auf eine Geburt hinweist – das ist doch ein riesiger Schritt vorwärts. Und deshalb würde ich dann doch für ein Gläschen Sekt plädieren.« Haubold war nicht aufzuhalten.

Es war schon spät, als Geli und Fleischmann, denen der Sinn sichtlich nach Alleinsein stand – unter den stolzen Blicken Kleinerts und Kellermanns hatten sie den ganzen Abend ungeniert und verliebt geturtelt –, zum Aufbruch drängten.

Schreiben des Markgrafen Albrecht Alkibiades von Brandenburg-Kulmbach an den Hauptmann auf dem Gebirg, Georg von Leuchtenberg, 21. Dezember 1553

Gott zum Gruß zuvor und Wappnung vor aller Unbill, treuer Freund und Haubtmann. Wie du gewisslich wirst erfahren haben, ist dein Herr und Fürst nunmehr vogelfrei. Der Hundsfott von Kaiser, Gott straf ihn mit ewiger Verdammnis, hat uns in die Reichsacht gethan. Mög er dafür in der Hölle braten mit dem gross Arschloch auf ein glühenden Spies gehockt. Wir aber werden dereinst noch fröhlich zuschauen, wie das spanische Pack um Gnade winselt.

Wir haben unser liebes Hohenlandsberg vor dreien Wochen heimblich bei Nacht und Nebel verlassen müssen, und ist die Stadt hernach vom Feind gestürmt und gar furchtbar verheeret worden. Mit nur wenigen Mannen sind wir davon und werden seither durch seltzame Kranckheit auffgehalten. Nämlichen zuzeiten haben wir kein Gespür mehr in den Beinen, sind eine Stund lahm und taub, zur andern Stund wiedrum gäntzlich gesunt. Ein sonderliche Schwachheit bemächtigt sich dabei immer wieder unsrer Glieder, so dass wir dann nicht gehen geschweig denn reiten können. Ein Artzt, den wir haben kommen lassen von Augsburg, weiß auch kain Rat, er purgiert uns und lässt uns zur Ader, aber sonst fällt ihm nichts ein. Einzig wir selber ahnen, wovon dieses unheimblich Gebrechen kommt, mein Haubtmann wir glauben es ist der grässliche Fluch, der schwer auf uns lastet, und uns peiniget und ängstigt über alle Maßen. Wir haben aber nach der rechten Abhilf schon geschickt und warten täglich auf deren Empfang. Sobald wir wieder besser hergestellt sind und der Winter es zulässt, ist unser Plan, gen Plassenberg zu reiten und die Urheber des schändlichen antichristlichen Verhängnisses zu strafen mit aller Macht. Inzwischen ist unser ernstlich Befehl, du mögest die Namen der Verschwörer in Erfahrung bringen und uns zu Schweinfurt zukommen lassen.

Der Fall Culmbachs betrübt uns gar sehr, wars doch eine schöne Stadt mit vielen fleißigen Menschen darin. Wir werdens wieder aufbauen, bald kommen bessre Zeithen. Ehrnfester Haubtmann und Freund, des weitern musst du wissen, dass deine sieben Fähnlein Landsknecht nur bis letzten Monat bezalt sind. Wenn sie anfangen

zu stampfen und Gelt verlangen bevor wir nach Plassenberg gelangt
sind, so sollstu derweiln das Tafelsilber einschmeltzen und vermünt-
zen lassen und sie damit besolden. Halt uns unsre Festung unver-
brüchlich gut wie bishero, so hilft uns Gott.

Gegeben an Thomae zu Schweinfurt,
Albrecht Alkibiades Markgraf zu Brandenburg-Culmbach

Trockau und Wirsberg, Ende Februar 1554

Nach Sonnenuntergang begehrte ein Trupp Reiter mitten in einem
wilden Schneegestöber Einlass am großen Tor des Herrensitzes von
Trockau. Nachdem sie ein fürstliches Siegel vorweisen konnten, öffnete ihnen der Torwart. Nur zwei Stunden später waren die wenigen Verteidiger des Hauses tot, und die herrschaftliche Kemenate
brannte. Aus dem größten Spitzbogenfenster baumelte im flackernden Feuerschein an einem Seil die Leiche des alten Ulrich Groß von
Trockau. Die langen schlohweißen Haare wehten ihm ums Gesicht
und färbten sich rot vom Blut, das aus seinen ausgestochenen
Augenhöhlen quoll.

Die nächste Station des Reitertrupps war am folgenden Tag die
kleine Burg Wirsberg. Auch hier ließ man die Mörder als vermeint-
liche fürstliche Boten ein. Die Besatzung wehrte sich erbittert; vier
der Eindringlinge wurden getötet. Doch letztendlich behielten die
kampferprobten Angreifer die Oberhand. Dorfbewohner, die sich
erst Stunden später in die Burg wagten, um nach dem Rechten zu
sehen, fanden Wolf von Wirsberg ertrunken und mit abgeschnitte-
nem Gemächt in einer Zisterne. Die entstellte Leiche seines Sohnes
Christoph hing angenagelt am Tor zum Bergfried; unter seinem aufgeschlitzten Leib lag ein Haufen stinkender Gedärme. In die offene
Bauchhöhle hatten seine Mörder sein neugeborenes Söhnchen ge-
stopft, dem sie vorher den Schädel eingeschlagen hatten. Einzige
Überlebende des Gemetzels war die wahnsinnig gewordene Mutter
dieses Kindes, die mit starrem Blick und blutüberströmter Brust im

großen Kamin der Hofstube kauerte und mit Gewalt hervorgeholt werden musste. Sie konnte niemandem sagen, welche Teufel so entsetzlich gewütet hatten. Man hatte ihr die Zunge herausgeschnitten. Der mörderische Reitertrupp hielt derweil auf Kulmbach zu.

Bayreuth, Anfang Dezember 2002

Ulrich Götz saß ungeduldig im Wartezimmer und blätterte in einer Frauenzeitschrift. Schon in aller Frühe hatte er den Zug nach Bayreuth bestiegen, um dort zum Zahnarzt zu gehen – seit zwei Tagen plagte ihn ein ziehender Schmerz in seinem letzten verbliebenen Weisheitszahn. Nachdem er in einer Anwandlung von Heldenmut eine schmerzstillende Spritze abgelehnt hatte, ertrug er tapfer und stoisch die Behandlung. Denn er hatte an diesem Tag noch etwas vor, bei dem er alle sechs Sinne beieinander haben wollte.

Nach Erhalt seiner Füllung machte sich Götz zu Fuß auf den Weg zum Geschwister-Scholl-Platz, um in der dortigen Institutsbibliothek für bayerische Landesgeschichte in Erfahrung zu bringen, wer nun diese Herzogin Barbara von Groß-Glogau und Crossen war. Gott sei Dank schien die Sonne, und es war nicht allzu kalt. Unterwegs erstand er zwei Butterbrezeln, die er – die neue Füllung schonend – vorsichtig nur auf einer Backe kaute.

Gegen halb zwölf betrat er das Gebäude der geisteswissenschaftlichen Fakultät, eine ehemalige Schule. Im zweiten Stock des Seitenflügels befand sich die Geschichtsbibliothek. Götz kannte sich gut aus; bei seinen Forschungen musste er mindestens zwei-, dreimal im Jahr hier Bücher holen oder in der Präsenzbibliothek Einsicht nehmen. Er hängte seinen Wintermantel in die Garderobe, sperrte seine Aktentasche ins Schließfach Nummer 12 und nahm nur sein Schreibzeug mit hinein.

Drinnen an der Ausleihe saß eine weibliche studentische Hilfskraft und guckte Götz komisch an. Der sah mit seiner Trachtenjoppe, dem Strickwestchen und der baumelnden Uhrkette weiß Gott nicht wie ein Student aus. Unter dem kritischen Blick der Studentin fühlte sich Götz sofort unwohl, ging aber mutig auf die Tür zur Bücherei zu.

»Ham' Sie 'nen Benutzerausweis?«

Götz zuckte zusammen. »Äh, ja, natürlich.« Er zog seinen Geldbeutel aus der Gesäßtasche und zeigte das Kärtchen vor. »Wissen Sie, ich bin Lehrer und muss hier was nachschauen.«

»Ach so.« Die Aufsicht war zufrieden, und Götz durfte passieren.

Im Lesesaal herrschte konzentriertes Schweigen. Es war die Zeit der vorweihnachtlichen Klausuren, und etliche Studenten saßen lesend oder schreibend in den Bankreihen, vor sich haufenweise Bücher und Papier. Zielstrebig ging Götz auf die Sektion mit den Nachschlagewerken zu, die ganz hinten im Raum angesiedelt war. Seine Schuhsohlen quietschten deutlich hörbar mit jedem Schritt, was ihm furchtbar unangenehm war. Er hasste es aufzufallen. Möglichst leise auftretend schob er eine der Rollenleitern zurecht und stieg hinauf. Doch unglücklicherweise gähnte dort, wo normalerweise die ersten vier Bände der Alten Deutschen Biographie standen, ein Loch.

»Himmelsakra«, fluchte Götz still in sich hinein und stieg wieder hinab. Laut quietschend lief er wieder zurück durch sämtliche Reihen Richtung Ausgang und wünschte sich weit weg. Seine Ohren glühten tiefrosa vor Verlegenheit.

»Ich dachte, Nachschlagewerke sind nicht ausleihbar?«, fragte er, glücklich in der Ausleihe angelangt.

Die studentische Hilfskraft sah gelangweilt und Kaugummi kauend von ihrem Buch auf. »Sind sie auch nicht, wieso?«

»Weil die ersten Bände der ADB nicht da sind.«

»Ach, die! Die sind zum Begasen beim Restaurator. Da waren Viecher drin.«

Enttäuscht ging Götz wieder zurück in den Lesesaal und quietschte nochmals in die Abteilung »Lexika«. Diesmal hoben sich einige Köpfe, und Götz grinste entschuldigend. Hinten, wo es keiner sah, zog er die Schuhe aus und stellte sie aufatmend unter seinen Tisch. Jetzt konnte er endlich ungehindert nach dieser Barbara suchen.

Die Lexika gaben nichts her. Doch Götz war ein hartnäckiger Arbeiter. Er begann, im Schlagwortkatalog zu blättern, Bücher zu wälzen und Zeitschriften zu sichten, alles in Socken. Und schließlich hatte er Erfolg: Er entdeckte einen brandneuen Sammelband mit verschiedenen Aufsätzen und Rezensionen. »Das Herzogtum Groß-Glogau und seine Regenten in Mittelalter und Früher Neuzeit« hieß einer der hierin enthaltenen Artikel, geschrieben von einer gewissen Prof. Regina Schmitz-Scherzer von der Universität Berlin. Darin stieß Götz bald auf einen Herzog Heinrich von Groß-Glogau und Crossen, der einigermaßen in die fragliche Zeit passte. Und dieser Heinrich heiratete im Jahr 1527 eine Markgräfin von Brandenburg-Ansbach namens Barbara. Das musste sie sein! »Geboren 1517 zu Ansbach«, exzerpierte Götz auf seinen Block. »Heiratet im Juni 1527 Hg. Heinrich von Glogau, und zwar im Alter von 10 Jahren.« Götz rechnete. 1550 wäre diese Barbara also dreiunddreißig Jahre alt. Das konnte sie wirklich sein! Leider war das aber schon alles, was sich aus dem Aufsatz herausfinden ließ. Heinrich von Glogau, so stand zu lesen, starb bereits zwei Jahre nach der Hochzeit. Danach spielte diese Barbara offenbar keine Rolle mehr in Glogau. Vermutlich, so überlegte Götz, hat sie sich auf einen Witwensitz zurückgezogen. Oder vielleicht hat sie wieder geheiratet. Oder sie ist zurück zu ihrer Familie und hat dann auf der Plassenburg gelebt. Hm. Denkbar ist alles – beweisbar ist gar nichts.

Götz suchte noch eine Weile weiter, stieß aber auf nichts mehr. Um kurz nach vier Uhr packte er seine Sachen zusammen, zog die Schuhe wieder an und verließ quietschend, aber zufrieden die Bibliothek. Immerhin war er nicht ohne Erfolg geblieben. Er hatte herausgefunden, dass diese Barbara eine Markgräfin von Brandenburg-Ansbach war. Die Verbindung zur Plassenburg war dadurch hergestellt. Wieder ein Teilchen ins Puzzle eingefügt!

Daheim in Kulmbach griff Götz zum Telefon. Er besorgte sich von der Auskunft die Nummer der Freien Universität Berlin und ließ sich dort von der Zentrale mit dem Lehrstuhl für Mittelalterliche und Neuere Geschichte verbinden. Die dortige Sekretärin diktierte ihm die Adresse von Regina Schmitz-Scherzer, die inzwischen an die Uni München berufen worden war. Dann setzte sich Götz an den Schreibtisch. Er beschloss, der Professorin zu schreiben und sie um nähere Informationen über diese Herzogin Barbara von Groß-Glogau und Crossen zu bitten.

Plassenburg, Ende Februar 1554

Die Belagerung dauerte nun schon fast drei Monate, ohne dass Entsatz durch den Markgrafen in Sicht gekommen wäre. Kritisch war es für die Eingeschlossenen bisher nicht geworden, obwohl es den Bundesständischen inzwischen gelungen war, die Wasserleitung abzugraben, die der Festung über den Buchberg Frischwasser aus den Zettmeiseler Quellen zuführte. Nach anfänglicher Panik hatte man festgestellt, dass das Wasser aus dem Tiefen Brunnen, dessen Schacht bis auf Mainhöhe abgeteuft war, gut ausreichte, um Mensch und Tier auf der Burg zu versorgen. Außerdem war es den feindlichen Truppen nicht geglückt, die Burg hermetisch abzuriegeln, sodass die Landsknechtsweiber notfalls auch aus dem Main bei der Steinernen Brücke Wasser holen konnten. Größere Lebensmittellieferungen kamen zwar nicht mehr durch, aber es herrschte immer noch reger Botenverkehr, und Plassenburger Einheiten hielten Stellungen im abgebrannten Kulmbach, im Hofgarten und in der Grünwehr, wo man sich regelmäßig kleinere Gefechte mit dem Feind lieferte. Überhaupt hatte ein Großteil der bisherigen Kampfhandlungen aus begrenzten Scharmützeln bestanden, die für beide Seiten nur geringe Verluste brachten.

Die Burg selber hatte noch keinen wirklichen Schaden erlitten. Man hatte sich gut gewappnet: Die Geschütze waren alle in strategisch günstiger Position aufgestellt, Munition und Schießpulver im Zeughaus so gelagert, dass sie von keinem Treffer erreicht werden konnten. Auf die Dächer, die besonders exponiert zur Buchberg- und Rehbergseite hin lagen, hatte man nasse Kuhhäute geworfen, die zusätzlich noch mit Dung beschmiert waren und durch tägliche Wassergüsse feucht gehalten wurden. So schützte man die hölzernen Dachstühle vor Brandgeschossen. Überall standen gefüllte Zisternen mit ganzen Batterien von Ledereimern, Feuerhaken und -patschen, um Brandherde sofort löschen zu können. Die Burgbewohner fühlten sich noch recht sicher, und die Landsknechte hatten ihren bekannt grimmigen Humor noch nicht verloren. Sie spielten regelmäßig demonstrativ sorglos Ball auf den Mainwiesen, um den Gegner zu provozieren. An Fasching hatte sich gar ein ganzer Haufen von ihnen Mut angetrunken, weiße Kirchenroben übergeworfen und mit Kuhglocken bewaffnet den Feind zum »Mummenschanz« vor die Kulmbacher Vorstadt geladen – der »Spaß« endete mit vier Toten und zwanzig Verwundeten.

Und dennoch – täglich forderte der Beschuss der Burg einzelne Opfer, auch unter den Zivilisten. Für die Verletzten, denen man im Hochschloss eine Krankenstation eingerichtet hatte, bestand kaum eine Überlebenschance; die Gräber im Hofgarten begannen sich zu mehren.

An die zweitausend Menschen, darunter Frauen und Kinder, Alte und Verwundete hausten in Hütten und Bretterverschlägen auf engstem Raum, Vieh, Kleingetier und Geflügel wimmelte dazwischen. Der Gestank aus den Kloaken war erbärmlich. Erste Fälle von Darmerkrankungen waren schon aufgetreten, und nur die große Kälte verhinderte das Umsichgreifen von ansteckenden Krankheiten. Der Mangel an Feuerholz – bisher das Einzige, was auf der Burg knapp geworden war – ließ kein wärmendes Feuer zu, und so fror man notgedrungen. Langsam begann sich auch der Hunger einzustellen, denn die Vorräte mussten angesichts der Dauer der Belagerung und des Hinzukommens der Kulmbacher Flüchtlinge gestreckt werden. Schon seit Mitte Februar war die tägliche Ration aus Trockenfrüchten wie Erbsen und Linsen, eingesalzenem Fleisch oder hartem Käse und Brot um ein Drittel gekürzt worden. Der Wein wurde ebenfalls rationiert; jeder Mann erhielt nur noch einen statt der bisherigen zwei Liter. Dies hatte zur ersten Verstimmung unter den Landsknechten geführt – Wein bedeutete für sie ein wichtiges Stimulans und war Teil ihrer Bezahlung; ohne Alkohol war schlecht kämpfen. Doch nachdem der Hauptmann auf dem Gebirg ihnen den rückständigen Sold bezahlt hatte – in Silbergulden, die der Münzmeister in der Plassenburger Schmiede aus dem zollerischen Tafelschatz geprägt hatte, der bisher im Gewölbe gelagert hatte –, waren sie wieder guter Dinge und schworen, die Burg bis zum letzten Blutstropfen zu verteidigen.

Georg von Leuchtenberg ließ die Feder sinken. Seit Beginn der Belagerung führte er jeden Abend Buch, um den Überblick nicht zu verlieren. Er hatte alle zur Verteidigung notwendigen Maßnahmen ergriffen; jetzt blieb nur noch abzuwarten. Militärisch war die Burg nicht zu nehmen, davon war er überzeugt. Nur monatelanges Aushungern konnte zur Übergabe führen, und er hoffte, dass der Markgraf vorher für Entsatz sorgen oder notfalls einen Friedensschluss erwirken konnte. Der Hauptmann war müde, und das Nachtessen, eine Schüssel Mus aus dicken weißen Bohnen mit Brot und Räucherfleisch, lag ihm wie ein Stein im Magen. In letzter Zeit schlief er immer schlechter, tiefe Ringe zeichneten sich unter seinen Augen ab. Er schob den Pergamentband von sich, schloss den Deckel des Tintenglases und blies die Kerze im Röhrenleuchter aus. Dann verließ er die Schreibstube.

Die Tür zu den neuen Markgrafengemächern, wo er sich befehlsgemäß zu Weihnachten einquartiert hatte, war nur angelehnt, und aus dem Spalt drang der rötliche Lichtschein eines Feuers. Der Hauptmann fluchte leise. Wegen des Holzmangels hatte er angeordnet, abends seinen Kamin nicht mehr zu schüren. Wenn ihm allzu kalt wurde, ließ er sich vor dem Schlafengehen aus der Küche lieber eine heiße Bettpfanne bringen. Aber offenbar nahm der alte Balthasar, sein Leibdiener, seine Anweisungen nicht ernst. Georg trat ein und schloss die Tür hinter sich. Er warf seinen Umhang über die nächste Truhe und drehte sich zum Feuer um. Sein Herzschlag setzte kurz aus. Vor dem Kamin stand ein gepolsterter Sessel, und in dem Sessel hockte breitbeinig und mit einem Becher in der Hand Albrecht Alkibiades.

»Ich hab mich derweil von deinem Wein bedient, Georg. Wird auch Zeit, dass du kommst.«

Leuchtenberg war, als sähe er ein Gespenst. Er machte ein paar unsichere Schritte auf den Markgrafen zu.

»Mein Gott, Albrecht, bist du's? Wie kommst du auf die Burg?«

Albrecht grinste, und sein langer roter Bart leuchtete im Schein des Feuers, was ihn noch blasser wirken ließ, als er ohnehin schon war. Seine dunklen Augen funkelten wie schwarze Kohlestücke in dem fahlen Gesicht. Er wies auf einen Scherenstuhl schräg neben sich.

»Setz dich her, mein Hauptmann, damit du nicht noch vor Schreck umfällst. Jetzt kannst du dir wohl denken, warum ich dich in die Markgrafenzimmer beordert hab. Schau, die Wandtäfelung dort – dahinter verbirgt sich die Öffnung zu einem heimlichen Gang, den ich beim Neubau dieses Schlossflügels hab anlegen lassen. Heut hab ich ihn zum ersten Mal benutzt, und abrakadabra, hier bin ich!« Er kicherte leise.

Georg ließ sich auf dem Hocker nieder und schüttelte immer noch ungläubig den Kopf. Albrecht hatte sich auf den ersten Blick kaum verändert in den Jahren, die vergangen waren. Nur schmaler war er geworden, richtiggehend dürr, und sein Bart war lang bis zur Brustmitte gewachsen.

»Bist ja schon wieder ganz gut zu Fuß«, meinte der Markgraf und deutete auf das Holzbein, das Leuchtenberg im Sitzen schräg von sich streckte. »Und zugesetzt hast du auch um die Hüften. Die Plassenburg scheint dir gut zu bekommen.«

»In letzter Zeit wohl weniger, Albrecht. Es wird langsam ernst mit der Belagerung. Bringst du Entsatz mit?«

Albrecht schnaubte verächtlich. »Was glaubst du denn, woher ich den nehmen soll? Der Karren ist im Dreck, mein Lieber, hier wie anderswo. Ich hab im eigenen Land nur noch drei feste Plätze: die Plassenburg, den Rauen Kulm und Schweinfurt. Der größte Teil meiner Söldner steckt in Schweinfurt fest, das müssen wir als Erstes freimachen, bevor ihr hier drankommt. Nein, Georg, ich bin nur hergekommen, um gegen die teuflische Verschwörung vorzugehen, die mich an Leib und Leben bedroht.«

»Ich dachte, du seist krank. Du hast mir von lahmen Beinen geschrieben ...«

»Ja, diese Höllenbrut hat mir eine unheimliche Krankheit angehext, das stimmt. Ich hab mich oft tagelang kaum bewegen können, alles war taub. Manchmal bin ich vor Todesangst fast verrückt geworden. Aber jetzt besitz ich ein wunderbares Heilmittel. Schau!«

Er nestelte eine Kette los, die er um den Hals getragen hatte. Daran hing eine kleine silberne Kapsel, die er mit einigen Umdrehungen aufschraubte. Den Inhalt schüttete er vorsichtig auf seine Hand und hielt sie Georg hin. In der Handfläche lag ein kleines, schrumpeliges Fetzchen, hart, schwarzbraun und faltig wie altes Leder. Georg runzelte die Stirn und sah den Markgrafen fragend an. Der hatte leuchtende Augen bekommen.

»Ein Stück von der Vorhaut Christi, Georg, das ist meine Rettung gewesen.«

»Eine Reliquie?«

»Ich hab sie von einem Kölner Reliquienhändler gekauft und dafür ein Stück vom kostbaren Eingehörn versetzen müssen. Aber was nützt mir der Narwalzahn, wenn er nicht gegen einen Fluch hilft? Dieses winzige Teilchen vom Körper Jesu war jedenfalls wirksamer als tausend Verwünschungen. Es hat mich wieder so gut wie gesund gemacht. Und jetzt werde ich diese Höllenbande ausrotten.«

»Was hast du vor?«

Albrecht tat die Vorhaut Christi wieder zurück in ihr Behältnis. »Ein Teil ist schon erledigt, nämlich der alte Trockau und die zwei Wirsberger. Ich hab sie mit ein paar zuverlässigen Männern auf dem Herweg besucht. Bleibt noch dieser Satanspfaffe hier im Schloss. Der muss brennen für seine Ketzerei.«

Leuchtenberg zuckte zusammen vor der Konsequenz seines Verrats. Trotz allem, was er verbrochen hatte, der Hauptmann hätte dem jungen Pfarrer das Allerschlimmste gern erspart.

»Meinst du nicht, es wäre besser, ihn einem geistlichen Gericht zu überantworten?«

Albrecht sah den Freund durchdringend an. »Auf wessen Seite stehst du?«, knurrte er.

»Auf deiner natürlich, das weißt du genau. Aber vielleicht ließe sich eine solche Verschwörung öffentlich zu deinen Gunsten ausschlachten ...«

»Papperlapapp! Das ist mir gleich; ich will ihn im Feuer sehn.« Albrecht stand auf und ging im Zimmer umher. Seine Augen flackerten. »Das nimmt den Fluch endgültig von mir.«

Georg sah, dass nichts zu machen war. Er kannte Albrecht nur zu gut: Tiefenthalers Leben war verwirkt. Der Hauptmann versuchte noch ein Letztes.

»Aber brennen geht nicht, Albrecht, wir haben nicht mehr genug Feuerholz für einen großen Scheiterhaufen. Wir sind ja schon froh, wenn wir genug für die Herdfeuer zum Kochen haben. Lass ihn einfach köpfen oder aufhängen.«

Albrecht fuchtelte unwirsch mit den Armen. »Phh! Das ist mir zu wenig für dieses lästerliche Ungeheuer. Na, mir fällt schon was ein.« Er setzte sich wieder. »Was macht übrigens meine liebe Schwester?«

»Es geht ihr gut«, antwortete Georg vorsichtig, »sie und ihre zwei Hofdamen kümmern sich um die Verletzten in der Krankenstube.«

»Hat sie was mit der Verschwörung zu tun?«

Der Hauptmann vermied es, Albrecht anzusehen. »Nicht dass ich wüsste.«

Der Markgraf nickte. »Gut. Vielleicht werd ich ihr morgen das Vergnügen meines Besuchs bereiten.«

Dann sprachen sie über strategische Dinge und schließlich über alte Zeiten, bis das Feuer im Kamin niedergebrannt und der Wein getrunken war. Etwas von der früheren Vertrautheit kehrte zurück.

»Und wie geht's dir ... sonst?« Georg berührte den Freund leicht an der Schulter.

Albrecht lehnte sich zurück und schloss die Augen.

»Ach, nichts, was sich zu erzählen lohnen würde. In den letzten Jahren war ich wohl recht allein – man fürchtet mich mehr als man mich liebt, und Freunde sind in schweren Zeiten rar. Ab und zu ein hübscher Junge, das war's dann. Nichts Ernstes. Und du?«

»Ich?« Der Hauptmann lachte freudlos auf. »Wer will schon einen Krüppel, der langsam fett wird und außerdem zu viel trinkt?«

Der Markgraf erhob sich; sein Bein knickte dabei weg. »Da ist es wieder«, keuchte er. Er sank zurück in den Sessel und rieb sich die Wade.

»Der Teufel holt mich wohl doch noch, Georg, vielleicht bald.« Albrechts Gesicht war kreidebleich geworden, und ein Auge zuckte nervös. Seine Hände zitterten. Georg stand auf und zog ihn hoch. Dann stützte er, der Einbeinige, den Freund so gut er konnte, führte ihn langsam nebenan ins Schlafzimmer und half ihm ins Bett.

»Du musst jetzt ruhen, Albrecht. Der Ritt hierher war anstrengend, vielleicht war's ein bisschen zu viel für dich. Schlaf dich aus.

Ich werd in der Hauptmannswohnung übernachten.« Er wandte sich zum Gehen, als der Markgraf ihn am Handgelenk zurückhielt. Er suchte Leuchtenbergs Blick, doch der wich ihm aus.

»Bleib da, Georg.« Er verzog die Lippen zu einem krampfhaften Lächeln. »Das Bett ist groß genug für zwei.«

Der Hauptmann blieb stehen, schwankte unsicher. »Ich ... mein Bein ist kein schöner Anblick, Albrecht ...«

»Dann blas die Kerzen aus und komm.«

Am nächsten Morgen in aller Herrgottsfrühe hämmerte jemand wie wild an die Tür zum Frauenzimmer. Kätha, die schon fertig angezogen war, rannte, um zu öffnen. Es war Georg Thiel, der neue Schlosskaplan, der aufgeregt und völlig atemlos hereinstürzte. Die wenigen Haare standen nach allen Richtungen von seinem runden Schädel ab.

»Schnell, weck deine Herrin, Katharina.« Schwer atmend stand der korpulente Pfarrer mitten im Raum und rang die Hände. Die Zofe hielt sich nicht mit Fragen auf und hastete ins Schlafzimmer. Kurze Zeit später erschien die Markgräfin noch im Nachtzopf und nur mit einem wollenen Umhang über dem Unterkleid. Hinter ihr kam die ebenfalls spärlich bekleidete Susanna mit einem Nachttiegel in der Hand.

»Um Gottes Willen, Vater Georg, was ist?« Barbara erschrak bei seinem Anblick.

Thiel suchte nach Worten. »Sie ... sie haben Vater Tiefenthaler verhaftet.«

Barbara wankte. Die Angst sprang sie an wie ein Tier. Mit zwei Schritten war Thiel bei ihr und stützte sie.

»Liebden, es heißt, der Markgraf Euer Bruder sei da und wolle eine Verschwörung gegen seine Person ...«

»Wo ist er?«, fiel ihm Barbara ins Wort.

»Im obersten Raum des Schneckenturms, Herrin. Aber versucht nicht, zu ihm zu kommen, es ist zwecklos. Ich bin sofort hingegangen, aber die Wachen lassen niemanden durch.«

»Heilige Jungfrau Maria, steh uns bei.« Barbara wurde von namenlosem Entsetzen gepackt. Was sie in ihren schlimmsten Stunden befürchtet hatte, war eingetreten. Und noch bevor sie versuchen konnte, ihre Gedanken zu ordnen, ging die Tür auf und ihr Bruder kam herein. Barbara bauschte schnell mit den Ellbogen ihren Umhang von innen auf, um die Wölbung ihrer Schwangerschaft besser zu verbergen, während Susanna und Kätha in den hintersten Winkel des Raumes zurückwichen. Doch Albrecht breitete ganz wider Erwarten lächelnd die Arme aus.

»Barbara! Ein unerwartetes Wiedersehen, nicht wahr?«

Die Markgräfin stand da wie versteinert und versuchte sich zu fassen. »Willkommen, Bruder, nach so langer Zeit.«

»Du hast dich kaum verändert, meine Liebe. Willst du mir keinen Platz anbieten? Da redet sich's besser.«

Die Markgräfin gab Kätha einen Wink, und die rückte zwei Sessel vor den Kamin und schickte sich an, ein Feuer zu machen. Albrecht ging durchs Zimmer und ließ sich schwer auf seinen Sitz fallen. Barbara bemerkte, dass er ein Bein leicht nachzog. Er bedeutete ihr, ebenfalls Platz zu nehmen, und spürte ihre Angst.

»Du musst dir keine Gedanken machen, Schwesterherz, ich komme im Guten. Georg, die brave Seele, hat mich überredet, dir nichts mehr nachzutragen. Er sagt, du hast in den letzten Jahren ein untadeliges Leben geführt und dir sei nichts mehr vorzuwerfen.«

»Das … das freut mich, Albrecht.« Die Markgräfin versuchte, sich zusammenzureißen und so gut es ging Konversation zu machen. Stockend und zäh unterhielten sich die beiden über dies und das. Zum Glück brachte dann Hansi, der Küchenjunge, mitten in die Verlegenheit hinein die Frühsuppe. Die beiden Geschwister löffelten eine Weile schweigend die mit Honig und Zimt gewürzte warme Milchsuppe, in der aufgeweichte Brocken trockenen Brotes schwammen. Barbara musste sich zu jedem Löffel zwingen.

»Du siehst blass aus, bist du verletzt?« Sie deutete auf Albrechts Bein.

»Verletzt nicht.« Er beugte sich vertraulich nahe zu ihr und begann, in theatralischem Tonfall zu flüstern. »Eher könnt man schon sagen: verhext. Deshalb bin ich hergekommen. Bärbel, hier haben unerhörte Dinge stattgefunden. Man hat versucht, mich durch Zauber umzubringen.«

Barbara versagte die Stimme, sie starrte Albrecht nur mit großen Augen an, und der nahm es als Überraschung.

»Ja, glaub's nur.« Albrecht schob die Suppe von sich weg. »Man hat ein Mortbeten abgehalten, in der Kapelle. Seitdem versagen mir manchmal die Beine. Nur der Besitz einer Reliquie hält mich am Leben. Schau, ich trag sie um den Hals. Jetzt bin ich gekommen, um Rache zu nehmen und damit den Fluch zu brechen.«

»Was willst du tun?« Sie fühlte sich wie gelähmt; die Frage kam ihr kaum über die Lippen.

»Fast alle Verschwörer sind schon von ihrer gerechten Strafe ereilt worden, nur einer fehlt noch, und der kommt jetzt dran. Es ist Euer Schlosskaplan, der Satanspriester.«

Von Georg Thiel, der inzwischen bei den Mädchen in einer Zimmerecke stand, kam ein entsetzter Aufschrei. Er begann, murmelnd das Vaterunser aufzusagen. Barbara presste die Hand gegen den Mund und stand auf, um ihre Angst zu verbergen.

»Was ist los mit dir?« Albrecht erhob sich ebenfalls.

»Um Gottes Willen, Bruder, kannst du nicht Gnade walten lassen? Ich kenne den Kaplan als rechtschaffenen und guten Menschen.«

Auch Thiel schaltete sich ein. »Wenn Ihr erlaubt, Euer Gnaden, mein Name ist Georg Thiel, und ich bin der bestallte Schlosskaplan. Jakob Tiefenthaler hat mich bis vor kurzem vertreten. Auch ich kann über den Mann nur Gutes sagen. Er ist ein aufrichtiger Christ und ein Priester ohne Tadel. Das Gesinde liebt ihn. Ich kann mir nicht vorstellen ...« Der Markgraf schnitt ihm mit einer knappen Bewegung das Wort ab.

»Schweigt. Da sind genug Beweise. Morgen lass ich ihn einen Kopf kürzer machen.«

Thiel sah ein, dass er nichts ausrichten konnte, machte eine entschuldigende Verbeugung und zog sich in Demut zurück. Die Markgräfin dachte fieberhaft nach. Ein Aufschub, sie musste wenigstens einen Aufschub erwirken! Sie versuchte, sich nichts anmerken zu lassen.

»Du solltest ihn zumindest nicht ohne Verhandlung hinrichten lassen, Albrecht. Die Geistlichkeit des ganzen Landes würde das nachteilig auffassen. Schick ihn vor Gericht und lass dort die Angelegenheit klären.«

Der Markgraf schüttelte den Kopf.

»Dazu ist keine Zeit, und was die verdammten Pfaffen denken, ist mir gleich. Ich will den Kerl tot sehen, bevor ich morgen wieder nach Schweinfurt reite.«

Er wandte sich zum Gehen. »Also, wenn du morgen ein hübsches Schauspiel sehen willst, Schwester, dann begib dich nach dem Mittagsmahl in den Hof. Ich muss jetzt die Truppen inspizieren.«

Barbaras Gedanken wirbelten, aber ihr fiel vor lauter Aufregung nichts ein, was hätte helfen können. Sie wusste nur eins: So durfte sie Albrecht nicht gehen lassen, sonst war Jakob verloren. Sie trat zwischen ihn und die Tür und legte ihm die Hand auf die Brust. Es war die linke mit dem verkrüppelten Finger.

»Bruder, du hast gesagt, du trägst mir nichts nach. Dann gewähr mir als Zeichen unserer Versöhnung eine Gunst: Ich bitt dich, lass den Fall des Kaplans vor einem ordentlichen Gericht verhandeln.«

Albrecht sah sie wütend an und schüttelte ihre Hand ab.

»Was soll das, Schwester? Hör auf, dich einzumischen. Was geht dich die Sache an?«

Dann wurde er stutzig. Grob packte er sie an der Schulter.

»Was hast du damit zu tun, Barbara? Du steckst mit den Verbrechern unter einer Decke, stimmt's? Ich hab mir gleich gedacht, dass …«

»Nein!« Sie wand sich unter seinem Griff. »Albrecht, ich will doch nur, dass dem Jakob Tiefenthaler Recht geschieht.«

»Und warum? Warum schützt du diesen Mann?«, geiferte der Markgraf.

Sie suchte nach Worten.

»Weil ich glaube, dass er unschuldig ist.«

»Du willst ihn retten, weil er dein Komplize ist!« Albrecht wies anklagend mit dem Finger auf sie. »Sie haben dir die Regierung nach meinem Tod angetragen, ist es nicht so? Du hast alles gewusst, alles, stimmt's? Sag's mir!«

Er schüttelte sie, und ihre wollene Stola klaffte auseinander. Das war der Moment, in dem er sah, dass sie ein Kind trug. Albrecht prallte zurück. Dann löste er mit einem schnellen Griff die Schlaufe, die den Umhang hielt. Das Kleidungsstück glitt zu Boden. Mit langsamen Schritten ging Albrecht um die Markgräfin herum und besah sich ihren vorgewölbten Leib.

»Schau an, davon hat mir unser Freund Georg gar nichts erzählt.« Er strich nachdenklich über seinen langen roten Bart. »So langsam wird mir einiges klar. Da versuchen die Herren vom Adel, mich durch schwarze Magie umzubringen, und meine eigene Schwester sorgt derweil für einen Erben.« Er brüllte. »Votze!« Dann brachte er sein Gesicht nahe an ihres. »Von wem ist der Bastard?«, zischte er. »Wirsberg? Kotzau?«

Barbara schwieg.

»Ist es einer vom Adel, ja? Einer, der für die Landesherrschaft infrage kommt? Rede!« Die Markgräfin hob ihren Umhang auf und legte ihn fröstelnd wieder um die Schultern. Sie sah ihrem Bruder stolz in die Augen.

»Ich habe nicht den Wunsch nach Macht, Albrecht. Die Landesherrschaft will ich nicht, und das Kind hat damit nichts zu tun. Und von mir wirst du nicht erfahren, wer der Vater ist.«

»Hure, unverschämte!« Albrecht beherrschte seinen Jähzorn nicht länger. Sein Gesicht war eine einzige bösartige Grimasse. Seine Hände schlossen sich wie Klauen um ihren Hals, während sie vergeblich versuchte, sich freizukämpfen. Sie röchelte. Dann waren die Mädchen und Georg Thiel zur Stelle, und es gelang ihnen, Albrecht von Barbara wegzuziehen. Thiel stellte sich mutig zwischen die beiden und streckte dem Markgrafen mit zitternden Händen das Kruzifix hin, das er um den Hals trug.

»Vergreift Euch nicht an einem schwangeren Weib, Markgraf Albrecht Alkibiades!« Er sprach laut und bestimmt. »Vor Gott und den Menschen ist wachsendes Leben heilig, davor müsst auch Ihr Achtung haben. Versündigt Euch nicht!«

Der Markgraf trat zurück. Der Schutz von Schwangeren war ein Gesetz, das selbst er sich scheute zu missachten.

»Dann sagt Ihr mir, wer der Vater ist, Kaplan.«

Thiel schüttelte den Kopf. »Das weiß ich nicht, Euer Gnaden.«

Albrecht lachte plötzlich auf. »Aber ich weiß, wer es mir sagen kann. Nämlich der Einzige von den erbärmlichen Mordgesellen, der noch lebt.« Er wandte sich an Barbara, die inzwischen auf einem Hocker saß und sich den wunden Hals rieb. »Dein Schlosskaplan wird schon reden, meine Liebe, wenn's sein muss, eben unter der peinlichen Befragung.«

Barbara sprang auf. In ihrem Gesicht spiegelte sich die Verzweiflung.

»Bei der heiligen Muttergottes, Albrecht, das kannst du nicht tun.«

Albrecht beherrschte sich mühsam und sah sie mit kalten, zu Schlitzen verengten Augen an. Mit zwei Schritten war er bei ihr. »Warum, Schwester«, seine Stimme war leise, »sag mir endlich, warum du dich so für diesen Mann einsetzt?«

»Weil er unschuldig ist, Albrecht. Lass ihn nicht für alle büßen. Die Verschwörung ist nicht seine Schuld.«

»Wessen Schuld ist sie denn?« Albrechts Gesicht kam dem ihren ganz nah. Sie roch seinen schlechten Atem.

»Ich sag's dir, wenn du mir bei deiner Reliquie schwörst, dass du ihn dann am Leben lässt.«

Albrecht legte einen kurzen Moment den Kopf schief und zog die Augenbrauen hoch. »Na gut«, schnaufte er, »ich schwöre.« Er hob drei Finger zum Schwur und legte sie dann auf die Silberkapsel, die vor seiner Brust baumelte. »Und jetzt sag schon, wessen Schuld ist es?«

»Meine.«

Er starrte sie an und sie wich bis zur Wand zurück. »Ja, ich bin schuld, Albrecht. Ich und die Räte, wir haben keine andere Lösung mehr zur Rettung des Landes gesehn. Und da haben wir ihn dazu gebracht, das Mortbeten zu zelebrieren. Wenn du also noch jemanden umbringen willst, dann mich. Lass ihn gehen.« Sie atmete schwer, aber ihr Entschluss stand fest. Sie wusste, dass es für sie zumindest einen Aufschub geben würde. Als Schwangere war sie unantastbar.

»Du schützt diesen Pfaffen mit deinem eigenen Leben?« Albrecht sah sie durchdringend an. Eine ungläubige Ahnung keimte in ihm. »Warum, Schwester?«

Und sie gab zu, was er seit einer Sekunde ohnehin wusste. »Weil er der Vater meines Kindes ist.«

Der Markgraf tobte. Wie ein Löwe im Käfig lief er durch die Kemenate und brüllte. »Ein geiler Pfaffe besteigt meine eigene Schwester und zeugt mit ihr ein kleines Jesulein! Beim Arschloch des Teufels!

Und dann will er auch noch durch Schadenszauber dafür sorgen, dass seine widerliche Höllenbrut ungestört die Herrschaft übernehmen kann. Aus dem Weg!« Er stieß Susanna, die unabsichtlich vor ihm aufgetaucht war, rüde zu Boden.

Barbara wusste, dass für sie jetzt alles verloren war. Mit einem Mal war sie völlig ruhig.

»Du hast Unrecht, Albrecht, aber du kannst nichts dafür, denn du weißt nicht, was Liebe ist. Ja, ich bin eine Pfaffenhure, aber ich bereue es nicht. Der Herrgott hat unseren Bund mit einem Kind gesegnet, das ist mir ein Zeichen!«

Albrecht schäumte. »Nun gut«, zischte er, »bring deinen Wechselbalg zur Welt, du Hexe. Aber glaub nicht, dass ich dich und das Kind länger am Leben lasse als nötig.«

»Das hab ich nicht erwartet, Bruder. Aber du lös jetzt dein Wort ein und lass den Jakob Tiefenthaler gehen.«

Albrecht grinste verächtlich, spuckte aus und drehte sich um.

»Albrecht! Du hast's geschworen!« Sie packte ihn bittend am Hemd. Und im gleichen Moment wusste sie, dass sie umsonst gekämpft hatte.

Albrecht schüttelte sie ab und ging zur Tür. Dann plötzlich wandte er sich noch einmal um. »Ein kleines Geschenk mach ich dir noch, Schwesterherz. Du darfst morgen Mittag zuschauen, wenn dein bocksfüßiger Teufelsbuhle in die Hölle fährt!«

Plassenburg, 27. Februar 1554

Der Morgen war bleischwer und trüb. Die Nachricht über die geplante Hinrichtung hatte noch am Tag vorher auf der Burg die Runde gemacht und bei allen, die Tiefenthaler kannten, blankes Entsetzen hervorgerufen. Zwei Pferdeknechte, die nachts vor dem Stall wachten, damit keines der wertvollen Reittiere in den Kochtöpfen der Söldnerweiber landete, behaupteten später, eine Erscheinung am sternklaren Himmel gesehen zu haben, ein seltsames Leuchten, das ihnen Angst einjagte. Andere vom Schlossgesinde beharrten darauf, die Nacht sei voller Wolken gewesen, sodass Derartiges gar nicht hätte möglich sein können. Es hätten aber vor Sonnenaufgang die Wölfe so laut geheult, dass ihnen bang wurde, weil man hätte meinen können, das Rudel wäre mitten im Schlosshof. Wieder andere erklärten, um Mitternacht sei aus der Kapelle ein unheimliches Seufzen zu hören gewesen. Die meisten auf der Burg aber hatten einfach deshalb schlecht geschlafen, weil die Bundesständischen in ihren Lagern am Reh- und am Buchberg bis spät in die Nacht hinein getrommelt und Lärm geschlagen hatten.

Georg Thiel klopfte an die Tür des Frauenzimmers und trat zögernd ein. Er schwitzte vor Nervosität, obwohl der mit Spieß und Schwert bewaffnete Wachposten, der seit gestern vor den Gemächern der Markgräfin Dienst tat, ihn ohne Schwierigkeiten hatte passieren lassen. Der Pfarrer trug sein Messgewand und führte sämtliche Insignien seines Amtes sichtbar bei sich, um möglichst viel Eindruck zu machen. Hier zumindest war sein Kalkül aufgegangen; der Wächter hatte ihn nicht aufgehalten.

Drinnen saß die Markgräfin und klöppelte. Sie wirkte unnatürlich still und blass. Thiel erinnerte sich, dass sie einmal erzählt hatte, das Klöppeln sei während ihrer früheren Gefangenschaft ihr einziger Zeitvertreib gewesen. Heute brauchte sie diesen Rettungsanker mehr als je zuvor.

»Liebden«, sprach er sie vorsichtig an. In seinem Gesicht zuckte ein Nerv. »Ich bin auf dem Weg zu …«

Sie hob den Kopf. »Ihr geht zu Jakob, Vater Thiel?«

»Ich will es versuchen. Er braucht jetzt geistlichen Beistand.«

Sie schloss die Augen und nickte. »Ich wollte ihn heute Morgen schon besuchen, aber man hat mich nicht durchgelassen. Ach Vater, ich muss doch zu ihm! Ich bin doch an allem schuld.«

Thiel schluckte. Er sah ihre Not. »Liebden, Ihr dürft Euch keine Vorwürfe machen. Ihr habt alles versucht, um ihm zu helfen, habt Euer eigenes Leben riskiert …«

Die Markgräfin schien ihn gar nicht zu hören.

»Gibt es … gibt es etwas, was ich ihm von Euch sagen soll?«

Barbara legte das Klöppelkissen weg. Unter ihren Augen lagen dunkle Ringe; sie hatte die ganze Nacht wach gelegen und vergeblich nach Rettung gegrübelt – da war keine. Jetzt hatte sie aufgegeben.

»Ach, Vater, da gäbe es so vieles. Tausend Dinge, die ich ihm nicht mehr sagen kann. Dass er meine Liebe war, mein Leben, das weiß er. Da sind alle Worte zu wenig. Kennt ihr den griechischen Philosophen Plato? Er sagt, dass im Ursprung die Menschen zwei Köpfe, vier Arme und vier Beine gehabt hätten. Doch als Strafe für die Lästerung der Götter hätten die Unsterblichen sie in zwei Teile gespalten. Seither muss jeder Mensch seine fehlende zweite Hälfte suchen und ist erst glücklich und vollkommen, wenn er sie gefunden hat.«

Thiel nickte. »Ein schönes Gleichnis, Liebden.«

»Jakob Tiefenthaler war meine zweite Hälfte, Vater. Die Zeit mit ihm hat alles aufgewogen, was ich in den Jahren vorher an Unglück erlebt habe, und wird auch aufwiegen, was noch kommt. Er muss heute für seine Teilnahme an dieser unseligen Verschwörung bezahlen, zu der ich selber ihn gedrängt habe – mir bleibt noch Zeit, bis das Kind auf der Welt ist.«

»Bis dahin wird sich Rettung finden, Euer Gnaden. In einigen Monaten kann viel geschehen. Euer Bruder hat bis dahin womöglich den Krieg verloren und kann Euch nichts mehr anhaben.«

Barbara legte dem Kaplan lächelnd die Hand auf den Arm. »Vielleicht hab ich gar nicht den Wunsch nach Rettung, Vater Thiel.« Sie tat einen tiefen Atemzug. »Geht zu ihm. Sagt ihm, er soll auf mich warten dort, wo er jetzt hingeht.«

Thiel erstieg mit entschlossenen Schritten die Wendeltreppe des Schneckenturms. Im obersten Stockwerk lag nur ein kleiner Raum mit einer Nische davor, die gerade genug Platz für zwei bis an die Zähne bewaffnete Wächter bot. Der Raum wurde gerne als Gefängniszelle genutzt, weil ein Entkommen durch den engen Treppenschacht unmöglich war und ein Sprung durch das kleine Fenster den sicheren Tod bedeutet hätte. Vor einiger Zeit hatte hier noch der französische Herzog von Aumale als Kriegsgefangener des Markgrafen eingesessen, bis seine Familie das Lösegeld in Höhe von fünftausend Sonnenkronen bezahlt hatte.

»Halt!« Einer der Wächter trat auf Thiel zu, als dieser die letzte Stufe genommen hatte. »Hier darf keiner hinein.«

Der Pfarrer ließ sich nicht einschüchtern.

»Soldat, der Mann dort drinnen wird heute sterben. Er braucht einen Priester.«

»Wir haben Befehl, niemanden durchzulassen.«

Jetzt spielte Thiel die Routine seiner vielen Kanzelauftritte aus. Er sprach langsam und deutlich und legte einen drohenden Unterton in seine Worte.

»Jeder, auch der übelste Verbrecher, hat ein Recht auf geistlichen Beistand in seiner Sterbestunde. Wer ihm dies verwehrt, macht sich der schlimmsten Sünde schuldig. Hier im Angesicht des Todes endet die Macht des Markgrafen, Soldat, und es beginnt die Herrschaft unseres Herrn Jesus Christus. Wer bist du, dich gegen die Gesetze des Allmächtigen aufzulehnen?«

Der zweite Wächter, ein kleines drahtiges Männchen mit dem Gesicht voller Narben, zuckte die Schultern und stieß seinen Kumpan an. »Lass ihn doch durch, was tut es denn?«

»Also gut, Pfaff, aber mach nicht zu lang. Wir wollen keinen Ärger.« Der erste Wächter zog einen Schlüssel aus seinem Wams und sperrte die Turmkammer auf.

Thiels Augen mussten sich erst an die Dunkelheit gewöhnen. Nur ein kleines pergamentverschlossenes Fenster auf einer Seite des Raums ließ das Tageslicht als milchigen Schimmer hereinfallen. Jakob Tiefenthaler lag auf einem niedrigen Spannbett, das man an der Wand aufgestellt hatte. Um seine Fußgelenke schlossen sich eiserne Kettenschellen. Soweit Thiel erkennen konnte, war er nicht misshandelt worden, nur das Priestergewand hatte man ihm ausgezogen und ihn dafür in ein Hemd und eine strumpfähnliche dunkle Hose gesteckt.

Tiefenthaler hob den Kopf und setzte sich langsam auf. Die lockigen Haare hingen ihm in Strähnen ums Gesicht, seine Wangen wirkten eingefallen und bleich. Mehr denn je sah er an diesem Morgen aus wie die Idealgestalt des leidenden Christus, als die er damals – wie lange war das schon her? – die Kulmbacher Weiber fasziniert hatte.

»Schön, dass Ihr kommt, Bruder.« Seine Stimme klang fremd.

Thiel setzte sich neben ihn auf die Pritsche. Es war nicht das erste Mal, dass er einem zum Tod Verurteilten beistand, aber diesmal suchte er nach Worten und fand keine. Stumm legte er seine Hand auf die des anderen. Tiefenthaler weinte lautlos.

»Auch unser Herr Jesus hatte Angst vor dem Tod. ›Lass den Kelch an mir vorübergehen‹, hat er gefleht im Garten Gethsemane. Ihr braucht Euch Eurer Tränen nicht zu schämen, Jakob.«

»Nur dass sein Tod die Menschheit erlöste. Meiner dagegen ist die Strafe für Hoffart und Anmaßung. Für die Sünde der Ketzerei und für ein gebrochenes Gelübde. Ich habe den Tod verdient.«

Thiel schüttelte den Kopf. »Richtet nicht selbst über Euch, mein Freund. Richten darf nur einer, und seine Gnade ist grenzenlos. Darauf müsst Ihr vertrauen.«

»Was ist mit ihr?«

»Sie trägt Euer Kind; das ist ihr Schutz und Schirm. Bis zur Geburt kann ihr nichts geschehen.«

»Und dann?«

»Bis dahin vergeht noch Zeit. Wer weiß, was in ein paar Monaten ist, ob Albrecht bis dahin überhaupt noch lebt. Schließlich haben wir Krieg.«

Tiefenthaler senkte den Kopf. »Gott gebe, dass Ihr Recht habt.«

»Sie lässt Euch sagen, Ihr sollt auf sie warten.«

Der junge Kaplan lächelte. »Das werd ich, bei Gott und allen Heiligen. Sie war ein Geschenk des Himmels in meinem Leben, mein Bruder in Christo, durch sie hab ich einen Blick ins Paradies getan. Was auch kommt – ich bereue nichts, keinen Augenblick. Wir werden uns wiedersehen, das weiß ich. Aber bis dahin muss sie leben für unser Kind. Sagt ihr das, und dass ich sie auch über den Tod hinaus lieben werde. Und kümmert Euch um sie.«

»Das verspreche ich.«

»Und jetzt möchte ich beichten.«

Die beiden knieten gemeinsam nieder, doch bevor Tiefenthaler sein Sündenbekenntnis zu Ende gebracht hatte, kam der Wächter mit dem Narbengesicht herein und drängte Thiel zum Gehen.

»Schnell, Pfaff, die Zeit ist um. Es geht bald los.«

Thiel schlug hastig das Zeichen des Kreuzes und erteilte mit zitternder Stimme die Absolution. »Habt Ihr noch einen letzten Wunsch, Jakob?« Er versuchte, den Kloß in seinem Hals hinunterzuschlucken.

Die Finger von Tiefenthalers rechter Hand gruben sich in seinen Arm. »Begrabt mich in geweihter Erde, mein Freund.«

Dann zog der Wächter Georg Thiel an der Soutane hinaus.

Vom Gang vor dem Frauenzimmer aus konnte man durch zwei spitzbogenförmige Öffnungen, die nur von einer schmalen Säule getrennt waren, in den Schlosshof blicken. Die Markgräfin stand seit dem Mittagsläuten unbeweglich an diesem Fenster und wartete, bewacht von zwei Landsknechten, die Befehl hatten, sie nicht aus den Augen zu lassen. Den Stuhl und den Becher Wein, den ihr Katharina und Susanna gebracht hatten, hatte sie ausgeschlagen. Beide Hände schützend über die Wölbung ihres Leibes gelegt, hatte sie beobachtet, wie drunten einige Soldaten ein hölzernes Gestell zusammengezimmert und mehrere Pflöcke in den gefrorenen Boden geschlagen hatten. Das Schlossgesinde stand unschlüssig in Grüppchen herum; die Weiber flüsterten, und die Männer machten ernste Gesichter. Ein Trupp von vielleicht zwölf oder fünfzehn Söldnern marschierte durch das Innere Tor in den Hof und stellte sich mit aufgepflanzten Piken rund um den Richtplatz auf.

Die Tür neben dem Schneckenturm öffnete sich, und die beiden Wächter mit Jakob Tiefenthaler in der Mitte traten ins Freie. Sie hatten den Verurteilten, dem schon auf der Wendeltreppe die Knie weich geworden waren, links und rechts untergehakt, um ihn zur Not am Fallen zu hindern. Mit unsicheren Schritten ließ sich der junge Geistliche zu der vorbereiteten Stelle lenken. Barbara erschrak vor seinem Anblick. Sie hoffte, er würde zu den Spitzbogenfenstern hinaufschauen, aber er sah starr geradeaus. Sie öffnete den Mund, um ihn zu rufen, doch es kam kein Ton aus ihrer Kehle.

Schließlich war das Dreiergrüppchen dort angekommen, wo die Pflöcke in den Boden geschlagen waren. Die beiden Wächter drückten Tiefenthaler mit sanfter Gewalt in die Knie und legten ihn dann auf den Rücken. Sie banden seine Hand- und Fußgelenke jeweils an einen der Holzpflöcke, sodass er in gespreizter Position rücklings auf dem Boden lag. Dann traten sie zurück.

Derweil hatte sich die Menge der Landsknechte zu einer Gasse geteilt, um den Henker durchzulassen. Die Rolle des Scharfrichters hatte einer der engsten Gefolgsleute des Markgrafen übernommen, ein triefäugiger Hüne, der schon zu der Truppe gehört hatte, die den Rachefeldzug gegen den von Trockau und die beiden Wirsberger mitgemacht hatte. Im Unterschied zu einem berufsmäßigen Henker hatte der Soldat keine rote oder schwarze Kleidung an, sondern seine ganz normale Landsknechtsuniform. Über seiner rechten Schulter hing ein großes Wagenrad.

Jetzt erst gellte Barbaras Schrei über den Schlosshof. Tiefenthaler drehte den Kopf, sodass er sie sehen konnte. Einen Augenblick lang verschmolzen ihre Blicke. Dann schloss er die Augen. Zwischen seinen Beinen hatte sich ein nasser Fleck ausgebreitet, und Barbara spürte seine Scham, als ob es ihre eigene sei. Im nächsten Moment war der Scharfrichter über ihm, hob mit beiden Händen das schwere Rad und ließ es mit aller Kraft auf Tiefenthalers linken Oberarm niedersausen. Es krachte, als die Knochen splitterten, und die Umstehenden seufzten auf. Tiefenthalers Augen schienen aus den Höhlen zu treten, und seiner Kehle entrang sich ein schriller, ungläubiger Schmerzensschrei. Das Rad hob sich erneut in die Luft, um diesmal den Unterarm zu zertrümmern. Wieder und wieder donnerte das eisenverstärkte Mordinstrument auf die ausgebreiteten Glieder des Todgeweihten, während Tiefenthaler sich in den Fesseln anspannte und wie ein Tier seine Qual hinausbrüllte. Blut sickerte durch Hemdsärmel und Hosenbeine dort, wo die gebrochenen Knochenspitzen das weiche Fleisch durchstießen. Ein blutjunger Landsknecht, der direkt neben dem Henker stand, erbrach sich würgend unter dem Gelächter seiner abgebrühteren Kameraden, als Tiefenthaler endlich, kurz bevor der Henker als Letztes den rechten Arm in Angriff nahm, in die barmherzige Ohnmacht fiel, die Barbara verzweifelt und stumm für ihn herbeigefleht hatte.

Als der Henker fertig war, kappten die beiden Wächter die Seile, mit denen Tiefenthaler festgebunden war. Wie eine Puppe mit baumelnden Gliedmaßen wuchteten sie den Bewusstlosen auf das Wagenrad, das der vor Anstrengung schnaufende Henker inzwischen auf den Boden gelegt hatte. Nachdem er sich kurz an einem Trunk Wein erfrischt hatte, kam er rülpsend wieder hinzu und flocht die zerschmetterten Arme und Beine durch die Speichen, bis Tiefenthalers Körper darin verwunden und verkrümmt wie in einem Spinnennetz verfangen war. Dann richteten mehrere Männer das Rad mit seiner lebendigen Last auf und befestigten es schräg an dem vorbereiteten Gestell.

Es dauerte eine gnädige Stunde, bis der Gepeinigte wieder aus seiner Ohnmacht erwachte. Eine Stunde, während der die Markgräfin wie erstarrt und tränenlos an ihrem Fenster ausgeharrt und dem pfeifenden Atmen zugehört hatte. Ihr war, als ob sie mit jeder Faser ihres Körpers den Schmerz spürte, der den Sterbenden quälte.

Die Zuschauer hatten sich inzwischen verlaufen, nur die beiden Wächter standen noch neben dem Rad, das wie ein Fanal der markgräflichen Rache aufragte. Anfangs waren zwischen Tiefenthalers heiserem Stöhnen noch Worte auszumachen. Er flehte zu seinem Gott, den Mund mit den zerbissenen Lippen zu einem schwarzen Loch geöffnet. Dann schrie er nach Jesus Christus, bettelte um den Tod wie ein Verdurstender um Wasser. Schließlich begann er zu phantasieren. Seine Finger krümmten und spreizten sich zuckend; sie waren außer dem Kopf das Einzige, was der junge Priester noch bewegen konnte. So ging es Stunden. Als der Sonnenuntergang nicht mehr weit war, ging das Stammeln des Sterbenden in ein dumpfes Röcheln über, unmenschlich, leise, unerträglich. Doch der Tod kam und kam nicht.

Als der Abend kam, war Barbara am Ende ihrer Kraft. Sie hatte fünf Stunden lang in den Schlosshof gestarrt, als ob sie jede Minute, jede Sekunde von Tiefenthalers Sterben in ihr Gedächtnis einbrennen wollte. Jetzt, da es dunkel wurde, war die Zeit gekommen, ihm den letzten Dienst zu erweisen, zu dem sie fähig war. Sie zog den Ring mit dem Rubinkreuz vom kleinen Finger, den sie seit ihrer Kindheit getragen hatte, und ging zu dem älteren der beiden Landsknechte, die ihr den ganzen Tag nicht von der Seite gewichen waren. Ihr Rücken straffte sich. Dann bot sie ihm das Schmuckstück in der offenen Hand dar.

»Geht hin und macht ein Ende. Dieses Sterben ist keines Menschen mehr würdig.« Die Stimme versagte ihr.

Der Mann sah erst zu seinem Kameraden hinüber, der mit der Schulter zuckte. Dann nickte er der Markgräfin zu. In seinem Blick lagen Respekt und Achtung. Er nahm den Ring und steckte ihn ein.

»Ich hab bloß meinen Schweinespieß ...«

Barbara nestelte an ihrem Gürtel und zog ihr Essmesser aus einer Wildlederscheide, ein Messer mit elfenbeinernem Griff und ziselierter Klinge.

»Gebt es mir zurück, Soldat, danach«, flüsterte sie tonlos.

Er nahm das Messer an sich und verschwand. Barbara beobachtete, wie er sich im Schutz der Dunkelheit über den Schlosshof tastete. Die beiden Wachen saßen inzwischen ein Stück vom Rad entfernt am Brunnenhäuschen und tranken Bier aus einem großen Steingutkrug. Der alte Soldat schlich sich leise bis direkt unter den Sterbenden, der immer noch leise wimmerte. Sein sehniger Arm zuckte kurz und kraftvoll durch die Speichen nach oben. Durch Jakob Tiefenthalers Körper ging ein Zucken, und das Wimmern hörte auf.

Unterhalb der Burg in der Nähe der Steinernen Brücke ritt zur gleichen Zeit, als Tiefenthaler starb, Albrecht Alkibiades mit einem kleinen Trupp Soldaten im Schutz der Dunkelheit den Main entlang in Richtung Bayreuth. Seine Aufgabe auf der Plassenburg war erledigt. Gegen Mitternacht schließlich, als auf der Burg alles schlief, nahmen Georg Thiel und der italienische Maler den geschundenen Körper Tiefenthalers vom Rad. Sie hüllten ihn in ein Kuhfell, legten das Bündel über ein mageres Maultier und verließen über eine Seitenpforte leise das Schloss. Sie begruben den Toten im Kirchhof der zerstörten Augustinerkirche.

Schreiben des Markgrafen Albrecht Alkibiades von Brandenburg-Kulmbach an den Hauptmann auf dem Gebirg, Landgraf Georg von Leuchtenberg, 30. März 1554

Gottes Gruß zuvor und unsern dazu, bester Freund und ehrnfester Haubtmann. Sei versichert, dass wir glücklich vor den feindtlichen Truppen den Rauen Kulm erreicht haben und uns nunmer mit der Vertheidigung desselben befassen. Dass wir ob der schlechten Nachrichten so schnell wieder Plassenberg verlassen mussten, ist uns mit treuen leid. Mein Georg, es wird dir eine grosse Freud bereiten, dass wir gäntzlich am Bein genesen sind und kein Beschwerd mehr spü-

ren. Das hat der Todt des ketzerischen Pfaffen gemacht, der hat den Fluch von uns genommen, Ehre und Dank sei Gott. Acht wohl auf unser Schwester, dass sie nit abhanden kommen mög. Wenn ihre Zeit gekommen ist, gib ohne Vertzug Nachricht. Weder sie noch das Bankert haben Gnade verdient, auch wenn dir die Straff nicht leicht fallen wird. Wir wissen, dass sie dir viel Guts gethan und du sie weidlich vor Schlimmem bewahrn möchtst, dennoch ist Hochverrath des Todts würdig.

Was wir jetzt berichten, ist für nymands andern bestimmt. Seit gestern sind wir in Verhandlung mit dem Frantzosenkönig. Falls wir unsre angestammten fränkischen Lande Kriegs wegen verliern, was Gott verhüthen möcht, so brauchen wir eine guthe und dauerhaffte Zuflucht. Die will uns, so alles gut geht, Frankreich bieten, gegen Kriegs und andere Dienste. Verliern wir alles, so bleibt uns zum wenigsten das.

So wirst du's zu halten wissen, bester Haubtmann, und uns die Burg halten bis zum Nimmerleinstag, des sind wir gewiss. Schick uns ein Anschlag, wie du das Hofgesind in Rotten zu zehn Mann eintheilst, damit in der Not auch die Dienerschaft zu den Waffen kann. Mit Gott.

Gegeben zu Rauenkulm, den Freitag vor Quasimodo
Albrecht Alcibiades von Gots Gnaden Markgraf zu Brandenburg-Kulmbach

Kulmbach, 26. Dezember 2002

Alle waren sie gekommen, obwohl es der zweite Weihnachtsfeiertag war. Haubold hatte das Schlittenfahren mit seinen Töchtern auf den Vormittag vorverlegt, Kleinert seinen Sohn in einem längeren Wortwechsel davon überzeugt, dass dieser den neuen Robo-Rider ganz sicher auch alleine zusammenbauen konnte. Fleischmann hatte den meisten Ärger einstecken müssen, weil er sich sofort nach der traditionellen Feiertagsgans bei seiner Mutter verabschiedet hatte, worauf diese ihm mit Tränen in den Augen vorwarf, er sei ein undankbarer Herumtreiber. Nun saßen die Forschenden bei Punsch und Plätzchen in Götzens Wohnzimmer. Die Stimmung war ungetrübt, denn Götz senior war nicht da; er weilte auf Besuch bei der Verwandtschaft in Garmisch.

»Köstlich, deine Rumtörtchen.« Haubold fuhr genießerisch mit der Zunge über die Oberlippe. In seinem Bart tummelten sich Krümel. »Sag bloß, die hast du selber gebacken?«

Ulrich Götz nickte stolz. »Das Rezept stammt noch von meiner Oma. Mit ganz viel Strohrum und einem Schuss Arrak!« Er nippte am heißen Glühwein und klatschte dann nach Lehrermanier in die Hände. »Also, liebe Freunde, wollt ihr jetzt die Geschichte hören oder nicht?«

Es schellte. Thomas Fleischmann sprang auf. »Das ist die Geli«, meinte er entschuldigend, »sie will unbedingt auch hören, wer diese Barbara war.«

Geli Hufnagel stapfte pitschnass und in Wintermontur ins Zimmer. Sie war den ganzen Weg von ihrer Wohnung aus zu Fuß gegangen und war vom Regen überrascht worden. Alle, einschließlich Fleischmann, starrten sie verblüfft an – sie hatte ihre alte Prinz-Eisenherz-Frisur am Vortag mit einer selbst gemachten Dauerwelle zur Lockenpracht verändert und sah damit ein bisschen aus wie eine Mischung aus Walküre und dunkelhaarigem Christkind.

»Hallo zusammen. Tut mir Leid, dass ich zu spät dran bin, aber mein Auto hat gestreikt.« Sie schüttelte jedem die Hand und nahm neben Fleischmann auf dem Sofa Platz, der sie unsicher von der Seite her beäugte und nicht wusste, ob ihm gefallen sollte, was er da sah. »Habt ihr schon angefangen?«

»Nein, nein«, winkte Götz ab. »Aber jetzt geht's los. Wie ihr ja wisst, hat alles damit begonnen, dass dieser kleine Pokal aufgetaucht ist, auf dem der Name Barbara Herzogin von Groß-Glogau steht. Und ich bin seitdem der Frage nachgegangen, wer diese Frau war und was sie mit der Plassenburg zu tun hat. Dabei bin ich auf eine Arbeit aus dem Jahr 2001 über das Herzogtum Groß-Glogau gestoßen. Die Verfasserin, eine Geschichtsprofessorin aus München, habe ich brieflich kontaktiert und um Informationen über diese Barbara gebeten. Das hier hat sie mir geschickt.«

Er zog einen Stapel Papiere aus seiner Aktentasche und hievte ihn auf den Tisch. Obenauf legte er das Anschreiben der Professorin.

Sehr geehrter Herr Götz,
Ihre Anfrage habe ich dankend erhalten. Anbei sende ich Ihnen, wie gewünscht, Material zur Herzogin Barbara von Glogau bzw. Markgräfin Barbara von Brandenburg. Ich bin bei meiner Recherche auf eine kleine Monographie aus dem letzten Jahrhundert gestoßen, die leider nur in der Präsenzbibliothek der Universität München liegt. Deshalb hier eine Kopie. Ich hoffe, ich habe Ihnen und Ihrem Forscherteam damit weitergeholfen.
Mit den besten Wünschen für Weihnachten und freundlichen Grüßen
Regina Schmitz-Scherzer

Auf das Anschreiben folgte ein ganzer Packen Kopien, zuoberst die Titelseite:

CONSTANTIN HÖFLER

BARBARA, MARKGRÄFIN ZU BRANDENBURG,

VERWITWETE HERZOGIN IN SCHLESIEN,

VERMÄHLTE KÖNIGIN VON BÖHMEN,

VERLOBTE KONRADS HERRN ZU HAYDEK

PRAG 1867

»Keine Angst, ihr müsst das jetzt nicht alles lesen. Wenn keiner was dagegen hat, referiere ich euch einfach den Inhalt.« Götz nahm seine Notizen zur Hand und hüstelte noch einmal ausgiebig.

»Also. Die Geschichte dieser Herzogin Barbara beginnt in Ansbach, wo sie geboren ist, und zwar im Jahr 1517, als Tochter des Markgrafen Friedrich von Brandenburg und seiner Frau Sophia.«

»Da schau her«, kommentierte Kleinert, »eine Fränkin!« Götz warf ihm einen tadelnden Blick zu und sprach weiter.

»Im Jahr 1525 wurde das Mädchen aus politischen Gründen mit dem alten Herzog Heinrich von Groß-Glogau und Crossen verlobt. Es ging damals um eine politische Einflussnahme der fränkischen Markgrafen in Schlesien, also die Anwartschaft des Hauses Bran-

411

denburg auf schlesische Ländereien. Denn der Herzog war bisher kinderlos, und die Herrschaft würde nach seinem Tod Barbara oder ihren Kindern zufallen. Die Ehe wurde 1527 geschlossen.«

»Stopp!«, unterbrach Geli Hufnagel seinen Erzählfluss. »Da war diese Barbara doch erst zehn Jahre alt!«

Haubold nickte. »Verbindungen Minderjähriger waren damals beim Adel gang und gäbe. Es ging einfach um die Politik, um den Einfluss der Familie. Solche Ehen wurden zwar früh geschlossen, aber erst bei Erreichen der Geschlechtsreife vollzogen.«

»Und genau das war das Problem«, fiel Götz wieder ein. »Der Herzog Heinrich von Groß-Glogau starb dummerweise schon zwei Jahre später, ohne dass die Ehe vollzogen worden wäre. Barbara kehrte als Witwe nach Ansbach zu ihrer Familie zurück, zwar kinderlos und als Jungfrau, aber immerhin mit einer testamentarischen Anwartschaft auf das schlesische Erbe. Und gerade mal ein halbes Jahr später wurde sie zum zweiten Mal verheiratet, diesmal per procurationem mit dem jungen König Wladislaus Jagiello von Böhmen.«

»Eine Formalehe also«, resümierte Fleischmann. »Per procurationem heißt, dass bei der Zeremonie der König nicht selber dabei war, sondern von einem seiner Adligen vertreten wurde«, klärte er Geli über den historischen Fachbegriff auf.

»Wieso hat der Böhmenkönig überhaupt Interesse an ihr gehabt?«, wunderte sich Kellermann. »Sie war doch bloß Markgräfin beziehungsweise Herzoginwitwe.«

»Weil sie die rechtmäßige Erbin von Groß-Glogau-Crossen war. Wladislaus wollte sich damit die schlesischen Nachbarlande sichern. Und für die Markgrafen war eine Königskrone natürlich ein enormer Prestigegewinn. Aber bevor die kleine Barbara, jetzt also nominell Königin von Böhmen, zu ihrem Mann nach Prag reisen konnte, tauchte plötzlich ein Rivale im Kampf um die böhmische Krone auf: König Matthias von Ungarn. Es kam zum so genannten Glogauer Erbfolgestreit, der im Olmützer Frieden endete. Wladislaus tritt darin unter anderem das Herzogtum Groß-Glogau, das ja eigentlich seiner Frau gehört, an Matthias ab. Der verspricht dafür, Barbaras Erbansprüche mit fünfzigtausend Gulden abzulösen. Damit aber ist die zollerische Ehe für Wladislaus völlig uninteressant. Er verweigert ihre Annahme, und sie muss in Ansbach bleiben.«

»So eine Gemeinheit.« Geli Hufnagel war empört. Aufgeregt kaute sie an ihrem Plätzchen. »Das Mädchen wird ja hin und her geschoben wie eine Schachfigur. Und die Männer verkitschen dabei ihr Erbe.«

Fleischmann streichelte vertraulich ihren Oberschenkel. »Frauen hatten damals halt nichts zu sagen. Sie waren dazu da, den Familieninteressen zu dienen. Ob sie dabei glücklich waren oder nicht, war vollkommen egal.«

Götz fuchtelte mit der rechten Hand. »Wartet's nur ab, es kommt noch schlimmer. Als am Ende klar wird, dass die Aufrechterhaltung der Ehe nicht möglich ist, tritt Barbaras Bruder auf den Plan. Den kennt ihr alle: Markgraf Albrecht Alkibiades, der später die Landesherrschaft in Kulmbach übernimmt. Der üble Charakter verzichtet eigenmächtig in Barbaras Namen auf die fünfzigtausend Gulden und bekommt dafür von König Matthias von Ungarn die schlesischen Güter Crossen, Züllichau, Sommerfeld und Bobersberg als Pfand. Damit war die böhmische Ehe nicht mehr das Papier wert, auf dem sie stand.«

»Schweinerei.« Auch Haubolds Gerechtigkeitsempfinden war nun empfindlich gestört. »Da hat der Bruder also Barbaras Leibgeding kassiert, obwohl das rechtlich gar nicht möglich gewesen wäre. Und kommt auch noch damit durch. Sieht ihm ähnlich, dieser Kanaille!«

»Und Barbara – konnte die sich denn überhaupt nicht wehren?« Geli Hufnagel schüttelte ungläubig den Kopf.

»Sie war keine Rechtsperson.« Götz hob bedauernd die Schultern. »Jetzt hört nur weiter: Mitten in der ganzen Affäre stirbt König Matthias von Ungarn und hinterlässt eine Witwe. Und genau diese Witwe will Wladislaus Jagiello jetzt heiraten, um zur böhmischen auch noch die ungarische Krone zu bekommen. Da ist ihm die Ehe mit Barbara natürlich furchtbar im Weg und er will sie auflösen lassen, wegen mangelnder Vollstreckung sozusagen. Er beantragt also die Scheidung beim Papst in Rom.«

Kleinert, der als bekennender Katholik an die Unauflöslichkeit der Ehe glaubte, regte sich auf. »So ein Windhund, so ein windiger.

Aber da wird ihm der Papst einen Strich durch die Rechnung gemacht haben, oder?«

Götz blätterte in seinen Notizen. »Zunächst ja. Aber dann, 1542, nach kaum einmal dreizehn Jahren Ehe, tritt Barbara selber auf den Plan.«

»Wird ja auch Zeit, dass die was unternimmt«, meinte Geli Hufnagel düster. »Was tut sie denn?«

»Sie bittet den Papst um die Auflösung der Ehe. Und außerdem kommt noch eine Liebesgeschichte hinzu: Da gibt es einen fränkischen Niederadeligen, den Ritter Konrad von Heideck. Dem hat sie heimlich die Ehe versprochen, obwohl er unter ihrem Stand ist. Na, jedenfalls schreibt sie an den Heiligen Stuhl um Dispens ...«

Haubold runzelte die Stirn. »Die traut sich ganz schön was! Lehnt sich gegen die Familienräson auf. Respekt! Offenbar wollte sie nach allem, was passiert war, kein Objekt von Vermögensspekulationen mehr sein.«

»Vielleicht sieht so ein Versuch der Emanzipation im sechzehnten Jahrhundert aus«, meinte Geli Hufnagel. »Sie hatte wohl keine Hoffnung auf gütliche Einigung mehr und wollte einfach ihr eigenes Leben leben.«

»Kann schon sein.« Götz, der gerade allen heißen Punsch nachgeschenkt hatte, griff wieder zu seinen Aufzeichnungen. »Die zollerische Korrespondenz, die Höfler in seinem Büchlein ausgewertet hat, zeigt nun Folgendes: Albrecht Alkibiades erfährt von Barbaras neuen Heiratsplänen und ihrem Gesuch an den Papst. Er muss furchtbar getobt haben, das geht aus Briefen hervor. Daraufhin drohte sie mit Selbstmord. Genützt hat's ihr nix, denn am Ende – und jetzt wird's für uns interessant – wird sie auf die Plassenburg gebracht und dort eingesperrt.«

»Na bitte, da haben wir's!« Kleinert haute triumphierend auf den Tisch, dass die Plätzchen auf dem Teller hüpften. »Jetzt wissen wir, warum sie auf der Burg war. Stubenarrest sozusagen, wegen ungebührlichen Verhaltens gegen die Familieninteressen.«

Geli Hufnagel stellte empört ihre Punschtasse ab. »Sie sind vielleicht zynisch, Chef! Die Ärmste war bestimmt völlig verzweifelt. So wie ich das verstanden habe, stand diese Barbara ganz und gar rechtlos da und man hat ihr übel mitgespielt. Und jetzt, wo sie sich wehrt, wird sie von ihrem eigenen Bruder eingesperrt. Mein Gott, das ist ja tragisch!«

»Liebe Frau Hufnagel«, wehrte sich Kleinert, schon ein bisschen beschwipst vom Punsch, »das ist mir schon klar. Aber als Historiker muss man seine Emotionen unter Kontrolle haben. Distanz nennt man das. Meinen Sie, diese Barbara war in dieser Zeit die Einzige, die unter der Heiratspolitik der Oberschichten gelitten hat? Tausende wurden damals verschachert und verkauft, wegen ein paar Hufen Land oder ein paar Gulden mehr oder weniger. Töchter waren in adeligen Familien nichts anderes als Kapitalanlagen – wenn sie gut verheiratet wurden. Wenn nicht, gab es nur eines, nämlich das Kloster. Und ob die Frauen da glücklicher waren?«

Fleischmann legte ob dieser Moralpredigt tröstend den Arm um Gelis runde Schultern. »Sei froh, dass du im Zeitalter der Frauenemanzipation lebst, Moggel.«

Sie seufzte resigniert. »Also, macht schon weiter«, meinte sie zu Götz.

»Tja, Albrecht Alkibiades war natürlich nicht untätig in der Angelegenheit der böhmischen Ehe. Er verhandelte so lange mit Wladislaus, bis ihm dieser statt der fünfzigtausend Gulden, die ja eigentlich Barbara hätte bekommen sollen, schlesische Ländereien überschrieb. Was der Böhme von Rechts wegen gar nicht hätte tun dürfen, weil das Testament Heinrichs von Glogau eben ausdrücklich Barbara als Erbin eingesetzt hatte. Dafür gab Albrecht, jetzt also stolzer Besitzer von fetten Domänen im Osten, nun seine Einwilligung zur Scheidung, die dann auch stattfand. Gleichzeitig hat man Konrad von Heideck dazu gebracht, die Verlobung mit Barbara zu lösen.«

»Hmm, das war dann wohl Tabula rasa«, stellte Kleinert fest.

»Sozusagen.« Götz zog sein Taschentuch und tupfte sich die Stirn ab, weil er beim Referieren ins Schwitzen gekommen war. »Die ganze Affäre fand also im Jahr 1545 ihren Abschluss, nach kaum einmal sechzehn Jahren. Und damit Ende des Vortrags!«

»Wieso Ende?«, fragte Geli verdutzt. »Wurde die Markgräfin – Herzogin – Königin dann freigelassen? Und was ist jetzt mit der eingemauerten Kinderleiche und mit dem Pokal?«

Götz kratzte sich ausgiebig hinter dem linken Ohr. »Das ist eben das Blöde. Nach Beendigung der Ehe und der Verlobung finden sich keinerlei Informationen über Barbara mehr. Höfler schreibt, sie lässt sich danach einfach nicht mehr nachweisen. Kein Briefverkehr, keine Rechnungen, keine Urkunden. Nicht einmal ein Todesdatum existiert. Er geht davon aus, dass sie auf der Plassenburg blieb und vielleicht bei deren Eroberung im Jahr 1554 ums Leben kam. Wer weiß?«

Haubold holte tief Luft und rieb sich die Hände. »Liebe Leute, die Spur, die wir verfolgen, wird immer heißer. Ich persönlich glaube ja, dass wir hiermit unsere Kindsmutter gefunden haben …«

»… was noch zu beweisen wäre«, unterbrach Kleinert.

Der Kastellan richtete sich in seinem Sessel auf und piekste Kleinert mehrmals mit dem Zeigefinger gegen die Brust. »Wart's nur ab, mein Lieber, wart's nur ab!«

Plassenburg, Ende Mai 1554

Elisabeth Buckler fasste einen Lumpen und hob damit den Topf mit der siedenden grünlichen Flüssigkeit vom Feuer. Vorsichtig trug sie ihn in den Bretterverschlag, der ihr seit dem Konraditag als Unterschlupf diente. Zusammen mit den anderen Stadtbewohnern war sie nun schon vor über sechs Monaten von Kulmbach aus zur Burg hinauf geflüchtet, und sie hatte zu den wenigen Glücklichen gehört, denen es gelungen war hineinzukommen. Die Bucklerin, wie sie von allen genannt wurde, war eine hoch gewachsene, kräftige Frau von vielleicht fünfundvierzig Jahren. Ihr dichtes, schulterlanges Haar war schlohweiß seit jenem Tag, als sie bei einem Hochwasser des Mains ihren Mann und ihre drei kleinen Kinder verloren hatte. Aber sie war eine starke Persönlichkeit, die sich vom Leben nicht niederringen ließ. Schon ihre Mutter und ihre Großmutter waren kräuterkundig gewesen und hatten in der Stadt allen, die sich den studierten Physikus nicht leisten konnten, in Krankheit und Unglück beigestanden. Und sie waren auch geschickte Geburtshelferinnen – ein Gebiet, auf das sich die gelehrten Doctores der Medizin nicht wagten oder nicht wagen wollten. Die Bucklerin hatte das Wissen ihrer Ahnfrauen geerbt, und die Umsicht und Geschicklichkeit, mit der sie ihren Beruf der Hebamme ausübte, hatten ihr in Kulmbach zu Ansehen verholfen. Jetzt, auf der Burg, kamen die Leute täglich zu ihr, wenn sie krank oder verletzt waren, und sie hatte auch schon etlichen Kindern auf die Welt geholfen. Zum Glück war es ihr gelungen, bei der Flucht ihren kostbarsten Besitz mit auf die Burg zu retten: das Hebammenbündel mit allen Instrumenten und Utensilien sowie einen guten Vorrat an getrockneten Kräutern und Wurzeln.

»So, Urschel, jetzt geh her. Jetzt machen wir, dass das schlimme Beißen aufhört.«

Ein kleines, mageres, völlig dreckverkrustetes Mädchen hielt ihr mit ängstlichem Blick die dick geschwollenen Hände hin. Die Bucklerin untersuchte mit gerunzelter Stirn die aufgekratzten und eitrig entzündeten Fingerzwischenräume, die schorfigen Pusteln und die rote Schwellung, die sich bis zu den Handgelenken ausgebreitet hatte. Kinder hatten immer die Krätze, das war nun mal so, aber bei dieser Kleinen, die ohnehin schon vom Hunger und Durchfall geschwächt war, schien die böse feuchte Hitze in die offenen Wunden gekommen zu sein und drohte sich jetzt über den ganzen Körper auszubreiten. Die Bucklerin tauchte ein sauberes Tuch in den heißen Absud aus Faulbaumrinde und Schafgarbe und reinigte die Wunden. Dann schmierte sie eine Salbe aus Labkraut, Rainfarn und zerquetschter Hauswurz in Gänseschmalz auf die Hände des Mädchens und stülpte zwei wollene Strümpfe darüber, die sie an den Gelenken zuband. Auf ihrer Stirn zeigte sich eine sorgenvolle Falte. Sie hatte schon mehr als ein Kind an der Blutvergiftung sterben sehen, die solche infizierten Kratzwunden nach sich zogen.

»Das Jucken wird bald besser, Mockele. Und jetzt darfst du nicht mehr kratzen, hörst du? Das ist ganz wichtig, merk dir's, sonst geht die feuchte Hitz nicht weg. Und hier, einen Becher von dem Absud geb ich dir mit – er hilft auch gegen die Läus, davon hast auch nicht grad wenig. Deine Mutter soll im Hof Efeublätter sammeln und mit hineintun. Und horch, wenn's schlechter wird oder du gar siehst, dass von der Hand ein roter Strich den Arm hinaufwandert, dann musst du wieder zu mir. Hast du verstanden?« Sie sah das Kind ernst und durchdringend an. Die Kleine nickte und deutete auf ein Bündelchen, das sie in einer Ecke abgelegt hatte.

»Da drin ist ein halber Krautskopf und ein Stück Käs, das schickt die Mutter.«

»Seid Ihr die Els Bucklerin?« Kätha hielt sich die Seite vom schnellen Rennen. Sie hatte sich durch die halbe Burg nach der Hebamme durchgefragt.

»Was gibt's?«

»Meine Herrin liegt in den Wehen. Das Kind kommt zu früh, schnell!«

»Wer ist deine Herrin?«

Susanna drängte. »Die Markgräfin Barbara, bitte beeilt Euch.« Sie zog die Bucklerin am Ärmel.

»Markgräfin? Und da holt ihr eine wie mich?« Die Hebamme schüttelte den Kopf. »Na, mir soll's recht sein. Beim Kinderkriegen sind sie alle gleich, hochwohlgeboren oder nicht.« Sie legte Messer und Krautskopf zur Seite und holte aus einer dunklen Ecke ihre Hebammentasche. »Geh voraus, Mädchen.«

Die beiden hasteten quer über den Zwinger, drängten sich durch die Landsknechtsfrauen und ihre Kinder, die hier um zwei große Feuer lagerten und das Nachtessen aus den letzten Linsenvorräten vorbereiteten. Der Geruch von Zwiebeln und ranzigem Fett mischte sich mit den säuerlichen Ausdünstungen der Menschen.

Die Männer waren noch auf ihren Kampfposten. Es zischte, und ein Brandgeschoss zog seine Bahn von irgendwoher und traf mit einem dumpfen Plopp vor den beiden Frauen in einen Haufen Lumpen, der sofort zu lodern begann. Ein paar Weiber waren zur Stelle und löschten die Flammen mit feuchten Fellen, Feuerpatschen und Wasser aus den überall bereitstehenden Ledereimern. Alle starrten vor Dreck und sahen eingefallen und elend aus, dachte Kätha, besonders die Kinder. Um die Feuer lagen die Kranken und Schwachen; sie hatten Skorbut wegen der schlechten Kost, Husten mit blutigem Auswurf, Durchfälle und Fieber. Stöhnen und Gemurmel waren zu hören. Der widerliche Gestank von Krankheit und Tod umgab alles. Vor einigen Tagen waren die ersten Sterbefälle wegen Masern aufgetreten, und die Krankheit drohte sich auszubreiten.

Kätha stolperte über eine bis auf Haut und Knochen abgemagerte Katze, deren Fell von der Räude in Fetzen hing. Sie war entsetzt über das, was sie im Zwinger sah – im inneren Schloss, wo das Burggesinde bisher unter sich geblieben war und keine Landsknechte lagern durften, herrschte dagegen immer noch eine fast heile Welt. Sie hatten zwar schon lange kein frisches Fleisch mehr und die Portionen an Rauchspeck, Schmalzfleisch und saurem oder Salzfisch waren jämmerlich klein geworden, aber an Brot und Trockengemüse wie Linsen, Bohnen und Erbsen war noch genug zum Sattessen da. Kätha atmete auf, als sie das Innere Tor passierten und den Sagarach erreicht hatten.

»Seit wann geht es den Leuten da draußen so ... schlecht?«, fragte sie die Hebamme, die ihr schweigend bis hierher gefolgt war.

Die Bucklerin grunzte verächtlich. »Lang wird's nicht mehr dauern, dann krepieren sie alle. Ihr im Schloss seid wohl besser dran, was?«

Kätha senkte beinahe schuldbewusst den Kopf. Spätestens jetzt war ihr klar geworden, dass die Belagerung schon viel zu lange dauerte und die Dinge zum Schlimmsten standen. Womöglich lag die Kapitulation schon in greifbarer Nähe. Ihr schauderte. Was würde mit ihr geschehen, mit Susanna, der Markgräfin? Drohte ihnen Tod, Folter, Vergewaltigung? Sie wurde von Furcht gepackt, aber dann riss die Stimme der Bucklerin sie aus ihren Gedanken.

»Wohin, Mädchen? Kannst du deine fünf Sinne nicht beieinander halten? Lauf, sonst kommen wir noch zu spät!«

Kätha rannte voraus durch den Hof, durch die nächste Tür im Ostflügel, die Treppen hoch, die Gänge entlang bis zur Kemenate. Der Wächter hielt den beiden Frauen wortlos die Tür auf. Drinnen brannten Wandfackeln und Röhrenleuchter, obwohl die Dunkelheit noch nicht angebrochen war, und auch der Kamin war geschürt. In einer Ecke des Raumes wartete der Gebärstuhl – ein breiter Sessel mit schräger Lehne und hufeisenförmig ausgeschnittener Sitzfläche. Lorenzo Neri hatte ihn notdürftig aus den Resten alter Stühle gebastelt. Die Bucklerin runzelte die Stirn, als sie des Geräts ansichtig wurde. Solchen Luxus war sie nicht gewohnt.

Die Markgräfin lag halb aufrecht im Bett, den keilförmigen Pfulm in ihrem Rücken. Schweißperlen glänzten auf ihrer Stirn, und sie atmete stoßweise. Mit drei Schritten war die Hebamme bei ihr, hob die Decken und betastete mit kundigen Händen den hochgewölbten Leib.

»Wie viele Atemzüge zwischen den Wehen?«

»Fünfzig.« Barbara keuchte. Eine weitere Welle des Schmerzes rollte heran, ergriff ihren Körper, drehte sich durch den Unterleib wie ein Schraubstock. Sie krümmte sich und schrie, bis die Wehe abebbte. »Ich glaub, es ist zu früh«, flüsterte sie, während Susanna ihr die Stirn mit einem feuchten Tuch abrieb.

Die Bucklerin erteilte sofort Befehle. »Einen Dreifuß ins Feuer, Mädchen, ich brauch heißes Wasser. Dann Tücher, viele, möglichst sauber. Nehmt ihr den Pfulm aus dem Rücken, der macht's nur schlimmer. Und tut die Felle aus dem Bett, oder wollt ihr, dass das Kleine schon im Mutterleib die Flöhe kriegt?« Susanna und Kätha flitzten.

Die Bucklerin spreizte Barbaras Beine und tastete mit zwei Fingern nach dem Muttermund. »Das kriegen wir schon, nur keine Angst, meine Kleine. Es dauert nicht mehr allzu lang. Wichtig ist: Du musst schnaufen, tief und gleichmäßig, immer den Schmerz wegschnaufen, dann geht's besser.« Die Markgräfin schrie wieder, versuchte aber folgsam, ihre Atmung zu kontrollieren. Nach der Wehe holte die Hebamme einen hölzernen Salbentiegel aus ihrer Tasche. Sie langte hinein und schmierte eine fettglänzende, ölige, kräuterduftende Substanz in Barbaras Vagina, um den Muttermund und auf die Innenseite ihrer Schenkel. Dann nahm sie ein Büschel getrockneten Ackermennig und band es mit einem Faden um den linken Oberschenkel der Markgräfin.

»Der Mennig zieht das Kind heraus, ganz gewiss, der hat schon vielen Frauen geholfen. Er ist ein altes Mittel meiner Großmutter, und die war die beste Hebamme im ganzen Obermainland, so wahr ich hier steh.« Mit diesen beruhigenden Worten massierte die Bucklerin den zuckenden Bauch der Gebärenden. Unter ihren kundigen Griffen wich Barbaras anfängliche Angst; sie fühlte sich aufgehoben und geborgen.

»Besser?« Die Markgräfin nickte und nahm dankbar einen

Schluck Wasser, den ihr Kätha hinhielt. Die Bucklerin tätschelte ihr die Stirn. »Das geht schon, Mädchen, nur Mut. Denk ans Schnaufen!« Sie begutachtete mit kritischem Blick Barbaras Brüste, mit den großen, dunklen Brustwarzen und den bläulich durchscheinenden Adern. Was sie sah, schien ihr nicht zu gefallen.

Die Zeit verstrich, aber die Wehen wollten nicht häufiger kommen. Schließlich ging es auf Mitternacht zu, und Barbaras Kräfte ließen erkennbar nach. Sie lag schlaff zwischen den Laken, mit tief eingefallenen Augen im milchblassen Gesicht. Die Bucklerin beschloss, nicht mehr länger zu warten. Schließlich war diese Schwangere hier kein junges Mädchen mehr und recht alt für eine Erstlingsgeburt. Es war besser, die Dinge zu beschleunigen. Dafür gab es Gott sei Dank die richtigen Wurzeln und Kräuter, und sie hatte noch einen Vorrat davon aus Kulmbach retten können. In einem kleinen steinernen Mörser stampfte sie Besenginster als Wehenmittel und tat auch noch Himbeerblätter hinein, um den Milchfluss anzuregen. Sie goss das Pulver mit heißem Wasser auf.

»Trink, aber langsam.« Barbara schluckte angestrengt, verzog das Gesicht und begann zu husten. Die Bucklerin lachte leise in sich hinein. »Ja, ja, mein Tränklein hat noch keiner geschmeckt. Aber geholfen hat's noch allen.«

Ihre Prophezeihung bewahrheitete sich. Als die Wehen nach fast zwei Stunden nur noch im Abstand von zwölf Atemzügen kamen, half sie der Markgräfin auf und stützte sie bei ihren langsamen Schritten bis zum Gebärstuhl. Barbara stöhnte. Sie spürte etwas Warmes, Feuchtes ihre Beine hinablaufen und stieß einen erschreckten Laut aus. Die Bucklern beruhigte sie sofort. »Scht, scht, nur ruhig, Mädchen. Wasser und Blut gehen vorher ab, das ist oft so.«

Sie tauchte den Finger in die kleine Lache am Boden und begutachtete das abgegangene Fruchtwasser. »Ei, schön«, meinte sie, »keine Trübung, nichts Grünliches, und stinken tut's auch nicht. Alles in Ordnung. Jetzt ist's bald so weit.«

Barbara ließ sich in den Stuhl sinken und wurde sofort von der nächsten Wehe gepackt. Die Schmerzen kamen in immer kürzeren Abständen, sodass sie kaum noch Erholungspausen hatte. Ihre Schreie drangen jetzt bis hinaus in den Hof.

Die Bucklerin hatte Position neben dem Geburtsstuhl bezogen

und stemmte die Hände und Unterarme gegen die obere Hälfte der Bauchwölbung. »Wenn du den Drang spürst zu pressen, Mädchen, dann drück und press, was das Zeug hält. Immer nach unten, immer raus, verstanden? Ich sag dir noch, wann. Du da, halt dich mit dem heißen Wasser und den Tüchern bereit.« Sie deutete auf Susanna, die müde an der Wand lehnte und fast eingeschlafen wäre. Nicht mehr lang, und die Sonne würde aufgehen. Sie rieb sich die Augen und hastete zum Kamin, wo über einem Gestell vor dem Feuer trockene Tücher zum Anwärmen hingen.

Als sie zurückkam, war bereits das Köpfchen des Kindes zu sehen. Die Bucklerin hatte ihren Platz vor dem Geburtsstuhl eingenommen, um das Neugeborene aufzufangen. Die Presswehen kamen in dichter Folge, und nach zwölf anstrengenden Versuchen glitt das Kind von einer Sekunde auf die andere in die ausgebreiteten Hände der Hebamme.

»Heilige Maria und alle vierzehn Nothelfer, gelobt sei Gott, da haben wir's!« Die Bucklerin band mit einem Faden die Nabelschnur ab und zwickte sie dann mit einer eisernen Schere durch. Dann griff sie beide Füße des Kindes, doch bevor sie es kopfunter halten konnte, fing es schon an zu schreien. Sie grunzte zufrieden und legte das Neugeborene in Käthas Arme, die schon mit den warmen Tüchern bereit stand. Dann ging sie erneut vor dem Gebärstuhl in die Knie.

»Ein Bub, meine Kleine, das hast du gut gemacht.«

Barbara lächelte mühsam, atmete durch und begann sich zu entspannen. »Gott sei's gedankt.« Dann veränderte sich ihr Gesichtsausdruck hin zu erschreckter Überraschung. »Was ... was ist jetzt?« Eine neue Schmerzwelle erfasste sie.

Die Bucklerin nickte grimmig. »Hab ich doch Recht gehabt. Da kommt noch eins. Drück, schnell!«

Und ein zweiter Säugling landete glitschig in ihren Armen, wieder ein Junge. Er sah genau wie der erste aus, runzlig, rot, mit weißlicher Käseschmiere bedeckt und mit einem feuchten dunklen Haarschopf. Die Bucklerin nabelte auch ihn ab, aber im Gegensatz zu seinem Zwillingsbruder schrie er nicht. Unnatürlich still lag er in Susannas Armen und bewegte sich nicht. Um die geschlossenen Augen und die Lippen begann die Haut bläulich anzulaufen. Kätha, die das erste Kind wiegte, gab einen ängstlichen Laut von sich.

»Was ist mit ihm? Ist es …« Sie wagte nicht, ihren Gedanken auszusprechen. Die Bucklerin schob sie zur Seite und öffnete noch einmal ihre Hebammentasche. In der Eile fiel ein Teil des Inhalts heraus: Kräuterbüschel und Salben, Fläschchen mit Ölen und Tinkturen, Stielhaken und Schneidsichel, mit denen nötigenfalls ein totes Kind im Leib der Mutter zerstückelt und herausgeholt werden konnte, um das Leben der Frau zu retten. Die Hebamme kramte fieberhaft in dem Durcheinander, bis sie fand, was sie gesucht hatte: ein Stück biegsames Schilfrohr, so lang wie ihr Zeigefinger. Sie blies einmal kurz durch das Röhrchen und schob es dann tief in ein Nasenloch des zweiten Zwillings, der wie tot wirkte. Dann nahm sie das andere Ende in den Mund und saugte vorsichtig. Ein Schleimpfropf löste sich hörbar, und die Bucklerin spuckte aus. Das Neugeborene tat einen tiefen ersten Atemzug und fing dann an, aus Leibeskräften zu brüllen. Das bläuliche Gesichtchen lief krebsrot an.

»Halleluja, mein kleiner Bursch, das hättst du geschafft!«

Die Bucklerin hockte sich zufrieden einen Augenblick ins Stroh und verlangte nach einem Schluck zu trinken. Dann wusch sie die beiden Säuglinge in warmem Wasser, trennte die Nabelschnur jeweils vier Fingerbreit lang ab und bandagierte den Nabel mit einem Baumwolltuch, das in Myrrhenöl getränkt war. Anschließend braute sie für die Markgräfin, die inzwischen in einen tiefen Erschöpfungsschlaf gefallen war, einen Aufguss aus Hirtentäschel, Wiesenknopf und Mönchspfeffer. Der Tee sollte Nachblutungen verhindern und das Zusammenziehen der Gebärmutter beschleunigen. Schließlich legte sie sich auf Susannas Bett und gönnte sich ebenfalls ein bisschen Schlaf.

Kätha steckte den Kopf zur Tür hinaus. »Hansi, bist du da?«

Ihr kleiner Bruder wieselte aufgeregt um die Ecke. »Und? Alles in Ordnung? Erzähl!« Vorwitzig versuchte er, einen Blick nach drinnen zu erhaschen, aber Kätha schubste ihn weg. »Lauf zu Vater Thiel, du neugieriger Nichtsnutz, und sag ihm, er soll zur Taufe kommen. Ab mit dir! Und dass euch keiner sieht!«

Hansi machte einen begeisterten Luftsprung und rannte davon. Zehn Minuten später tauchte er wieder auf; der Kaplan folgte ihm im Laufschritt.

Drinnen war alles friedlich. Susanna entfernte gerade das blutige Stroh mit der Nachgeburt und warf alles aus dem Fenster. Die Zwillinge schliefen nebeneinander in einem Korb. Thiel trat heran und betrachtete die beiden Säuglinge, denen Albrecht schon im Mutterleib den Tod prophezeit hatte. Er sah es als eine Ironie des Schicksals, dass es jetzt zwei Kinder waren, deren Tod der Markgraf auf sein Gewissen laden würde. Wut und Mitleid stiegen in ihm auf. Und dann kam ihm ein Gedanke.

»Ja, schaut nur, es sind zwei geworden!« Barbara war aufgewacht. »Es wär mir eine Freude, wenn Ihr sie taufen würdet, Hochwürden. Als Freund und Stellvertreter ihres leiblichen Vaters, Gott sei ihm gnädig. Heut wär ein glücklicher Tag für ihn gewesen.«

Die Erinnerung trieb Barbara die Tränen in die Augen. Sie hatte die Schwangerschaft mit stoischer Ruhe überstanden, ohne Vorfreude oder ungeduldige Erwartungen; schließlich hatte ihr Bruder Albrecht mit einer Deutlichkeit, die nichts zu wünschen übrig gelassen hatte, erklärt, dass ihr Leben nur bis zur Geburt des Kindes geschont würde und dass auch das Kind nicht am Leben bleiben dürfte. Manchmal hatte sie nicht mehr gewusst, ob es überhaupt Sinn hatte, das Kind auszutragen, oder ob sie sich nicht vor der Zeit aus dem Fenster ihrer Kemenate stürzen sollte. Doch Thiel, der ihr in der schlimmen Zeit ein treuer Freund geworden war, hatte sie davon abgehalten – solange noch ein Funken Hoffnung war, hatte er argumentiert, musste sie am Leben bleiben. Und tatsächlich hatte sie beim Anblick der neugeborenen Zwillinge ein Glück empfunden, das sie für vielen Kummer entschädigte, wenigstens für kurze Zeit. Und wenn auch jetzt wieder die Angst und die Ungewissheit hinzukamen – eins war jedenfalls wichtig: Die Kinder mussten im christlichen Glauben getauft werden. Wenn sie schon Albrecht zum Opfer fallen mussten, dann wenigstens nicht als seelenlose Heiden. Dann blieb ihnen immerhin das Himmelreich, wo sich ihr Vater ihrer annehmen würde.

Thiel hatte inzwischen ein Fläschchen mit geweihtem Wasser entkorkt. Er nahm eines der schlafenden Kinder aus der Wiege – es war der Erstgeborene.

»Effata«, murmelte er, »öffne dich, um das Wort Gottes zu vernehmen und den Glauben in dich eindringen zu lassen. Ich taufe dich im Namen des Vaters und des Sohnes und des Heiligen Geistes. Dein Name soll sein …«, fragend schaute er zu Barbara hinüber.

Sie flüsterte: »Heinrich, nach meinem lieben Ehemann, dem letzten Herzog von Glogau.«

»… Heinrich, gelobt sei Jesus Christus.« Er benetzte seinen Mittelfinger mit Weihwasser und malte ein Kreuz auf die Stirn des Kindes. Der Bub fing an, hungrig zu schmatzen und greinte leise.

Der zweite Säugling schrie und strampelte schon, als ihn Thiel auf den Arm nahm.

»Ich will, dass er den Namen seines Vaters trägt, Hochwürden.« Die Markgräfin nahm derweil das erste Kind in Empfang und legte es an ihre Brust.

Der Kaplan taufte auch den zweiten Säugling, diesmal auf den Namen Jakob. Danach setzte er sich zu Barbara an den Bettrand.

»Auf ein Wort, Liebden, wenn Ihr gestattet?« Die Markgräfin nickte, und er fuhr fort.

»Dies sollte ein glücklicher Tag für Euch sein, Euer fürstliche Gnaden, und ist's doch nicht. Ich sehe an Eurem Gesicht, dass auch Ihr an das Schreckliche denkt, was Euer Bruder, Gott straf ihn, verheißen hat. Wir alle haben gehofft, dass der Markgraf in der Zwischenzeit schon auf der Flucht sei oder in der Schlacht gefallen, und dass sich die Dinge dadurch zum Guten wenden …« Er zog ein Schnäuztuch aus dem Ärmel seiner Soutane und wischte sich damit umständlich die Stirn. Barbara schwieg, während die Zwillinge an ihrer Brust nuckelten.

»Liebden, ich glaube, wir haben nicht viele Möglichkeiten. An Flucht ist nicht zu denken und auf Gnade nicht zu hoffen, das wisst Ihr selber. Was mit Euch geschieht, muss in Gottes Hand bleiben. Und mit einem Eurer Söhne …«

Die Markgräfin sah ihn aufmerksam mit ihren hellen Augen an. »Ihr denkt an das Gleiche wie ich, Vater Thiel. Wenigstens einer meiner Söhne könnte am Leben bleiben. Niemand außer meinen engsten Vertrauten und der Hebamme weiß, dass heute zwei Kinder zur Welt gekommen sind. Wir könnten also versuchen, es zu verheimlichen. Ins Frauenzimmer kommt niemand hinein, und das Schweigen des Wächters dürfte für ein paar Gulden wohlfeil sein.

Wenn wir es schaffen, dass der Hauptmann nichts von den Zwillingen erfährt, könnte es gelingen.«

Thiel atmete tief durch. »Wir müssen es versuchen.«

Die Markgräfin ergriff seine Hand. »Ihr seid ein wahrer Freund. Geht und erzählt unseren Plan den anderen. Susanna soll mit dem Wächter reden, sie weiß, wo das ersparte Geld aufbewahrt ist.« Sie schloss die Augen und spürte das Gewicht ihrer zwei Kinder in den Armen. Großer Gott, dachte sie, ich bitte dich, erspar mir, eines Tages zwischen meinen beiden Söhnen wählen zu müssen.

Als sich Thiel verabschiedet hatte, ging die Tür auf, und Lorenzo Neri stürmte herein. In der Hand trug er eine selbst geschnitzte Wiege aus Holzteilen, die er sich wegen des Holzmangels überall hatte ergaunern und erstehen müssen. Er sank neben dem Bett der Markgräfin in die Knie und lachte übers ganze Gesicht.

»Ah, che bella piccola mammina! Tutto va bene, si? E i bimbi, madonna mia, incredibile! Vieni, amore, komm zu zio Renzo.« Er nahm einen der Zwillinge und wiegte ihn liebevoll. Die winzige Faust des kleinen Jakob schloss sich um seinen Daumen. Die Markgräfin lächelte wehmütig, und Kätha küsste Lorenzo sanft aufs Haar. Einen besseren Vater für ihre zukünftigen Kinder konnte sie sich nicht denken. Er war vor der Geburt aufgeregter gewesen als sie alle miteinander, und jetzt war er der Einzige, der wirklich glücklich schien. Kätha liebte ihn dafür umso mehr.

Die Bucklerin blieb in den nächsten Tagen bei der Wöchnerin im Frauenzimmer. Die Kinder, auch wenn sie eine Woche zu früh zur Welt gekommen waren, erwiesen sich als gesund und munter, und Barbara erholte sich gut von den Strapazen der Geburt. Nur der Milchfluss wollte sich nicht einstellen, obwohl die Hebamme einen bitteren Kräutertrunk nach dem anderen braute. Am zweiten Tag schließlich, als die zwei Buben vor Hunger immer erbärmlicher schrien, war die Bucklerin plötzlich verschwunden. Nach einer Stunde erschien sie wieder, mit einer dürren, weißen Ziege im Schlepptau.

»Da kommst rein, du bockiges Mistvieh, stell dich nicht blöd, ksch, ksch!« Sie schob und drückte das widerspenstige Tier in die

Kemenate hinein. Die aufgeregte Ziege meckerte laut ihren Protest, ließ sich aber dann doch in einer Ecke anbinden. Kätha flitzte sofort nach einem Töpfchen, und die Bucklerin molk mit geübten Griffen die süße Ziegenmilch aus dem vollen Euter. Derweil hatte Susanna von irgendwo her einen alten ledernen Handschuh organisiert und einen Finger davon an der Spitze durchlöchert. Die Frauen schütteten die euterwarme Milch in eine kleine tönerne Karaffe und stülpten den Handschuh fest darüber. Dann boten sie das ungewohnte Ding dem ersten der Zwillinge an. Heinrichs Mund ertastete die ungewohnte Zitze, und er lehnte sie mit Gebrüll ab. Erst als die Bucklerin die ersten Milchtropfen herausdrückte und damit seine Lippen betupfte, begann er, gierig zu saugen. Dann kam Jakob an die Reihe, und auch er nahm die Ersatznahrung an.

»Das wär geschafft.« Die Bucklerin wandte sich an Barbara, die auf einem Sessel am Fenster saß. »Ich werd jetzt wohl nicht mehr gebraucht, wenn's beliebt. Den Rest schafft Ihr mit Euren beiden Mädchen auch ohne mich. Und wenn Ihr Rat braucht, wisst Ihr ja, wo Ihr mich finden könnt.«

Die Markgräfin nickte. »Ich dank Euch von Herzen, Bucklerin. Ihr habt viel für uns getan, ich wollt, ich könnt's Euch recht vergelten. Aber bevor Ihr geht, hab ich noch ein Ansinnen an Euch. Ihr habt mitbekommen, wie es um mich und die Kinder steht, wenn mein Bruder von der Geburt erfährt?«

Die Hebamme knurrte und bekreuzigte sich. »Der Markgraf ist ein böser Mensch, der Teufel soll ihn holen.«

Barbara fuhr fort. »Deshalb, hört gut zu, Bucklerin, deshalb darf keiner wissen, dass es zwei Kinder sind. Dann könnte eines überleben. Hier habt etwas für Eure Dienste und Euer Schweigen.« Sie hielt der Hebamme etwas Glänzendes hin.

»Wollt Ihr mich beleidigen?« Die Bucklerin winkte stolz ab. »Dass ich wegen der Zwillinge das Maul halt, ist ja wohl selbstverständlich. Das müsst Ihr mir nicht bezahlen. Wenn Ihr mir Gutes tun wollt, Liebden, dann schickt mir hin und wieder von Eurem Essen. Das ist mir Bezahlung genug.«

Die Markgräfin lächelte. »Ihr seid eine gute Frau und habt das Herz auf dem rechten Fleck. Für Euer Essen werd ich sorgen, solang ich selber was hab, das versprech ich. Nehmt den Pokal trotzdem. Ihr habt zu Kulmbach alles verloren. Vielleicht hilft's Euch später, etwas Neues aufzubauen.«

Die Hebamme zögerte kurz. Einer ihrer unerfüllbaren Träume war bisher gewesen, sich im Alter in einem Spital einzukaufen. Allein stehende Frauen, die nicht mehr arbeiten konnten, hatten keinen angenehmen Lebensabend zu erwarten. Jetzt eröffnete sich der Bucklerin die Aussicht auf ein umsorgtes Alter – falls sie die Belagerung überlebte. Sie nahm den kleinen Pokal und steckte ihn unter ihr Brusttuch.

»Dank Euch, Liebden. Ich wünsch Euch viel Glück, und den Kindern auch. Wenn Gott will, wird alles gut.«

Sie streichelte der Markgräfin über die Wange, herzte die zwei Buben und verließ die Kemenate, um wieder in ihr schmutziges Losament im Elend des Zwingers zurückzukehren.

Plassenburg, Neujahrstag 2003

»Also tschüss, ich geh dann mal zum Frauenfrühstück!«

Susanne Haubold steckte den Kopf zur Bürotür herein. Der Kastellan saß an seinem Schreibtisch und haderte mit der Welt, genauer gesagt mit der Ananasbowle, von der er an Silvester ein bisschen zu viel erwischt hatte. Jetzt hatte er Schädelbrummen und einen flauen Magen, wo er doch heute endlich die Jahresabrechnung machen wollte.

»Nur zu«, sagte er. »Hast du auch den Hausschlüssel dabei? Ich geh später nämlich ein Stündchen spazieren.«

Susanne kramte in ihrer Handtasche.

»Ach, da hab ich ja was für dich.« Sie legte Haubold einen etwas knittrigen Umschlag auf den Schreibtisch. »'tschuldigung. Den hab ich vorgestern beim Briefkastenausleeren versehentlich eingesteckt und dann vergessen.« Sie klimperte mit dem Hausschlüssel. »Na, da isser ja. Du, und Mittagessen für euch drei steht im Kühlschrank – Reisbrei mit Mandarinen. Musst du bloß noch in die Mikrowelle stecken. Bis dann.«

»Viel Spaß!« Haubold stand auf, ging in die Küche und nahm ein Aspirin.

Mein Gott, dachte er, wenn ich mir überlege, wie ich früher Silvester gefeiert habe. Bier, Wein, Schnaps, jede Menge Apfelkorn und drei Päckchen filterlose Zigaretten, und das bis früh um vier. Und jetzt? Kaum einmal acht Gläschen Bowle, mit den Kindern um halb eins ins Bett und trotzdem halb tot. Muss das Alter sein.

Resigniert stapfte er zurück ins Büro und ließ sich wieder am Schreibtisch nieder. Vor ihm lag ein riesiges Durcheinander an Rechnungen, Quittungen und Belegen und glotzte ihn freudlos an. Sein Blick fiel auf den Umschlag, den Susanne dagelassen hatte, und mit einem Mal wurde er hellwach. Der Brief kam von der Landesstelle für Nichtstaatliche Museen in München.

»Na endlich, Mensch.« Haubold rieb sich die Hände. Das musste das Gutachten über den Ring sein, den das Skelett im Geheimgang am Finger getragen hatte. Noch vor Weihnachten hatte er in München angerufen und um Informationen nachgefragt, weil sich die Sache schon zu lange hinzog. Weinzierl, dieser Schnarchzapfen, hatte garantiert vergessen, ihm die Expertise zuzuschicken. Na, jetzt war sie ja da. Der Kastellan schob den spitzen Brieföffner in den Umschlag und schlitzte mit Schwung. Dabei traf er den großen bleikristallenen Briefbeschwerer, der zu Boden fiel und zielsicher Haubolds kleinen Zeh traf. Haubold jaulte auf und hopste hinter dem Schreibtisch auf und ab.

»Machst du deine Post immer so komisch auf?«

Haubolds jüngere Tochter stand da und beobachtete ihn interessiert.

»Schau, ich hab den Willi gekämmt.«

Sie hielt ihm das kunstvoll frisierte Meerschweinchen vor die Nase.

Der Kastellan stöhnte gequält und raufte sich die Haare. Er wartete, bis der Schmerz nachließ, und zog dann die Fünfjährige mitsamt dem flauschigen Nager auf seinen Schoß. »Meinst du denn, das gefällt dem Willi, wenn du mit der Bürste an ihm 'rumfummelst, hm?«

Lina setzte das Meerschweinchen auf dem Schreibtisch ab. »Na klar. Der Willi freut sich jeden Tag aufs Kämmen. Manchmal mach ich ihm Schleifchen in den Pony, dann quiekt er immer, weil er sich so arg freut.«

Armes Tier, dachte Haubold.

»Du müsstest auch mal gekämmt werden, Papi.« Sie musterte Haubolds derangierte Lockenpracht mit einem mitleidigen Blick. »Ich kann's dir gleich machen, ja? Die Bürste vom Willi liegt noch draußen. Bitte, bitte!«

Haubold wehrte erschrocken ab. »Äh, ach, weißt du, Spatz, mit ungekämmten Haaren kann der Papi besser denken. Da kommt mehr Luft ans Hirn. Später vielleicht, ja? Jetzt muss ich erst mal meinen Brief lesen.«

Er setzte Lina neben seinem Sessel ab. »Und nimm den Willi wieder mit!«

Sie nickte ernst und nahm das Meerschweinchen wieder an sich.

»Du, Papi, der Willi hat auf deinem Schreibtisch Pipi gemacht!«

Tatsächlich ergoss sich eine kleine Lache gelbliche Meerschweinchenpisse über die Schreibunterlage und nässte gerade eine Ecke des kostbaren Briefes ein.

»Herrgottsdonnerwetter!« Haubold brachte seine Nase ganz nah an Willis Schnauze und rollte gefährlich mit den Augen. »Du dämlicher Blödeimer von einer Meersau, wenn du das nochmal machst, kommst du ins Gulasch!« Er zog sein Stofftaschentuch aus der Hose und tupfte die Bescherung auf.

»Du darfst nicht so mit dem Willi schimpfen«, protestierte seine Tochter aufgebracht, »jeder muss mal klein.« Sie drehte sich um und zog beleidigt ab. »Komm, Willi, wir gehen. Hab keine Angst, der Papa hat heut bloß seinen schlechten Tag.«

Haubold sank in seinen Bürosessel zurück und musste über sich selber lachen. Dann zog er den Brief aus dem Umschlag. Er las das Anschreiben, in dem sich Weinzierl für die verspätete Zusendung entschuldigte, und warf es gleich in den Papierkorb. Dann widmete er seine Aufmerksamkeit dem Gutachten.

Heribert Stüwer MdH
Reichenbachstraße 18
80462 München

Heraldische Expertise
27. 11. 2002

Bei dem einem Kulmbacher Skelettfund zugeordneten Ring handelt es sich um einen silbernen Siegelring des Markgrafen Albrecht Alkibiades von Brandenburg-Kulmbach.

Dass der Ring in Gebrauch war, steht außer Zweifel, da sich Spuren von Siegelwachs nach der Primär-Reinigung noch deutlich sichtbar in den Ritzen der Umschrift fanden.

Zu sehen ist auf der runden Siegelfläche das auch auf Münzen übliche Blumenkreuz mit vier Wappenschildern. In den Winkeln rechts Schlesien (vier Quadrate) und Burggraftum Nürnberg (Löwe). In den Winkeln links Brandenburg (Adler) und Zollern (Greif). In der Mitte des Blumenkreuzes der berühmte »Brackenkopf«.

Den Brackenkopf führten urspr. die Herren von Regensberg im Gebiet des Bistums Konstanz als Helmzeichen. Luthold von Regensberg verkaufte es 1317 für 36 Mark Silber an den Burggrafen Friedrich IV., einen der Vorfahren des Markgrafen Albrecht Alkibiades. Die Verwendung des Brackenkopfes besonders auf Münzen ist seither nachweisbar. Letztmalig erscheint der Brackenkopf 1541 auf markgräflichen Goldgulden. Nach dem Tod der Brüder Georg (genannt der Fromme) und Albrecht Alkibiades von Brandenburg wurde er nicht mehr verwendet.

Umschrift: ALBR + ALCI + MARCH + BRAN +
(Albrecht Alcibiades Markgraf von Brandenburg)
SI DEVS PRONOBIS QVIS CONTRA NOS
(Wenn Gott für uns ist, wer sollte gegen uns sein)

Es dürfte sich mit hoher Wahrscheinlichkeit um das persönliche Siegel des Markgrafen Albrecht Alkibiades von Brandenburg-Kulmbach handeln.

Mit freundlichen Grüßen
Heribert Stüwer
(wiss. Mitarbeiter der Heraldikervereinigung Herold, Berlin)

Heiliger Bimbam, dachte Haubold. Ich kann doch unmöglich die Leiche des Markgrafen Albrecht Alkibiades höchstpersönlich da drunten entdeckt haben. Und das auch noch mit bloß einem Bein!

Er rief Kleinert an.

Plassenburg, 20. Juni 1554

Der Monat Juni verwöhnte die darbenden Menschen auf der belagerten Burg mit wunderbar warmem Frühsommerwetter. Der Schlamm in den Vorhöfen trocknete, und die Nächte waren so mild, dass wenigstens das Frieren ein Ende hatte. Und nicht nur die Sonne hatte die Stimmung der Burgbesatzung vorübergehend gebessert. Vor zwei Wochen war endlich ein Geldbote des Markgrafen durchgekommen und hatte dreitausend französische Sonnenkronen mitgebracht – das Lösegeld für den Herzog von Aumale, den Albrecht vor einigen Jahren gefangen genommen und jetzt ausgetauscht hatte. Das Gold war sofort in der Hofstube an die Landsknechte verteilt worden und hatte in letzter Minute verhindert, dass die streikenden Söldner die Verteidigung der Burg verweigerten. Seitdem saßen sie wieder mit stoischer Ruhe auf ihren Plätzen in den Wehren und erwiderten das Feuer der feindlichen Kanonen auf dem Rehberg und der Buchberghöhe. Die Gefahr, wegen einer Meuterei der Soldaten vorzeitig aufgeben zu müssen, war zunächst gebannt.

Dennoch brachte die Geldsendung des Markgrafen der Burg nur einen kurzen Aufschub. Die Kapitulation der Plassenburg stand kurz bevor. Hunger, Durst und Krankheiten hatten neben dem ständigen Beschuss das ihre getan. Die Vorräte waren so gut wie aufgebraucht; das Wasser wurde wegen der anhaltenden Trockenheit immer knapper. Die Menschen waren ausgemergelt und zermürbt, viele waren schon gestorben, krank oder verletzt. Sie litten unter dem unsäglichen Dreck auf der Burg. Schon dreimal hatte man an neuen Plätzen Latrinen graben und die alten wegen Überfüllung zuschütten müssen. Der Gestank wurde immer unerträglicher. Myriaden von Mücken schwirrten in dunklen Wolken und ließen sich auf

Fäkalien und Menschen nieder. Es gab kaum jemanden, der noch nicht von Durchfällen oder fiebrigen Krämpfen geplagt wurde. Alle ersehnten das Ende der Belagerung und hatten doch panische Angst davor – das schreckliche Ende von Kulmbach stand vielen noch allzu deutlich vor Augen.

Georg von Leuchtenberg lag am frühen Morgen des 20. Juni 1554 mit offenen Augen im Bett und grübelte. Auch er war psychisch und physisch am Ende. Er hatte die ganze Nacht nicht geschlafen, und jetzt in diesem Moment fasste er einen Entschluss: Es war so weit. Er hatte alles getan, was er konnte, um die Burg zu halten. Wie er die Dinge drehte und wendete – ihm blieb nur noch, beim Markgrafen die Genehmigung zur Kapitulation einzuholen. Es war sinnlos weiterzumachen. Der Hauptmann tat einen resignierten Atemzug, setzte sich auf und schnallte sein Holzbein um. Er sah in den halb blinden Wandspiegel. Sein Gesicht, noch vor einem halben Jahr aufgedunsen vom Wein, wirkte grau und eingefallen unter dem blonden Haarschopf. Er hatte seit fast zwei Monaten notgedrungen keinen Tropfen Alkohol mehr angerührt, was ihm in den ersten Wochen starke körperliche Entzugserscheinungen, Albträume und Schweißausbrüche beschert hatte. Jetzt ging es ihm wieder leidlich gut. Sein Kopf war klar wie eh und je – nur manchmal ließ die Konzentration etwas nach. Er setzte sich ächzend an den Tisch, nahm ein frisches Pergament und tauchte die Feder ins Tintenfass. Es musste endlich getan werden.

Noch während er schrieb, klickte es in der Paneelwand hinter ihm. Die Täfelung bewegte sich und sprang ein Stückchen auf. Von außen schob und drückte jemand dagegen, doch offensichtlich klemmte der Öffnungsmechanismus.

»Himmel, Arsch und Zwirn beieinander! Georg, bist du da drin?« Es war Albrechts Stimme.

Der Hauptmann sprang von seinem Hocker hoch und packte mit an. Gemeinsam gelang es ihnen, die Holzverschalung so weit aufzudrücken, dass der Markgraf durchschlüpfen konnte. Dann lagen sich die beiden schwer atmend in den Armen.

Schließlich hielt Georg den Markgrafen ein Stückchen von sich weg und erschrak. Albrecht war aschfahl im Gesicht. Er hatte sich den Bart bis auf einige Stoppeln abrasiert, und so sah Georg, wie seine Lippen zitterten. Eine kaum verheilte Schnittwunde zog sich von der Nasenwurzel bis in den Haaransatz hinein. Seine Kleidung war blutbefleckt, und um den Oberarm trug er einen schmutzigen Verband. Ein Augenlid hing herab.

»Mein Gott, Albrecht, was ist los? Bist du verletzt? Wie kommst du hierher? Ich dachte, du bist noch in Schweinfurt.«

»Schweinfurt ist gefallen.« Albrecht ließ sich erschöpft in einen Sessel sinken. »Vor zehn Tagen schon. Die Stadt ist bis auf die Grundmauern abgebrannt.« Er vergrub das Gesicht in den Händen. »Wir sind anschließend in Eilmärschen mainabwärts gezogen und wollten Kitzingen erreichen, wo wir uns wieder hätten verschanzen können. Aber sie haben uns am Eulenberg bei Schwarzach gestellt.« Dankbar nahm er den Becher Wasser, den der Landgraf ihm anbot, und trank gierig.

»Es ist aus und vorbei, Georg.« Er sah den Landgrafen mit trüben Augen an. »Die Schlacht war eine Katastrophe. Nur das nackte Leben ist mir geblieben, ein Pferd und das, was ich am Leib trage. Ich bin zum Bettler geworden. Mit ein paar Getreuen hab ich mich erst bis Uffenheim und dann bis hierher durchgeschlagen. Sogar den Bart hab ich lassen müssen, damit uns bloß keiner erkennt.« Er lachte leise und verzweifelt in sich hinein.

Georg von Leuchtenberg legte dem Freund die Hände auf beide Schultern. Seine Stimme wurde sanft.

»Es tut mir Leid, Albrecht – aber auch ich hab schlechte Nachrichten. Wenn du Sicherheit suchst, dann bist du vergebens hergekommen. Ich wollte dir gerade schreiben, dass wir kapitulieren müssen. Die Vorräte sind zu Ende. Es ist alles verloren. Vielleicht solltest du versuchen …«

»Ich hab hier noch etwas zu erledigen, weißt du nicht mehr?« Der Markgraf unterbrach ihn unwillig und schüttelte die Hände von seinen Schultern. »Eigentlich hatte ich gedacht, du übernimmst das …«

Der Hauptmann wusste, was gemeint war. »Albrecht, ich … kannst du nicht Gnade … ich meine … sie ist deine Schwester …«

Der Markgraf schnitt ihm mit einer knappen Handbewegung das Wort ab.

»Es ist nicht wegen der Verschwörung und dem Mortbeten allein.«

Er streckte den Arm aus und hielt dem Hauptmann seine geschlossene Faust mit dem schweren Siegelring unter die Nase. »Siehst du das, Georg?«

»Was?«

»Den Ring.« Er tippte auf eines der Wappen. »Hier: Schlesien. Mein fränkisches Fürstentum hab ich verloren, aber die schlesischen Länder, die bleiben mir noch. Wer hätte damals gedacht, dass das Erbe meiner Schwester einmal mein einziger Besitz sein würde?« Albrecht ließ sich im Sessel nach hinten sinken und kicherte.

»Und deshalb willst du sie und das Kind nicht am Leben lassen?« Georg atmete einmal tief durch.

»Das Testament ihres ersten Mannes, das diese Ländereien ihr und ihren Nachkommen zuschreibt, ist niemals für nichtig erklärt worden. Wenn sie jetzt mit ihren Ansprüchen vors Reichskammergericht geht – und dafür wird der schlesische Adel schon sorgen, der nur darauf wartet, mich loszuwerden –, verlier ich auch noch Schlesien. Und dann wohin, mein Freund?«

»Aber das Kind?«

»Das Kind ist wiederum ihr rechtmäßiger Erbe, auch wenn es ein Bastart ist. Aber das ist nicht der einzige Grund. Nein, der Bankert muss sterben, damit endlich der Fluch von mir weicht. Meine Beine tun derzeit wieder ihren Dienst, wer weiß, wie lang diesmal, aber dafür kann ich den linken Arm fast nicht bewegen. Und schau mein Gesicht an: Die linke Seite ist taub und ohne Gefühl.«

Seine Augen nahmen einen wilden, panischen Ausdruck an. Er packte den Hauptmann beschwörend am Hemd. »Georg, die Reliquie hat ihre Wirkung verloren. Seit Monaten träume ich jede Nacht von diesem Kind – eine ekle Missgeburt ist es, wächst zur Größe eines Riesen, bekommt Furcht erregende spitze Krallen, bluttriefende Reißzähne wie ein Wolf, und es greift mich an. Das gräuliche Ungeheuer schlägt seine Fänge in meinen Hals, reißt mir die Haut vom Leib, bricht meine Knochen und schlürft das Mark! Ich schreie, würge, bekomme keine Luft mehr, verblute. Es ist grauenvoll. Dann wache ich jedes Mal schweißgebadet auf und finde keinen Schlaf mehr.« Er griff sich an den Kopf, als ob etwas darin zerspringen wollte, stöhnte und verzog das Gesicht zu einer Grimasse. »Solange die Brut dieses Satans lebt, werd ich nicht geheilt sein. Ich weiß es einfach.«

Lange Zeit sagte keiner mehr ein Wort. Albrecht hatte mit geschlossenen Augen den Kopf zurückgelegt, während Georg unruhig im Zimmer auf und ab ging. Schließlich blieb er hinter dem Sessel des Markgrafen stehen.

»Und was wird dann aus dir?«, fragte er leise. »Wo willst du hin?«

»Danach geh ich für eine Weile nach Frankreich. Die Sache ist mit dem Franzosenkönig schon abgemacht. Und wenn sich im Reich die Dinge beruhigt haben und meine Acht aufgehoben ist, setz ich mich in Schlesien zur Ruhe.«

»Wirst du mich mitnehmen?«

Albrecht setzte sich auf und drehte sich zu Georg um. »Kann ich dir denn trauen?«

Der Hauptmann fühlte sich zu Unrecht angegriffen. »Das fragst du? Du weißt, dass meine Treue zu dir grenzenlos ist.«

»Ist sie das? Du hast mir nicht gesagt, dass Barbara in die Verschwörung verwickelt war, und du hast nichts gegen sie und ihren Sohn unternommen, obwohl du meinen Befehl kanntest. Sieht so deine Treue aus?«

Georg schaute Albrecht ungläubig an. Langsam richtete er sich auf und ging mit schweren Schritten zur Tür. Bevor er hinausging, rief ihn Albrecht zurück. »Schick mir zwei zuverlässige Landsknechte, damit ich das Kind holen kann.«

Im Frauenzimmer saßen alle bei der kärglichen Frühsuppe – einer trüben Wasserbrühe, die mit Graupen und grobem Mehl angereichert war. Nur Barbara, die sich von der Geburt nur langsam erholte, bekam jeden Morgen zusätzlich einen Becher kräftigende Ziegenmilch. Das Tier, das sich inzwischen in der Ecke neben dem Kamin heimisch fühlte und täglich zweimal gemolken wurde, kaute auf ein paar Strohhalmen und schmatzte dabei zufrieden. Die beiden Säuglinge schliefen friedlich nebenan, nachdem sie gerade ihre Ration Milch bekommen hatten und frisch gewickelt worden waren. Entgegen Barbaras anfänglichen Befürchtungen gediehen sie auch ohne Muttermilch prächtig. Sie glichen sich wie ein Ei dem anderen mit ihren dunklen, flauschigen Babyhaaren und den großen blaugrauen Augen. Beide hatten neben dem rechten Nasenflügel ein kleines dunkles Muttermal und im Nacken die rötlichen Flecken eines »Storchenbisses«, die nach ein paar Monaten verschwinden würden.

Die Markgräfin hing mit abgöttischer Liebe an ihren Kindern. Anders als die adeligen Mütter der Zeit, die ihre Babys nach der Geburt üblicherweise in die Obhut einer Amme gaben und sich danach kaum noch mit ihnen beschäftigten, verbrachte sie jede Stunde mit ihnen. Sie wusste, es war ein Geschenk auf Zeit, und kostete jede gemeinsame Minute aus. Immer wieder wurde sie von der Angst gepackt, gleich könne die Tür aufgehen und ihr Bruder im Zimmer stehen, der nach den Kindern verlangte. Aber sie zwang sich jedes Mal, den Gedanken, auch noch ihre Söhne zu verlieren, weit von sich zu schieben. Und sie sorgte dafür, dass niemand im Schloss erfuhr, dass es im Frauenzimmer zwei Kinder gab …

Außer Barbara war nur noch Kätha in der Lage, die beiden auseinander zu halten. Sie hatte eine außergewöhnliche Fähigkeit, mit den Buben umzugehen, und liebte sie, als ob es ihre eigenen Kinder wären. Zusammen mit Lorenzo, der ebenfalls einen Narren an den Kleinen gefressen hatte, ging sie abwechselnd mit einem der straff gewickelten kleinen Bündel im Burghof spazieren, damit die Kinder an die frische Luft kamen, was, wie Lorenzo steif und fest behauptete, das Wichtigste überhaupt für sie war. In seiner Heimat Venedig, so erzählte er, ließ man Kinder so viel wie möglich im Freien, und alle kleinen Italiener seien prächtige, robuste und gesunde Kerle.

Als an diesem Morgen jemand hart an die Tür zur Kemenate klopfte, schreckten die drei Frauen von ihrer Mahlzeit hoch. Barbara spürte, wie sich eine eisige Faust um ihre Kehle legte. Um diese Zeit wollte sonst niemand etwas von ihr. Sie gab Susanna ein Zeichen, und diese stellte sich schützend vor den Durchgang zum Nebenzimmer. Dann bedeutete sie Kätha zu öffnen. Doch bevor das Mädchen ihre Suppenschale hingestellt hatte, sprang die Tür bereits auf und zwei bewaffnete Söldner drangen ins Zimmer, gefolgt von Albrecht Alkibiades.

»Wo ist das Kind?« Der Markgraf sah sich suchend im Raum um.

Barbara schwankte. Sie drückte immer noch ihren Suppenteller an sich, als ob sie sich daran festhalten wollte. Jetzt zitterte sie so, dass die Brühe überschwappte und den grünen Stoff ihres Kleides durchtränkte. In ihren weit aufgerissenen Augen stand das nackte Entsetzen.

»Um der Liebe Christi willen, Albrecht, tu's nicht. Es sind … es ist ein unschuldiges Kind. Albrecht, ich fleh dich an, lass mir meinen Sohn. Um der alten Zeiten willen …«

»Wo ist das Kind?«

Albrecht ging auf den Eingang zum Nebenzimmer zu. Die Markgräfin ließ die Schüssel fallen und stürzte ihm nach. Sie stolperte, sank vor ihm auf die Knie und umfasste flehend seine Beine.

»Bring mich um, Bruder. Mach mit mir, was du willst, aber lass das Kind am Leben. Ich bitte dich beim seligen Andenken an unseren Vater …«

Er schleppte sie zwei Schritte lang mit, dann stieß er sie mit einem Bein von sich. Sie schrie, während die beiden Soldaten sie packten und festhielten. Der Markgraf hatte die Tür zum Schlafzimmer fast erreicht, als sich Susanna, die immer noch dort stand, aus ihrer Erstarrung löste.

»Wartet! Ich hol Euch das Kind.« Während Albrecht im Kaminzimmer blieb, trat sie an die Wiege der Buben. Ihr Herz klopfte wild. Lieber Gott, dachte sie, welchen nehme ich bloß? Wie soll ich entscheiden, wer von beiden sterben muss? In diesem Moment wachte einer der Säuglinge auf und begann zu schreien. Damit war die Entscheidung gefallen. Susanna riss das brüllende Baby mit fliegender Hast aus dem Bett, um zu verhindern, dass es auch noch seinen Bruder weckte. Schlaf weiter, flehte Susanna innerlich, bitte, bitte, bleib still, sonst bist du auch verloren. Das Mädchen schlug den Buben in ein Tuch ein, rannte nach nebenan und schloss die Tür wieder hinter sich. Sie streckte dem Markgrafen das Bündel entgegen.

Albrecht packte das Kind unter den rechten Arm und stürmte damit zur Tür hinaus. Als er fort war, ließen die Landsknechte Barbara los, die sich erbittert gewehrt hatte, und folgten dem Markgrafen nach draußen. Die Markgräfin blieb mit hängenden Schultern zurück.

»Wer von beiden war es?«, flüsterte sie.

Kätha nahm sie in die Arme. »Es war Heinrich. Er hat geschrieen. Susanna hatte keine Wahl.«

Barbara starrte mit blinden Augen an Kätha vorbei. Ihr war, als hätte man ihr das Herz aus dem Leib gerissen. Ich bin verflucht, dachte sie. Ich bringe denen, die ich am meisten liebe, den Tod. Wär ich doch selber an Jakobs Stelle gestorben. Herr Jesus, warum strafst du mich und die Meinen so furchtbar? Hilflos schlang sie die Arme um den Oberkörper, als ob sie nichts anderes als sich selber zum Festhalten hätte. Die Zähne klapperten ihr, und sie schlotterte am ganzen Leib. Alles, was sie in den letzten Monaten ertragen hatte, brach jetzt über ihr zusammen, aber sie konnte nicht weinen; sie hatte keine Tränen. Kätha versuchte vergeblich, sie mit Streicheln und gutem Zureden aus diesem Zustand der Starre zu lösen. Plötzlich war die praktische Susanna an ihrer Seite und drückte ihr den kleinen Jakob an die Brust. Wie in Trance nahm Barbara das Kind, setzte sich auf einen Scherenstuhl und wiegte den Oberkörper vor und zurück. Ihr Blick ging irgendwohin in die Ferne. Sie begann ein Schlaflied zu summen.

»Da hast du den Bankert!«

Albrecht legte das schreiende Bündel vor Georg auf den Schreibtisch. Der zuckte zusammen und wich zurück. Aus einem Meter Entfernung beäugte er das Baby.

»Und jetzt? Was willst du jetzt mit dem Kind machen, Albrecht?« Er blickte ratlos auf das winzige Wesen herab.

Der Markgraf verzog das Gesicht zu einem müden Lächeln. »Ich? Gar nichts.« Mit spitzem Zeigefinger deutete er auf den Hauptmann, der ihn verständnislos ansah. »Aber du. Hast du mir nicht etwas zu beweisen? Schaff mir dieses teuflische Ungeheuer vom Hals, und ich vertrau dir und nehm dich mit.«

Georg von Leuchtenberg wurde heiß und kalt zugleich. »Aber Albrecht, ich … wie soll ich es denn …«?

Der Markgraf begann, sich die schmutzstarrenden Stiefel auszuziehen.

»Mir egal. Prell's gegen die Wand, meinetwegen, oder nimm ein Messer, ist mir alles recht. Nur tu's. Ich geh jetzt ins Bett und schlaf! Heut Abend will ich wieder weg sein.«

Er ging ins Schlafzimmer und warf die Tür ins Schloss.

In Georg von Leuchtenberg stieg das blanke Entsetzen auf. Er starrte abwechselnd auf die Tür, hinter der Albrecht verschwunden war, und auf das Kind. Es hatte inzwischen aufgehört zu schreien und machte mit dem Mund saugende Bewegungen. Die winzigen Fäuste öffneten und schlossen sich. In des Hauptmanns Kopf schwirrte es. Himmel, hilf, ich kann nicht mehr klar denken. Er presste die Hände vor den Mund und begann, verzweifelt im Zimmer auf und ab zu laufen. Ich muss doch mit nach Frankreich. Ich darf Albrecht nicht noch einmal verlieren. Er packte den Säugling mit beiden Händen, stellte sich vor die gemauerte Außenwand und holte aus. Das Kind nieste. Er ließ die Arme sinken.

»Ich kann's nicht«, flüsterte er vor sich hin, »ich kann's nicht. Was mach ich bloß?«

Eine geschlagene Stunde saß er da und schaute auf das Baby hinunter, das inzwischen wieder eingeschlafen war. Was ihm dabei durch den Kopf ging, hätte er hinterher nicht mehr sagen können. Dreimal hatte er sein Messer gezogen und an der Kehle des Kindes angesetzt, aber er konnte nicht zustechen. Schließlich begann er, an sich selbst zu zweifeln.

Und dann fiel ihm die Weiße Frau ein.

Als Kind hatte er die Geschichte des zollerischen Hausgespenstes vielleicht hundertmal gehört. Jetzt holte er sich jedes einzelne Wort wieder in Erinnerung. Er sah sich, Albrecht und den kleinen Grafen von Gleichen im Ansbacher Frauenzimmer vor der dicken Martsch sitzen und mit weit aufgerissenen Augen der alten Sage lauschen.

»Vor zweihundert Jahren«, so erzählte die Amme, »lebte auf der Plassenburg das Grafenpaar von Orlamünde. Der Graf Otto selber war schon alt, seine Frau Kunigunde dagegen jung, hübsch und lebenslustig. Eines Tages starb der Graf und hinterließ seine junge Witwe und zwei Kindlein, einen Buben von fünf Monaten und ein Mädchen von anderthalb Jahren. Bald verliebte sich die Gräfin in den stattlichen Burggrafen Albrecht von Nürnberg, einen Vorfahren der Markgrafen von Ansbach. Er war einer der begehrtesten adeligen Junggesellen seiner Zeit, so gut aussehend, stark und männlich, dass man ihn überall nur ›Albrecht den Schönen‹ nannte. Als sie ihm ihre Liebe gestand, erklärte er ihr, er würde sie mit Wonne nehmen, stünden nicht zwei Augenpaare zwischen ihnen. Weil das nun ihre Ohren kitzelte und nach ihren Lüsten schmeckte, dachte sie sogleich daran, ihre zwei Kinder aus dem Weg zu räumen, denn sie hielten, so glaubte sie, den Geliebten zurück. Und damit es das Ansehen hätte, als wären sie an einer heftigen Krankheit natürlich gestorben, so durchstach sie den Wirbel auf dem Haupt der Kleinen mit einer Nadel und tötete sie so. Der Burggraf aber, der mit den vier Augen seine Eltern gemeint hatte, wandte sich von ihr. Die getäuschte Gräfin unternahm, von ihrem Gewissen gepeinigt, eine Pilgerfahrt nach Rom, um dort Vergebung zu erflehen. Nach ihrer Rückkehr gründete sie das Kloster Himmelkron und beendete ihr Leben dort als Nonne. Doch ihre Seele fand keine Ruhe. Nach ihrem Tode erschien sie den Nachkommen ihres Geliebten, also den Markgrafen von Brandenburg, immer dann im weißen Gewand, wenn ihnen Tod oder Unheil drohte.«

Georg von Leuchtenberg war als Kind von der Geschichte der Weißen Frau immer besonders fasziniert gewesen, weil die Kunigunde von Orlamünde eine geborene Landgräfin von Leuchtenberg gewesen war. Jetzt empfand er es als einen Wink des Schicksals, dass ihm die Erinnerung an seine Ahnfrau den Weg wies. Ihm fiel auch wieder die Nacht ein, in der Albrecht sich als Weiße Frau verkleidet und den jungen Trockau die Treppe heruntergestoßen hatte. Er nestelte die Spange los, die seinen Umhang auf der Brust zusammenhielt. Langsam und sorgfältig bog er die Fibel auf, sodass die fingerlange Nadel gerade abstand. Mit dem Daumen prüfte er die Spitze, dann legte er den immer noch schlafenden Buben vor sich auf den Tisch. Mit zwei Fingern der linken Hand ertastete er zitternd die weiche Fontanelle. Vorsichtig setzte er die Nadel an. Der Schweiß stand ihm auf der Stirn und lief ihm über die Schläfe. Er schloss die Augen und zählte bis drei. Dann durchstach er mit einem unterdrückten Aufschrei die Kopfhaut und stieß die Nadel tief ins Hirn des schlafenden Kindes.

Jetzt begann der Albtraum. Leuchtenberg hatte geglaubt, mit

dem Nadelstich sei es schnell vorüber und der Säugling auf der Stelle tot. Doch zu des Hauptmanns Entsetzen fing das Kind an, zu zucken und zu schreien. Auf der Einstichstelle bildete sich ein großer dunkelroter Blutstropfen, um den die Haut zu pulsieren schien. Leuchtenberg trat bis zur Wand zurück und konnte seinen starren Blick nicht von dem strampelnden Kind lösen, von dessen Kopf jetzt ein schmales rotes Rinnsal lief. Hör auf, o Gott, hör auf zu schreien, betete der Landgraf und presste die Hände auf die Ohren. Doch es hörte nicht auf; Minute um Minute schrie das Kind, lauter und lauter schrillte seine Stimme in Georgs Ohren. Verzweifelt packte er den Säugling und schüttelte ihn in einem Anfall ohnmächtiger Wut. Doch immer weiter schrie das sterbende Kind. Endlich riss sich der Landgraf den Umhang von den Schultern und drückte den schweren Stoff auf das winzige Gesicht mit dem weit aufgerissenen Mund. Irgendwann war alles still, und der Säugling regte sich nicht mehr.

Danach saß er ruhig da und wartete, das tote Kind vor sich auf den Knien. Er fühlte eine grenzenlose Erleichterung. So fand ihn zwei Stunden später der Markgraf.

»Schau, Albrecht, jetzt hab ich's dir bewiesen.« Georg streckte ihm das leblose Bündel entgegen.

Der Markgraf berührte das Kind an der Wange. Es war bereits kalt.

»Du hast mir einen wirklich großen Dienst erwiesen, das werd ich dir nicht vergessen, Georg.«

Er zog den schweren Siegelring ab und drückte ihn dem Landgrafen in die Hand.

»Nimm das als Zeichen meiner Dankbarkeit. Du kannst damit das Kapitulationsschreiben siegeln. Und gib ihn mir in Frankreich zurück.«

Dann ging er zum Schreibtisch und räumte etliche verschnürte Schriftrollen aus einer kleinen geschnitzten Truhe. Dann nahm er dem Landgrafen das tote Kind ab und legte es hinein. Sorgfältig versperrte er das Schloss.

»Jetzt wird auch meine Krankheit weichen, das spür ich, mein Lieber. Hör zu, ich will, dass du das hier«, er klopfte auf die Holztruhe mit der Leiche, »irgendwo im Gewölbe fest einmauern lässt. Aus einem Grab in der Erde könnte dieses Ungeheuer womöglich als Wiedergänger zurückkehren.«

Georg nickte. »Verlass dich auf mich. Und was hast du jetzt mit Barbara vor?«

Albrecht lächelte. »Du sagst, die Burg ist nicht mehr zu halten?«

»Beim besten Willen nicht.«

»Dann ist es ganz einfach: Sie wird die Plünderung der Burg durch die feindlichen Truppen nicht überleben. So etwas kommt im Krieg nun mal vor, nicht wahr? Dann hat der Kommandant der Bundesständischen den schwarzen Peter, und die Verwandtschaft kommt bei ihrem Tod nicht auf dumme Gedanken. Ich such mir noch zwei verlässliche Männer für die Aufgabe aus, bevor ich wieder abreite.«

»Willst du heute noch fort?«

»Unbedingt. Ich muss das Land so schnell wie möglich verlassen. Wenn du morgen früh die weiße Fahne hisst, will ich schon über alle Berge sein. Du wirst nach der Kapitulation den Geheimgang benutzen und dich anschließend allein durchschlagen müssen. Wir treffen uns in Frankreich bei Hof.« Albrecht schlug Georg auf die Schulter. Der atmete befreit auf: Der Markgraf würde ihn bei sich behalten. Er spürte den Ring in seiner Faust, ein Unterpfand dafür, dass seine Zukunft gesichert sein würde.

»Mit Gottes Hilfe wird alles gut gehen, mein Freund.«

Kulmbach, 1. Januar 2003

»Blödsinn, der Markgraf«, sagte der Archivar am Telefon. »Es ist unwiderlegbar nachgewiesen, dass Albrecht Alkibiades nach seiner letzten verlorenen Schlacht bei Kitzingen geflohen ist, und zwar an den Hof des französischen Königs Heinrich II. Albrecht ist sogar vertraglich in französische Dienste getreten und hat eine Zeit lang in Fontainebleau gelebt.«

»Hm.« Haubold überlegte.

»Und außerdem, mein Lieber, hatte der Markgraf zeit seines Lebens zwei Beine.«

»Okay, okay, du hast mich ja schon überzeugt. Aber wer sonst könnte im Besitz des markgräflichen Siegelrings sein?« Der Kastellan kratzte sich am freien Ohr.

»Na, der Hauptmann auf dem Gebirg zum Beispiel, als Siegel für wichtige Rechtsgeschäfte. Wenn wir mal davon absehen, dass irgendwer den Ring geklaut haben könnte.«

»Aber dieser Irgendwer wüsste vermutlich nichts von dem Geheimgang, und da lag das Skelett nun mal. Während der Hauptmann sicherlich über diesen Fluchtweg informiert war. Und er hatte als oberster Verwaltungsbeamter des Landes vielleicht wirklich die Genehmigung, für wichtige Sachen das markgräfliche Siegel zu benutzen.«

»Siehste! Und wer war damals Hauptmann?«

»Seit Ende der vierziger Jahre bis zur Eroberung der Burg der Landgraf von Leuchtenberg, wenn ich mich recht erinnere.«

»Also müssen wir nur noch einen Beleg dafür finden, dass dieser Leuchtenberg einbeinig war.«

»Genau.« Haubold hatte es jetzt eilig. »Darum werde ich mich als Nächstes kümmern.«

Nachdem er aufgelegt hatte, ging er eine Stunde lang die einschlägige Plassenburg-Literatur in seinem Bücherschrank durch. Ohne Ergebnis. Überhaupt war wenig über diesen Leuchtenberg zu erfahren; als Person war er gar nicht greifbar. Wenn sich etwas herausfinden ließe, dann höchstens über Quellenforschung im Staatsarchiv Bamberg. Frustriert ließ sich Haubold wieder an seinem Schreibtisch nieder und seufzte gottergeben. Es blieb ihm halt doch nicht erspart, die vermaledeite Jahresrechnung abzuschließen.

Abends, als die Mädchen schon im Bett lagen, saß er mit seiner Frau im Wohnzimmer. Susanne strickte, und Haubold löffelte Erdbeerjoghurt aus einem Becher.

»Stell dir vor, wir haben herausgefunden, dass es sich bei dem Skelett im Geheimgang vermutlich um den gebirgischen Hauptmann handeln könnte.«

Susannes Nadeln klickten leise weiter. »Aha. Und?« Sie zurrte Wolle aus dem Knäuel.

»Tja, jetzt muss ich bloß noch feststellen, ob dieser Georg von Leuchtenberg nur ein Bein hatte. Wenn ja, dann hätten wir die Identität.«

»Ist ja interessant. Ist das ein Vorfahr vom jetzigen Grafen von Leuchtenberg?«

Haubold sah seine Frau verblüfft an. »Was weißt denn du vom jetzigen Grafen von Leuchtenberg?«

Sie begann, die Maschen nachzuzählen. »Na, der ist Bio-Bauer und lebt in der Nähe von Amberg.«

Der Kastellan verzog wie im Schmerz das Gesicht. »Also weißt du, Susanne, manchmal glaub ich wirklich …«

Sie legte das Strickzeug hin und setzte sich auf. »Im Ernst. Das hab ich irgendwann mal beim Friseur in der ›Revue der Frau‹ gelesen, während der Einwirkzeit meiner Dauerwelle. Also, dieser Graf von Leuchtenberg hat nämlich richtig Pech gehabt, stand jedenfalls in dem Artikel. Er war früher so was wie ein Immobilienhai und hatte Geld wie Heu, aber dann hat er eine bombastische Pleite hingelegt. Seine Frau, eine von diesen dreimal gelifteten Jet-Set-Blondinen, ist deshalb mit seinem Hausbankier auf und davon gegangen. Danach hat er sich auf ein Anwesen zurückgezogen, das ihm noch gehörte, und das bewirtschaftet er jetzt als Bio-Bauer. Ehrlich.«

»Und wo hat dieser verlassene Pleitier seinen Bauernhof?«

Susanne runzelte die Stirn. »Genau weiß ich das auch nicht. Jedenfalls muss es irgendwo in der Nähe der zerfallenen Burgruine sein, die der Stammsitz der Familie war. Sie haben ihn nämlich vor seinem Hof fotografiert, und da sieht man im Hintergrund das alte Gemäuer. Wenn du auf der Landkarte nachschaust, was es um diese Burg für Dörfer gibt, dann könntest du über das Telefonbuch …«

»Susilein, du bist ein Schatz!« Haubold sprang auf und drückte seinen Joghurtmund auf Susannes Stirn. »Äbäh«, machte die und wischte sich mit dem Handrücken die rosafarbenen Spuren ab.

Zwei Tage später kurvte Haubold auf Landsträßchen durch die Oberpfalz. Im Gegensatz zum höher gelegenen Kulmbacher Land waren die Hügel hier lieblicher, die Täler weiter, und der Schnee war völlig weggetaut. Ein warmer, föhniger Wind trieb dunkel aufgetürmte Wolken vor sich her, aus denen hin und wieder ein Regenguss auf die Felder herunterprasselte. Der Kastellan hatte das Radio an und hörte im Landfunk einen Beitrag über zeitgemäße Besamungstechniken bei Kühen und anderen Paarhufern. Endlich tauchte links vor ihm die Ruine der Burg Leuchtenberg auf, romantisch auf einem Hügel gelegen. Einer von diesen typischen kleinen Rittersitzen, von denen es Hunderte gibt, dachte Haubold. Bergfried, Pallas, Mauer, Graben, Zugbrücke. Gute Verteidigungsposition durch Spornlage. Na, viel ist davon ja nicht mehr übrig. Er bog in eine asphaltierte einspurige Nebenstraße ein, die an einem Wäldchen entlangführte. Nach zwei Kilometern stand er vor dem Gehöft, das er gesucht hatte. Es war das ehemalige Wirtschaftsgut der Burg, ein imposantes, aus Naturstein gemauertes Haus mit einem neu angebauten moderneren Wohnbau mit Fachwerkkonstruktion. Daneben im rechten Winkel eine ebenfalls neue Scheune, gegenüber ein Schuppen und umfangreiche Stallungen. Auf der nahe gelegenen Koppel trabten einige Pferde, und vor dem Stall wuselte ein ganzes Rudel rotbunter Katzen, das davonstob, als sich Haubolds Auto näherte.

Der Kastellan stieg aus und stapfte durch den aufgeweichten Boden zur Haustür, einem doppelflügeligen Eingangstor aus abgebeizter Kiefer. Rechts daneben hing ein altertümlicher Glockenzug, an dem er zunächst zaghaft, dann energischer bimmelte.

Ein Mann undefinierbaren Alters öffnete. Mittelgroß und gut aussehend, mit grau melierten, halblangen Haaren, die er hinter die Ohren zurückgekämmt hatte. Die Lippen über dem markanten Kinn verzogen sich zu einem breiten, freundlichen Lächeln.

»Sie müssen Herr Haubold sein, oder irre ich mich?«

Haubold nahm die dargebotene Hand und schüttelte sie nach Kräften. »Wir haben gestern telefoniert. Herr Graf von Leuchtenberg, gell?«

Der Schönling, der mit seinen karierten Leinenhosen, der dunkelblauen Strickweste und dem hellen Halstuch aussah wie ein alt gewordener James Bond im Landhausstil, winkte ab. »Lassen Sie den Titel ruhig weg, mein Lieber, das ist heutzutage doch unerheblich. Darf ich Sie ins Wohnzimmer bitten?«

Der Kastellan folgte dem Hausherrn in einen gemütlichen, holzgetäfelten Raum, in dem ein Kachelofen wohlige Wärme verbreitete. Auf einem flauschigen Perserteppich standen diverse Ledermöbel, dazwischen ein Servierwagen mit etlichen Karaffen und Gläsern. Eine Wand wurde völlig von einem riesigen antiken Schrank eingenommen. Der Graf nahm Platz unter einem ausladenden Hirschgeweih und bot Haubold den Sessel gegenüber an.

»Sie haben angekündigt, dass es um eine Sache geht, die einen meiner Vorfahren betrifft. Also, was kann ich für Sie tun?«

Haubold erzählte die Geschichte von Anfang an – wie er im Geheimgang der Plassenburg die skelettierte Leiche gefunden hatte, dann die Expertise zu dem Ring, den der Tote getragen hatte, und seine Mutmaßung, es könne sich um den Georg von Leuchtenberg handeln, der Mitte des sechzehnten Jahrhunderts Hauptmann auf dem Gebirg gewesen war. Der Graf und Bio-Bauer hörte aufmerksam zu.

»Äußerst interessant ist das. Einen Cognac?« Ohne auf Antwort zu warten, goss er Haubold einen Schwenker bernsteinfarbene Flüssigkeit ein. »Natürlich ist mir die Familiengeschichte geläufig, und ich weiß auch, dass ein Leuchtenberg damals oberster Verwaltungsbeamter auf der Plassenburg war. Aber einbeinig? Da muss ich in der Familienchronik nachlesen.«

Der Kastellan nippte am Cognac. »Haben Sie die Chronik denn zur Hand?«

»Aber ja!« Gottfried von Leuchtenberg klatschte in die Hände, worauf sich ein riesiger hellbrauner Labrador-Schäferhund-Mischling hinter dem Sofa erhob und erwartungsvoll wuffte. Leuchtenberg schnippte, und der Hund trottete zu ihm hin. »Ich bin gleich wieder da, kleinen Moment. Komm, Geronimo.«

Noch während Haubold sich überlegte, dass er schon wesentlich hässlichere, ärmere und Lifestyle-losere Bio-Bauern kennen gelernt hatte, erschien der Hausherr wieder mit einem rot eingebundenen Buch unter dem Arm.

»Das hier«, er klopfte auf das Bändchen, »ist das Werk eines meiner Uronkel, Philipp Sebastian von Leuchtenberg. Er war sozusagen der Familienhistoriker und hat in diesem Buch alles zusammengetragen, was an Informationen über die Familie bis 1910 zu erhalten war. Wollen mal sehen ...« Er blätterte und suchte. »Hier. Georg von Leuchtenberg. Geboren 1520. Erzogen seit 1527 am Hof der Markgrafen von Brandenburg zu Ansbach. Kriegsdienst im Gefolge des Albrecht Alkibiades. Seit 1547 Hauptmann auf dem Gebirg zu Kulmbach/Plassenburg. Letzter urkundliche Nachweis 1554.« Leuchtenberg vertiefte sich in die Lektüre. »Aha. Mein Urgroßonkel nimmt an, dass Georg bei der Übergabe und Plünderung der Plassenburg 1554 ums Leben kam, da ab diesem Zeitpunkt nichts mehr über ihn zu finden war. Er war nie verheiratet und hat auch keine Nachkommen. Die Familie setzte sich über seine älteren Brüder Konrad und Friedrich fort, deren erster die Stammburg erbte; der zweite heiratete eine reiche Erbin aus dem Thüringischen.«

Haubold schaute betrübt drein und kippte den Rest des hervorragenden Cognacs. »Kein Hinweis auf den Verlust eines Beins? Kriegsverletzung oder so was Ähnliches?«

Der Graf von Leuchtenberg schüttelte mitfühlend den Kopf. »Leider.«

»Tja, dann werd ich mich wohl verabschieden.« Der Kastellan erhob sich. »Schade.«

»Jetzt warten Sie doch mal.« Leuchtenberg schenkte noch zwei Cognac ein. »Nur nichts überstürzen. Die ganze Geschichte interessiert mich sehr. Immerhin geht es um die Familie, und ich bin – wenn sich nicht noch entscheidende Veränderungen ergeben – der Letzte meines Standes. Wissen Sie, meine geschiedene Frau und ich, wir haben keine Kinder. Mit mir stirbt der Name Leuchtenberg aus, ich bin demnach vermutlich der Letzte, der sich wirklich für die Vergangenheit der Familie interessiert. Also, lassen Sie uns überlegen. Sie glauben also wirklich, der Tote in dem Gang war mein Urahn Georg?«

Haubold nickte heftig, während sich Leuchtenberg den dritten Cognac hinter die Binde kippte. Der Spross oberpfälzischen Uradels dachte angestrengt nach und zupfte dabei heftig am rechten Ohrläppchen. Plötzlich gab er sich einen Ruck.

»Steht das Skelett zur Verfügung?«

»Äh, wofür?« Haubold wusste nicht recht.

»Na, für eine Genanalyse natürlich.« Der vierte Cognac gluckerte Leuchtenbergs Kehle hinab. »Erinnern Sie sich an den Fall Anastasia? Nein? Die Tochter des letzten russischen Zaren, die 1917 zusammen mit ihm und der ganzen Zarenfamilie von den Bolschewiken umgebracht wurde? Jahre später tauchte in Berlin eine Frau auf, die behauptete, diese Zarentochter zu sein und das Gemetzel überlebt zu haben. Beweisen konnte sie es nie. Die Alte ist vor etlichen Jahren in den USA gestorben, und um Gewissheit zu bekommen, hat man einen Genvergleich durchgeführt. Die nächsten noch lebenden Verwandten der Zarenfamilie waren die Mitglieder des britischen Königshauses, und Prinz Philip hat sich bereit erklärt, eine Blutprobe abzugeben, mit der dann ein DNA-Vergleich durchgeführt werden konnte.«

Haubold war fasziniert. »Und? War sie's?«

Der Hausherr grinste triumphierend. »Natürlich nicht. Eine ganz primitive, unverschämte Hochstaplerin. Was ich damit sagen will, ist Folgendes: Sie könnten vielleicht mit meinem persönlichen Erbmaterial in Form einer Blut-, Speichel- oder Haarprobe einen Vergleich durchführen lassen mit Genmaterial, das dem fraglichen Skelett entnommen wurde. Das Ergebnis würde dann eindeutig besagen, ob der Tote mit mir verwandt ist oder nicht.«

»Hm.« Der Kastellan kratzte sich am Hinterkopf. »Das ist sicher eine Möglichkeit. Ich sehe da allerdings ein Problem: So eine Analyse ist bestimmt sehr teuer, und ich weiß nicht, ob die Landesstelle für Nichtstaatliche Museen, die die Angelegenheit betreut, aufgrund einer bloßen Hypothese von mir so viel Geld ausgeben würde.«

Gottfried von Leuchtenberg schlug Haubold jovial auf die Schulter. »Da machen Sie sich mal keine Gedanken. Ich nehme das in die Hand.« Er stand auf, ging zum Schreibtisch und griff sich das Telefon.

»Ja, grüß dich, Leo, wie geht's? ... Oh, danke, ich kann nicht klagen. Was macht die Jagd? ... Du, pass auf, ich rufe aus folgendem Grund an ...«

Während Haubold aufmerksam zuhörte, arrangierte Leuchtenberg alles Notwendige. Dann setzte er sich mit einem verschmitzten Lächeln wieder zu Haubold.

»Wissen Sie, mein Exschwager ist ein ziemlich hohes Tier beim Bayerischen Landeskriminalamt. Wir fahren jedes Jahr einmal in den Senegal zur Jagdsafari. Super Schütze, der Leo. Na, jedenfalls schuldet er mir noch einen Gefallen. Er hat gesagt, er kümmert sich um die Sache. Er kennt immer die richtigen Leute in allen Abteilungen. Der macht das schon.«

»Umsonst?«

»Na ja, vielleicht kostet es mich die Abschussgebühr für eine Hornantilope. Oder einen Wasserbüffel. Das kann ich gerade noch verschmerzen.« Er kicherte.

Haubold freute sich. Das hatte sich ja richtig gelohnt. Er ließ seinen Cognac stehen – schließlich musste er noch fahren –, bedankte sich überschwänglich und verabschiedete sich. Der Hausherr begleitete ihn noch bis zur Tür und schüttelte ihm kräftig die Hand. Im Gehen wandte sich der Kastellan noch einmal um.

»Äh, was ich übrigens noch fragen wollte, Herr von Leuchtenberg – stimmt es wirklich, dass Sie Bio-Bauer sind?«

»Bio-Bauer?« Leuchtenberg schüttete sich aus vor Lachen. »Wer sagt denn so was?«

Plassenburg, 21. Juni 1554

Heinrich von Plauen war ein großer, hagerer, grau gelockter Mann von fast sechzig Jahren, der sein halbes Leben auf dem Schlachtfeld verbracht hatte. Die Einungsverwandten – so nannten sich die fränkischen Städte Nürnberg, Würzburg und Bamberg – hatten ihn als obersten Feldherrn des Zuges gegen Albrecht Alkibiades verpflichtet, weil er als hervorragender Stratege galt und im Ruf stand, hartnäckig und bissig wie ein Terrier zu sein. Am Morgen des 21. Juni 1554 saß er in der Sonne vor seinem Zelt auf der Buchberghöhe und ließ sich von seinem Leibdiener rasieren. Bis auf den üppigen Schnurrbart war sein Gesicht weiß eingeseift, und er hielt die Barbierschüssel mit beiden Händen an den faltigen Hals, während seine grauen Stoppeln mit einer scharfen Klinge abgeschabt wurden. Um den Kommandanten der bundesständischen Truppen herum herrschte reges Treiben. Mehrere Feuer brannten, und in den darüber hängenden Kesseln und Pfannen kochte und brutzelte es, man roch Zwiebeln und Speck, Eintopf mit Rauchfleisch und gebratene Krautwürste. Bei den Belagerern herrschte kein Mangel; sogar zum Frühessen soffen die Landsknechte schon Wein und Bier. Kinder wieselten hungrig um die Töpfe, in denen die Soldatenweiber mit großen Kellen rührten.

Der von Plauen beschattete seine Augen und fixierte mit gerunzelter Stirn die Buchbergbastion der Plassenburg, die im hellen Sonnenschein lag. Seit er vor vielen Jahren beim Abschuss eines großkalibrigen Geschützes zu nah am Rohr gestanden hatte, hörte er zwar auf einem Ohr fast nichts mehr, aber dafür hatte er für sein Alter ausgezeichnete Augen.

»Hund und Sau! Wolfram, wisch mir die Seife ab, da kommt einer, von dem ich glaub, dass er was von mir will.« Er warf die Schüssel hin. Ein triumphierendes Grinsen machte sich auf seinem kantigen Gesicht breit und entblößte ein Paar schwarz abgefaulter Vorderzähne.

Der Kommandant hatte richtig gesehen: Aus einer Schlupfpforte unterhalb der Bastion war ein Mann getreten und bewegte sich mit langsamen Schritten auf das feindliche Lager zu. Nach einigen Metern zog er ein schmutzigweißes Tuch aus der Jacke und schwenkte es deutlich sichtbar über seinem Kopf. Auch die Landsknechte hatten ihn jetzt bemerkt, und einige von ihnen liefen dem Emissär entgegen, nahmen ihn in die Mitte und eskortierten ihn bis zum Zelt des Befehlshabers.

»Seid Ihr der von Plauen?« Der Bote, einer der Bankriesen aus dem Hochschloss, verbeugte sich. »Dann soll ich Euch dies hier von meinem Herrn, dem Hauptmann auf dem Gebirg, übergeben. Und ich soll auf Antwort warten.«

Heinrich von Plauen griff sich die Pergamentrolle, die ihm der Mann entgegenstreckte, und brach das Siegel. Er las das Kapitulationsschreiben mit steinerner Miene zweimal durch. Schließlich nickte er.

»Geh zurück zum Grafen von Leuchtenberg und sag ihm, ich bin einverstanden. Bis zum Mittag haben alle, die sich zu Plassenberg aufhalten, meine Erlaubnis, das Schloss ohne Waffen unbehelligt zu verlassen. Alle, bis auf ihn selber. Er hat sich auf kaiserlichen

Befehl in meine Hand zu begeben. Sag ihm, ich garantiere für seine Sicherheit und vertraue auf sein Verhalten als Soldat und Ehrenmann.«

Jubelgeschrei brandete von der Buchberghöhe herüber und kurze Zeit später auch von den feindlichen Stellungen am Rehberg und unterhalb der Burg, während Georg von Leuchtenberg die Besatzung im Schlosshof zusammentrommeln ließ und mit knappen Worten von der Kapitulation in Kenntnis setzte. Als die Eingeschlossenen hörten, dass ihnen bis zum Mittag freier Abzug zugesichert war, machte sich überall Erleichterung breit. Einige Weiber brachen in Freudengeheul aus: Die schreckliche Not war zu Ende, und sie hatten überlebt, das war das Wichtigste. Die Landsknechte und ihre Familien rafften die wenigen Habseligkeiten zusammen, die ihnen gehörten, packten Bündel und Säcke voll Kram und versteckten ihren in den langen Monaten der Belagerung gesparten Sold in Säckchen oder Münzgürteln direkt am Körper. Die Kranken und Verwundeten wurden auf Wagen oder Tragbahren geladen, die Waffen im Vorhof zu Haufen geworfen. Kaum zwei Stunden später verließen die ersten Grüppchen das Schloss durch das Äußere Tor.

Georg von Leuchtenberg stakte, nachdem er seine Rede vor der Burgbesatzung zu Ende gebracht hatte, eilig in die Markgrafengemächer zurück. Ehrenmann hin oder her – er hatte nicht die Absicht, sich freiwillig in die Hände des Plaueners zu begeben. Wie mit Albrecht verabredet, wollte er sich bis nach Frankreich durchschlagen, um am Hof des französischen Königs wieder mit dem Markgrafen zusammenzutreffen. Er hoffte und bangte, dass Albrecht inzwischen weit genug gekommen war und dass ihm unerkannt die Flucht nach Westen glückte. Sorgfältig verschnürte der Hauptmann ein Bündel, in dem ein paar Brote, ein Stück Speck, zwei dicke Kerzen, Zündzeug und eine Feldflasche mit Wasser waren, und befestigte daran Lederschlaufen, damit er es auf dem Rücken tragen konnte. In die Innentasche seines Mantels steckte er ein Säckchen mit Silbergulden. Es sollte ihn in die Lage versetzen, bei einem der nächstgelegenen Gehöfte ein Pferd und Vorräte zu kaufen. Nachdem er den Rucksack geschultert hatte, nahm er eine seiner Krücken in die linke Hand und den bereits brennenden Röhrenleuchter in die rechte. Dann zwängte er sich durch die Öffnung in der Paneelwand.

Drinnen im Gang roch es modrig. Leuchtenberg stellte den Leuchter ab, lehnte den Stock an die Wand und versuchte, von innen die Holztür zu schließen. Aber das Scharnier klemmte offenbar noch immer. Der Hauptmann mühte sich einige Minuten vergeblich und gab dann auf. Langsam und vorsichtig stieg er Stufe um Stufe hinab. Der Stein war feucht und glitschig, und er musste sein Holzbein jedes Mal ganz behutsam aufsetzen, um nicht wegzurutschen. Er stützte sich gleichzeitig mit der Krücke ab, was ihm half, einigermaßen die Balance zu halten. Trotzdem wäre er nach den ersten paar Metern beinahe gestürzt; es gelang ihm gerade noch zu vermeiden, dass der Röhrenleuchter hinfiel und zerbrach. Schwer atmend blieb er stehen und rückte seinen Rucksack wieder zurecht. Dann machte er sich noch langsamer und konzentrierter als zuvor an den Abstieg.

Es kam ihm wie eine Ewigkeit vor, bis er die Stelle erreicht hatte, wo der heimliche Gang sich gabelte. Der Tunnel, so hatte es Albrecht erklärt, führte nach Kulmbach und hatte einen gemauerten Nebenraum, in dem sich etliche Männer eine Zeit lang aufhalten konnten. Hier hatten die Begleiter des Markgrafen die letzte Nacht verbracht und auf die Rückkehr ihres Herrn gewartet. Die rechte Abzweigung führte weiter vor die Stadt hinaus und endete irgendwo am Main an einer geschützten Stelle. Dort, so wusste der Hauptmann, lag ein Boot, das ihn auf die andere Flussseite bringen würde.

Georg von Leuchtenberg entschloss sich, den kürzeren Weg nach Kulmbach zu nehmen. Er rechnete damit, dass spätestens am Mittag, wenn die Burg zur Plünderung freigegeben war, die kleine Söldnertruppe, die vor der Stadt lagerte, zum Schloss hinaufstürmen würde. Schließlich war das Recht auf Plünderung im Vertrag eines jeden Landsknechts fixiert und stellte einen Teil des regulären Kriegslohnes dar. Das würde sich keiner entgehen lassen. Und dann, so schloss der Hauptmann, würde es nicht allzu schwer sein, sich eines der überzähligen Pferde der Bundesständischen zu schnappen, die auf einer Koppel am Tränkmain gehalten wurden. Bis der Diebstahl bemerkt wurde, konnte er schon über alle Berge sein.

Leuchtenberg wandte sich also nach rechts. Er erreichte den schmalen Durchschlupf in den Nebenraum und spähte hinein. Drinnen lagen ein paar Decken und Essensreste herum. Der Hauptmann beschloss, sich hier eine Weile auszuruhen, bis die Mittagszeit heranrückte. Er stellte den Leuchter in die Mitte des Raumes, warf Krücke und Rucksack hin und sammelte die Decken auf. Als er die letzte hoch hob, fiel daraus eine große volle Feldflasche klappernd zu Boden. Das blecherne Gefäß war offensichtlich vergessen worden, als sich Albrechts Männer wieder davongemacht hatten. Leuchtenberg ließ sich auf den Decken nieder und streckte sein Holzbein von sich. Dann schraubte er den Verschluss des großen ovalen Behälters auf und roch am Inhalt. Wein! Der Hauptmann trank vorsichtig seinen ersten Schluck nach so vielen Wochen der Enthaltsamkeit. Es war zwar ein miserabler Tropfen, den jemand versucht hatte, durch Zugabe von Alant und Honig etwas genießbarer zu machen, aber Leuchtenberg rann er wie eine köstliche Mischung aus Nektar und Ambrosia durch die Kehle. Er lehnte sich mit dem Rücken gegen die Wand, trank und wartete.

Kurze Note des Kommandanten Heinrich von Plauen an die Einungsverwandten Nürnberg, Würzburg und Bamberg, 21. Juni 1554

Gottes Gruß zuvor, edle Herren vom Rath zu Nürnberg, Bischöf und Kollegien zu Würtzburg und Bamberg, so ist am heutigen Donnerstag vor Johann Baptiste die Capitulation der Markgräflichen zu Plassenberg geschehn, gelobt sei Gott. Als die tapfern und siegreichen Landsknechte das Schloss gestürmet, waren nur mehr wenig von der Besatzung dort. Wiewohl jeglichs Hauen und Stechen verboten war, kam es doch zu einigem Scharmützel, wobei noch etliche Markgräfliche den Todt fanden. Im Schloss selbst war kein Scheffel Korn mehr zu finden und auch sonst nichts an Vorräthen. Wir haben viel an Waffen, als da warn Hakenbüchsen, schwere und leichte Stückh, Spieße und mehr, erbeuthet, aber kaum noch Munition, wovon wir eine Aufstellung mitschicken. Auch ist uns alles an Urkunden, Brief-

fen und andern Schriftstückhen in die Hände gefallen, was die Markgrafen bishero im Plassenburger Gewelb aufgehoben, sowie ein gut Teil eines kostbarn Eingehörns. Wie es Euer ernstlich Befehl ist, insbesonders der Eure, Bischof Weigandt zu Bamberg, so werden meine Kriegsleut nach Beendigung des Plünderns alle Wehren schleifen und das Kleinod des Hauses Brandenburg zertrümmern, in Asche legen und die Bronnen vergiften.

In Eile und Freud siegreich gegeben zu Plassenberg, den Donnerstag vor Joh. Bapt. Anno 1554
Heinrich von Plauen etc., Kommandant der einungsverwandten Truppen

P.S. Item was den ehrlosen Gesellen Landgraf Georgen von Leuchtenberg, vormaligen Hauptmann auf dem Gebirg und Kommandanten der Plassenburg betrifft, so hat er sich nicht in unsre Hand begeben, sondern sich vor der Besetzung aus dem Schlosse davongemacht. Wir glauben, dass der feige Wicht wie ein einfacher Landsknecht die Burg verlassen und dann die Flucht ergriffen hat. Auch von der Schwester des Markgrafen, die der Alcibiades wie es heisset angeblich seit vielen Jahrn auf der Burg in Verschluss gehalten, haben wir keine Spur finden können.

Plassenburg, 21. Juni 1554

Gegen elf Uhr war die Evakuierung der Burg in vollem Gange. Nur noch drei- bis vierhundert Menschen hielten sich in Zwinger und Vorhof auf, und das Hochschloss war so gut wie menschenleer. Im Frauenzimmer saßen die Markgräfin und ihre beiden Zofen vor den Fenstern und beobachteten, was draußen vor sich ging. Alles befand sich in Auflösung. Barbara hatte den kleinen Jakob im Arm, der mit ihrem Daumen spielte.

»Denkt nur, Herrin, wenn es Mittag schlägt, seid Ihr frei!« Kätha versuchte, die Markgräfin aufzuheitern, die seit dem Moment, als ihr das Kind genommen worden war, nichts gegessen und kaum ein Wort gesprochen hatte.

»Und wir auch«, fügte Susanna an.

Auf Barbaras Gesicht zeigte sich der Anflug eines resignierten Lächelns. »Sie kommen einen Tag zu spät, die Bundesständischen.«

Kätha stand auf. »Nicht für Jakob«, sagte sie und strich sanft über das Köpfchen des Säuglings. »Er wird leben.«

»Nur wenn Albrecht nichts von ihm erfährt.« Lorenzo Neri war unbemerkt hereingekommen – draußen vor der Kemenate stand kein Wächter mehr. »Wir müssen sehr vorsichtig sein, alle. Keiner darf wissen, wer das Kind ist.«

Der Maler hatte nichts davon hören wollen, die Burg zusammen mit all den anderen zu verlassen. »Angelina«, hatte er gesagt und sich in die Brust geworfen, »ich gehe nicht ohne dich. Wenn du bei der Marchesa bleiben willst, dann passe ich eben auf euch alle auf, basta. Ihr braucht doch einen starken Mann, der euch beschützt, eh?«

Der zweite Beschützer, der sich eingestellt hatte, war Käthas Bruder Hansi. Er hockte neben der Ziege im schmutzigen Stroh und kraulte das Tier hinter den Ohren. Gemeinsam wollten sie alle warten, bis die Bundesständischen ins Hochschloss kamen, und sich dann dem gegnerischen Kommandanten in die Hand geben.

Plötzlich brach im Vorhof ein Tumult aus. Die ersten siegreichen Landsknechte waren vorzeitig ins Schloss eingedrungen, und sie hatten ihren Triumph vorher ausgiebig mit viel Wein und Bier gefeiert. Einer von ihnen hatte ein junges Soldatenweib angepöbelt und begrapscht, und Männer aus der Burgbesatzung, die dabei standen, waren ihr zu Hilfe gekommen. Ein Handgemenge hatte sich entwickelt, in dessen Verlauf der innere Torwart sein Messer gezogen und es dem erstbesten Bundesständischen in den Bauch gerammt hatte. Dann brach die Hölle los. Die bereits unbewaffneten markgräflichen Landsknechte wurden von den angetrunkenen Söldnern gnadenlos niedergemetzelt, Frauen und Kinder erlitten das gleiche Schicksal. Es war der entsetzliche Schlusspunkt einer langen und blutigen Belagerung.

Lorenzo Neri war schnell klar, dass die Lage außer Kontrolle geraten war. Er überlegte fieberhaft und kam zu dem Schluss, dass er allein den Frauen nicht helfen konnte, wenn der mordende Mob das Hochschloss erreichte.

»Hansi, renn zum Hauptmann und frag ihn, was wir machen sollen. Er muss einen Weg finden, die Frauen zu schützen. Subito!« Er schubste den Jungen zur Tür hinaus.

Zwei Minuten später stürmte Georg Thiel herein, gekleidet in eine schwarze Soutane und bewaffnet mit der Heiligen Schrift und einer hölzernen Christusfigur am Kreuz. »Ich habe mir gedacht, ein Geistlicher kann diese Barbaren vielleicht vom Schlimmsten abhalten«, schnaufte er und ließ sich atemlos auf einen Stuhl plumpsen.

Susanna sah sich suchend im Zimmer um. Schließlich griff sie sich eine kleine Schere und ließ sie in ihrem Ausschnitt verschwinden. Dann schnallte sie den Gürtel mit ihrem Tafelmesser um, das sie zu den Mahlzeiten benutzte. »Nehmt eure Essmesser an euch«, wandte sie sich an die anderen beiden Frauen. »Vielleicht müssen wir sie gebrauchen. Mich kriegen die jedenfalls nicht so einfach.« Gemeinsam mit Lorenzo begann sie, die beiden Wäschetruhen und den großen Tisch neben die Tür zu schieben, um notfalls schnell den Zutritt zur Kemenate verbarrikadieren zu können. Thiel half zwar nicht mit, tat aber das Seine, indem er anfing, auf Lateinisch zu beten.

Zehn Minuten später flitzte mit hochrotem Kopf Hansi in die Kemenate.

»Der Hauptmann ist weg.«

»Maledizione!« Der Italiener fluchte. »Pezzo di merda, haut einfach ab, mi fa schifo!« Er lief mit großen Schritten im Zimmer auf und ab.

»Aber ich weiß, wo er hin ist!« Hans baute sich mit schlauem Grinsen vor ihm auf.

Lorenzo packte den Jungen an den Schultern. »Dimmi, dov'è andato? Wo ist er hin?«

»In seinem Zimmer gibt es in der Holzwand eine geheime Tür, von der niemand gewusst hat. Er hat sie in der Eile offen stehen lassen, der Idiot. Ich hab mich ein Stück hineingetastet: Es muss ein Gang sein, der aus dem Schloss herausführt, ganz bestimmt. Den hat er genommen.«

»Bravo, Giovanotto.« Lorenzos dunkle Augen blitzten. »Kommen die Frauen da durch?«

Hansi nickte.

Susanna und Kätha trugen in bebender Eile Leuchter und Kerzen zusammen und packten einige Bündel mit Wäsche und Kleidern, während Barbara das Baby fest in ein Tragetuch wickelte und sich um den Oberkörper schlang. Vom Schlosshof drangen erste Schreie herauf. Während drunten die Ersten vom Schlossgesinde aus versteckten Winkeln gezogen und niedergemacht wurden, machte sich das Grüppchen hastig auf den Weg zu den Markgrafenzimmern. Lorenzo ging voraus, in der Mitte die Frauen und Hansi, und den Abschluss bildete Georg Thiel, der die protestierende Ziege an einem Seil hinter sich herzog.

»Diavolo! Tatsächlich, das ist ein Fluchtweg«, stellte Lorenzo fest, nachdem er einen Leuchter angezündet und die ersten paar Meter des Ganges untersucht hatte. »Kommt.«

Der Kaplan drückte Hansi die Leine in die Hand. »Beeilt Euch, und viel Glück.«

»Kommt Ihr nicht mit, Vater Thiel?« Barbara fasste den Geistlichen am Arm. Der schüttelte den Kopf.

»Mein Platz ist da, wo der liebe Gott mich hingestellt hat. Ich lasse meine Kapelle nicht im Stich.«

Die Markgräfin sah, dass er entschlossen war. Sie ergriff seine Hand und küsste sie. »Gott vergelte Euch alles, was Ihr für uns getan habt. Lebt wohl, Vater.«

Dann ließ sie sich von Kätha in den dunklen Gang ziehen.

Thiel half Lorenzo dabei, die klemmende Schlupftür zu schließen: Sie schoben und zogen mit vereinten Kräften, bis das Paneel knackend ins Schloss fiel. Dann machte sich der Pfarrer auf den Weg zu seiner Kapelle. Vor der Frauenkemenate traf er auf zwei Bankriesen, die ihm mit gezogenen Dolchen entgegenliefen. Einer von ihnen fasste ihn unsanft an.

»Hast du die Markgräfin gesehen, Pfaff?«

Der Kaplan schüttelte geistesgegenwärtig den Kopf. »Nein, ich suche sie selber schon seit einer Stunde. Vielleicht hat sie das Schloss bereits verlassen.«

Der Mann ließ los, und Thiel ging weiter. Er hörte noch, wie einer der gedungenen Mörder sagte: »Komm schon, Wilfried, lass uns verschwinden. Die ist längst weg. Was soll's, wir haben unser Geld. Der Markgraf soll uns den Buckel runterrutschen.«

In der Kapelle angekommen, sprach Georg Thiel ein Dankgebet. Dann wartete er darauf, dass die Besatzer kamen.

Georg von Leuchtenberg schrak hoch. War da ein Geräusch? Er lauschte, bis er es wieder hörte. Sie kommen, dachte er. Sie haben die offene Tür entdeckt, und jetzt suchen sie nach mir. Er legte die leere Feldflasche weg und blies die Flamme des Röhrenleuchters aus. Dann rappelte er sich auf. Ihm war schwummrig; der Wein war ihm nach so langer Zeit ohne Alkohol schnell zu Kopf gestiegen. Er presste sich an die Wand neben dem Eingangsdurchschlupf und zog seinen Dolch. Jetzt hörte er es ganz deutlich: Stimmen kamen näher – aber es waren Frauenstimmen dabei. Er glaubte das Meckern einer Ziege zu hören und fragte sich, ob ihm der Wein schon Sinnestäuschungen verursachte. Dann erkannte er aufatmend den vertrauten Tonfall der Markgräfin und auch den des italienischen Malers. Er zündete das Licht wieder an und ließ die anderen kommen.

Lorenzo Neri, der als Erster ging, steckte den Kopf durch die Türöffnung.

»Guarda chi c'è! Gott zum Gruß, Commandante. Gut, dass Ihr vorausgegangen seid, um den Fluchtweg der Marchesa zu erkunden.« Er spuckte verächtlich auf den Boden und wandte sich dann nach hinten. »Kommt her. Es ist der Hauptmann.«

Das kleine Grüppchen betrat den Raum. Barbara, die immer noch den schlafenden Säugling unter ihrem Mantel trug, drehte sich so, dass Leuchtenberg das Kind nicht sehen konnte. Sie hatte Georg seit dem Tod Jakob Tiefenthalers nur selten getroffen. Für sie war die Freundschaft zu Ende gewesen, seit sie wusste, dass es der Hauptmann war, der Albrecht von dem Mortbeten erzählt hatte, und für ihn galt das Gleiche, weil er ihren Verrat an ihrem Bruder zutiefst verurteilte. Das letzte Mal war er kurz nach der Geburt bei ihr gewesen. Sie hatten ihm eines der Kinder gezeigt, während das andere im Nebenzimmer unter einer Schicht Laken verborgen lag. Der Landgraf hatte das Neugeborene prüfend gemustert, sich nach dem Geschlecht erkundigt und war dann wortlos wieder gegangen.

Jetzt war es Leuchtenberg sichtlich unangenehm, dass sie ihn auf der Flucht überrascht hatten. Während er mit Lorenzo und Hansi sprach, band sie vorsichtig den kleinen Jakob los und gab ihn Susanna zu halten. Dann trat sie zu Georg und sah ihn mit ihren klaren grauen Augen an.

»Georg, die Tage unserer Freundschaft sind vorbei, das weiß ich wohl. Aber jetzt bitt ich dich um der alten Zeiten willen: Sag mir, was Albrecht mit meinem Kind gemacht hat.«

Der Landgraf konnte ihr nicht in die Augen schauen. »Ich weiß es nicht, Bärbel. Er ... vielleicht hat er deinen Sohn mitgenommen?«

Sie glaubte ihm kein Wort und legte drängend die Hand auf seinen Arm. »Georg, ich muss es wissen.«

Er holte tief Luft und rang nach Worten. »Mein Gott, ich sag doch, ich weiß es nicht. Du musst deinen Bruder schon selber fragen.«

In diesem Augenblick rührte sich das Kind. Des Hauptmanns Kopf fuhr herum, und sein Blick fiel auf Susanna, die sich mit dem Rücken zu ihm gestellt hatte. Jetzt, wo der Kleine schrie, drehte sie sich langsam zu den anderen um. Georg sah das kleine Gesichtchen mit dem Muttermal und dem schwarzen Haarflaum und wurde leichenblass. Seine Augen weiteten sich vor Entsetzen, und er wich bis zur Wand zurück. Dann begann er, auf leise und unheimliche Weise zu lachen, ungläubig und voller Angst, bis seine Stimme kippte.

»Das kann nicht sein!« Die Worte drangen schrill und heiser aus seiner zusammengeschnürten Kehle. »Heiliger Gott, ich bin wahnsinnig. Ich sehe Geister!«

Alle standen verblüfft über seine Reaktion stumm da, nur Susanna erfasste die Situation. Sie hielt das Baby hoch und ging mit vor Wut verengten Augen auf den Hauptmann zu. Der streckte ihr abwehrend beide Hände mit gespreizten Fingern entgegen.

»Bleib weg von mir, weg, weg!« Er schob sich an der Mauer entlang, um dem Säugling auszuweichen, und versteckte sich hinter Lorenzo. Der riss sich los und trat zur Seite, während sich der Hauptmann Hilfe suchend vom einen zum andern umsah.

»So helft mir doch!« Sein Blick wurde irre. »Es kommt und holt mich, Jesus Maria und Josef! Du bist tot, du bist tot!« Er faltete die

Hände, und fing an zu schluchzen. »Herrgott, straf mich nicht so! Ich hab's nicht aus böser Absicht getan. Bitte …«

Lorenzo stellte sich breitbeinig neben Susanna und das Kind. Seine dunklen Augen funkelten vor Hass und Abscheu. »Was habt Ihr nicht aus böser Absicht getan, Commandante?« Er sprach leise und deutlich, und im Raum wurde es still. Sogar das Baby hörte auf zu schreien und lutschte am Daumen.

Leuchtenberg machte eine hilflose Geste und lächelte blöde.

»Ich musste es doch tun. Er hat es so gewollt, nicht ich. Was hätt ich denn machen sollen? Es war doch sowieso so gut wie tot, oder nicht?«

Barbara durchflutete unbändiger Hass, ein Hass, wie sie ihn noch nie gespürt hatte. Sie hatte das Gefühl, über dem Boden zu schweben, als sie auf den Hauptmann zuging. Alles um sie herum schien auf qualvolle Art und Weise stillzustehen, erstarrt zu sein. Wie in Zeitlupe setzte sie Fuß vor Fuß, bis sie dem Mörder ihres Kindes gegenüberstand. Die beiden tauschten einen unendlich langen Blick.

»Wie hast du ihn umgebracht?« Sie brachte nur ein Flüstern zustande.

Auch er flüsterte. »Die … die Weiße Frau, erinnerst du dich? Sie hat … mit einer Nadel, ich … ich konnte es nicht anders. Bärbel, es hat so furchtbar geschrien …«

Sie war nicht mehr fähig zu denken. Wann sie das Messer gezogen, wie oft sie zugestochen hatte, hinterher hätte sie es nicht mehr sagen können. Sie erwachte erst aus diesem blutigen, wilden Traum, als sein zuckender Körper vor ihr am Boden lag. Blutigrot drang es ihm aus Mund und Nase, sickerte an vielen Stellen durch sein Hemd. Sie starrte ihn atemlos an, während Krämpfe ihn schüttelten, bis jegliches Leben mit dem Blut aus ihm geströmt war.

Sie rieb das Messer, dem nun die Spitze fehlte, jenes Messer, das auch Jakob Tiefenthalers Leben beendet hatte, sorgfältig an ihrem Mantel ab und steckte es zurück in die Scheide. Dann sank sie auf die Knie und weinte, weinte um Georg, um sich selbst, um Jakob, um das Kind. Die Tränen flossen, als ob sich endlich eine Schleuse aufgetan hätte, krampflos und entspannt, wie ein Strom der Erleichterung.

Jetzt, erst jetzt war sie zum Frieden bereit.

Noch vor Einbruch der Dunkelheit verließen die sechs Flüchtlinge den Geheimgang und machten sich zu Fuß auf den Weg nach Süden. Die Landschaft war menschenleer, und sie kamen an Bauernhöfen und Häusern vorbei, in denen keine Menschenseele mehr lebte. Sie hatten beschlossen, sich zunächst bis zum Kloster Himmelkron durchzuschlagen, wo man ihnen sicherlich Schutz bieten würde. Dann würden sie entscheiden, wie alles weitergehen sollte.

In der Ferne hinter ihnen rötete sich der Himmel über der Plassenburg. Hansi sah es als Erster, hielt das Grüppchen an und zeigte mit ausgestrecktem Arm in die Richtung, aus der sie kamen. »Schaut!«

Lorenzo und Kätha standen Hand in Hand, neben ihnen die Markgräfin mit dem schlafenden Kind auf dem Arm. Susanna kniete sich neben die Ziege, die am frischen Gras knabberte. Wortlos sahen sie zu, wie die Burg brannte und der Feuerschein den Abendhimmel blutigrot färbte. Das Alte ging unter, und ein neues Leben konnte beginnen.

Brief der Markgräfin Barbara von Brandenburg an Georg Thiel, Venedig, 9. Oktober 1554

Barbara etc. an den Kaplan und Pfarrer Georgen Thieln zu Plassenberg, Culmbach oder wo ihn der Bote finden möge

Gott grüß Euch lieber getreuer Freund ich verhoff, dass der Bote Euch bei guther Gesundheit findet. Item ich will Euch nicht verhehlen, wohin uns nach dem furchtbarn Tag, da das Schloss Plassenberg erstürmt worden, das Schicksal geführt und was sich zugetragen. Gott mög's mir vergeben, wenn er kann, aber ich hab den Mörder meines Sohnes noch am Tag der Flucht durch den heimlichen Gang daselbsten seiner gerechten Strafe zugeführt. Der Vater im Himmel sei ihm und mir gnedig, denn ich kann nicht bereuen was ich gethan. Item unser Weg führte uns zuerst nach Himmelkron zu den Zisterzienserschwestern, die uns mit Freuden aufnahmen. Allda im

Kloster sind wir drei Tage geblieben, zum einen, weil ich von An-
strengung und Aufregung geschwächt einige Zeit ruhen hab müssen,
zum andern, weil wir nicht wussten, wohin. Das Kind und ich konn-
ten nicht in markgräflichen Landen bleiben, denn wenn mein Bru-
der je erfahren sollt, dass ich und ein zweites Kind davongekommen,
so wäre unser Leben keinen Pfifferling mehr wert gewesen. Ich wollt
zunächst zu meiner Verwandtschaft in den Norden, hab aber, wie-
wohl die Sach vernünftig gewesen wär, an dem Gedanken keine
Freud gehabt. Item da haben mich meine treue Kätha und ihr wel-
scher Maler gefragt, ob ich etwan mit ihnen und dem Buben nach
Süden ziehen wollt, dahin wo die Sonne scheint und kein Winter die
Menschen mit Eis und Schnee drückt. Nach langem Nachsinnen hab
ich mich dartzu entschlossen. Denn auch zu Küstrin oder Branden-
burg wär ich niemals frei und ledig gewesen. Item aber im welschen
Land, wo mich keiner anders kennt denn als Witwe mit Kindlein,
würd es niemand geben, der über uns bestimmt oder über uns ur-
teilt. Was ich als junges Weib geträumt, könnt ich dort haben: Kein
Mann, kein Vater oder Bruder würd mir mein Leben vorschreiben.
Das war mir selbst bittere Armut wert.

Als wir weitergezogen, hat meine liebe Susanna nicht mit uns in
die Fremde gehen wollen. Sie ist allda im Kloster geblieben und wir
haben sie unter vielen Tränen zurückgelassen. Sie hat sich als An-
denken an mich und das Kindlein einiges Klöppelzeug ausbedungen,
was ich ihr gern, aber traurig gewährt hab.

Wir sind wegen mir und des kleinen Jakob langsam gereist, und
mit jedem Tag, den wir uns von der Plassenburg entfernten, wurd
mein Hertz leichter. Gelebt haben wir von den Silbergulden, die ich
von dem Deputat, das mir mein seliger Bruder Georg nachgelassen
hat, erspart und mitgenommen hab, und von dem, was der gute Lo-
renzo zu Plassenberg hat verdienet. So haben wir zu Nürnberg ein
Pferd mit Wagen erkauffet, das uns treulich bis hin zum grossen Ge-
birg und hinüber gebracht hat. Welch Majestät der Landschafft!
Solch hohe Berge kannt ich nie, und sie machten mir und Kätha doch
rechte Angst, besonders als wir über den Pass Brenner reisten und
Regen und Gewitter über uns hereingebrochen wie die Schrecken
der Finsternis. Doch dann kamen wir endlich ins Welsche, und, ich
kann Euch wohl sagen, lieber Vater, dass ich nie ein schöners Land

gesehen. Die Luft ist tags warm und nachts mild, dabei ist's doch schon Herbst. Alles wächst und blühet noch, und die Menschen sind freundlich, wiewohl ich sie nicht versteh und nur einige welsche Worte herausbring.

Als ich zum ersten Mal von einem Hügel aus das grosse weite Meer gesehen, musst ich lang weinen, aber nicht aus Trübnis, sondern weil ich ein Glück gespürt wie lang nicht mehr.

Nunmehr sind wir in der Stadt Venezia, die wirklich mitten ins Wasser gebaut ist, so dass es jetzt auch der Hansi glaubt. Bis wir wissen, wovon wir leben, haben uns alte Freunde des Malers aufgenommen, ich verkauf Geklöppeltes, und so Gott will wird alles gut gehen. Der kleine Jakob ist gesundt und munther; ich geh jeden Tag mit ihm ans Meer, damit er es lieben lernt, wie ich es jetzt schon lieb. Wenn er alt genug ist, will ich ihm von seinem Vater erzählen.

Bester Vater Thiel, item dieser Brief ist der einzige, den ich schreiben werd. Solang mein Bruder Albrecht lebt, darf er nicht von uns erfahren. Ich bitt Euch, verbrennt dies Schreiben, wenn Ihr es gelesen. Ich dank Euch für das, was Ihr uns gethan habt und wünsch Euch Gottes Segen auf all Eurem Thun. Lebt Wohl.

Geschrieben mit unser eigen Hand zu Venezia, am Tag Dionysii anno 1554
Barbara ehemals Markgrefin zu Brandenburg

SCHLUSS

Kulmbach, 6. Januar 2003

Pfarrer Kellermann wohnte in einem bescheidenen kleinen Häuschen im Spiegel, dem Kulmbacher Stadtteil, der sich bis weit in die Wolfskehle hineinzog, eine tief eingekerbte, enge Schlucht zwischen dem Plassenberg und dem Rehberg. Wie der Name schon sagt, diente dieser unwegsame und unwirtliche Einschnitt bis weit ins achtzehnte Jahrhundert hinein den Wölfen und anderen heimischen Tieren als natürliches Rückzugsgebiet. Heute war allerdings nichts mehr davon zu spüren, und keinem Kulmbacher lief mehr ein eisiger Schauer über den Rücken, wenn er mit dem Auto die schmale Straße durch die Schlucht nahm oder vom Spiegel aus ein paar Meter in den Wald hineinspazierte. Nur Gregor Haubold dachte jedes Mal an die Wölfe, wenn er über den Spiegel Richtung Wolfskehle fuhr; er sah die hungrigen Rudel förmlich vor sich, wie sie in eisiger Nacht einen einsamen Händler oder Boten auf dem Weg nach Trebgast belauerten, sich Nachrichten zuheulten und schließlich die Todeshatz begannen. Zugegeben, an diesem wunderbar warmen Dreikönigstag erinnerte nichts an die grausigen Winter in alter Zeit, in denen die Menschen im Obermainland noch Angst vor den Naturgewalten und den wilden Tieren haben mussten. Ganz im Gegenteil, es war ein herrlicher Tag, fast aller Schnee war geschmolzen, und man konnte beinahe meinen, es sei schon Frühling.

Kellermann lag halb aufrecht auf einer altmodischen Chaiselongue, umgeben von einem Wust von Kissen. Er laborierte seit einer Woche an einer schweren Bronchitis, und heute war der erste Tag, an dem er das Bett verlassen hatte.

»Nur herein, herein. Schön, dass Sie mich besuchen, mein Lieber, ich komme um vor Langeweile.«

»Kann ich verstehen«, nickte Haubold, »das ginge mir nicht anders. Ist der Husten inzwischen besser?«

»Wird schon wieder. Ich trinke dreimal am Tag einen Absud vom schwarzen Winterrettich. Altes Hausrezept, das hilft ganz gut.«

Der Kastellan stellte die große braune Aktentasche, die er dabei hatte, auf das Sofatischchen und packte aus. Zum Vorschein kamen vier fein säuberlich verschnürte Pappschoner, zwei speckig glänzende Folianten, ein kleines ledergebundenes Heftchen und diverse Umschläge. Kellermann bekam ganz glänzende Augen.

»Ich habe auch was mitgebracht«, meinte Haubold, »sehen Sie, das hier ist alles, was ich im Dekanatsarchiv zu den Jahren 1540 bis 1580 finden konnte. Die Tauf- und Sterberegister hab ich weggelassen, weil wir die ja ganz am Anfang schon durchgesehen haben.«

»Prima, prima.« Kellermann setzte sich auf und klatschte in die Hände. »Na, dann wollen wir mal. Irgendein Hinweis auf diese Markgräfin Barbara oder den Hauptmann muss sich doch finden lassen. Schließlich war der Kulmbacher Superintendent Thiel während der Belagerung auf der Burg.«

Die beiden Forscher machten sich über die Archivalien her. Die Sonne schien durch die Vorhänge des Wohnzimmerfensters und warf schräge Strahlen, in denen Staubkörnchen tanzten, auf das Sofatischchen. Als Haubold den ersten dicken Band aufschlug, wirbelte eine ganze Wolke winzigster Teilchen vor seiner Nase auf. Er blätterte und nieste. Es handelte sich um eine Predigtsammlung Georg Thiels aus den Jahren 1559 bis 1567, in der sich keinerlei Hinweise auf Barbara, den Hauptmann oder das tote Kind fanden. Das Gleiche galt für den zweiten Folianten, in dem Betrachtungen zur Liturgie, zu Geburt und Taufe und zu diversen religiösen Fragestellungen standen.

»Nix!« Haubold schwitzte. »Wie sieht's bei Ihnen aus?«

Kellermann hatte den Inhalt eines der Umschläge vor sich auf dem Bauch liegen. »Auch nichts bisher. Das ist ein ganzer Haufen alter Rechnungen und ähnlicher Papiere. Reparaturen an Kirche und Pfarrhaus, Bestallung eines Einheizers, eine Beschwerde über das Holzdeputat. In den anderen Umschlägen waren Briefe an Thiel von anderen Theologen, Instruktionen des Markgrafen Georg

Friedrich an ihn und so weiter. Ich hab alles überflogen, da drin steht nichts, was uns nützen könnte. Tja.«

Haubold kippte das Fenster und zog seinen gestrickten Pullunder aus. Dann suchten die beiden weiter. Einer der Pappschoner enthielt ein Inventar des neu erbauten Kulmbacher Pfarrhauses in doppelter Ausführung, der andere ziemlich unleserliches Gekritzel, aus dem nur hervorging, dass es einen Streitfall zwischen zwei maßgeblichen Kulmbacher Gemeindegliedern wegen eines gestohlenen Bierfasses gab, in dem sich beide Parteien an den Pfarrer gewandt hatten.

Irgendwann fing Kellermann an, auf seinem Sofa friedlich zu schnarchen, während Haubold unbeirrt weiter in den alten Akten schmökerte. Schließlich griff er sich das kleine schwarze Heftchen und fing an zu blättern. Fünf Minuten später rüttelte er aufgeregt an Kellermanns Schulter. Der schnappte einmal kurz und fuhr erschrocken hustend hoch.

»Ich hab was gefunden«, verkündete Haubold und legte dem Pfarrer das aufgeschlagene Heftchen auf den Bauch. »Halten Sie sich fest! Ich glaube, wir haben den Vater des Kindes: Der Thiel war's selber. Lesen Sie nur.«

Kellermann schnappte sich das Büchlein und las laut.

»Montag Barbare nach dem ersten Advent anno 1552
O Herr mein gnädiger Gott hilf, ein Wunderliches und Seltzams geschieht mit mir. Item ich habe zum ersten Mal in meinem Leben ein Weib angesehen. Ein frommer, treuer Priester bin ich gewesen Jahr und Tag ... rein zu bleiben von fleischlicher Sünde ... nie viel Begierde und Anfechtung gespürt ... Die Weiber schaute ich nicht einmal an ... nun sehe ich die eine ... die ich doch nie erreichen kann ... lieber Herr Jesus, heile mich von meinen unkeuschen Gedanken!«

Er blätterte weiter, las und vertiefte sich. Schließlich nahm er seine Lesebrille ab und begann, die Gläser zu putzen.

»Tja, mein Lieber, damit, dass der Schreiber dieses Tagebuchs, denn das ist es ja wohl, der Kindsvater ist, haben Sie wohl Recht. Allerdings mit Ihrer weiteren Hypothese nicht. Das ist nicht die

Schrift von Georg Thiel. Hier, vergleichen Sie mal die Predigtkonzeptionen im dritten Umschlag.«

Haubold verglich und nickte. »Sie haben Recht, der Thiel schreibt ganz anders. Mist. Jetzt sind wir so nah dran. Wenn wir nur wüssten ...«

»Aber ich weiß es ja.« Kellermann grinste von einem Ohr zum anderen. »Auf diese Schrift bin ich nämlich im Dekanatsarchiv schon einmal gestoßen.« Er setzte sich auf, verschränkte die Finger und ließ seine Fingerknöchel knacken. »Mein lieber Haubold, dies hier ist das Tagebuch des Magisters Jacobus Tiefenthaler, der ab 1550 Zweiter Pfarrer in Kulmbach war und später als Kaplan auf die Burg versetzt wurde. Eva!«

Kellermanns Haushälterin steckte den Kopf durch die Tür.

»Im Keller müsste noch die Flasche Champagner stehen, die ich letzten Silvester geschenkt bekommen habe. Die bringen Sie uns mal, und Gläser!«

Nach einer Stunde war die Flasche leer, und die beiden Detektive beim »Du« angelangt. Es war schon fast Abendessenszeit, und Haubold rülpste lautlos, als er die Archivalien wieder in seine Aktentasche zurückpackte.

»Ach, Moment mal.« Kellermann fiel ihm in den Arm. »Das hier haben wir noch gar nicht angeschaut.«

»Ist ja auch aus den siebziger Jahren, da ist ja alles schon längst passiert gewesen.«

»Trotzdem.« Der Pfarrer blieb beharrlich. »Jetzt haben wir's schon mal da.« Er schlug den letzten Pappschoner auf. Zuoberst lag ein ähnliches Heftchen wie das Tiefenthaler'sche Tagebuch, nur viel zerfledderter. Einzelne Seiten fielen heraus, und als Kellermann es in die Hand nahm, ging der Umschlag kaputt. Ganz vorne waren die Initialen Georg Thiels aufgemalt, darunter standen die Jahreszahlen 1575–77. Haubold sah dem Pfarrer über die Schulter, als dieser anfing, vorsichtig Seite für Seite umzublättern. Diesmal handelte es sich eindeutig um die Schrift des Kulmbacher Superintendenten.

Aus dem Tagebuch des Kulmbacher Superintendenten Georg Thiel,
14. September 1576

Anno 1576, im Monat Septembris am Tage Exaltatio crucis
Fürwahr, die Zeitläufte Gottes gehen oft seltsame Wege. Heute hab
ich Schwester Benedicta von den Zisterzienserinnen zu Grabe getra-
gen, vormalige Barbara, Markgräfin von Brandenburg. Seit jenen
schrecklichen Zeitläuften von Krieg und Zerstörung hat sie im fer-
nen Süden Italia gelebt. Erst diesen Frühling ist sie in die Heimat
zurückgekehrt um allhier ihr Leben zu beschliessen. Item sie wollt
nicht zu Himmelkron begraben sein, wo sie zuletzt im Kloster ge-
weilt hat, sondern ihr lezter Wille war, ins Grab geleget zu werden
zu Jacobus Tiefenthalern seligen, ihrem früheren Buhlen und Pfar-
rer. Also ließ ich das Grab nochmals öffnen, in dem ich vor so viel
Jahren nach der Hinrichtung die gräulich zerschmetterten Glieder
des Unglücklichen bestattet, und hab ihre sterbliche Hülle darzu-
gethan. Gott sei ihrer beiden armen Seelen gnedig.

Haubold putzte sich geräuschvoll die Nase, richtete sich auf und
fischte das Handy aus seiner Jackentasche.

»Mein lieber Heinrich, ich glaube, jetzt ist der Zeitpunkt gekommen, die anderen anzurufen. Hast du noch mehr Champagner, oder
sollen die welchen mitbringen?«

Wer war das Kind in der Mauer? – Forscherteam enthüllt Identität der Plassenburger Kinderleiche

Auch Skelettfund im Geheimgang geklärt – Vater des Kindes war Plassenburger Kaplan

Kulmbach (fw). Das Rätsel des grausigen Fundes eines Babyskeletts, das in einer Kellermauer unter den Markgrafengemächern der Plassenburg eingemauert war, ist endlich gelöst.

Ein Team von Hobbyforschern, angeführt vom Plassenburger Kastellan Gregor Haubold, hat nun Gewissheit: Es handelt sich um das Kind der Markgräfin Barbara von Brandenburg-Ansbach, die ab 1543 von ihrem Bruder Albrecht Alkibiades im Hochschloss gefangen gehalten wurde. Sie hatte sich gegen die Familie aufgelehnt, indem sie einen nicht standesgemäßen fränkischen Niederadeligen heiraten wollte, und war deshalb in Ungnade gefallen. Auf der Burg verbrachte sie lange einsame Jahre.

»Der Vater des 1554 geborenen Kindes war ein junger Schlosskaplan namens Jakob Tiefenthaler«, erzählt Gregor Haubold. »Er wurde vermutlich wegen dieser Affäre hingerichtet und im alten Kirchhof der Petrikirche begraben.«

Der im Geheimgang aufgefundene Tote dürfte mit an Sicherheit grenzender Wahrscheinlichkeit der damalige Hauptmann auf dem Gebirg, Landgraf Georg von Leuchtenberg, gewesen sein. Dies zumindest ist das Ergebnis einer kürzlich erstellten Genanalyse. Letztere ergab eine weitgehende Übereinstimmung zwischen dem Erbmaterial des Skeletts und dem des letzten lebenden Grafen von Leuchtenberg, der in der Nähe von Amberg lebt.

»Den Hauptmann von Leuchtenberg dürfte die Markgräfin Barbara selber erstochen haben«, meint Wolfgang Kleinert, seines Zeichens Stadtarchivar und Mitglied des Forscherteams. Pfarrer Heinrich Kellermann, Lehrer Ulrich Götz, der Historiker Thomas Fleischmann sowie die Archivangestellte Angelika Hufnagel, ebenfalls zum Team gehörig, haben nämlich in einem Himmelkroner Nachlassregister die Hinterlassenschaft der Markgräfin entdeckt. »Darunter fand sich ein ziseliertes Tafelmesser mit abgebrochener Spitze. Und just diese Spitze lag unter dem Skelett des gebirgischen Hauptmanns im Geheimgang. Sie hat es über die ganzen Jahre aufbewahrt«, berichtet Kellermann.

Warum die Markgräfin Barbara den Hauptmann getötet haben könnte, wissen die fünf Forscher nicht. »Vielleicht war er schuld am Tod ihres Kindes?«, mutmaßt Gregor Haubold. »Dies bleibt noch zu klären. Jedenfalls ging sie nach der Einnahme der Plassenburg im Markgräflerkrieg 1554 nach Italien. Erst im Jahr 1576 kehrte sie hierher zurück, um im Kloster Himmelkron ihr Leben zu beschließen. Ihr letzter Wunsch war, bei ihrem Geliebten begraben zu werden.«

Insgesamt haben die sechs historischen Detektive über ein Jahr intensiver Forschungen hinter sich, um zu diesem sensationellen Ergebnis zu gelangen. Das Kinderskelett und die Gebeine des Landgrafen von Leuchtenberg sollen demnächst auf dem Kulmbacher Friedhof bestattet werden.

Das Grab der Markgräfin selbst und ihres Geliebten wurde bei der Auflassung des alten Kirchhofs schon vor Jahrhunderten zerstört.

Umfassender Bericht in der Wochenendausgabe

Nachwort

Die Plassenburg liegt noch heute imposant auf dem Bergrücken oberhalb der fränkischen Stadt Kulmbach. Sie wurde nach ihrer Zerstörung im Markgräflerkrieg von Albrecht Alkibiades' Nachfolger, dem Markgrafen Georg Friedrich von Brandenburg, wieder aufgebaut und ist, obwohl wenig bekannt, eine der größten und bedeutendsten Festungen Deutschlands. Über das Hofleben der zollerischen Landesherrn auf dieser Burg in Mittelalter und Frühneuzeit habe ich in den Jahren 1988–1990 meine Doktorarbeit im Fach Geschichte geschrieben.

Die Markgräfin Barbara von Brandenburg-Ansbach, Herzogin von Groß-Glogau und Crossen und Königin von Böhmen, ist keine erfundene Figur. Sie lebte im 15./16. Jahrhundert. Ich bin dieser faszinierenden Frauengestalt während meiner Recherchen in verschiedenen Urkunden zufällig begegnet, und sie hat mich seither nicht mehr losgelassen. In diesem Buch habe ich ihr Leben rekonstruiert bis zu dem Zeitpunkt, als ihre Verlobung mit dem Ritter von Heideck in die Brüche geht. Danach verschwindet die Markgräfin tatsächlich aus den Urkunden, wir wissen nicht, was weiter mit ihr geschah. Hier setzt meine eigene Phantasie ein. Allerdings habe ich mir die Freiheit genommen, Barbara von Brandenburgs Lebensdaten um ca. 50 Jahre in der Zeit zu versetzen, um den Markgräflerkrieg und die Zerstörung der Plassenburg mit thematisieren zu können. Markgraf Albrecht Alkibiades, im Buch ihr Bruder, war in Wirklichkeit ihr Großneffe. Viele Figuren des Buches sind wie er historisch, so zum Beispiel Georg Thiel, der die Belagerung und Zerstörung der Burg 1554 miterlebte, oder auch Georg von Leuchtenberg, der wirklich zeitweise Hauptmann auf der Plassenburg war. Andere Figuren, wie zum Beispiel Jakob Thiefenthaler, sind Produkte meiner Phantasie. Vieles in der Geschichte ist erfunden, doch mindestens genauso viele Details oder Motive wie zum Beispiel Briefe Barbaras oder der

Zwischenfall Albrechts mit der »Weißen Frau« sind direkt und zum Teil wörtlich den Quellen entnommen, die in den Staatsarchiven Bamberg und Nürnberg liegen.

Die echte Barbara von Brandenburg-Ansbach wurde im Jahr 1464 geboren. Sie heiratete als Achtjährige den viel älteren Herzog Heinrich von Groß-Glogau-Crossen, der jedoch schon zwei Jahre später starb. Kaum sechs Monate später wurde die zehnjährige Witwe wieder verheiratet, und zwar per procurationem, also mittels eines Stellvertreters, mit dem jungen König Wladislaus von Böhmen. Aus politischen Gründen wurde für diesen die Ehe uninteressant, und er verweigerte ihre Annahme. Von 1476 bis 1492, sechzehn Jahre lang, wurde gestritten und verhandelt, wobei Barbara selber wie eine Marionette hin und her geschoben wurde, ein rechtloser, sprachloser, hilfloser Mensch, dessen persönliches Schicksal angesichts der großen Politik zur Nebensache wurde. Schließlich tut sie etwas für damalige Verhältnisse Unglaubliches: Sie lehnt sich gegen die Familie auf und bittet heimlich den Papst um die Auflösung ihrer Ehe. Gleichzeitig verspricht sie sich, ebenfalls etwas Unsägliches und gleichzeitig doch Mutiges, einem aus der adeligen Dienerschaft ihrer Familie: dem unbedeutenden Ritter Konrad von Heideck. Die Reaktion der Familie ist klar: Barbara wird 1493 auf der Plassenburg unter harten Bedingungen eingesperrt. In der zum Gefängnis umgebauten Vogtswohnung lebt sie über zwei Jahre, bis der von Heideck aus Gründen, die im Dunkeln bleiben, die Verlobung löst. Fünf Jahre später erfolgt auch die päpstliche Dispens ihrer Ehe. Von Barbara hören wir ab da lange nichts mehr. Vermutlich blieb die inzwischen 36-Jährige auf der Plassenburg. Sie starb am 4. September 1515 im Alter von 51 Jahren.

Dem Markgrafen Albrecht Alkibiades, der auch in Wirklichkeit ein übler Charakter und politisch-militärischer Vabanquespieler war, gelang übrigens tatsächlich die Flucht nach Frankreich. Schon 1556 – also zwei Jahre nach dem Verlust seines Markgraftums – kehrte er ins Reich zurück. Er fand am Hof seiner Schwester Kunigunde von Baden-Durlach Aufnahme. Doch bereits am 8. Januar 1557 starb er im Alter von 34 Jahren an einer nicht mehr bestimmbaren Krankheit – eventuell hatte er ein Nervenleiden, das die moderne Medizin als Guillain-Barré-Syndrom bezeichnet und das im schlimmsten Fall durch Lähmung der Atemmuskulatur zum Tod führt. Trotz schwerster Lähmungserscheinungen war Albrecht Alkibiades bis zuletzt mit neuen Kriegsplänen zur Zurückeroberung seines Landes beschäftigt.